LES VOYAGI EXCENTRIQUES

Tome I
Les cinq sous de Lavarède

Paul d'Ivoi

Copyright pour le texte et la couverture © 2023 Culturea
Edition : Culturea (culurea.fr), 34 Hérault
Contact : infos@culturea.fr
Impression : BOD, Norderstedt (Allemagne)
ISBN : 9791041835270
Date de publication : juillet 2023
Mise en page et maquettage : https://reedsy.com/
Cet ouvrage a été composé avec la police Bauer Bodoni

I

Le testament du cousin Richard

– Alors, votre réponse ?

– Je vous l'ai déjà dite, monsieur Bouvreuil, jamais !

– Réfléchissez encore, monsieur Lavarède.

– C'est tout réfléchi. Jamais, jamais !

– Mais vous ne comprenez donc pas que vous êtes dans ma main ; que, si vous me poussez à bout, demain je ferai vendre vos meubles, et vous serez sans abri, sans asile.

– Vous pouvez même ajouter : sans argent...

– Tandis que, si vous consentez, c'est un beau mariage, la fortune, l'indépendance...

– Et vous croyez que je m'estimerais à mes propres yeux si je devenais le gendre de M. Bouvreuil, ancien agent d'affaires véreuses, ancien indicateur de la police...

– Un pauvre diable de journaliste, comme vous êtes, doit être très honoré de devenir le gendre d'un gros propriétaire, d'un riche financier... Sans compter que ma fille Pénélope vous aime, et que je lui donne deux cent mille francs de dot, plus de fort belles espérances...

– Mademoiselle votre fille est hors de cause, monsieur ; ce n'est pas le mariage qui me répugne, ni la demoiselle que je refuse, c'est le beau-père.

– Savez-vous que vous n'êtes pas poli, monsieur Lavarède ?

– Savez-vous que je m'en moque absolument, monsieur Bouvreuil ?

Le propriétaire avait en réserve un dernier argument. Lentement il étala un certain nombre de papiers timbrés, les uns blancs, les autres bleus, des originaux et des copies, dont il commença l'énumération :

– Ici, outre vos trois quittances de loyer en retard, voici diverses créances que j'ai rachetées afin d'avoir barre sur vous. Toutes vos dettes sont payées.

– Vous êtes vraiment bien aimable ! fit ironiquement le jeune homme.

– Oui, mais je suis votre unique créancier. Si vous épousez Pénélope, je vous remets le dossier. Si vous refusez, je vous poursuis à outrance.

– Poursuivez donc à votre aise.

– Il y en a pour vingt mille francs. Avec les frais que je vous ferai, la somme ne tardera pas à être doublée.

– Vous connaissez à merveille les choses de justice, à ce que je vois.

– Il faut absolument que vous preniez une décision à très bref délai, car je dois partir incessamment pour Panama : un syndicat d'actionnaires m'a chargé d'une enquête sur place.

– Ce syndicat a singulièrement placé sa confiance, voilà tout. Quant à ma décision, je crois vous l'avoir déjà fait connaître assez nettement pour n'avoir pas à y revenir. Donc brisons là, cher monsieur, nous n'avons plus rien à nous dire... Allez chez votre huissier, allez chez vos huissiers, vos avoués, chez vos avocats. Allez vous repaître de papier timbré, cette nourriture vous est favorable. À moi elle est indigeste. Bonjour !

M. Bouvreuil ramassa ses paperasses, mit son chapeau, sortit et fit battre la porte. Il n'était pas content.

Par les répliques échangées ci-dessus, on connaît suffisamment M. Bouvreuil, un de ces types d'enrichis sans scrupules, à qui l'argent ne suffit pas, et qui ambitionnent aussi l'estime du monde.

Mais Lavarède, notre héros, demande quelques lignes de biographie.

Armand Lavarède naquit à Paris, d'un père méridional et d'une mère bretonne. Il participait des deux races, empruntant à l'une son entrain primesautier, à l'autre son calme réfléchi. De plus, Parisien, il reçut ce don propre aux enfants de Lutèce, l'esprit débrouillard et gouailleur, aussi difficile à étonner qu'à effrayer.

Orphelin d'assez bonne heure, il fut élevé par son oncle Richard qui, s'il paya toutes les leçons et tous les maîtres nécessaires, ne s'occupa guère d'éduquer aussi le caractère de son neveu.

Il avait bien trop à faire, le pauvre homme, avec son propre fils, Jean Richard, cousin d'Armand Lavarède par conséquent. Celui-là avait le tempérament tout à fait contraire. Autant Armand était bien portant, joyeux et prodigue, autant Jean était maladif, triste et économe.

Jean était un peu plus âgé qu'Armand. En 1891, ils avaient le premier tout près de quarante ans, le second trente-cinq. Jean avait repris le négoce de son père, qui faisait la commission en grand, et s'y était vite enrichi. De santé chétive et de caractère aigre, il avait même fini par prendre en grippe Paris, la France, ses amis et ses parents, et il était allé s'établir en Angleterre, dans le Devonshire. Un hasard commercial, un chargement de coton d'Amérique resté impayé, lui avait valu là, en remboursement, une fort belle habitation à la campagne. Devenu misanthrope, il était heureux d'aller vivre en un pays où il ne connût personne et ne fût connu de quiconque.

Pendant ce temps, Lavarède, audacieux, entreprenant, mais ami du changement, avait considérablement « roulé sa bosse », comme dit en son langage imagé l'expression populaire.

Encore gamin en 1870, il s'engagea dans un corps franc, fit le coup de feu à l'armée de la Loire, sous les ordres du général Chanzy, et commença ainsi à apprendre le courage.

Puis il reprit le cours de ses études, essaya de la médecine et ne tarda pas à se dégoûter des misères humaines disséquées de trop près. Il se mit à travailler pour le génie maritime, navigua quelque peu, construisit de même. Et, lorsqu'il sut assez de mécanique pratique pour que cet inconnu ne l'intéressât plus, sa marotte changea.

Il revint à Paris, partit comme correspondant militaire lors de la guerre turco-russe, fit la campagne, vit Plewna, poussa une pointe en Asie, et, au retour, crut avoir trouvé son chemin de Damas. Ce fut un excellent reporter. Le sire de Vapartout le rencontra en Tunisie, en Égypte, en Serbie, en Russie, en Espagne, etc., dans tous les pays où la presse parisienne envoyait des représentants. Ayant l'intelligence vive, la décision prompte, la santé solide, et une éducation complète lui ayant laissé une teinte superficielle de toutes les connaissances modernes, Lavarède se fit journaliste.

Et c'est dans cette situation que nous le trouvons, au début de ce chapitre, en conférence assez amère avec M. Bouvreuil, son propriétaire.

Nous l'avons assez silhouetté pour que l'on comprenne aisément que, dépensant sans compter, n'ayant aucun souci du lendemain, et conservant au cœur un amour immodéré pour son indépendance, Lavarède n'était pas riche. Il gagnait cependant beaucoup d'argent, mais il ne l'entassait point et vivait largement, au jour le jour.

Cependant sa conversation avec M. Bouvreuil lui avait donné à réfléchir.

– Cet animal-là, pensait-il non sans raison, va mettre opposition sur mes appointements au journal. Il fera saisir et vendre mes meubles. C'est certain, et je vais être très ennuyé d'ici à vingt-quatre heures. Donc, soyons parfaitement tranquille aujourd'hui. Ce sera toujours une journée de gagnée.

Et, de fait, ce soir-là, il s'endormit avec la quiétude d'un juge au tribunal, et ne fut réveillé que le lendemain par sa respectable concierge, qui avait beaucoup d'amitié pour lui.

– Monsieur Armand, voici une lettre. C'est un clerc de notaire qui l'a apportée ; il ne savait pas au juste votre adresse et a dû vous courir après, hier soir, au journal, au restaurant, je ne sais où. Enfin, il est arrivé ici très tard et m'a bien recommandé de vous la remettre dès ce matin.

– Je vous remercie, ma bonne madame Dubois : mais êtes-vous bien sûre que ce soit un clerc de notaire ?

– Dame ! Il l'a dit.

– Hum ! J'ai bien peur que ce soit plutôt un clerc d'huissier… C'est Bouvreuil qui commence les hostilités.

Lavarède était doué d'une telle insouciance qu'il n'ouvrit pas tout de suite sa lettre. Il lut les journaux du matin, fit sa toilette, sortit pour déjeuner, et c'est seulement dans la rue qu'il se résolut à la décacheter.

C'était bien une lettre de notaire, une convocation.

Maître Panabert l'invitait simplement à passer d'*urgence*, en son étude, rue de Châteaudun, « pour affaire le concernant » : la formule banale qui ne dit pas grand-chose.

N'ayant rien de mieux à faire à cette heure-là, Armand se rendit chez le notaire, après son déjeuner. Le rendez-vous était pour deux heures.

Chemin faisant, il remarqua en passant une famille anglaise qui suivait le même trottoir que lui.

Il n'y avait pas à s'y méprendre, c'étaient bien des Anglais. L'homme, âgé d'une cinquantaine d'années, avait la raideur classique, les favoris bien connus, et le complet à carreaux, avec l'ulster de voyage auquel tout le monde reconnaît nos voisins en route. Une vieille dame, mère ou gouvernante, avec le vilain chapeau rond au voile vert et le long caoutchouc sans forme, accompagnait une jeune fille. Celle-là, par exemple, était fraîche et jolie, blanche et rose, comme le sont les Anglo-Saxonnes lorsqu'elles se mêlent de n'être ni sèches, ni revêches.

Machinalement, Lavarède l'avait regardée.

Cent pas plus loin, au carrefour de Châteaudun et du Faubourg-Montmartre, trois voitures se croisaient, venant de côtés différents. La petite Anglaise en évita bien deux, mais ne vit pas la troisième, et elle allait peut-être se faire écraser, lorsque Armand s'élança et, d'une poigne solide, arrêta net le cheval aux naseaux.

Le cocher jura, le cheval hennit, les passants crièrent, mais la jeune personne en fut quitte pour la peur.

Quoiqu'un peu pâle, elle resta fort calme. Et tendant la main à Armand, elle remercia d'un vigoureux *shake hand*, à l'anglaise.

– Ce n'est rien, mademoiselle, et cela n'en vaut vraiment pas la peine.

Le père et la gouvernante s'approchèrent aussi, et le bras de Lavarède fut fortement secoué trois fois de suite.

– Non vraiment, disait-il avec une modestie tout à fait sincère, il semble que je vous ai sauvé la vie... Cependant, vous auriez eu tout de même le temps de passer : nos chevaux de fiacre sont bien calmes, croyez-le.

– Vous ne m'en avez pas moins rendu service, n'est-ce pas, mon père ? N'est-ce pas, mistress Griff ?

– Certainement, opinèrent les deux interpellés.

– Et j'ai le droit de vous en être reconnaissante. C'est que je n'ai pas beaucoup l'habitude de marcher dans vos rues de Paris, et j'ai toujours un peu peur, surtout quand je cherche mon chemin.

– Puis-je vous renseigner ? demanda très poliment Lavarède.

C'est le père qui prit la parole et tira une lettre de son portefeuille :

– Nous allons chez un notaire.

– Tiens, moi aussi.

– Un notaire que nous ne connaissons pas.

– Parbleu, c'est comme moi.

– Qui demeure rue de Châteaudun.

– Le mien de même.

– Maître Panabert.

– C'est bien son nom.

– Hasard *curious*.

– Mais providentiel. Souffrez donc que je vous conduise.

Tous arrivent, remettent leur lettre de convocation, et sont introduits dans le cabinet du notaire, sauf la gouvernante, qui attend dans l'étude.

– C'est donc pour la même affaire, pensèrent Lavarède et l'Anglais.

La coïncidence était bizarre entre gens qui ne se connaissaient point et qui se trouvaient appelés ensemble chez un officier ministériel, dont ils ignoraient le nom la veille et le matin même.

Une salutation, une présentation, pas de préliminaires. Maître Panabert est un notaire qui n'a pas de temps à perdre. Il commence aussitôt :

– Monsieur Lavarède, monsieur Murlyton, miss Aurett, j'ai l'honneur et le regret de vous faire part du décès de l'un de mes meilleurs clients, propriétaire du château de Marsaunay, dans la Côte-d'Or, de deux maisons sises à Paris, rue Auber et boulevard Malesherbes, enfin, du domaine de Baslett-Castle, dans le Devonshire. J'ai nommé le regretté M. Jean Richard.

– Mon cousin ! s'écria Lavarède.

– Mon voisin ! répliqua l'Anglais.

Les deux hommes se regardèrent, absolument interloqués, sans méfiance encore, rien qu'avec une évidente stupéfaction.

Le notaire reprit, impassible :

– Conformément aux intentions du défunt, je vous ai convoqués ici pour entendre la lecture de son testament olographe, dûment enregistré et paraphé. Il lut rapidement les formules légales et articula un peu plus lentement :

– « En y comprenant les maisons et propriétés ci-dessus désignées, les valeurs en rentes, actions et obligations, ainsi que l'argent liquide déposé chez mon notaire, ma fortune s'élève à quatre millions environ. Comme je n'ai ni frère, ni femme, ni enfant, ni ascendant, ni descendant directs, mon unique héritier est mon cousin Armand Lavarède... »

– Vous dites ? interrompit Armand.

– Attendez, répliqua le notaire. Mais je ne l'institue mon légataire universel qu'à une condition expresse. Ce garçon ne connaît pas la valeur de l'argent ; il prodiguerait ma fortune, la jetterait à tous les vents, ainsi qu'il advint dans un voyage d'agrément que nous fîmes ensemble à Boulogne-sur-Mer ; cela lui coûta deux mille francs, tandis que, moi, je dépensai cent soixante-quatre francs et quatre-vingt-cinq centimes

« Donc Lavarède partira de Paris avec cinq sous dans sa poche, comme le Juif errant ; et, de même que ce célèbre Sémite, il fera le tour du monde sans avoir une autre somme à sa disposition. Il sera ainsi contraint d'être économe. Je lui donne un an, jour pour jour, pour exécuter cette clause.

« Nécessairement, il devra être surveillé, et je désigne pour l'accompagner un homme qui aura un intérêt personnel et considérable à remplir sa mission. C'est mon voisin de Baslett-Castle, sir Murlyton, que j'institue mon légataire universel, au lieu et place d'Armand Lavarède, si celui-ci n'accomplit pas rigoureusement la condition prescrite... »

– Comment ! Moi ?... fit l'Anglais. Mais je connaissais à peine cet original et nous étions constamment en procès.

– « Sir Murlyton, reprit imperturbablement maître Panabert, est un homme à cheval sur ses droits. Dès que l'ennui me prenait, j'avais un différend avec lui, soit à propos d'un mur mitoyen, soit pour la rivière qui sépare nos parcs, soit pour la récolte des arbres qui bordent nos propriétés. Cela m'émoustillait et me rattachait à la vie fastidieuse.

« Par conséquent, sir Murlyton, à qui je crée un droit conditionnel à ma fortune, saura le faire valoir. Il est entendu qu'il perd tout droit à mon héritage s'il commet un acte de trahison envers ce pauvre Lavarède. Il doit le surveiller simplement et honnêtement.

« Mais j'avoue que ce n'est pas sans un malin plaisir que je vois d'avance mon beau cousin si dépensier inéluctablement déshérité. »

L'ironie de la phrase finale ne parvint même pas à dérider celui qui la prononçait. Mais cette lecture produisait des effets divers sur les auditeurs.

Lavarède souriait. Peut-être ce sourire était-il jaune, mais on n'en pouvait distinguer la couleur. Sir Murlyton restait aussi calme que s'il eût été en présence d'une tranche de roast-beef. Miss Aurett, seule, était visiblement agitée. Elle rougit d'abord, elle pâlit ensuite. Ses regards se portèrent sur les deux hommes qui allaient faire cette chasse dont le gibier valait quatre millions. Ce fut elle qui parla la première.

– Mon père, dit-elle, vous ne pouvez pas spolier ce jeune homme qui n'est pas votre ennemi et qui vient de me sauver la vie.

– Ma fille, répondit-il, les affaires sont les affaires ; il ne serait pas pratique de perdre cette fortune. Car il est impossible, non seulement de faire le tour du monde, mais même d'aller de Paris à Londres avec vingt-cinq farthings, le cinquième d'un shilling... *Good business !*

– Ainsi vous n'y voulez pas renoncer ?

Le notaire se mêla de la conversation.

– Mademoiselle, fit-il, monsieur votre père renoncerait même à accepter la clause conditionnelle qui le concerne que M. Lavarède ne pourrait pas, pour cela, être envoyé en possession de l'héritage. Il n'y a droit que sous certaines réserves, expressément indiquées. Et à moins que lui-même n'y renonce...

– Vous plaisantez ! exclama Armand. Comment ! Voilà des millions qui tombent du ciel, et vous croyez que je ne ferai rien pour les gagner ?... D'abord ce qu'exige mon cousin n'est pas déjà si difficile. Lorsqu'on a été de la Bastille à la Madeleine sans un sou vaillant, on peut bien aller en Amérique, en Chine, au diable, avec cinq sous.

– Vous voulez essayer, dit l'Anglais, soit ! Je suis riche, mon carnet de chèques ne me quitte jamais, je ne vous lâcherai pas d'un instant, et nous verrons bien si, avant deux jours, je n'ai pas gagné la partie.

– Eh bien, j'accepte le duel, riposta Lavarède. Puis, s'adressant au notaire :

– Monsieur, avez-vous dans l'étude un indicateur des chemins de fer ?

– En voici un, mon cher monsieur. Lavarède le consulta.

– Il y a demain, 26 mars 1891, à neuf heures du matin, un train pour Bordeaux, en correspondance, à Pauillac, avec un transatlantique à destination de l'Amérique... Sir Murlyton, demain matin, je vous attendrai à la gare d'Orléans, conclut-il avec un aplomb écrasant.

Les deux rivaux se saluèrent courtoisement pendant que le notaire rangeait le dossier Richard et que miss Aurett souriait en voyant l'assurance du jeune homme. Celui-ci s'adressa à maître Panabert :

– Je dois être de retour dans votre étude le 25 mars 1892, avant la fermeture des bureaux.

– Au plus tard, monsieur.

– Parfait, j'y serai.

Et il sortit tranquillement.

II

À cache-cache

En sortant de chez le notaire, Lavarède avait allumé un cigare et marché pendant une demi-heure, tout en songeant à ce qu'il allait faire. Certes, il trouvait excellente sa première idée ; ce départ pour la conquête d'une toison extrêmement dorée souriait à son esprit aventureux.

Il n'avait pas douté de la réussite. Seulement, à la réflexion, il se rendit compte des difficultés sans nombre qu'il allait rencontrer.

Tout à coup, – il était arrivé à la Madeleine, – un sourire illumina son visage assombri. Il avait trouvé quelque chose. Mais quoi ? Il rebroussa chemin et vint à son journal, une feuille boulevardière, les *Échos parisiens* ; et là, il écrivit, pour le numéro du lendemain matin, une chronique où, sans désigner les noms des personnages autrement que par des pseudonymes à demi transparents, il raconta toute l'histoire du testament.

Puis il passa à la caisse, où une première péripétie l'attendait, sans trop le surprendre d'ailleurs. Un huissier, mandé par Bouvreuil, avait formé opposition sur ses appointements.

– Bon, dit-il, c'est le commencement.

Il alla chez lui. De même, la concierge, Mᵐᵉ Dubois, lui apprit qu'un autre huissier était venu pour saisir les meubles, au nom du propriétaire Bouvreuil.

– Qu'est-ce que cela me fait ? dit-il gaiement. Demain, je pars pour l'autre monde.

– Ah ! Mon Dieu ! fit la bonne Mᵐᵉ Dubois ; vous n'allez pas vous tuer, mon brave monsieur Armand ?... Plaie d'argent n'est pas mortelle.

– Rassurez-vous, dit-il en riant. L'autre monde où je vais est l'Amérique. J'y dois recueillir l'héritage d'un parent quatre fois millionnaire.

– Vous m'avez fait une belle peur.

Lavarède en savait assez. Il prit une voiture et se fit conduire à la gare d'Orléans, bureau des marchandises en grande vitesse. Il connaissait un des sous-chefs à qui, de temps en temps, il donnait des billets de théâtre. Il passa quelques instants avec lui, puis il alla inspecter un quai de débarquement où se trouvaient entassés toutes sortes de ballots, caisses, paniers, etc.

Satisfait sans doute de sa visite, il revint aux bureaux, écrivit une lettre d'expédition qui étonna d'abord l'employé et fit sourire le chef ami qui l'avait accompagné.

– C'est bien pour Panama ? demanda le préposé.

– Oui, pour Panama, fit Lavarède, grande vitesse. Le colis doit partir demain matin par l'express correspondant avec le paquebot des *Chargeurs réunis*.

Et, pour plus de sûreté, il revint au quai, demanda à un homme d'équipe un pinceau et un seau de noir, et traça à grandes lettres, sur une énorme caisse en bois, le mot : *Panama.* La caisse avait la forme d'un piano à queue. Oblongue et vaste, elle portait déjà d'autres inscriptions qu'il effaça, d'autres timbres d'expédition et de réception qu'il enleva... Ensuite il remit une gratification aux employés qui l'avaient aidé et donna une cordiale poignée de main au sous-chef, qui ne cessait de manifester une réelle gaieté.

– Comme plaisanterie, dit ce dernier, c'est assez réussi. Mais, du moins, vous m'assurez que la Compagnie ne peut être frustrée ?

– Je vous réponds de tout. Et, quand mon pari sera gagné, je vous promets un bon dîner, avec une loge pour l'Opéra ensuite.

Il remonta en fiacre et revint vers le boulevard. Il n'avait pas perdu son après-midi. Comme il interrogeait son porte-monnaie, il vit qu'il lui restait quelques louis. Il fallait les dépenser le soir même, ou dans la nuit. Ce n'était pas difficile. Quelques camarades invités, un dîner plantureux arrosé de bons vins, une soirée joyeuse en plaisirs, un souper fin au champagne en vinrent bientôt à bout. Il s'arrangea de telle sorte qu'au matin il n'avait plus en poche qu'une pièce de deux francs...

– C'est tout juste ce qu'il me faut !... Trente-cinq sous pour une voiture... et cinq sous pour faire le tour du monde.

Lavarède était donc porteur des vingt-cinq centimes ordonnés par le testateur, lorsqu'il débarqua à huit heures du matin à la gare d'Orléans.

Il n'avait pas dormi de la nuit, c'est vrai.

– Mais, pensait-il, j'ai bien le temps de sommeiller en route.

Et, aussitôt après, il avait disparu du côté de la gare des marchandises.

Peu après, parmi les voyageurs se disposant à prendre l'express, on en pouvait voir quelques-uns qui sont déjà de notre connaissance.

C'était d'abord l'excellent M. Bouvreuil, que sa fille Pénélope était venue conduire jusqu'à la gare, en compagnie d'une bonne.

Nous entrevoyons Mlle Pénélope. Franchement on ne pouvait pas reprocher à Lavarède de ne vouloir point unir sa destinée à celle de cette jeune personne. Trop grande pour être élégante, plutôt osseuse que maigre, le teint bilieux, l'expression du visage hautaine et suffisante, – ce que le peuple appelle dans sa langue vigoureuse « l'air puant », – telle apparaissait la demoiselle du bon M. Bouvreuil. Elle se savait riche, en tirait une assez sotte vanité, et son orgueil avait été blessé du refus de Lavarède. C'était elle-même qui avait conseillé à son père de prendre le jeune homme par la famine.

Le vieux finaud lisait attentivement un journal, les *Échos parisiens,* qui venait de paraître, et, dans ce journal, la chronique de Lavarède. Comme il s'y trouvait désigné sous le nom de « M. Chardonneret, propriétaire de la race des vautours non apprivoisés », il parcourut le reste de l'article et lut « entre les lignes ». Et il passa le journal à sa fille, en lui faisant part de ses réflexions.

– Comment ! dit-elle après avoir lu, ce monsieur qui ne veut pas de moi hériterait de quatre millions, s'il réussit à faire un tel voyage sans argent ?...

– Tu vois bien qu'il est fou, rien que de l'entreprendre.

– Aussi, j'espère qu'il n'y parviendra point.

– Sois tranquille, avant peu il reviendra à Paris, penaud et repentant. Et il s'y trouvera traqué de telle sorte dans mon réseau de papier timbré, qu'il sera bien heureux d'accepter la paix, avec ta main.

Pénélope soupira. Déjà pas très belle au repos, elle était fort laide quand elle soupirait.

– C'est qu'il est charmant, le monstre, fit-elle en roulant vers le ciel des yeux de carpe pâmée.

À ce moment, des hommes d'équipe transportaient dans le fourgon des bagages une caisse dont la forme et les proportions inusitées attirèrent tous les regards.

– Tiens, dit Bouvreuil, voilà un colis qui va faire le même voyage que moi.

– Il va à Panama ? demanda Pénélope.

– Oui, c'est écrit dessus.

– Ce doit être un piano, hasarda la demoiselle.

– Quelque ingénieur de là-bas qui veut charmer ses loisirs, sans doute.

– Prends bien garde aux fièvres, papa.

– Rassure-toi, avec de l'argent on achète une hygiène parfaite. Au surplus, je n'aurai pas à y demeurer. Le temps d'inspecter les chantiers, de vérifier l'utilité des dépenses et l'état des travaux. Je ne ferai que prendre des notes et je rédigerai mon rapport pour mon syndicat sur le bateau, en revenant... Quinze jours me suffiront largement.

– Avec les deux voyages d'aller et de retour, et le séjour que tu prévois, cela fait une absence de six semaines environ.

– Six semaines au plus. Je te télégraphierai par le câble la date de mon arrivée là-bas et celle de mon départ.

Ce disant, Bouvreuil s'installa dans un compartiment de première classe, où ne tardèrent pas à le rejoindre deux autres personnes.

Sir Murlyton, escorté de sa fille, miss Aurett, et de la gouvernante, mistress Griff, étaient arrivés à la gare à l'heure dite, avec la précision et l'exactitude des insulaires de la Grande-Bretagne. Cherchant de tous côtés, ils ne virent point Lavarède. Celui-ci, nous le savons, ne pouvait être à la gare des voyageurs.

– Est-ce qu'il aurait déjà renoncé à l'aventure ? se demanda l'Anglais.

– Ce n'est pas probable, répondit miss Aurett.

Cependant l'heure passait, le moment du départ approchait, et Lavarède ne paraissait toujours pas.

– Aoh ! fit sir Murlyton mécontent.

– Tu dois l'accompagner.

– Pour cela, il faudrait qu'il fût là.

– Mais peut-être a-t-il trouvé prudent de partir de Paris pour Bordeaux, seul, avant toi.

– C'est cela, afin que je ne puisse pas vérifier s'il a pris son ticket qui coûte plus de vingt-cinq centimes, ajouta-t-il en riant.

Ils firent une rapide inspection des wagons déjà bondés de voyageurs. Lavarède n'était pas parmi eux. Tout à coup, miss Aurett eut une idée.

– Mon père, à Paris, dans le mouvement de la gare, tu cours le risque de le perdre de vue. Mais en allant l'attendre à Bordeaux, là, tu es sûr de ne pas le manquer. Pour embarquer dans le packet-boat, il n'y a qu'un seul chemin, la planche. Il a dit que le train correspond à Pauillac avec la ligne des vapeurs, tu devrais quand même aller jusque-là.

– Oh ! nous autres Anglais, grands voyageurs, ce n'est pas cela qui peut nous gêner beaucoup. Une simple promenade, après tout.

– Oui, et si tu étais bien gentil, je t'y accompagnerais, pour te donner le baiser d'adieu avant ton départ pour le tour du monde.

– Mais, si ce monsieur arrive tout à l'heure, en retard, après le départ de l'express, comment le saurai-je ?

– Mistress Griff l'a vu dans la rue, hier, et aussi chez le notaire. Elle n'a qu'à rester ici et à attendre. Elle le reconnaîtra bien et nous enverra une dépêche à Bordeaux-Pauillac, en gare, ou bien à la tente des Messageries maritimes.

– C'est juste.

On expliqua à la gouvernante le rôle qu'elle avait à jouer, et l'on prit deux tickets. Miss Aurett, avec la gaieté de ses vingt ans, était ravie de cette courte excursion qui ressemblait à une escapade de pensionnaire. Gravement mistress Griff l'embrassa.

– À après-demain, n'est-ce pas, miss ?

– À demain peut-être. Le bateau part ce soir, on ne couche même pas à Bordeaux ; je reprendrai donc un train de nuit, et il est plus que probable que je serai de retour demain et non après-demain.

– Alors je reviendrai ici vous attendre.

– Un télégramme vous préviendra.

Le père intervint :

– Une dernière recommandation, mistress. Dès que ma fille sera de retour, vous quitterez Paris, et vous retournerez chez nous, en Devonshire. Je ne peux savoir si mon absence sera longue ou courte, ni même si je m'embarquerai ; cela ne dépend pas de moi, mais de l'autre. Dans tous les cas, je préfère vous savoir à la maison, *at home*, en Angleterre.

Mistress Griff s'inclina respectueusement. Murlyton et Aurett montèrent dans le seul compartiment encore disponible en partie. Ils étaient assis en face de M. Bouvreuil qu'ils ne connaissaient point.

Celui-ci avait tiré de sa poche un portefeuille énorme, le portefeuille de l'homme d'affaires ; et, en attendant le départ du train, il prenait quelques notes, pendant que Mlle Pénélope cherchait des yeux sa bonne qui avait disparu. Bouvreuil écrivait sur une feuille blanche :

« 1° Choisir de préférence les hôtels anglais : ils sont plus confortables ;

« 2° Éviter la société des Français, excepté celle des ingénieurs de la Compagnie ;

« 3° Ne parler politique avec personne ;

« 4° En cas de difficultés, aller voir d'abord le consul de France. »

Il en était là de ses sages prévisions lorsque sa fille accourut vers le compartiment ; son visage semblait bouleversé, mais rayonnant.

– Papa, dit-elle, papa !... en voilà une nouvelle !...

– Qu'y a-t-il ?

– Il y a que M. Lavarède doit être dans le même train que toi.

– Dans le train !... je ne l'ai pas vu.

– Ni toi ni personne. Il est dans la caisse.

– Quelle caisse ?

– Tu sais bien, la grande caisse à destination de Panama.

– Celle que nous croyions renfermer un piano ?...

Murlyton et sa fille ne purent s'empêcher d'échanger un regard et une parole.

– Aoh ! M. Lavarède...

– Je te le disais bien, fit miss Aurett.

Bouvreuil les regarda, tout étonné d'entendre prononcer par ces étrangers le nom de Lavarède. Mais il avait le temps de les interroger là-dessus, tandis que les contrôleurs fermaient déjà les portières des compartiments, et qu'il allait être séparé de Pénélope. Se penchant à la fenêtre, sa fille étant debout sur le marchepied, il demanda encore :

– Mais comment sais-tu cela ?

– Par la bonne.

– Ah bah !

– Un des hommes d'équipe est son « pays », de Santenay, dans la Côte-d'Or. Ils se sont reconnus là, et cet homme lui a raconté, en riant, qu'il avait vu un individu entrer dans la caisse, au dépôt des marchandises. Le signalement est celui de M. Lavarède, impossible de s'y tromper. Un sous-chef de bureau est venu, très gaiement, refermer les planches qui forment la porte et a recommandé à l'employé témoin de garder le silence...

– Qu'il s'est empressé de rompre.

– Oh ! Avec sa payse, cela lui a semblé sans importance. Mais il paraît que personne ne sait cela dans la gare.

– Très bien, je le tiens ! Je le ferai pincer à Bordeaux ; ses quatre millions sont flambés.

– Merci, papa, et dis-lui qu'il n'a qu'à venir à la maison, que je l'autorise à me faire sa cour, et que nous nous marierons dans cinq semaines, à ton retour.

– C'est entendu.

Miss Aurett et son père n'avaient pas perdu un mot de cette conversation, tenue, du reste, à voix haute.

Un coup de sifflet, un signal. Le train s'ébranle. Bouvreuil, toujours penché à la portière, fait un geste d'adieu. Et voilà tout notre monde parti pour Bordeaux-Pauillac : Lavarède dans sa caisse ; Murlyton, Aurett et Bouvreuil dans leur compartiment.

On sait la discrétion des Anglais, qui ne parlent jamais les premiers aux gens qu'ils ne connaissent point. Ce fut donc Bouvreuil qui commença.

– Je vous demande pardon, fit-il à ses voisins, mais tout à l'heure vous avez paru connaître ce M. Lavarède, dont ma fille me parlait.

– Nous le connaissons en effet, dit sir Murlyton. Mais à qui ai-je l'honneur ?...

– Bouvreuil, propriétaire, financier, président du syndicat des porteurs d'actions du Panama, répondit-il en présentant sa carte.

– Parfaitement, honorable gentleman. Moi je suis sir Murlyton, et voici ma fille Aurett.

– Ah bah !... Est-ce que c'est vous l'Anglais désigné dans l'article des *Échos* sous le nom de Mirliton Esquire.

– Je ne connais pas cet article.

– Tenez, lisez-le.

Après un rapide examen, l'Anglais reprit :

– Oui, ce doit être moi. Et vous, c'est l'oiseau de l'espèce « vautour » ?

– Juste... Ah ! le gredin !...

– Vous n'êtes pas de ses amis, à ce que je vois...

– Oh ! non.

Miss Aurett interrompit avec son gentil sourire :

– Pourtant mademoiselle votre fille, tout à l'heure... Est-ce qu'il n'était pas question de mariage entre elle et lui ?

– Ma fille le désirait ; mais c'est lui, le pendard, qui n'en veut pas entendre parler.

– Aoh ! pardon...

Et un sourire bizarre, énigmatique, se dessina sur ses lèvres, à la place du sourire courtois et de bonne compagnie qu'elle esquissait d'abord. Miss Aurett avait vu le visage et la personne de Mlle Pénélope. Miss Aurett, dans son for intérieur, donnait raison à ce M. Lavarède. Dans sa petite idée, ce pauvre garçon, qui lui avait sauvé la vie, – elle n'en démordait pas, – méritait mieux que cette épouse peu avenante.

Mais les deux hommes continuaient de causer.

– Oui, disait Bouvreuil, je vais lui faire manquer son héritage ; dès ce soir, il sera arrêté ; cela doit vous satisfaire, puisque vous êtes son concurrent ; et vous allez m'y aider.

– Oh ! moi, je ne puis rien contre lui. C'est une question d'honneur, prévue par le testament. Je dois vérifier seulement, sans lui créer moi-même d'obstacle.

– Qu'à cela ne tienne, j'agirai seul, et il ne dépassera pas Bordeaux.

Après un voyage de quatorze heures, les bagages sont descendus près du quai d'embarquement aux bateaux. Bouvreuil n'a pas perdu de vue la caisse où est son ennemi. Et, en se frottant les mains, il se dirige vers le bureau de la douane. Au même instant, tout à côté de la caisse, on entend frapper sur les planches, et une jolie petite voix bien douce appelle :

– Monsieur Lavarède !... monsieur Lavarède !

C'était miss Aurett qui, d'instinct, sans réflexion, prenait le parti de Lavarède contre Bouvreuil. Ce faisant, elle se mettait bien aussi contre son père. Mais elle n'y songeait même pas. Son premier mouvement, le bon, – le meilleur, a dit Talleyrand, – la poussait à protéger le jeune contre le vieux, le beau contre le laid, le pauvre contre le riche. Ne lui reprochons pas cette générosité naturelle. Elle est si rare dans la vie ! Mais elle est assez commune au bel âge de miss Aurett. La vingtième année n'est-elle pas celle des illusions ?

Il est certain que, si la petite Anglaise avait été une personne de sens rassis, si elle avait pris en pension l'habitude de compter, si on lui avait enseigné la valeur de l'argent, elle se serait dit :

« Voilà un gaillard qui me semble assez décidé. Si on ne l'empêche, il est capable de gagner les millions du voisin Richard. Or, ces millions doivent me revenir un jour, ou peut-être me servir de dot. Tandis qu'en laissant faire ce vilain oiseau qui a nom Bouvreuil, le jeune voyageur sera arrêté, mis en prison, condamné au moins à une amende, qu'il lui faudra payer. De toute façon, il sera obligé de perdre du temps, de revenir, de s'expliquer, de plaider, de gagner de l'argent par son travail. Pendant ce temps, les jours passeront, peut-être les mois. Et les beaux millions voyageront tout seuls, sans lui, pour revenir bientôt au papa Murlyton. »

Ce raisonnement, logique et sensé, n'entra pas dans sa virginale cervelle. Son esprit honnête se refusa même à la muette et tacite complicité du « laisser faire ». Et, tout naturellement, comme si c'eût été son devoir, elle s'en vint toquer de ses doigts mignons sur la caisse receleuse et répéta :

– Monsieur Lavarède !

Aucun bruit, aucune réponse. Toujours à mi-voix, elle reprit :

– N'ayez pas de défiance, je vous en prie. Un danger vous menace, et je viens vous en avertir.

Alors, du dedans, surgit un organe étouffé :

– On dirait votre voix, miss Aurett.

– Oui ! fit-elle joyeuse. Sortez bien vite de là.

– Non, mademoiselle ; je n'en sortirai que lorsque ma chambre à coucher sera embarquée à bord du paquebot et que le mouvement m'aura indiqué que le bateau est en marche vers Colon.

– Mais on ne l'embarquera même pas, votre... ce que vous venez de dire de *shocking*.

– Hé ! pourquoi donc, mademoiselle ? demanda-t-il, frappé du ton désespéré de la jeune Anglaise.

– Parce que monsieur... je ne sais pas son nom, l'oiseau de la race des vautours...

– M. Bouvreuil...

– Justement... vient d'aller chercher les douaniers et les employés pour vous faire « pincer dans la boîte »

– Pincer ! Fichtre !

Ce disant, il entrouvrit la porte. Miss Aurett était toute rouge.

– Oh ! fit-elle confuse, « pincer » est peut-être un mot pas joli... C'est lui qui l'a prononcé tout à l'heure, – il a dit aussi « la boîte », – quand il a prévenu mon père.

– Mais que diable fait-il ici ?

– Mon père ?... mais il vous escorte, comme il le doit !

– Non, pas monsieur votre père... l'autre.

– Lui, il nous a raconté qu'il allait à Panama.

– Bien, bien, merci, miss... Ainsi M. Murlyton est du complot ?...

– Oh ! non... papa est correct. Il s'est engagé à ne rien faire. Aussi il s'est éloigné.

– Pour laisser faire l'autre ?

– Il ne peut l'empêcher, monsieur... Mais moi...

– Vous ! s'écria Lavarède en sautant sur le pavé du quai... vous, vous êtes la Providence ; c'est peut-être pour remplir ce rôle que le bon Dieu vous a faite si jolie...

– Pas de compliments, monsieur mon sauveur. Et cachez-vous vite, car les voici.

– Merci, mon bon ange !

Et, lançant un baiser du bout des doigts, Armand se dissimula derrière des ballots et des baraques qui formaient une pile énorme non loin de là. Miss Aurett, légèrement troublée au fond, mais le visage calme, vit venir Bouvreuil avec un douanier et un employé de chemin de fer. Elle avait eu la précaution de refermer la caisse.

– Il est là, dit Bouvreuil, avec un geste qui n'était pas sans analogie avec celui que dut faire Napoléon à Marengo.

– Là-dedans, fit l'employé un peu ahuri, vous dites qu'il y a un homme ?

– Peut-être un malfaiteur qui se cache, ajouta Bouvreuil.

– En tout cas, viande vivante, chair humaine, marchandise non déclarée, procès-verbal, articula le préposé des douanes.

Les deux hommes ne savaient comment ouvrir pour vérifier le contenu. Bouvreuil non plus. Tous trois l'essayèrent vainement, devant miss Aurett qui avait peine à garder son sérieux. Mais leurs tentatives eurent un résultat, celui de bousculer la caisse, ce qui fit aussitôt reconnaître à ces hommes accoutumés à manier des colis qu'elle était légère et partant qu'elle devait être vide.

– Vous êtes fou, mon brave, dit à Bouvreuil l'employé de la gare. Il ne peut pas y avoir un homme là-dedans.

– Mais si ! affirma-t-il.

– Mais non, insista l'autre, tenez, je la retourne d'une main sans effort.

– C'est juste, opina le douanier.

– Pourtant, je vous atteste, comme je l'ai déclaré, qu'à Paris...

– À Paris, mes collègues se sont moqués de vous.

– Enfin, il n'y a qu'à l'ouvrir, on verra bien.

– Seulement, nous n'avons pas d'outils ici, et puis je n'oserai déclouer les planches qu'en présence d'un de mes chefs. Je vais aller chercher des camarades pour transporter ce colis suspect au bureau.

– Et moi, ajouta le préposé, je vais chercher mon brigadier, nous assisterons à l'autopsie.

– C'est cela ! fit Bouvreuil en levant les bras au ciel d'un air navré... et, pendant ce temps-là, le brigand qui est là-dedans s'enfuira de sa caverne !

– Eh bien ! Restez en faction devant, et vous verrez bien s'il sortira, dirent les deux autres en s'en allant.

Bouvreuil était donc seul à faire les vingt pas dans un petit espace de terrain demeuré vide entre des monticules de caisses, de tonneaux, de ballots, de paniers, de marchandises de toutes les provenances et de toutes les espèces, venant des Amériques ou y allant.

Nous disons qu'il y était seul, car miss Aurett, un peu avant, s'était approchée de la cachette de Lavarède qui lui avait fait un signe de détresse.

– Je vous en supplie, miss, dit-il à voix basse, ne restez pas là... Il ne faut pas qu'il y ait un seul témoin de ce qui va se passer.

Sans répondre, elle salua Bouvreuil et s'éloigna pour retrouver son père qui s'était dirigé, lui, vers l'appontement du paquebot.

– Eh bien, ma fille ?... demanda-t-il.

– Eh bien, rien de définitif.

– Aoh !... Et M. Lavarède ?

– Je crois qu'il va s'embarquer.

– Alors je vais régler le prix de mon passage.

– De notre passage, mon père.

Sans s'émouvoir, sir Murlyton dit :

– Vous voulez aussi venir avec moi ?

Aussi froidement, en véritable Anglaise, elle répondit :

– Oui, mon père ; cette petite excursion à Panama peut être instructive ; je n'ai pas encore parcouru le centre de l'Amérique.

– Les voyages forment la jeunesse... Mais quel bagage avez-vous ?

– Ma valise de promenade et mon nécessaire de toilette.

– Pensez-vous que cela suffise ?

– Non ; mais je vais rapidement faire les achats indispensables.

– *All right !* Mais mistress Griff ?

– Je profiterai de mes courses pour lui télégraphier qu'elle doit retourner tout de suite et seule dans notre cottage du Devonshire.

– Alors tout est prévu. C'est bien.

Ils échangèrent une poignée de main et se séparèrent, elle pour aller aux abords de la gare maritime de Pauillac, lui pour monter sur le bateau et y retenir deux cabines. Ni l'un ni l'autre ne s'étaient un instant départis du classique flegme britannique. Ils allaient en Amérique comme ils seraient allés à Asnières, toujours avec le même calme.

Pendant que cette petite scène se passait devant la *Lorraine*, le transatlantique commandé par le capitaine Kassler, voici celle qui se passait devant la caisse coupable. Brusquement Lavarède, souriant, apparut aux yeux de Bouvreuil rageant.

– Ah ! Je savais bien ! fit celui-ci d'un air triomphant.

– Vous saviez quoi ? interrogea gracieusement le jeune homme.

– Que vous étiez là !... et il désignait la boîte.

– Vous vous trompez, cher monsieur, j'étais autre part.

– Je sais ce que je dis.

– Pas aussi bien que moi, croyez-le. Je me promène en attendant de faire un petit tour en Amérique, comme vous, d'ailleurs... Seulement, moi, c'est pour fuir vos huissiers, vos aimables huissiers.

Bouvreuil eut un air d'ironique pitié.

– Oui, vous voulez, comme vous dites, filer en Amérique, mais en voyageant d'une manière frauduleuse, à l'aide d'une machination ténébreuse.

– Le fait est, dit Armand gouailleur, qu'on n'y voit pas très clair dans ces planches. Ténébreux est le mot.

– Tandis que moi, continua le financier d'un ton suffisant, je voyage au grand jour, en payant ma place, moi, monsieur !... en retenant la cabine numéro 10, moi, monsieur !... en ne m'enfouissant pas dans les profondeurs d'un inavouable colis, moi, monsieur !...

Et, chaque fois qu'il appuyait sur ce « moi, monsieur ! » sa voix s'enflait, prenant des inflexions majestueuses, prudhommesques et mélodramatiques. Timidement, Lavarède riposta :

– Je fais ce que je peux, moi, monsieur !

Et, d'un mouvement rapide et brusque, il ouvrit la porte de la caisse, y fit entrer de force l'infortuné propriétaire, et repoussa les planches avec vivacité. Seulement, il fit déclencher le secret de la fermeture sous un effort violent, de telle sorte que M. Bouvreuil ne pouvait plus sortir de cette boîte infernale. Il commença par crier, par appeler. Mais bientôt sa voix s'estompa. Une ombre l'altérait. Est-ce que la colère l'avait étouffé ? Ou bien était-ce la raréfaction de l'air respirable ?

Lavarède ne se posa même pas cette question. Prestement, il décampa au plus vite, et, tout courant, s'en alla vers le pont où s'embarquaient les passagers de la *Lorraine.* Il était temps. Deux minutes plus tard, quatre hommes d'équipe, ou portefaix de la marine, arrivaient sur le quai des marchandises, précédés du douanier de tout à l'heure.

– Tiens, fit-il étonné, le vieux n'est plus là.

– Il se sera impatienté, dit l'employé, il sera parti. Il a aussi bien fait.

Et les porteurs se mirent en mesure de charger la caisse.

– Oh ! oh ! fit l'un d'eux... mais elle est lourde.

– C'est vrai, elle pèse plus que tout à l'heure.

– Ah çà, il y a vraiment quelque chose dedans ?

– Oui, ça remue.

– Tenez, quand on soulève d'un côté, ça penche de l'autre.

En effet, on entendait un lourd floc.

– Mais ça roule.

Le douanier prêta l'oreille.

– Et on dirait que ça gémit.

– Ah ! ah ! nous tenons le gibier.

– C'est de la contrebande.

– Pour sûr !

– Emportons ce colis. Je vais d'abord y mettre les plombs, les scellés. On n'y touchera pas jusqu'à ce que le brigadier ait déjeuné. Il a donné ordre qu'on l'apporte au bureau du lieutenant des douanes. On ne l'ouvrira que devant cet officier.

Ce fut fait aussitôt. Et le pauvre président du syndicat des actionnaires, qui, probablement, avait perdu connaissance, put avoir le temps de se remettre. Mais ne nous occupons plus de lui pour l'instant, et retournons à bord de la *Lorraine*.

Tout est prêt pour le départ. Le paquebot est sous vapeur. La machine chauffe avec son grondement sourd de bête domptée. Le panache de fumée est épais et noir. Les matelots sont aux cordages ou occupés à arrimer les bagages et marchandises embarqués. Tout le monde est sur le pont. Les parents et les amis viennent de quitter le navire après les derniers adieux. La planche va être retirée. Le second achève l'appel des voyageurs.

– Voyons, personne ne manque... Nous avons les cabines 8 et 9 qui viennent d'être retenues.

– 8 et 9, c'est pour moi et ma fille, répond sir Murlyton.

– Bon ! vous êtes à bord... Mais il y a le 10 qui n'a pas encore répondu. Voyons où est le numéro 10... Retenu à Paris, à l'Agence maritime ?

Un homme se précipite sur la planche, juste au moment où le matelot de service allait l'enlever.

– Le numéro 10, c'est moi, me voilà !... crie-t-il tout effaré.

– Quel nom ? demande le second du navire.

– Bouvreuil, de Paris.

– C'est bien ça... En route !

Coup de sifflet, coup de cloche. La *Lorraine* démarre majestueusement. On est parti. Deux passagers se rencontrent nez à nez au pied de la dunette.

– Aoh ! dit l'un... monsieur Lavarède.

– Parfaitement, sir Murlyton ; et mademoiselle votre fille est-elle retournée à Paris ?

– Non, monsieur ; elle est ici.

– À bord ! Enchanté vraiment de commencer notre voyage en sa gracieuse compagnie.

– Pardon, *sir ?*... Mais comment vous trouvez-vous ici ? Je sais le prix du passage, je viens d'en régler deux, et cela dépasse la somme que vous devez avoir en poche.

– Assurément... aussi ne l'ai-je point payé et voici mes vingt-cinq centimes encore intacts. Vous pouvez le vérifier, mon sévère contrôleur.

– Soit, mais cela ne répond pas à ma question.

– C'est bien simple. J'ai la cabine numéro 10, dont le prix a été soldé par cet excellent M. Bouvreuil ; voyage en première classe et nourriture, tout est compris.

– Il a soldé... pour vous ?

– Non, pour lui.

– Aoh !... Je ne comprends pas.

– Eh bien, quoi ? Je suis dans sa cabine.

– Ah !... et lui ?

– Lui ? Il est dans ma caisse, parbleu !...

– La caisse est à bord ?

– Non pas... elle est restée à terre.

– Et lui dedans ?

– Certainement... lui dedans.

Sir Murlyton songea quelques secondes, puis sourit à sa fille qui, s'approchant, avait entendu les derniers mots.

– Pas du tout correct, dit-il avec gravité, mais fort ingénieux.

Puis il tourna les talons et alla s'accouder au bastingage. Les deux jeunes gens échangèrent quelques paroles :

– Vous avez réussi, monsieur, je vous en félicite.

– Si j'ai franchi ce premier danger, miss, c'est à vous que je le dois, je ne l'oublie pas.

– Oh ! monsieur, nous ne sommes pas quittes encore.

– Vous tenez donc bien, fit-il en souriant, à me devoir la vie ?

– Je tiens surtout à ne pas nuire à vos intérêts.

– Même aux dépens des vôtres ?

Miss Aurett ne répondit pas et se rapprocha de son père. Il était naturel qu'Armand y suivit cette jeune fille si peu cupide ; sa nouvelle amie, d'ailleurs, l'y autorisa d'un regard. Leur groupe réuni, elle dit :

– Vous allez me trouver bien curieuse, monsieur Lavarède, mais lorsque, par hasard, – elle rougit vivement en prononçant ces mots, – lorsque, *par hasard*, la porte de votre petit appartement de voyage s'est ouverte, il y a une heure, il m'a semblé apercevoir comme un siège capitonné... Me suis-je trompée ?

– Pas du tout, miss.

– Aoh ! comment et pourquoi capitonné ? demanda sir Murlyton.

– Parce que cela avait été préparé tout exprès pour faire un long voyage, des Pyrénées à Paris, par un fantaisiste dont j'avais raconté l'aventure dans mon journal. Je m'en suis souvenu. Je me suis assuré que cette caisse, dont tout Paris a parlé, était encore à la gare d'Orléans... et je m'en suis servi, voilà toute l'histoire.

– Je disais bien, fit l'Anglais... vous êtes un gentleman fort ingénieux.

Un sourire de la jeune fille confirma l'opinion de son père.

Accoudé sur le bastingage, sir Murlyton promenait sa jumelle marine sur le passage de terre qui commençait à disparaître dans la brume du lointain.

Pourtant quelque chose frappa son regard.

– Voyez donc, monsieur Lavarède, dit-il en lui passant la longue-vue... Ne distinguez-vous pas quelque chose qui s'agite sur le môle, au bout de la jetée ?

Armand regarda.

– Oui, un homme court, en faisant de grands gestes... Mais il est poursuivi... On peut même se rendre compte qu'il y a des uniformes parmi ceux qui lui donnent la chasse. Ce sont des gendarmes sans doute.

– Qu'est-ce que cela peut être ?

– Oh ! sans hésiter, je pense que c'est Bouvreuil... Il n'est pas mort d'apoplexie sur le coup... Allons, tant mieux, tant mieux.

Cependant la Gironde fut vite descendue et aucun signal ne rappela la *Lorraine.* Lavarède se croyait donc tranquille pour tout le temps du voyage.

III

Escales

Les deux premiers jours de ce voyage furent des plus agréables pour Lavarède. Chaque matin, il se retrouvait sur le pont en compagnie de sir Murlyton et de miss Aurett. Et c'étaient avec la jeune fille de douces causeries, où se révélait l'âme délicieuse et fraîche de la petite Anglaise. Seulement, s'ils parlaient un peu de tout, si les nombreux voyages d'Armand et du père fournissaient ample matière à d'intéressantes conversations, il était un sujet que miss Aurett évitait avec soin.

Jamais le nom de Mlle Pénélope ne fut prononcé. Jamais ne fut faite la moindre allusion aux projets de mariage que Bouvreuil avait avoués, en wagon, au départ de Paris. Il semblait que cette idée répugnait à la jeune Anglaise. N'y avait-il pas là un de ces petits secrets que renferment les cœurs mystérieux des jeunes filles ?

Lavarède ne pouvait pas songer à cela, pour deux raisons : la première est qu'il ignorait complètement que miss Aurett fût au courant des idées conçues par Mlle Pénélope Bouvreuil ; la seconde est que celle-ci n'occupait pas du tout son esprit, et que, tout entier au charme amical qu'il subissait inconsciemment et involontairement, il ne pensait pas le moins du monde à cette longue et désagréable personne.

Un matin, après avoir échangé le bonjour quotidien, il dit :

– Comment se fait-il, mademoiselle, que vous, qui êtes étrangère de naissance, vous parliez si purement notre langue ?

– Rien d'étonnant, cher monsieur. Comme la plupart des jeunes filles bien élevées de mon pays, une fois mes études terminées à Londres, j'ai été envoyée sur le continent pour me perfectionner dans la langue française. Mon père m'avait placée dans une institution de Choisy-le-Roi, celle de Mme Laville, où je rencontrai une douzaine de mes compatriotes, pensionnaires comme moi, mais assez libres, vu leur âge et l'éducation anglaise ; et nous venions ensemble presque tous les jours à Paris.

– En sorte que vous êtes presque une petite Parisienne ?

– Avec, en moins, la coquetterie, ce mot qui n'a pas de traduction littérale en anglais.

– Mais avec, en plus, l'aplomb et le calme que donnent l'initiative et la liberté, – un côté spécial de la façon dont sont élevées les jeunes personnes de votre nationalité.

– C'est cela... D'ailleurs, Paris nous est une ville très connue. Mon père l'a longtemps habitée ; il était à la tête de la succursale qu'avait, rue de la Paix, notre maison de Londres ; et j'ai fait, à diverses reprises, d'assez longs séjours dans votre capitale.

– Eh bien, je vous avoue, miss, que vous m'êtes plus sympathique encore depuis que je peux vous considérer comme une compatriote.

L'expression « sympathique », dont il s'était servi n'avait pourtant rien que de très poli, de très convenable. Cependant, miss Aurett rougit et parut embarrassée. Elle ne répondit rien. Et les deux jeunes gens eussent été peut-être un peu gênés de reprendre la conversation si le père, M. Murlyton, n'était venu fort à propos les avertir que l'heure du déjeuner avait sonné.

On sait que la table des voyageurs de première classe est plantureusement servie à bord de nos grands bateaux transatlantiques. Le luxe y est, pour ainsi dire, princier. Et c'est merveille de trouver, en pleine mer, où l'on pourrait se croire loin des ressources culinaires abondantes et délicates, un menu et un service dignes des premiers restaurants parisiens. Ce confortable est apprécié et admiré par les voyageurs de tous les pays.

La table est présidée par le capitaine. Les officiers du bord sont en fréquentation quotidienne avec les passagers et les passagères ; et rien n'est plus agréable que ces relations mondaines et rapides avec nos courtois marins.

À Lavarède, on donnait du « Bouvreuil » chaque fois qu'on lui parlait. Pour tout le monde, à bord, il était M. Bouvreuil, titulaire de la cabine n° 10. Et il avait fait à ce nom une excellente réputation. Plein d'esprit, la répartie toujours vive, la riposte alerte et point mordante, la mémoire bourrée de faits piquants et d'anecdotes intéressantes, il avait plu à tous. C'est d'un aimable sourire que le commandant et son second saluaient, deux fois par jour, l'apparition de Lavarède à la table commune.

– Quel joyeux compagnon vous êtes ! lui dit une fois le second de la *Lorraine*. Quand je pense que vous avez failli manquer le départ à Bordeaux !

– Ah ! le fait est que, si j'étais arrivé cinq minutes plus tard, le bateau partait sans moi. Mais aussi qui pouvait prévoir ?

– Et la cause de ce retard, monsieur Bouvreuil, est-il indiscret de la demander ?

– Pas le moins du monde, et je vais vous la dire.

Alors, avec son merveilleux aplomb qui faisait sourire miss Aurett et son grave père, Lavarède fit le petit récit et le gros mensonge suivant :

– Imaginez-vous que je suis poursuivi à Paris, et cela depuis assez longtemps, par une espèce de toqué, un journaliste, ou du moins se disant tel, du nom de Lavarède, je crois, qui a la manie de se faire passer pour moi.

– La manie ?...

– Oui. C'est au point qu'il est arrivé à se convaincre que sa folie est devenue la raison. Il est persuadé que Bouvreuil est lui-même. C'est une forme particulière de l'aliénation mentale. Au demeurant, pour tout le monde, sa folie est douce, et il n'est pas nécessaire de l'enfermer. Après tout, cela ne gêne que moi, et j'en ai pris mon parti.

– Mais cela doit vous causer maints désagréments ?

– Oh ! peu de chose jusqu'ici, et m'en voilà débarrassé pour ce voyage. Seulement, lorsqu'il me voit, lorsque je maintiens que je suis bien, moi, Bouvreuil, et qu'il est, lui, Lavarède, il entre quelquefois dans des colères très vives. Une simple douche, d'ailleurs, et quelques jours de repos viennent facilement à bout de ces violents accès. Au surplus, devant ces rages folles, je ne me suis jamais départi de mon calme.

– C'est la seule conduite qu'un homme sensé puisse tenir en présence d'un malheureux dont les idées sont déséquilibrées.

– N'est-ce pas ?... telle est bien mon opinion. Mon individu m'a relancé jusqu'à Bordeaux et j'ai eu beaucoup de peine à m'en défaire. Sans quelques douaniers et employés de la ligne, je n'aurais pu m'en débarrasser à temps pour embarquer... Mais c'est assez parler de ces choses, tristes malgré leur apparence plaisante. Où se dirige la *Lorraine* pour le moment ? Vers Lisbonne ?

– Non, Lisbonne est l'escale des Messageries ; notre première escale, à nous, est Santander.

– Est-ce que nous prendrons des passagers là ?

– Oh ! non, il n'y a plus de cabines. Une seule est disponible, mais elle a été retenue télégraphiquement par un voyageur qui nous attend aux îles Açores, où nous toucherons après avoir vu le Portugal.

– Ce voyageur est-il Français ? Est-ce un compatriote ?

– Je ne le pense pas... du moins à en juger par son nom, ou plutôt par ses noms Don José de Courramazas y Miraflor.

– Oh ! oh ! cela sent en effet son hidalgo.

La traversée se poursuivit sans encombre ; le surlendemain du départ, on était en vue de la côte d'Espagne ; on atterrissait à Santander, où l'on devait rester un jour, et nos amis débarquèrent.

La belle floraison de ce pays, le ciel d'un limpide azur n'étaient pas ce qui les étonna le plus. C'est en visitant la cathédrale-mayor de Santander qu'ils trouvèrent leur plus curieuse impression de voyage.

Moyennant un franc vingt-cinq, Murlyton acheta au bedeau une indulgence, portant absolution pour le crime d'assassinat. Il avait le droit de tuer un homme et d'aller au ciel tout de même, mais à la condition de ne pas quitter Santander ; hors du diocèse, l'indulgence n'est plus valable.

Lavarède s'en amusait fort en revenant de visiter la ville pour se rembarquer avec les deux Anglais. Mais au moment où la *Lorraine*, accostée à quai, allait virer vers la pleine mer, un incident se produisit, qui ne laissa pas de l'inquiéter et de lui faire oublier la pittoresque acquisition.

Une voiture du pays, basse, avec de grandes roues, accourait à fond de train. Elle contenait un voyageur à l'œil hagard, à l'air égaré, aux cheveux en désordre, à qui sa barbe, poussée depuis trois ou quatre jours, donnait une singulière apparence. On eût dit un fou ou un malfaiteur.

C'était Bouvreuil.

Il sauta de voiture, s'élança sur la planche, et parut sur le pont du paquebot, en criant :

– Le capitaine ?... Où est le commandant ?

– Le commandant est encore à terre, dit un matelot, il fait signer les papiers par le correspondant. On démarre dès qu'il sera rentré à bord.

– Mais je veux parler à une autorité.

– Eh bien, voici le second. Adressez-vous à lui.

Lavarède causait précisément avec cet officier.

– C'est mon fou, fit-il à voix basse.

– Comment ?... Il est venu jusqu'ici ?...

Mais Bouvreuil s'étant approché du second, sans voir encore Lavarède, s'écria aussitôt :

– Monsieur, je suis Bouvreuil !

L'autre lui rit au nez.

– Connu, mon pauvre homme. M. Bouvreuil est à bord depuis Bordeaux.

– Dans la cabine n° 10, sans doute ?

– Naturellement, puisque c'est la sienne.

– Ah ! c'est trop fort... Mais la cabine est à moi, mais je suis Bouvreuil de Paris, moi !

– Alors, dit le second d'un air goguenard, lui, notre passager, qui est-il ?

– Est-ce que je sais !...

– Lavarède, peut-être ?

Bouvreuil bondit ; il avait vraiment l'aspect d'un fou.

– Lavarède ! cria-t-il, le brigand... C'est lui. Ah ! je le retrouve... Au voleur !

Il fallut le calmer. Deux marins le tinrent solidement.

– Mais j'ai mes papiers ! hurlait-il.

L'officier se tourna vers Lavarède et les autres passagers que le bruit avait attirés, parmi eux sir Murlyton et sa fille.

– Il a un accès, dit l'officier. Je vais le faire doucher.

– Non, intercéda Lavarède, laissez-moi lui parler.

– Comme il vous plaira. Mais la douche vaudrait mieux.

Pendant que s'échangeaient ces mots, Bouvreuil venait d'apercevoir l'Anglais.

– Ah ! Voici du moins quelqu'un qui me connaît et pourra affirmer si je suis ou non un imposteur.

Miss Aurett se pencha vers son père et, rapidement, à voix basse :

– Papa, vous ne pouvez rien dire... vous ne devez pas prendre parti contre M. Lavarède... question d'honneur.

– Mais, cependant...

– Ou bien, rappelez-vous que vous perdez vos droits aux quatre millions.

– C'est juste.

Bouvreuil s'adressa à sir Murlyton :

– Voyons, monsieur, dites-leur donc qui je suis.

– Moi... mais je ne vous connais pas.

Un cri de rage lui répondit, lancé par Bouvreuil.

– Mais c'est à devenir fou ! cria-t-il.

– Hélas ! c'est fait depuis longtemps, mon bonhomme, riposta le second du bord.

À ce moment, l'ange de Lavarède, sa Providence, comme il appelait miss Aurett, eut une idée précieuse.

Lavarède se tenait à côté de l'officier.

Se tournant vers le jeune homme :

– Monsieur Bouvreuil, lui dit-elle, tâchez donc de savoir comment ce pauvre homme a fait pour arriver à Santander. Cela peut être intéressant, ajouta-t-elle avec intention.

– Tiens, au fait, vous avez raison, miss.

Cette intervention de la jeune Anglaise avait pour premier résultat d'enfoncer plus que jamais dans l'esprit des officiers l'idée que le faux Bouvreuil était bien le vrai. Mais elle était utile aussi à

Lavarède au point de vue de sa défense future. Le danger qu'il avait cru écarté reparaissait plus fort que jamais.

Seulement, pendant le temps qu'avaient duré ces scènes diverses, le commandant Kassler était revenu, avait donné l'ordre du départ, et la *Lorraine* était déjà en marche, emportant les deux Bouvreuil, lorsque leur entretien commença en présence des Murlyton et du second, qui s'arrêtait chaque fois que son service le lui permettait.

L'infortuné Bouvreuil, le vrai, avait eu tous les malheurs à Bordeaux. D'abord, il lui avait fallu payer le transport de la caisse ; puis, le retour du colis à Paris ; ensuite, le prix de son propre voyage. Car, dans la bagarre, il avait perdu son ticket de première classe, et jamais personne n'avait voulu croire à « son invention ». Enfin, il avait tout soldé, en maugréant et en maudissant Lavarède.

Il se croyait quitte et n'avait qu'une pensée : courir à bord du bateau, lorsque, à leur tour, intervinrent les douaniers.

La Compagnie du chemin de fer ne lui réclamait plus rien, soit. Mais la douane ? Et puis le commissaire spécial ? Il y avait un bon procès-verbal. Ça ne pouvait pas se passer comme ça. Bouvreuil envoie tout promener et s'élance.

Voilà les gendarmes qui se mettent de la partie. On crie. On lui court après. On le rattrape. Il renverse un agent des douanes, bouscule un gendarme ; et, finalement, il est appréhendé au corps, mis en prison, et poursuivi pour rébellion envers les agents de la force publique. La journée s'écoule ainsi. Et Dieu sait si Bouvreuil écumait en songeant que Lavarède lui échappait.

Enfin, un commissaire de police survint qui, après interrogatoire, se laissa fléchir.

Il demanda par dépêche à Paris des renseignements sur l'inculpé.

« Gros propriétaire, financier considérable. »

Telle fut la réponse.

Au nom des porteurs d'actions du Panama, Bouvreuil fut à la fin relaxé, non sans qu'on lui infligeât une forte amende. Encore ne put-il échapper au procès et à la mise en jugement, c'est-à-dire à une grosse perte de temps, qu'en versant une somme considérable dans les caisses de bienfaisance de la ville. Après quoi, s'étant informé, il avait pris le chemin de fer du Midi, afin de retrouver la *Lorraine* à son escale de Santander. En résumé, transports, amendes, procès-verbaux, versements, voyages, etc., le tout lui revenait à plus de trois mille francs.

C'était salé.

Et plus Lavarède riait en écoutant ce récit lamentable, plus Bouvreuil s'emportait. Plus il s'emportait, plus il donnait raison à la lugubre fumisterie de son ennemi, plus il avait l'air d'un aliéné. Même il finit par proférer de telles imprécations que sir Murlyton lui lança un coup de poing, un de ces coups de poing anglais à assommer un homme.

– Il a parlé en termes inconvenants devant ma fille... C'était trop *shocking*.

Mais Bouvreuil, qui avait croulé à terre sous la secousse, n'en revenait pas.

– Oh ! disait-il gravement, assis sur son derrière, lui aussi il est contre moi !... Lui que je croyais mon allié... Mais ce Lavarède c'est donc le diable !...

– Bon diable, en tout cas, répondit miss Aurett, car il s'occupe de vous avec un officier du bord.

– De moi !... Grand Dieu !... Qu'est-ce qu'il va encore faire ?...

Et il se releva prestement.

En effet, Lavarède et le second avaient été présenter une requête au commandant.

La *Lorraine* était en route, on ne pouvait vraiment pas jeter ce pauvre fou à l'eau. Ils demandaient qu'on le gardât à bord. On le ferait coucher à l'infirmerie, par mesure de prudence, en cas de crise ; et on le ferait manger avec les matelots. Pour l'utiliser, il donnerait un coup de main aux chauffeurs ; il y a bien toujours une pelle disponible dans la soute aux charbons.

En apprenant, par Lavarède froidement gouailleur, le sort qui lui était destiné, Bouvreuil entra dans une colère extrême.

– Allons, bon ! dit le second, voilà que ça le reprend.

– Mais, criait le malheureux, je ne veux pas être traité en

passager indigent. Je suis Bouvreuil et j'ai de l'argent !

Ce disant, il brandissait un portefeuille.

– Votre portefeuille, sans doute ? dit un marin à Lavarède... Nous allons le lui reprendre.

Armand l'arrêta.

– Non, dit-il, laissez-le-lui un peu, puisqu'il y tient ; cela occasionnerait encore un accès... Constatez seulement que mon ticket est bien là.

Miss Aurett et sir Murlyton eurent un geste de satisfaction. Lavarède mystifiait son adversaire, mais il ne le volait pas.

Il faut sept jours pour aller de Santander aux îles Açores. Le pauvre Bouvreuil n'eut pas la force de passer une semaine à faire le métier de chauffeur. Il avait essayé de protester d'abord. Rien n'y fit. Il dut prendre son mal en patience. Mais avant le troisième jour, il était fourbu, éreinté, et n'avait même plus la force de se plaindre. Il n'articulait plus que de faibles gémissements, lorsqu'il était en présence d'un officier.

Grâce à un pourboire généreux octroyé aux mariniers de la chambre de chauffe, on ne lui donnait aucune besogne. Il restait étendu sur les tas de charbon. Seulement, l'atmosphère surchauffée de cette partie du navire surprenait ses poumons qui n'y étaient point habitués. Et il demanda à ne plus descendre aux machines. Ce fut Lavarède, à qui il lançait toujours des regards furibonds lorsqu'il l'apercevait, qui intercéda auprès du second, afin que son malheureux propriétaire restât à l'infirmerie et obtînt même la permission de prendre un peu l'air sur le pont.

– Sur le pont, soit, dit l'officier, mais jamais à l'arrière avec les passagers. Qu'il se tienne à l'avant avec l'équipage. Là, nos hommes auront l'œil sur lui.

C'était trop de satisfaction pour Lavarède. Aussi s'avisa-t-il d'un argument topique pour que sa victime ne descendît plus se faire cuire, toute vivante, devant les chaudières du paquebot. Il argua qu'un homme sujet à des accès de folie était un danger pour la sécurité des passagers : il lui suffirait de tourner de travers un bouton quelconque pour causer un accident à la machine.

Le raisonnement était bon. L'officier du bord s'en rendit compte.

Mais, songeant aussi à sa responsabilité, il eut une idée qu'il jugeait meilleure.

– Je vais le faire mettre aux fers jusqu'à la prochaine escale, et nous le déposerons aux Açores ; là, les gendarmes portugais le conduiront au consul français qui réside à Bonte-del-Gado, dans l'île San-Miguel ; il se chargera de le rapatrier.

La seconde partie du projet était trop utile à notre ami pour qu'il ne s'en contentât pas. Il insista pour que Bouvreuil fût laissé en liberté, toujours mêlé à l'équipage, et n'ayant pas le droit de dépasser l'avant du navire.

– Allons, soit, dit le second... on ne le mettra pas aux fers tout de suite, mais je vais le faire surveiller par un de mes mathurins... Et à la moindre incartade il y passera !

Bouvreuil fut informé de tout. Et, comme la raison du plus fort est toujours la meilleure et qu'il se sentait bien le plus faible, il s'inclina, rongeant son frein. – Mais on se fait une idée de ce qui s'amassait de haine en son cœur, en voyant monsieur Lavarède mollement étendu, éventé avec le *panka* par l'Indien de service, un des domestiques des cabines de première classe, traité comme passager de marque, – tandis que lui, qui avait payé pour l'autre, en était réduit à un traitement d'indigent ou d'homme du bord.

Inversement, d'ailleurs, Lavarède goûtait ce confortable avec d'autant plus de plaisir. Le voyage commençait bien. Il était déjà en plein Atlantique, et n'avait pas encore trébuché, quelles qu'eussent été les difficultés soulevées.

Sir Murlyton se plaisait à le reconnaître. Mais, tenace comme ceux de sa nation, et sachant bien la force de l'argent, appréciant par conséquent la faiblesse de ceux qui n'en ont pas, il attendait patiemment le premier accroc fait aux conditions du testament pour le constater aussitôt et faire valoir alors son droit aux quatre millions.

Le 4 avril, la *Lorraine* se trouva en vue de Flora, la première des îles où font escale les paquebots-poste français de la Compagnie Générale Transatlantique ; mais elle ne s'y arrêtait que par exception, le voyageur que l'on y devait prendre étant gouverneur de district, haut fonctionnaire d'un État de l'Amérique centrale. C'est ce que le second apprit à Armand, qui lui demandait combien de temps on allait stopper là.

– Ces merveilleux coins de terre, dit le Français à miss Aurett, sont des plus beaux qui soient au monde, des plus beaux et des meilleurs ; par un privilège exceptionnel, l'archipel des Autours, en portugais *Açor,* n'a pas d'animaux venimeux ; une légende locale veut même qu'ils ne puissent pas s'y acclimater. Mais, comme dit le géographe Vivien de Saint-Martin, il serait peut-être imprudent d'en faire l'expérience.

Lavarède, en disant cela, avait fait sourire la jeune Anglaise.

– Continuez, je vous prie, dit-elle.

– Que je continue ma conférence ? Soit, mais efforçons-nous de la faire amusante et instructive. Vous remarquerez, mademoiselle, que la population, qui dépasse 260 000 habitants pour les neuf îles, San-Miguel, Terceira, Piro, Fayal, San-Jorge, Graciosa, Florès, Santa-Maria et Corvo, est presque blanche, plus blanche en tout cas que celle de la province d'Algarve, au sud du Portugal, avec de superbes cheveux noirs. Les Açoréens, pour la plupart beaux et bien faits, leurs femmes renommées pour leur fécondité, se ressentent des trois éléments qui ont concouru au peuplement des îles, dites « africaines », comme Madère, les Canaries et celles du Cap-Vert, bien qu'elles soient plus rapprochées du continent européen que de la terre d'Afrique. Ces trois éléments, fondus depuis des siècles, sont les cultivateurs, Maures d'origine, les conquérants portugais, venus au milieu du XVe siècle, et – ce qui est moins connu – les colons flamands, envoyés peu après par la mère de Charles le Téméraire, la duchesse Isabeau de Bourgogne, à qui son frère, le roi Édouard, avait fait don de ces îles, nouvellement acquises alors à la couronne portugaise. À cause de cela, elles portèrent même le nom d'Îles Flamandes durant le temps qu'elles furent gouvernées par un gentilhomme de Bruges, Jacques Hurter ; mais cela prit bientôt fin, et les Açores suivirent les destinées du Portugal, premier possesseur, mais non pas premier explorateur, car l'archipel est décrit sur des cartes italiennes du XVIe siècle, notamment celle du *Portulan médicéen.*

Miss Aurett prenait plaisir à écouter ces choses racontées par Lavarède, dont la mémoire était admirablement meublée. Cela occupait les derniers instants avant l'arrêt de la *Lorraine.* Une foule nombreuse de curieux attendait le navire ; car nos bateaux ne font pas d'escale régulière aux Açores. Les services se font à Madère, ou, pour la direction de Dakar, au Sénégal, aux îles du Cap-Vert. Mais, cette fois, il s'agissait, comme nous l'avons déjà dit de recevoir à bord un personnage important, et l'exception était justifiée.

L'arrivée de don José de Courramazas y Miraflor était un événement dans l'île. Petit, sec, noiraud, olivâtre, don José était le cousin à la mode d'Estrémadure d'une parente du gobernador de San-Miguel. Était-ce bien une parente ? La *Lorraine* ne stationna pas assez longtemps dans l'archipel pour que nous pussions résoudre le problème : en tout cas, c'était une belle personne, qui gouvernait la maison – et le gouverneur avec son cousin avait peut-être été Colombien de naissance ; mais, à la suite de certains voyages d'aventures, il s'était senti la vocation de devenir citoyen du Venezuela et, de temps en temps, de Costa-Rica.

Dans sa nouvelle patrie, il avait pris le parti d'un général dont le nom nous échappe, compétiteur d'un médecin dont le nom importe peu. À la suite de la révolution annuelle, motivée par le *pronunciamiento* semestriel, qui réussit une fois sur deux, les amis du général ayant été battus, don José avait dû s'embarquer pour l'Europe.

Et, comme tout bon rastaquouère, il était venu à Paris d'abord. Ce qu'il y fit, nous le saurons plus tard, bientôt peut-être. Ensuite, il se souvint qu'il avait de la famille, une cousine ambitieuse. Il la chercha et la découvrit « parente » du gouverneur des Açores. C'est auprès d'elle qu'il vint se reposer et attendre des jours meilleurs.

Ces jours arrivèrent. Le *pronunciamiento* chronique eut lieu à sa date. Les partisans du médecin prirent à leur tour les paquebots pour l'Europe et l'Amérique du Nord. Et les amis du général les remplacèrent dans les emplois bien rétribués. C'est à chacun son tour, – dans les républiques du centre et du sud de l'Amérique.

Don José de Courramazas y Miraflor reçut, pour sa part, l'équivalent d'une préfecture. Il fut nommé gouverneur de Cambo, et télégraphia au représentant de sa nation à Paris pour retenir son passage à bord du premier transatlantique en partance, à l'effet de rejoindre son poste.

Ce représentant à Paris ne change jamais, quelle que soit l'issue de la révolution annuelle. On a pensé que c'était mieux ainsi, qu'il serait plus au courant. C'est sagement raisonner. Car, à force de voir arriver et partir, pour repartir et revenir, les gouverneurs, sous-gouverneurs et autres fonctionnaires civils et militaires faisant la navette, cet Américain possède à fond les itinéraires, et est devenu très expert en l'art des voyages. Ainsi, si immédiatement après avoir reçu la dépêche de don José, il n'avait retenu son passage sur le premier transatlantique partant le 26 de Bordeaux, M. le futur gobernador de Cambo aurait été obligé d'aller d'abord des Açores à Madère sur un méchant petit bateau de commerce.

Là, il aurait vu le paquebot-poste français des Messageries allant au Sénégal et au Brésil, mais vu seulement ; car c'est à Madère que se fait par traité le transbordement pour les plis, les colis et les passagers avec les paquebots de la *Steam Florida Circus and Liberia Company,* société américaine dont le siège est à Tallahassee, dans la Floride.

Don José n'eût même pas voyagé une heure sur un bateau français ; il fût monté, en quittant son caboteur quelconque, sur un paquebot des États-Unis, où l'on n'a aucun respect, aucun égard pour les fonctionnaires des petites républiques hispano-américaines. On les voit trop souvent changer pour les considérer comme bien assis. Tandis qu'en arrêtant une cabine sur le bateau qui part le 26, on était sûr que don José serait traité convenablement et jouirait du confortable élégant de nos services français. Et la *Lorraine* s'arrêtant tout exprès pour lui, quel prestige cela ne lui donnait-il pas aux yeux du peuple Açoréens ? Ce prestige même devait rejaillir sur son demi-parent, le gouverneur, puisque sa parente en avait aussi sa bonne part.

Tout était donc pour le mieux, et tel était le personnage nouveau que nous voyons embarquer en compagnie de nos anciennes connaissances.

Une garde d'honneur, escortant M. le gobernador et faisant cortège à don José, les accompagna jusqu'à la planche, jetée du bateau sur le quai.

Miraflor passa le premier, présenta ses hommages au commandant, esquissa une révérence à l'adresse des autres passagers et, ensuite, d'un geste arrondi, il salua la foule, sa cousine et son hôte.

Après ces salamalecs, on agita la question de Bouvreuil. On apprit d'abord qu'il n'y avait pas de consul, on était dans un interrègne, entre une démission et une nomination. Mais justement le commerçant indigène chargé des intérêts français en attendant la venue du nouveau consul, avait escorté le gouverneur.

– Voulez-vous, lui dit un officier du bord, nous débarrasser d'une sorte d'aliéné, embarqué accidentellement ?

Cette façon de recommander l'individu fit faire la grimace à l'Açoréen.

– Mais, dit-il, que voulez-vous que j'en fasse ?

– Le garder et le rapatrier à la première occasion.

Le brave négociant eut, pour éviter la corvée, une excellente inspiration.

– D'abord, objecta-t-il, je n'ai pas de fonds pour cet objet. Ensuite, comme les services pour la France ne sont pas réguliers ici, je ne sais quand on le réembarquera. Il faudra le nourrir, qui paiera ? L'enfermer, je ne dispose d'aucune prison. Ne vaudrait-il pas mieux, puisqu'il est à votre bord, que vous le gardiez jusqu'à destination ? Vous du moins, vous êtes sûr de retourner à Bordeaux après avoir touché l'Amérique. Eh bien, vous l'y ramènerez beaucoup plus tôt que si vous me chargiez de ce soin.

L'officier comprenait fort bien ; mais il résistait encore.

– Je vous assure, dit-il, que j'aimerais mieux le confier aux gendarmes que voilà.

Ici, don José survint, magnanime et généreux.

– Non, monsieur, dit-il, les agents de l'autorité portugaise n'auront pas à intervenir.

Et, d'un mouvement superbe, il leur fit signe de s'éloigner.

– Je prends ce malheureux sous ma protection, ajouta-t-il, et je l'attache à ma personne pour tout le temps de la traversée.

– Pardon, fit le commandant, mais à quel titre ?

– J'en fais mon serviteur.

– Alors vous vous chargerez de sa nourriture à bord ?

– Oui, commandant.

– Et vous ne craignez rien de ses crises, de ses accès ?

– J'espère qu'il n'en aura pas, et, s'il en a, je le traiterai par la douceur.

– Mais vous ne le connaissez pas ?

– Si, je l'ai vu à Paris. Il m'y a rendu service et je tiens à m'acquitter envers lui.

– Soit, monsieur, mais vous serez responsable de ses actes, quoi qu'il puisse arriver. Je souhaite que vous n'ayez pas à regretter ce bon mouvement.

Puis la planche fut retirée. Un dernier signe d'adieu fut échangé. Et la *Lorraine* continua sa route à travers les îles du gracieux archipel pour regagner bientôt la haute mer.

Lavarède avait assisté muet à toute cette scène. Bouvreuil et lui avaient simplement échangé un coup d'œil significatif. Et le journaliste restait silencieux sur le pont, se demandant ce qui avait pu se passer entre ces deux hommes.

Ce fut encore sa petite Providence, miss Aurett, qui le renseigna. Avec la finesse particulière aux femmes, elle avait saisi un geste d'étonnement échappé à don José quand il monta sur le pont. Bouvreuil avait aussitôt placé son index sur ses lèvres recommandant évidemment le silence au rastaquouère. Cela l'avait intriguée. Se glissant rapidement derrière le mât de misaine, elle s'était dissimulée un instant, assez longtemps cependant pour saisir au vol ce court dialogue, qu'elle vint répéter à Armand :

– Comment, dit Bouvreuil, le personnage de qualité qu'on attendait, c'est vous ?

– Moi-même, répondit don José. Pas un mot, je vous en prie ; il y va de ma position, de mon avenir.

– Je ne vous trahirai pas ; j'ai pour cela plusieurs raisons que vous connaissez bien, et, en plus, une que vous ignorez ! Vous avez besoin de moi, j'ai besoin de vous, cela se trouve à merveille.

– Que désirez-vous de moi ?

– On prétend me faire quitter ce navire. J'ai un grand intérêt à y rester ; gardez-moi avec vous, même comme domestique, et cela suffira.

– C'est facile.

– Un point important : ici on ne veut pas que je m'appelle de mon vrai nom... On me nomme Lavarède, fit-il avec un sourire qui était une laide grimace.

– C'est parfait.

Et don José avait aussitôt tenu sa promesse.

De cette confidence de la jeune Anglaise, Lavarède ne concluait encore que ceci : un lien mystérieux rapprochait ces hommes ; mais lequel ? Et comment le découvrir ?

Une seule chose était certaine pour lui, la *Lorraine* emportait à son bord deux ennemis au lieu d'un seul, et cela compliquait sa situation.

IV

Le baptême sous la ligne

Même si Lavarède avait connu la biographie del señor José, il n'eût pas été très rassuré. L'individu était, nous l'avons dit, de la race des aventuriers sans patrie qui ne reculent devant aucune indélicatesse.

À Paris, il avait fallu vivre. Une fois mangé le sac de piastres rapporté de là-bas, une fois épuisé le petit crédit que les étrangers obtiennent toujours si aisément chez nous, la série des moyens blâmables avait commencé.

José exploita d'abord le cœur et la pitié des nombreux réfugiés de langue castillane en résidence à Paris. Mais ils ne sont pas riches, et ce filon ne tarda pas à s'épuiser. La parente entrevue aux îles Açores apporta, pendant quelque temps, son contingent d'appui matériel. Mais bientôt elle dut songer à elle-même, afin de ne pas s'enliser dans les boues parisiennes.

Don José s'aboucha alors avec certains exotiques, dont les dossiers ne sont pas assez connus, et pénétra dans des tripots indûment dénommés « cercles », où il exerça diverses industries aussi peu recommandables les unes que les autres. Un peu de tricherie, beaucoup de mendicité, passionnément d'emprunts, pas du tout de probité ; avec ce programme, la pente est glissante. Notre personnage glissa, et bientôt il versa dans l'escroquerie.

La victime fut un prêteur à la petite semaine, à proprement parler, un usurier. Mais cet individu n'était que l'homme de paille, le prête-nom d'un autre « spéculateur » qui exploitait les joueurs passionnés et les fils de famille en déveine. Et cet entrepreneur de prêts à taux usuraire n'était autre que le sieur Bouvreuil, un de ces tireurs dont l'arc a tant de cordes. Bouvreuil ne supportait pas aisément qu'on le mît dedans.

En ce temps-là, don José s'appelait simplement Miraflor : c'était peut-être son nom, c'était peut-être celui de son village, l'histoire n'a pas encore éclairci ce point. Toujours est-il qu'un jour, interrogé par un compatriote sur ce que devenait l'aventurier, Bouvreuil répondit :

– Votre ami, s'il continue, il court à Mazas.

Et, de fait, il y allait. Car Bouvreuil le fit condamner à la prison. Mais, du même coup, Miraflor avait trouvé son nom de guerre sous lequel nous le retrouvons aujourd'hui. Les oreilles ibériques, séduites par la consonance, adoptèrent les sonorités de la phrase. Bouvreuil avait baptisé son escroc sans s'en douter. Voilà comment don José devint Miraflor y Courramazas, gentilhomme d'une quelconque des républiques sud-américaines.

Telles étaient les relations existantes. On le conçoit, elles mettaient l'escroc à la merci de Bouvreuil. Mais, sur la *Lorraine*, Bouvreuil avait besoin de don José. Et leur intérêt commun unit bientôt ces deux honnêtes gens. Tandis que le bateau naviguait du 30e degré de latitude nord au tropique du Cancer, se dirigeant vers la ligne fictive de l'équateur, Bouvreuil mit son nouvel associé au courant de sa pénible situation. L'examinant attentivement, don José fit une juste remarque.

– À ce bord, dit-il, rien à faire de mieux que ce qui est. Je vous ai soi-disant agréé comme mon serviteur ; vous voilà tranquille pour la fin de la traversée. Mais, du moment où nous débarquerons sur une terre de l'Amérique, là, je deviens un personnage, et vous pouvez compter sur moi.

– Ah ! je vous en serai bien reconnaissant.

– Seulement, je me souviens que, lors de notre petit différend, jadis à Paris, M. le substitut m'a fait observer que la condamnation à quelques mois de repos, pour un retard que vos lois françaises appellent un délit, ne m'en constituait pas moins votre débiteur.

– Oh ! ne parlons pas de cela, fit négligemment Bouvreuil.

– Au contraire, parlons-en, appuya l'autre avec intention. J'étais si bien resté votre débiteur que votre huissier me l'a rappelé, et c'est même une des causes qui m'ont fait quitter une ville aussi peu hospitalière. Ne croyez-vous pas qu'il serait bon de liquider ce petit arriéré ?

Bouvreuil était pris.

– Je ne demande pas mieux... Mais vous devez bien penser que je n'ai pas sous la main les papiers nécessaires... Le dossier est à Paris.

– Un simple reçu aurait suffi, dit froidement José... Vous

réfléchirez.

– C'est cela, quand nous débarquerons.

– Alors, ce sera plus cher.

– Vraiment ?

– Sans doute... car il faudra nous débarrasser de votre ennemi, et ce sera un surcroît de dépenses.

– Un surcroît ?

– Même dans les pays équatoriaux, cher monsieur, les coups de revolver se paient à part.

Bouvreuil blêmit.

– Mais je ne demande pas sa mort ! s'écria-t-il.

– Bast ! les demi-mesures ne valent jamais rien ; je vous assure que vous faites là une économie mal placée.

Don José commençait à se montrer sous son véritable aspect ; à vrai dire, il effrayait un peu le vautour Bouvreuil, – canaille civilisée que le code avait faite, mais dont les combinaisons ne dépassaient pas les bornes légales. On sait qu'elles vont d'ailleurs assez loin et que « le droit » couvre bien des actions pas toujours très belles ; en France, autre chose est d'avoir l'équité pour soi ou bien le papier timbré.

La *Lorraine* approchait de la « ligne ». Le passage de cette zone imaginaire est l'occasion d'une fête pour les matelots, que connaissent tous ceux qui ont un peu navigué. Du côté de Lavarède et de la famille Murlyton, on en parlait en toute connaissance de cause.

Déjà on voyait l'équipage préparer mystérieusement, avec des sourires énigmatiques, les accessoires du fameux baptême, dont les péripéties grotesques ont été vulgarisées par les dessinateurs.

– Étrange coutume, tout de même, dit miss Aurett.

– Oh ! mademoiselle, si l'ancienneté est une excuse, celle-ci est bien pardonnable, car elle remonte fort loin. On ne sait si c'est la corruption d'une cérémonie païenne, sur laquelle le catholicisme aurait laissé au passage quelques lambeaux de ses rites. Quelques-uns pensent que c'est le souvenir d'un culte profane, d'une religion indécise des peuples navigateurs, se rattachant à l'adoration du soleil.

– Mais j'ai lu dans mes livres, fit observer la jeune fille, que cet usage ne semble point avoir été pratiqué par les compagnons de Christophe Colomb, ce qui ne lui donnerait pas une origine aussi antique.

– Cependant, mademoiselle, nos plus anciens marins en ont fait mention. Jean de Léry, qui partit de Honfleur pour le Brésil en 1557, en parle comme d'une coutume suivie déjà par les premiers découvreurs, sortis du Havre et de Dieppe longtemps avant lui. Un autre, Souchu de Rennefort, qui écrivit, en 1688, une *Histoire des Indes,* décrit le baptême tropical tel qu'il se pratique encore de nos jours à bord de tous les bâtiments de guerre et de commerce.

Sir Murlyton dit aussi son mot :

– Monsieur Armand a raison, mon enfant, et je crois que cette cérémonie nous a été léguée par les Normands, non pas nos voisins actuels, ni ceux venus en Angleterre avec Guillaume le Conquérant, mais bien les « hommes du Nord », qui sont descendus en pirates vers les parages qui bordent « notre canal », celui que les Français appellent la Manche.

– Sur quoi basez-vous votre opinion, cher monsieur ?

– Sur une tradition suédoise du XIe siècle ; au temps du roi Valdémar le Victorieux, qui régna de 1170 à 1241, la montagne de Kullaberg, en Scanie, était habitée par un sorcier appelé l'Homme du Kulla, qui n'accordait aux navigateurs de ces parages le droit de doubler le cap Kullen qu'après avoir joué avec eux le rôle de doucheur, rempli depuis par le Père Tropique sous la ligne équatoriale.

– Tout cela est fort curieux, dit miss Aurett, mais moi je n'ai jamais vu ce baptême ; seulement, je n'aimerais pas en être l'héroïne.

– Oh ! n'ayez aucune crainte, monsieur votre père paiera aux matelots le petit tribut qui sert à se racheter de cette corvée ; d'ailleurs, le patient est tout désigné. On choisit généralement un passager qui n'a jamais encore franchi la ligne. Nous en avons un à bord.

– Qui donc ?

– Mais cet excellent M. Bouvreuil : je n'ai qu'un mot à dire à un maître d'équipage, et demain nous le verrons plongé dans la baille, recevant le bain traditionnel.

Miss Aurett sourit. Ce sourire était un acquiescement. Et Lavarède se promit cette petite vengeance. Au premier mot qu'il dit, au surplus, le maître répondit :

– Ce toqué-là... parbleu, une bonne douche ne pourra pas lui faire de mal.

Donc, le lendemain, malgré ses cris et ses protestations, Bouvreuil fut amené par quatre hommes, habillés en gendarmes de Neptune.

Les officiers du bord fermèrent les yeux, c'est l'usage. Don José aussi laissa faire ; au fond il n'en était pas fâché, Bouvreuil s'était trop fait tirer l'oreille pour lui donner quittance. Les passagers avaient pris place à l'arrière, la musique jouait en fanfare une marche triomphale ; c'était fête à bord ; tout le monde était en joie, excepté notre infortuné Bouvreuil.

La cérémonie commença. Une mousqueterie nourrie se fit entendre, et le cortège du Dieu de la Ligne parut, tandis que les matelots, perchés dans la mâture, jetaient à poignées des haricots sur le pont. Le dieu, donnant le bras à son épouse, – moussaillon dont le visage était encadré par des touffes de copeaux figurant des cheveux, – prit place sur un trône installé au pied du grand mât. Autour du groupe se rangèrent les dignitaires de la cour tropicale, l'astronome, le mousse Cupidon, etc. Tous portaient des costumes fantaisistes et de longues barbes d'étoupe.

Alors, le dieu Tropique se leva et, dans un discours classique, annonça aux passagers et marins qui pour la première fois franchissaient la ligne, que, dans sa sollicitude paternelle, il avait résolu de leur trancher la tête pour les guérir de la migraine et de leur scier les membres afin de les préserver des rhumatismes. Après quoi, le défilé des patients commença. Chacun, saisi par deux gendarmes, était amené auprès d'une cuve recouverte d'une planche et ornée de draperies. Il glissait une pièce de monnaie dans la main de ses gardiens ; on approchait la férule sacrée de ses lèvres, un flacon d'eau de Cologne lui était versé dans la manche ou dans le cou, et la farce était jouée. Cette première partie des réjouissances fut, en quelque sorte, bâclée. L'équipage avait hâte de voir arriver le tour de Bouvreuil. On lui avait abandonné le fou, et il l'attendait avec impatience. Le propriétaire, sans défiance, regardait ses compagnons passer à la cuve et, à l'appel de son nom, il se livra complaisamment aux gendarmes chargés de le conduire devant le « Père Trois-Piques ». – Un hourrah joyeux ébranla l'atmosphère.

Bouvreuil étonné regarda autour de lui. Il vit tous les visages ravis ; matelots, passagers étaient radieux, et au premier rang Lavarède, à côté de miss Aurett, riant aux larmes, en dépit du « can't » britannique. Sir Murlyton lui-même, donnant le bras à sa fille, paraissait avoir une tendance à se laisser aller à la gaieté générale. Il résistait certes, le digne gentleman, et de cette lutte entre le rire et la gravité résultait une contraction des muscles de la face de l'effet le plus bouffon.

Bouvreuil eut le pressentiment d'un désastre. La joie d'un ennemi est toujours de mauvais augure. Il voulut échapper à ses gardiens, mais ceux-ci l'empoignèrent et le firent asseoir, un peu rudement peut-être, sur la planchette qui recouvrait la grande cuve. Il tenta de se débattre ; la main pesante des gendarmes le cloua sur son siège. Deux autres représentants de la maréchaussée tropicale le maintinrent, qui par la tête, qui par les jambes, de telle sorte qu'il fut réduit à l'immobilité la plus complète.

Un des exécuteurs s'approcha de lui, et pointant perpendiculairement un clou énorme au-dessus de sa tête, fit mine de l'y enfoncer à grands coups de marteau. En toute autre circonstance, Bouvreuil eût compris que c'était une simple plaisanterie ; mais, harcelé, rudoyé, malmené par tout le monde depuis l'instant où il avait mis le pied sur ce malencontreux bateau, il avait perdu la notion exacte des choses. À la vue de la pointe et du marteau, il se crut perdu et poussa un cri d'épouvante, auquel répondirent de bruyants éclats de rire. – Le clou était en mie de pain colorée.

La terreur était ridicule ; l'usurier le sentit, et sa rage en fut augmentée. Il lança à Lavarède un regard qui l'eût fait frémir s'il n'avait été très occupé à raconter à la petite Anglaise une histoire que la jeune fille écoutait les yeux mi-clos, une teinte rosée aux joues et les lèvres entrouvertes par un sourire. Mais la victime n'était pas au bout de ses peines. Un second exécuteur, armé d'énormes tenailles, s'avançait.

– Il devait, disait-il, arracher les ongles du patient.

Et il lui enleva... ses chaussures.

Un troisième survint portant une scie, dont il menaçait le col du malheureux. Il lui râpa simplement le dos avec la corde qui sert à tendre la lame.

Bouvreuil ne bronchait plus. Il laissa un autre exécuteur lui barbouiller la figure de blanc et de noir, à l'aide d'une férule de basane.

Après cette opération, les gendarmes le lâchèrent. Il pensa que ses épreuves étaient terminées et fit mine de se lever. Comme s'ils n'eussent attendu que ce mouvement, ses tourmenteurs firent basculer la planchette sur laquelle il était assis, et l'usurier, avec une pirouette des plus réjouissantes, disparut jusqu'au cou dans la cuve remplie de vieille sauce, de noir d'ivoire, de sel, de poivre, de cirage, enfin de tous les ingrédients que le navire avait pu fournir.

Bouvreuil fit un effort héroïque. Se cramponnant aux bords, il tenta de s'échapper. Mais aussitôt le tube d'une pompe foulante fut placé dans la cuve et en fit jaillir le liquide, qui retomba de tous côtés en flots jaunâtres sur la tête du malheureux. En même temps le contenu de nombreux seaux d'eau coula du haut de la hune, où les matelots les avaient tenus en réserve pour compléter ce singulier baptême.

Aveuglé, à demi asphyxié, Bouvreuil hurlant, gesticulant, se débattait avec désespoir sous cette interminable averse.

Un rire fou secouait tous les assistants. Sir Murlyton lui-même s'y abandonnait maintenant. Et la douche tombait toujours. Le docteur du bord encourageait les matelots :

– Allez-y, enfants. C'est un service que vous rendez à cet infortuné. La douche est le traitement normal de l'affection dont il souffre.

Et les marins ne faisaient point la sourde oreille. Mais les forces humaines ont une limite. On riait trop pour faire beaucoup de besogne. Les arroseurs lâchèrent leurs seaux ; les gendarmes cessèrent de retenir le patient. Rapide comme la pensée, Bouvreuil profita de la situation. D'un bond, dont ses nombreux clients ne l'eussent point cru capable, il s'élança hors de la cuve et s'enfuit, mais dans quel état !

Ruisselant, tremblotant, ahuri. La figure et les mains d'une couleur indescriptible. Les cheveux versant l'eau. Les vêtements collés au corps. Et avec cela, ivre de colère, menaçant du poing tous ces gens égayés par sa déconvenue. Il courut s'enfermer dans l'entrepôt où Lavarède lui envoya des vêtements de rechange, pris d'ailleurs dans les bagages de Bouvreuil, embarqués dans la cabine au départ.

Cette attention ne calma point l'usurier ; car, une heure après, débarbouillé, couvert d'habits secs, il se rencontra avec José, et l'attirant à part :

– Vous disiez, cher monsieur, qu'il est facile de se débarrasser d'un homme en Amérique ?

– Tout dépend du prix, répliqua en souriant le rastaquouère. Les braves ne manquent point chez nous.

– Eh bien, nous en reparlerons peut-être.

V

La mer des Antilles

Les derniers jours de la traversée furent des plus calmes. Un seul incident se produisit aux approches de la mer des Antilles. Au loin, à l'horizon, une trombe apparut un soir, au soleil couchant ; l'eau, soulevée comme une colonne pélasgienne, rejoignait un gros nuage noir et semblait s'y engouffrer.

Sans être très commun, ce phénomène n'étonne pas outre mesure les navigateurs. Le spectacle est, au surplus, fort curieux, lorsqu'il se produit à distance suffisante pour n'être pas inquiétant.

Le même soir, la nuit venue, la mer devint phosphorescente ; des vagues argentées déferlaient le long de la *Lorraine,* faisant jaillir des millions d'étincelles aux vifs scintillements.

La présence antérieure de la trombe d'eau et des gros nuages disait assez combien l'atmosphère était chargée d'électricité.

Cela amena l'éternelle discussion sur la phosphorescence de l'océan, Lavarède l'attribuant à une cause électrique, Murlyton tenant pour la tradition qui veut que ce phénomène soit produit par des myriades d'animaux d'un ordre spécial. Miss Aurett ne cherchait pas la cause et se contentait d'admirer l'effet, un peu féerique, qui parlait à son âme.

Mais, tandis que ceux-ci élevaient leurs esprits aux spectacles de la nature, d'autres s'abaissaient aux combinaisons humaines les plus viles. Entre Bouvreuil et José, une sorte de pacte était conclu. Le vieux finaud avait mis à profit les quelques jours de traversée. Il avait observé. Et, clairement, il avait vu la sympathie naissante de la jeune Anglaise pour Lavarède.

– Ce gaillard-là, dit-il au Vénézuélien, est capable d'avoir plusieurs cordes à son arc. Si la fortune de son cousin lui échappe, comme cela est plus que probable, par la voie régulière de l'héritage, il trouvera une planche de salut... Les quatre millions reviendront à l'Anglais, puis à sa fille. Et, en se faisant bien voir de celle-ci, il ressaisira par le mariage l'argent qu'il aura perdu... en route.

– Cette petite sera donc bien riche ? demanda José, que de telles perspectives dorées émoustillaient déjà.

– Oui... sir Murlyton a une fortune personnelle considérable ; vous connaissez les Anglais : pour qu'ils cessent de travailler, il faut qu'ils soient plus qu'à l'aise. Miss Aurett est fille unique. Si aux millions de son père viennent se joindre ceux du voisin Richard, ce sera un parti princier.

– Ce serait grand dommage de le laisser tomber entre les mains de votre ennemi.

Ce disant, José avait son mauvais sourire, le sourire des jours où il « courait à Mazas ». Et Bouvreuil lui répondait par un mouvement circonflexe des lèvres qui ne l'embellissait point. Encore ne disaient-ils pas tout, ni l'un ni l'autre.

Mentalement, Bouvreuil pensait :

– Et Pénélope ?... que ferait ma Pénélope si je ne lui ramenais pas son infidèle, penaud et repentant, comme je le lui ai promis ?

De son côté, don José entrevoyait un horizon de repos après les orages de la vie aventureuse, avec les millions de l'Anglaise pour capitonner ses vieux jours, avec son joli sourire frais pour en dissiper l'amertume. Brusquement le dialogue muet cessa. Les deux hommes s'étaient compris.

– Donnant, donnant... comme toujours, fit l'Américain. Je vous aiderai à empêcher ce Lavarède de réussir dans sa folle entreprise ; mais, en revanche, vous m'aiderez à obtenir la main de miss Aurett.

– C'est entendu... et ce traité-là n'a pas besoin d'être signé.

– Non, entre honnêtes gens.

– Et puis notre intérêt étant le même...

– Parfaitement exact.

Au fond de son idée, tout à fait au fond, dans un coin caché de derrière la tête, don José ne se souciait que subsidiairement de la main de la blonde enfant. C'était la fortune qui seule le tentait.

Gouverneur de Cambo, de Bambo ou de Tambo, préfectures diverses qui lui étaient offertes, c'était très joli assurément, c'était même flatteur, et, jusqu'à un certain point, productif. Mais n'était-ce point un sort précaire ? L'inamovibilité des fonctionnaires n'est point décrétée dans les républiques hispano-américaines. Encore moins celle des traitements. Et la révolution chronique qui n'était encore que semestrielle, pouvait bien devenir trimestrielle. Les partis vaincus y avaient songé plusieurs fois.

Avec ça, le Trésor était à sec. Les appointements se soldaient avec des retards sensibles. Un beau jour, la bascule politique n'avait qu'à jouer avant le versement financier !...

Tout cela bien pesé, un bon mariage paraissait plus solide. Don José était jeune encore ; son titre dans le pays vers lequel on naviguait était de nature à flatter l'amour-propre d'une jeune personne ; les moyens de séduction honorables ne manquaient pas. Rien ne serait aisé comme de compromettre miss Aurett et de rendre l'union nécessaire.

Le plus pressé était de se lier petit à petit, pendant les derniers jours, avec sir Murlyton, et c'est à quoi tendirent les efforts del señor Miraflor. Bouvreuil l'y aida de son mieux. Ses regards même devinrent moins féroces lorsqu'ils croisaient ceux de Lavarède. Si bien que celui-ci put penser que l'antipathie de son propriétaire et créancier s'était séchée en même temps que ses habits. Il se trompait. Bouvreuil lui ménageait un tour de sa façon.

– Mon cher ami, dit-il à don José, ici, à bord de la *Lorraine*, ce coquin m'a pris mon nom. Il est, lui, Bouvreuil, homme considéré ; et je suis, moi, Lavarède, être sans importance, à moitié fou, la risée de l'équipage. Soit... patientons encore quelques heures. Bientôt nous débarquerons à Colon... Et là, je profiterai de la situation qui est faite à bord à Lavarède et à Bouvreuil.

– Que voulez-vous dire ?

– Ceci simplement : M. Bouvreuil est un personnage. Eh bien, une fois à terre, je redeviens moi, je redeviens Bouvreuil, ce qui m'est facile, puisque j'ai tous mes papiers et que nous trouverons là des autorités régulières.

– C'est certain... Et puis ?

– Et puis Lavarède n'est plus qu'une sorte de colis que l'on va rapatrier par charité, – ou par force, à son choix. Tous les officiers de la *Lorraine*, les matelots eux-mêmes, en témoigneront... Rien ne sera plus facile que d'obtenir du consul français l'ordre de rapatriement dont il a été question devant moi aux îles Açores.

– Je comprends... Avec le commandant, je m'entremets pour

demander cette pièce, et, une fois qu'elle sera signée, c'est le véritable Lavarède qu'on va saisir et embarquer.

– Voilà !... Son tour du monde n'aura pas été long.

La combinaison était excellente en effet. Par sa simplicité même, elle avait chance de réussite. Le malheur est que Lavarède n'était point un naïf, et qu'en se rapprochant de la terre américaine il sentait bien que son paradis allait finir et son enfer commencer. Très sincèrement, il s'en était ouvert à miss Aurett, qui lui demandait en riant comment il allait se tirer de la plus prochaine étape.

– Vous pensez bien, mademoiselle, que je vais quitter le personnage dont je me suis affublé pour la traversée. Je n'aurais pas plus tôt mis le pied à terre à Colon que de sérieux obstacles m'arrêteraient.

– Alors que comptez-vous faire ?

– Je n'en sais rien encore ; mais je suis bien résolu à ne pas attendre ce point pour débarquer.

À l'escale que fit la *Lorraine* à la Guadeloupe, rien ne fut encore changé : nos personnages s'observaient.

Lavarède, pour mieux tromper son monde, se contenta de raconter quelques détails sur les récifs de coraux qui augmentent d'année en année, particulièrement sur le littoral de la Grande Terre. Il avait un souvenir sur Marie-Galante, une anecdote sur la Désirade. Toutes les îles y passaient : Saint-Barthélemy, que la Suède nous a rendue en 1878 ; Saint-Martin, que nous partageons avec les Hollandais.

Il faisait remarquer les Grands Mornes, desquels se détache la Soufrière, et son panache de fumée ; il indiquait la vallée de la Rivière des Goyaves, et rappelait volontiers un incident du tremblement de terre qui détruisit, en 1843, la Pointe-à-Pitre en une seule minute, – 70 secondes, disent les auteurs très précis.

En un mot, rien dans son allure, dans sa conversation, ne décelait sa préoccupation. Il ne mit même pas pied à terre.

Ce fut seulement à la Martinique, où le bateau relâchait pendant près d'une journée, qu'il fit comme la plupart des passagers. Il descendit à Fort-de-France. Quant à Bouvreuil, il resta consigné encore.

– Est-ce adieu qu'il faut vous dire ? interrogea miss Aurett.

– Non pas, mademoiselle... Ne dois-je point, d'ailleurs, permettre à votre père d'accomplir sa mission ?

– Les difficultés ne vous découragent donc pas ?

– Elles m'excitent, au contraire... Nous sommes ici en terre française, et, ma foi, je vais chercher un moyen de continuer mon tour du monde, sans sortir des clauses qui me sont imposées.

C'était très simple à dire, mais moins simple à exécuter. Il connaissait la colonie, l'ayant habitée pendant l'un de ses voyages. Il se dirigea vers la place de la Savane, se donnant plutôt un but de promenade machinale, afin de laisser aller sa pensée.

Et il songeait :

– Voyons... que faire ? Si je continue la traversée sur la *Lorraine*, nous allons trouver les escales du Vénézuéla et de la Colombie avant d'arriver à l'isthme. De ces côtés, les routes sont à peu près nulles ; même les messageries se font à dos de mulet... Je perdrai donc par là un temps précieux. Et puis, comment m'y prendre pour vivre ! Si, sans quitter l'île, je poussais jusqu'à Saint-Pierre, je trouverais là un navire pour l'Amérique du Nord... À Saint-Thomas, je rencontrerais ceux qui font le service des Antilles et du Mexique... Cela m'avancerait toujours... Oui, mais comment m'y prendre pour solder mon passage ? Allons, ce n'est vraiment pas commode. Dans quelques heures, la *Lorraine* reprend la mer ; il faut que d'ici là...

Comme il faisait le tour de la statue élevée à l'impératrice Joséphine, il aperçut quelqu'un qui le regardait.

– Lavarède ?... Est-ce bien toi ?

– Moi-même.

Et il dévisagea le nouveau venu, qu'il reconnut presque aussitôt. C'était un camarade de collège.

– Que diable fais-tu ici ? demanda Armand.

– Je vais te le dire, mais je te ferai ensuite la même question. Je suis attaché à la personne du gouverneur depuis peu.

– Donc, te voilà *créole*.

– Non pas... *immigrant*, puisque je ne suis pas natif de la colonie. À toi, maintenant.

– Je suis de passage seulement, et je viens respirer l'air de la ville pendant l'escale de notre transatlantique.

Une absinthe au lait de noix de coco fut vite offerte, et la conversation s'engagea. Armand demanda des nouvelles de quelques amis de jeunesse et d'autres qu'il avait connus jadis aux Petites Antilles :

– Georget ?...

– Mort, piqué par une vipère fer de lance, sur les bords du Lamantin.

– Dramane ?...

– Atteint de la fièvre jaune à la Pointe-du-Diable, dans la presqu'île de Caravelle.

– Subit ?...

– En villégiature au ravin des Pitons ou à la source d'Absalon, où il prend les eaux pour se guérir d'anciennes blessures.

– Jordan ?...

– Émigré dans une des dix-huit républiques hispano-américaines. Aux dernières nouvelles, l'ami Jordan, décavé à la suite des folies de jeunesse, était parti pour Caracas, ayant réalisé ses dix derniers mille francs.

Au surplus, un commis de l'ordonnateur, nom d'un des fonctionnaires, le connaissait. C'était à deux pas ; on y alla. Un type que ce commis. Créole, correspondant des sociétés savantes et un tantinet prétentieux. Cela se remarquait dès les premiers mots.

– Je voudrais savoir ce qu'est devenu notre ami Jordan, qui habitait autrefois la Martinique, dit très courtoisement Lavarède.

– Vous voulez dire, objecta l'érudit, qui habitait la *Madinine.*

– Le nom créole, sans doute ?

– Non, monsieur, le véritable nom de l'île, celui que les aborigènes lui avaient donné.

– Ah ! bien... Mais je ne sais pas le caraïbe, moi.

– Vous voulez dire le *caribe,* car l'autre mot en est la corruption française. Les Anglais, obéissant mieux à la tradition orale, écrivent *caribbee :* ils ont raison.

Lavarède ne voulait pas discuter avec ce puits de connaissances locales, il revint aussitôt à Jordan.

– M. Jordan s'est établi à Caracas, où il a fondé le Bazar français.

– Un bazar... tout à treize.

– Monsieur est sans doute Parisien, fit gravement le commis. Le Bazar est, dans l'État vénézuélien, quelque chose comme le Louvre ou le Bon Marché, agrémentés du Temple et des Halles centrales... On y vend de tout, on y trouve de tout.

– Même des pianos ?

– Oui, monsieur, et des pommes de terre au besoin. C'est nous qui le fournissons de sucre.

– De sucre et de café ?

– Hélas non ! L'île ne produit plus assez à présent ni en café, ni surtout en coton, mais nous tenons le premier rang pour la canne à sucre et le tafia.

– J'en suis enchanté pour la Marti... pardon, pour la Madinine... Mais je suis plus enchanté encore pour notre copain Jordan.

– Certes, vous pouvez l'être ! Son capital a été décuplé. Il va en France tous les deux ans pour faire ses achats et pour éviter l'anémie, qui atteint ici les Européens qui ne quittent pas ces parages. Et même il a dû fonder diverses succursales à Bolivar, à Sabanilla, à Bogota, dans les grands centres de la Nouvelle-Grenade, ou (pour parler plus moderne) dans les capitales des États-Unis de la Colombie-Grenadine ; il a poussé, je crois, jusque dans les républiques de l'Ecuador et de la Bolivie. Mais son centre principal, la maison mère, comme il dit plaisamment, est resté à Caracas.

– Le voyez-vous quelquefois ?

– Oui... mais jamais dans l'hivernage, c'est-à-dire de juillet à octobre. Il vient revoir la France ici, pendant la saison fraîche, où il n'y a jamais d'ouragan.

Après quelques remerciements et politesses, on prit congé. Le temps avait passé ; le secrétaire du gouverneur reconduisit Lavarède au bateau. Là, tout était bouleversé : il y avait eu un raz de marée.

Ce phénomène bizarre est assez commun dans ces parages, mais il n'en est pas plus expliqué pour cela. En plein calme, sans que les flots soient agités au large, de longues houles se produisent, s'accentuant de plus en plus à mesure qu'elles s'approchent du rivage, si bien que, sur la côte, la mer est furieuse et comme démontée. Heureusement, le port de Fort-de-France est sûr, c'est le mieux abrité des Antilles, en sorte que les effets de ce raz ne furent point funestes à la *Lorraine.*

– Bonheur encore que nous n'ayons pas vu le cyclone, dit un des matelots ; ça ravagerait tout, les maisons et les bateaux.

– Ces cyclones sont donc bien terribles ? fit miss Aurett.

– Certes, répondit sir Murlyton, et ils sont particuliers à la *Carribean sea,* – le nom que les Anglais donnent à la mer des Antilles.

Pendant que le navire dérapait, un officier du bord en rappela quelques-uns dont la Martinique eut fort à souffrir : celui du 10 octobre 1780, qu'on appelle encore le « grand ouragan », celui du 26 août 1825, et celui du 4 septembre 1883, où la ville de Saint-Pierre fut à demi détruite et vingt navires perdus dans le port. On était silencieux. Cela se comprend : l'évocation de tels désastres n'est pas pour que l'on rie.

Quelques instants après, Lavarède, seul sur le pont, regardant la côte qui approchait, restait pensif. À peine interrogea-t-il le second.

– La première escale est bien la Guayra ?

– Oui ; ensuite Porto-Cabello, encore en Vénézuela ; ensuite Savanilla, en Colombie ; mais, à l'aller, nous ne nous arrêtons guère sur ces points que pour le service de la poste. Au retour, nous restons plus longtemps, à cause des chargements pour l'Europe.

La *Lorraine* continua sa route. Lavarède ne parut point à table. Il était malade, disait-on.

Le lendemain, sir Murlyton le fit demander. Bouvreuil et don José le cherchèrent eux-mêmes partout. Ils ne le trouvèrent point. Lavarède avait disparu. Tout le monde était inquiet, sauf miss Aurett, qui seule paraissait conserver son sang-froid britannique.

VI

Sur la terre américaine

On le devine sans peine, la disparition de Lavarède fut un gros événement à bord de la *Lorraine*. Un instant on le crut tombé en mer. Mais sir Murlyton alla parler au commandant après l'escale de Sabanilla, et il le rassura. Il avait trouvé dans sa cabine un mot du voyageur ainsi conçu :

« *Dans huit ou dix jours, attendez-moi à Colon, à Isthmus's Hotel, où je vous rejoindrai sans doute. Je ne vois aucun inconvénient à ce que l'infortuné Bouvreuil réintègre son nom et sa cabine, maintenant que je ne navigue plus avec lui ; mais je vous saurai gré d'attendre la prochaine relâche de la* Lorraine *pour dire la vérité.*

Mes hommages à miss.

« *Ever yours.*

« *ARMAND LAVAREDE,*

« *Millionnaire de l'avenir.* »

L'Anglais se conforma à ces instructions. Il était vraisemblable qu'Armand était descendu à la Guayra, le port de Caracas en Vénézuela, dont il n'est séparé que par moins de cinq lieues.

L'identité de Bouvreuil, constatée par ses papiers, fut attestée par sir Murlyton et par le passager d'illustre marque don José Miraflorès y Courramazas. On se confondit en excuses, mais ces regrets ne furent que superficiels ; car les officiers du bord avaient un faible pour le joyeux aventurier disparu dans l'Amérique du Sud. Et, malgré eux, ils se montrèrent froids et réservés avec l'individu qui leur avait donné tant de tablature pendant la traversée. Il n'en reprit pas moins possession de son rang de passager de première classe. Et le voyage finit pour lui mieux qu'il n'avait commencé.

Mais un doute singulier, un mystère étrange subsista pendant les derniers jours, et l'on parle encore, à bord des transatlantiques, de cette bizarre substitution, qui n'a jamais été complètement expliquée.

Ces événements avaient nécessairement rapproché les quatre passagers qui connaissaient Lavarède.

Don José en profita pour tracer quelques parallèles, exécuter quelques travaux d'approche, afin d'avancer le siège de la petite aux millions.

Ce fut en pure perte. La jeune perle de la Grande-Bretagne demeurait inabordable, tels les carrés de l'infanterie anglaise à Waterloo. Bouvreuil, de son côté, cherchait à déconsidérer l'absent dans l'esprit de sir Murlyton.

– C'est un bohème sans consistance, sans position, sans fortune, disait-il.

– À moins, objectait le rival impassible, qu'il ne gagne dans un an les quatre millions du cousin Richard.

Un haussement d'épaules fut la seule réponse du propriétaire irrité. C'était fort invraisemblable, en effet.

La *Lorraine* parvint à Colon sans encombre, et, une fois à terre, chacun reprit ses occupations personnelles.

Froidement, mathématiquement, sir Murlyton et miss Aurett descendirent à Isthmus's Hotel, maison anglaise tenue avec le confortable cher aux insulaires, – d'autant plus cher ici qu'il y coûte les yeux de la tête, Bouvreuil les y suivit. C'était conforme d'ailleurs à son programme du départ : « Article 3, descendre de préférence dans les hôtels anglais. » Au surplus, il n'oubliait pas ce qu'il était venu faire dans l'isthme : représentant d'un groupe important de porteurs de titres, il voulait voir l'état réel des travaux, et se rendre compte par lui-même de la possibilité ou de l'impossibilité d'aboutir, dans un temps donné, à un résultat définitif.

Il avait un rapport à faire, et, pour commencer, il prit le chemin de fer, qu'il parcourut dans toute sa longueur de Colon à Panama, puis de Panama à Colon, espérant qu'il verrait quelque chose d'utile, – voyage très court d'ailleurs, puisque la distance est inférieure à celle de Paris à Montereau. Il fallait d'autres yeux que les siens pour cela, des connaissances spéciales qu'il n'avait point. Il crut très malin de s'aboucher avec des Français qu'il supposait heureux de se rencontrer en ces lointains parages avec un compatriote. Il n'en trouva point d'assez naïf, ou d'assez bavard, pour s'ouvrir à lui, tout futé, tout madré qu'il fût. Il attendit une occasion que sa bonne étoile devait lui envoyer.

Mais, entre temps, il écrivit à sa fille, à sa Pénélope, pour lui dire que Lavarède était invisible et introuvable.

« Errant dans une république quelconque du Sud, et séparé de toute communication régulière par la double chaîne des Cordillères des Andes, il en a pour plusieurs mois avant d'arriver dans un pays où les relations soient aisées et les chemins civilisés, pour ainsi dire. Tu peux être tranquille. L'original de tes rêves ne réussira pas dans sa sotte entreprise. Je ne lui souhaite qu'une chose, c'est de ne pas s'enliser dans la lagune de Maracaïbo, de ne pas se perdre dans les marécages de la Magdalena, ou de ne pas tomber du haut des 5400 mètres du Tolima, s'il tente de se rapprocher de Panama (ne t'étonnes pas si ton père est devenu si fort en géographie, c'est un ingénieur de l'isthme qui m'a donné ce renseignement).

« Nécessairement, c'est de ce côté-ci qu'il doit revenir, car c'est d'ici seulement que partent les navires dans toutes les directions du monde. Il est assez fou pour essayer de continuer sa route ; mais, avant qu'il s'y hasarde, je soulèverai quelques obstacles qui viendront se joindre au plus dangereux de tous, le temps. En effet, les semaines passent, elles deviennent des mois ; et ton bel Armand sera bien heureux, lorsque sonnera la date fixée, de retrouver la fille au papa Bouvreuil. »

Quant à don José, il était à remarquer qu'une fois débarqué, il avait éteint sa morgue castillane et semblait vouloir se faire tout petit, afin de passer inaperçu. C'est qu'à Colon on était dans l'État de Panama, l'un de ceux qui forment les États-Unis de Colombie. Et l'aventurier ne tenait pas à se faire remarquer des autorités colombiennes.

Il disparut même complètement pendant deux jours, sans que ses compagnons pussent s'expliquer cette éclipse. Nous qui savons tout, rien ne nous empêche de le dire. Don José, en réalité fils d'un *Guaymie*, issu de quelque péon indien misérable, était allé jusqu'à Miraflorès, petit bourg situé sur le versant du massif montagneux qui regarde l'océan Pacifique. Là, il avait embrassé sa bonne femme de mère, travaillant à quelque bas emploi dans une exploitation agricole, une *cafetale* ou *hacienda* de café. Bon fils, tout au moins, il lui avait laissé quelques piastres, lui en promettant davantage lorsqu'il occuperait son poste de préfet de Cambo.

Voilà donc précisée la nationalité jusqu'ici indécise de ce rastaquouère. Miraflorès était le nom de son village natal. D'origine, il était donc Colombien. Mais ses aventures, qui en avaient fait successivement un Vénézuélien, puis un Guatémaltèque, l'avaient définitivement établi Costaricien. Là, seulement, il s'était prononcé pour l'un des prétendants à la présidence et s'était attaché à sa fortune. Nous avons vu que, pour le moment, José avait bien fait.

Lorsqu'il reparut à Colon, ce fut pour annoncer son départ immédiat.

Par la voie de terre, cela ne lui semblait ni sûr, ni rapide. Des navires de commerce partent constamment pour Limon, le port de Costa-Rica sur l'Atlantique, comme Puntarena est celui du Pacifique. Un chemin de fer isthmique les relie, du reste, l'un à l'autre, depuis quelques années. José retrouva son emphase habituelle pour faire ses adieux à la famille Murlyton.

– Ce n'est point adieu, miss, que je vous dis, mais au revoir. Je vais prendre possession du gouvernement que me confie la nation (185 000 habitants, en y comprenant les Indiens !...), et j'espère vous y revoir et vous y recevoir... Quand le soleil a vu la rose de l'Angleterre, c'est elle désormais qui lui envoie ses rayons. Il n'a plus qu'à s'éteindre devant la beauté blonde et pure !

Le compliment, qui laissa froide « la rose d'Angleterre », enthousiasma Bouvreuil. Il dit à son complice, en l'accompagnant sur le port :

– Quoi qu'il arrive, j'amènerai sir Murlyton à prendre la route de terre.

– On pourrait lui faire savoir que Lavarède est dans l'État de Costa-Rica, dans une ville que je désignerai.

– Oui, ce moyen peut-être...

– J'enverrai des relais de mulets jusqu'à la frontière et, en passant par la Sierra, je me charge du reste !

Bouvreuil, redoutant quand même un retour offensif de Lavarède, n'était pas fâché de se conserver l'aide de José. Cela lui assurait au moins que les millions personnels de la « rose » très dorée n'iraient pas à lui, comme compensation de l'héritage du cousin. Ça valait encore mieux que de faire assassiner son futur gendre.

Cependant la semaine s'écoulait. Le délai fixé par Lavarède approchait, et l'on n'entendait pas encore parler de lui. Bouvreuil se montrait enchanté ; il avait fini par faire la connaissance d'un certain Gérolans, conducteur de travaux, qui lui indiquait un tas de choses peu connues sur le pays, et qu'il appelait « Monsieur l'Ingénieur », gros comme le bras.

Sir Murlyton et miss Aurett demeuraient calmes et tranquilles. Ils occupaient leur temps à des promenades dans la direction opposée aux marais et évitaient de sortir pendant les heures torrides de la journée. Car le climat de Colon est insalubre, justement à cause de la chaleur humide qui y règne et des marécages qui environnent la ville. Mais, quand ils eurent fait trois fois le tour de la statue de Christophe Colomb, – Colon en espagnol, – ils eurent bien vite connu cette petite cité, qu'un criminel incendiaire détruisit en partie en 1885. Colon fut élevé seulement en 1849, lorsqu'on parla du chemin de fer interocéanique, qui précéda le percement du canal.

– À l'origine même, expliqua Gérolans, la ville fut appelée « Aspinwall », dénomination que préfèrent les Américains du Nord, – du nom de leur compatriote, l'un des financiers des États-Unis qui contribuèrent à l'ouverture de la voie. Aspinwall choisit pour l'emplacement de la cité, tête de ligne, la petite île de Manzanilla, ainsi qualifiée à cause des mancenilliers qui y croissaient autrefois. Au début, Stephens, Baldwin, Hugues, Totten préféraient un point plus à l'ouest dans la baie de Limon ; mais l'avis de Tautwine prévalut : la profondeur des eaux est plus considérable au bord de l'îlot, et l'on se décida. Seulement, il fallut construire un terre-plein pour relier Manzanilla à la terre ferme et consolider la chaussée qui traverse les marais fangeux de Mindi. Enfin, en 1855, le chemin de fer fonctionna d'un océan à l'autre.

Nos amis en étaient là de leur instruction locale, lorsque Lavarède reparut, au grand désespoir de Bouvreuil, à la joie de miss Aurett, partagée à un degré moindre par l'impassible Murlyton.

– Dites, fit ce dernier, comment vous avez vécu ces jours passés.

– Venez d'abord avec moi jusqu'au port ; et montons sur la *Maria-de-la-Sierra-Blanca*, le navire qui vient de m'amener. Devant témoins, je vous ferai le récit de mon odyssée, fort simple d'ailleurs.

Quelques minutes après, Lavarède commença :

– À la Guayra, nous avons abordé la nuit déjà venue. J'en ai profité pour revenir à terre avec le bateau de la santé, qui m'a pris pour un déserteur de l'équipage. Comme, dans toutes les républiques du Sud, on manque d'habitants, et surtout de spécialistes, on accueille fort bien les Européens qui passent par là avec armes et bagages. Si cela se fait un peu moins en Vénézuela, je ne vous apprends rien en vous rappelant que le Paraguay, l'Argentine, etc., attirent à eux les émigrants du vieux monde par tous les moyens, avouables et inavouables. Me voilà donc reçu à la Guayra, et même nourri. Le soir, je m'informai du chemin de Caracas, vingt kilomètres à peine... Je me mis en route et j'arrivai le matin à la ville.

– Que diable y alliez-vous faire ?

– J'avais mon idée... Je me fis indiquer le Bazar français et me présentai à mon ancien ami Jordan, devenu l'un des plus gros négociants de la région. Je lui exposai mon cas. Il en rit beaucoup et promit de m'aider, ce qui lui était bien facile, comme vous l'allez voir.

– Le Bazar français ?... mais c'est un marché de tous les produits européens, textiles, fabriqués et comestibles.

– Justement ; l'idée est bonne, hein ?

– Oui, mais comme toutes les bonnes idées, c'est un Anglais qui l'a eue le premier... Chez nous, à Londres, à Bayswater, vous pouvez voir un établissement de ce genre, le « Whiteley ».

Lavarède n'était pas disposé à discuter avec Murlyton sur ce point de chauvinisme mercantile ; il poursuivit :

– L'ami Jordan a déjà fondé plusieurs succursales de sa maison, mais il en rêve d'autres. Il m'offrit de m'en occuper, d'aller d'abord surveiller celle qui commence à Sabanilla, puis d'inspecter la côte américaine et d'aller jusqu'à Veracruz, en m'arrêtant partout où cela me semblerait utile. Il mettait à ma disposition pour cet objet son vapeur *Maria-de-la-Sierra-Blanca*, sur lequel nous sommes actuellement, qui est commandé par le capitaine Delgado, que j'ai l'honneur de vous présenter, et qui m'a rapidement conduit ici, le seul pays où il m'ait « semblé utile » de m'arrêter, selon mes instructions, puisque c'était ici que je vous avais donné rendez-vous.

– Fort bien ; mais où avez-vous eu de l'argent ?

Le piège était trop visible. Lavarède n'y tomba pas.

– Mais, cher monsieur, point n'était besoin d'argent pour tout cela... Jordan m'a nourri, j'ai travaillé pour lui, nous étions quittes. Le señor Delgado peut vous affirmer que je suis, depuis huit jours, un employé comme il n'en a jamais vu.

Le marin opina du bonnet.

– Jamais, n'appuya-t-il, je n'ai rencontré une personne aussi désintéressée que ce Français.

– Merci du certificat, fit Lavarède en riant ; ce sera votre adieu, car je vous quitte.

– Comment ? Nous ne continuons pas le cabotage sur la mer des Antilles ?... Mais nous devons aller jusqu'au golfe du Mexique... Que va dire M. Jordan ?

– N'ayez aucune crainte, il est au courant et a voulu seulement m'aider à franchir une étape difficile... Donc, séparons-nous, et que *Dios* vous garde.

– Je vous invite à dîner, fit Murlyton en riant. C'est rester, je pense, dans les conditions de la lutte ; mais, outre que cela sera agréable à ma fille, je vous assure que vous m'amusez infiniment.

– Enchanté vraiment, dit Lavarède, qui ne mentait point, car il était heureux de se retrouver avec la jeune miss.

En dînant, la conversation reprit :

– Vous allez me dire, fit l'Anglais, par où et comment nous devons continuer notre tour du monde maintenant que vous n'avez plus le vapeur du capitaine Delgado.

– Par où ? mais par l'Amérique centrale... puis le Mexique, puis San-Francisco, puis...

– Bon, bon... mais comment ?

– Comment ? ah ! pardieu ! sur nos jambes.

– *By God !*

– Et sans perdre de temps même, car je n'ai que douze mois... Si vous êtes trop fatigué, arrêtez-vous... moi je continuerai dès demain, 14 mai.

– Mais ce soir, puisque nous ne partons pas à la minute, où allez-vous dormir ?

– Que cela ne vous inquiète pas. J'ai trouvé, en venant à Isthmus's Hotel, un ancien surveillant de l'École du génie maritime, M. Gérolans, que j'ai connu à Brest et qui me donne l'hospitalité. Donc, à demain matin... Bonne nuit, mademoiselle.

Resté seul, Murlyton murmura :

– Ce diable d'homme ! quelle volonté ! Il serait digne d'être mon compatriote.

– Oui, fit miss Aurett, mais aussi quelle gaieté ! Il est bien de sa race.

Le lendemain matin, Bouvreuil était arrivé le premier chez « son ami » Gérolans. Auparavant, il avait écrit à don José pour lui annoncer la réapparition de Lavarède, et son désir de continuer sa route par la voie de terre, faute d'autre moyen gratuit. Il avait appris ces choses par Gérolans, qui ne croyait pas mal faire, d'ailleurs, en les disant.

L'Anglais et sa fille les rejoignirent bientôt.

– Je ne sais pas si vous connaissez le pays, dit Gérolans à Lavarède, mais je crois que vous aurez de la peine à trouver un chemin tracé. Vous allez, à moins d'une journée d'ici, vous heurter à des forêts impénétrables, repaires de serpents et de bêtes fauves, qui ne sont habitées que par les métis, les Zambos noirs, les aventuriers de toute couleur, chercheurs de caoutchouc et de *tangua*. Le mieux qui puisse vous arriver serait encore de rencontrer une tribu indienne de mœurs douces, il y en a. Mais il y en a aussi des autres, les *Valientes,* fiers, indépendants et parfois féroces.

– Ce tableau n'est pas encourageant, répondit Lavarède, mais il ne m'arrête pas. À défaut de chemin tracé par l'homme, la nature en a fait un, puisque les plages suivent les deux côtés de l'isthme pour nous mener dans les républiques voisines. La Cordillère elle-même n'est-elle pas une route ? Elle est parallèle aux deux mers, et les villages nombreux, soit d'Indiens, soit d'immigrants, doivent nécessairement communiquer entre eux. De plus, si l'on rencontre dans les forêts des animaux qui mangent, logiquement on en trouve aussi dont la mission est d'être mangés, des comestibles, comme le cobaye ; enfin, au besoin, on s'ouvre un chemin avec le *machete*.

– Je vous en donne deux, nous n'en manquons pas ici. Je vais même faire mieux : nous avons, nous autres, agents du canal, certaines facilités de circulation sur le chemin de fer ; je vais vous emmener jusqu'au milieu de l'isthme, au col de la Culebra, en pleine Sierra. Dans le personnel placé sous mes ordres, j'ai remarqué un Indien de *Putriganti,* l'Espiritu-Santo des Espagnols, qui connaît l'ouest de l'*Estado del Istmo* jusqu'au Chiriqui. Il est très affectueux pour les blancs depuis qu'un médecin français a sauvé sa femme en danger de mort. S'il consent à vous accompagner, il vous sera d'une réelle utilité.

– C'est mon étoile qui l'envoie, fit Armand en riant ; ne suis-je pas aussi un peu docteur ?

Et la petite caravane partit, emmenant Bouvreuil, sous la conduite de Gérolans. Si Lavarède avait fait de la médecine, il était aussi ingénieur, et les travaux qu'il avait sous les yeux devaient l'intéresser vivement. Bouvreuil, de son côté, tenait trop à connaître la vérité pour que la conversation ne tombât pas bientôt sur le spectacle qui commençait à les frapper.

– Le canal, dit Gérolans, traverse d'abord, depuis Colon jusqu'à Monkey-Hill et Lion-Hill, une plaine basse, où les travaux ont été très faciles. C'est ensuite, entre Gatum et Tabernilla, au bas du massif de Gamboa, que l'on a eu du fil à retordre.

– Gatum est ce bourg important, là, sur la droite ?

– Oui, c'est l'entrepôt de bananes le plus considérable du Centre-Amérique, je crois. L'exportation vers New-York est devenue telle qu'on a aménagé des bateaux tout exprès pour embarquer et conserver des quantités énormes de ce fruit.

– N'étions-nous pas sur la rive droite d'une rivière ? Serait-ce le fameux Chagres dont parlent tant les ingénieurs ?

– Oui, on passe sur sa rive gauche au pont de fer de Barbacoas. Ici le Chagres a l'air bienveillant, mais plus loin il est terrible... D'abord, voyez autour de vous, maintenant, ces marais, où il a fallu creuser trente kilomètres de tranchées... Le sous-sol est imperméable, et nous avons perdu ici des milliers d'existences humaines.

En effet, à perte de vue, la plaine est parsemée de flaques d'eau aux reflets plombés. Sur ces marigots boueux flotte un brouillard perpétuel. Les voyageurs se sentaient enveloppés par une atmosphère lourde, écœurante, saumâtre, qui provoquait la nausée.

– Ici, reprit Gérolans, des sueurs abondantes épuisent l'homme. La soif inextinguible le tient. Et, nouveau Tantale, il ne peut boire l'eau qui l'entoure, ce serait boire la mort. Sans parler des moustiques, des *chiques,* des *niguas,* dont les suçoirs venimeux fouillaient la peau des travailleurs.

Enfin, on sortit de cet enfer.

– Mais, dit Bouvreuil, est-ce qu'on n'aurait pas pu éviter cette contrée ?

– C'était le plus court chemin pour arriver au col de la Cordillère.

– En ce cas, dit Lavarède qui était devenu très sérieux, on aurait eu à meilleur marché de temps, d'existences et d'argent le même travail en commençant par l'assèchement des marais. Nos ingénieurs ont déjà fait ce prodige en France, et les Italiens les imitent dans la campagne de Rome.

On avait quitté le chemin de fer depuis peu, et Gérolans conduisait ses amis au-delà de Tabernilla. De là, on dominait de nouvelles tranchées où tout était bouleversé. Après les marécages, le tracé rencontre le Chagres, rivière torrentielle, dont les promoteurs de l'entreprise semblent n'avoir tenu aucun compte.

– C'est cependant un cours d'eau particulier, dit Gérolans, puisque, si l'on peut le passer presque à pied sec à de certains moments, il arrive qu'en deux heures, après une pluie, son niveau monte de six à sept mètres. Alors les eaux, dévalant les pentes avec impétuosité, entraînent des blocs de rochers énormes. Ces jours-là, la tranchée était comblée, les travaux de plusieurs semaines perdus... On recommençait, le Chagres recommençait aussi. C'eût été du dernier comique si cela n'avait eu de lugubres conséquences.

– Mais le simple bon sens indiquerait à un particulier le danger d'établir un chantier auprès d'un voisin aussi incommode, aussi remuant !...

– C'est justement l'observation qu'a faite devant moi le conseiller d'État envoyé par le Gouvernement français.

– Eh bien, fit gravement Lavarède, se tournant vers ses amis, tout à l'heure j'ai parlé avec légèreté... Il est certain que l'on ne pouvait songer à dessécher un marais de cette étendue, entretenu par les torrents qui viennent s'y perdre. Avant tout, il fallait creuser un lit au Chagres et le détourner du tracé du canal, ensuite l'assainissement de la plaine marécageuse n'était plus qu'un jeu d'enfant.

Bouvreuil, ébaubi, écoutait de toutes ses oreilles. Cependant, un doute le prit. Il interrogea sir Murlyton :

– Ces choses vous paraissent-elles possibles ?

– Je pense, répondit l'Anglais, que c'est la raison même qui parle.

– Vraiment, demanda Bouvreuil à Gérolans, il est réalisable de détourner un cours d'eau ?

– Parbleu... quelquefois un simple barrage suffit. Nous en avons dix ou douze bien connus en France... Ce serait faisable ici aussi. Depuis Tabernilla, les escarpements commencent. De cette ville à Obraco, en passant par Manuel et Gorgona, – la ligne de partage des eaux est un peu à l'ouest de cette dernière localité, – la Cordillère mamelonne le sol, emprisonnant dans ses ondulations le lac Gamboa, d'où paraît sortir le Chagres, qui est aussi alimenté par un autre torrent venant de l'est. Eh bien ! un barrage de bonne taille et d'épaisseur suffisante pourrait envoyer la rivière par une autre nervure de la Sierra.

– Alors, Lavarède a peut-être trouvé le secret de la continuation des travaux interrompus ?

– Peut-être... car le reste ne sera pas plus difficile à exécuter que ne l'a été le commencement dans la plaine de Monkey-Hill. Au delà du massif, vers le Pacifique, par la vallée du Rio-Grande, le tracé rejoint la vaste baie de Panama en suivant une ligne presque droite.

– Oh ! la ligne droite... c'est dangereux avec les accidents naturels.

– Non ; après la dépression de l'arête centrale et montueuse, on ne traverse plus qu'une région féconde et boisée, où, au milieu de la plus riche végétation du monde, s'élèvent les bourgs pittoresques d'Emperador, Paraiso, Miraflorès, Corosel, La Boca, pour aboutir en face des îles Perico et Flamenco.

– Mais, parbleu ! c'est mon rapport que Lavarède vient de me dicter, s'exclama Bouvreuil... Ah ! quel homme ! Si seulement il était mon gendre, il aurait bientôt décuplé ma fortune.

L'instinct égoïste reparaissait. M. Vautour ne voyait que l'exploitation à son profit d'une force et d'une intelligence. Lavarède y gagnait cependant que l'idée des représailles féroces, des représailles à la mode de don José, ne hantait plus l'esprit de son adversaire.

Cependant Gérolans avait envoyé chercher son Indien, qui habitait San-Pablo, au sud du tracé, sur le chemin de Bahio-Soldado.

Grand, découplé, le teint cuivré, le regard très doux, l'Indien était de race pure, – ce qui est maintenant exceptionnel dans l'État de Panama. Par sa régularité, sa correcte obéissance, il était devenu chef d'équipe ; c'était un des très rares aborigènes demeurés au service de la Compagnie. Au début, ils étaient nombreux ainsi que les noirs. Mais les marécages les eurent bientôt fait disparaître.

Et l'on sait que l'on a dû recruter, pour les remplacer, jusqu'à des nègres d'Afrique, des Annamites et des Chinois. La région des marais a tout absorbé !...

– Ramon, lui dit Gérolans, voici un de mes compatriotes, mon ami, ingénieur et docteur, qui doit aller en Costa-Rica... Veux-tu le guider ?

L'Indien, superbe et digne, le regardait. Grave, sans parler, il lui tendit la main. Armand se méprit au geste.

– Ajoute, dit-il en souriant, que je voyage sans argent.

La main de Ramon resta tendue. Instinctivement, Lavarède y plaça la sienne. Un éclair d'orgueil joyeux parut sur le visage de l'Indien. On l'avait traité en égal, non en serviteur.

– Ton ami est le mien, caporal, dit-il à Gérolans.

– Tiens, pourquoi caporal ? fit Armand.

– C'est comme s'il disait cacique ou chef.

– Mais les blancs disent « capitaine » pour cacique.

– Ah !... c'est l'amplification, l'exagération qui leur est restée de la langue castillane.

– Ainsi, dit Lavarède, tu veux bien quitter ta place ici ?

– Oh ! fit l'Indien avec mélancolie, je n'y restais que par

reconnaissance pour le médecin de la Compagnie qui a guéri mon Iloé... Tous ceux de ma race qui ne sont pas morts dans la « tranchée de l'enfer » sont retournés cultiver les terres de leur tribu... Je vais partir avec joie pour ne plus revenir. Le chemin que tu dois suivre est celui qui mène à ma montagne ; nous le prendrons ensemble, avec ta compagne et la mienne.

Il avait désigné miss Aurett qui rougit.

– *Shocking,* murmura sir Murlyton.

– Cette jeune fille n'est pas ma compagne.

– Bien... Iloé saluera ta sœur ce soir, dans ma maison, à San-Pablo.

Il parut inutile d'expliquer à l'Indien que miss Aurett n'était pas une parente. Gérolans fit signe de s'en tenir là.

– Mais, objecta Lavarède, je ne suis pas seul ; j'ai ma tribu, dit-il gaiement en montrant Murlyton un peu effaré.

– Ils marcheront dans ton sentier... Toi, tu es Français et médecin, pour cela je t'aime et te respecte... Tu es ingénieur, je dois t'obéir... Mais d'abord, puisque tu es Français, viens, je vais te conduire en un point où tu auras fierté et contentement.

Les autres suivirent. Comme on passait par la Gorgona, Gérolans comprit et sourit. La petite troupe prit un sentier de la montagne, monta longtemps, et, lorsqu'on fut parvenu au Cerro-Grande, l'Indien marcha droit vers un arbre élevé, fit signe à Lavarède d'y grimper et dit ces seuls mots :

– C'est ici.

– Oh ! dit le Français... que c'est beau !...

En un clin d'œil, tous les autres étaient également montés sur des arbres voisins, pour voir ce qui était si beau ; seul, l'Indien attendait, placide. Le spectacle était vraiment merveilleux. De ce point, on aperçoit les deux versants de la Cordillère et les deux océans immenses où viennent finir, sur le Pacifique, la vallée du Rio-Grande, et, sur l'Atlantique, celle du Chagres. Le tracé du canal, interrompu à la montagne, paraissait comme un infiniment petit effort humain en face de l'imposante nature.

– Superbe point de vue !...

– Et rare, ajouta Gérolans, car avec la végétation tropicale de l'isthme, on ne peut nulle part ailleurs avoir une vue d'ensemble.

– Merci, Ramon, de m'avoir conduit ici, dit Lavarède en redescendant à terre.

– C'est l'arbre du Français, fit simplement l'Indien.

– Que signifie ?...

Ce fut Gérolans qui dut expliquer, pendant que l'on reprenait la route de San-Pablo.

– En 1880, un lieutenant de vaisseau, M. L. Bonaparte Wyse, qui fut le plus ardent apôtre de l'œuvre du canal, avec un autre officier de notre marine, M. Armand Reclus, finit, à force de recherches, par découvrir ce point de la Sierra, où l'on a sous les yeux la démonstration que les travaux doivent aboutir.

Sir Murlyton avait l'air aussi satisfait que Lavarède.

– Vous êtes content, dit-il, et moi aussi...

– Pas tant que moi, répondit Lavarède, puisqu'il s'agit de la découverte faite par un de mes compatriotes.

– Et je dis, riposta l'Anglais, que je suis plus content que vous, moi... car, si c'est un officier de la marine française qui à vu, le premier, l'endroit où les deux mers sont ainsi rapprochées, c'est un officier de la marine anglaise qui a prévu, le premier, la place où devait venir votre compatriote.

C'est exact d'ailleurs, et la fierté britannique avait raison. En 1831, le commandant Peacok détermina sommairement, mais avec un coup d'œil sûr, la ligne qu'aurait à suivre une voie de communication entre les deux océans ; le chemin de fer, puis le canal ont justifié ses prévisions. De même aussi, l'Écossais Paterson fut l'un des premiers à deviner l'importance de l'isthme américain, qu'il appelait « la clef du monde » et qu'il voulait conquérir pour sa patrie. Celui-là fut battu et chassé, en 1700, par le général espagnol Thomas Herrera, qui, pour ce fait, a sa statue à Panama.

– D'ailleurs, on le sait, dit Lavarède qui était devenu sérieux, ce n'est pas de nos jours seulement qu'il a été question du percement de l'isthme américain. Le premier qui y ait songé n'est autre que Charles-Quint, sur l'avis de Saavedra, qui, en 1523, chargea Cortez de chercher *el secreto del estrecho,* « le secret du détroit ». En 1528, le

Portugais Galvão proposait hardiment l'exécution du projet à l'empereur ; et Gomara, auteur d'une *Histoire des Indes*, parue quelques années après, indique même trois tracés différents.

– Mais alors, émit Murlyton, pourquoi a-t-il fallu trois siècles pour que les études fussent reprises sur les indications de Humboldt ?

– Parce que le successeur de Charles-Quint, le dévot Philippe II, ne voulut point modifier la nature, de peur de changer ce que Dieu avait fait... et l'humanité a dû attendre qu'un aventurier français, le baron Thierry, qui fut plus tard roi de la Nouvelle-Zélande, obtint en 1825 une concession dont il ne put profiter, et dont le président Bolivar fit étudier le tracé en 1829... Depuis, il n'y a pas eu moins de seize projets dus à des ingénieurs de toutes nations.

– Tu sais beaucoup de choses du passé, fit tout à coup l'Indien à Lavarède ; mais tu ignores peut-être certaines choses du présent que j'ai vues, moi, et qui t'expliqueront pourquoi les travaux ont été si difficiles et si pénibles.

– Que veux-tu dire ?

– Que la situation faite aux ouvriers était atroce. L'eau des marais était mortelle, la chaleur accablante et débilitante... Où les hommes, les blancs surtout, pouvaient-ils refaire leurs forces épuisées ? Dans des cantines non surveillées, où les tarifs réglés par la Compagnie n'étaient pas observés. Ainsi, certains *mercantis* vendaient l'eau de France une demi-piastre la bouteille. Si tu songes que le pays des marigots n'a pas d'eau potable, tu vois que les travailleurs étaient condamnés à périr par la soif ou par la dysenterie.

– Il n'est pas possible que cela soit !...

– Si, intervint Gérolans, Ramon n'exagère malheureusement pas. Ce qu'il appelle l'eau de France est l'eau de Saint-Galmier, que les débitants ont osé vendre 2 fr. 50 la bouteille. Aussi, des émeutes fréquentes ont eu lieu. On pillait, on brûlait quelques officines... Mais le métier était si bon qu'après deux ou trois désastres de ce genre ces estimables négociants quittaient l'isthme avec de sérieuses économies.

– Hélas ! de combien de pauvres diables ce défaut de surveillance a-t-il causé la mort !...

– Là encore, interrompit Ramon, tes compatriotes ont largement payé leur tribut. Après l'anéantissement des équipes françaises, on en a formé de tous pays, de toutes couleurs, des hommes de peau blanche, noire ou cuivrée... Mais tu comprends pourquoi mes frères, les Indiens du Chiriqui, et aussi les Zambos noirs de l'isthme, ont obstinément refusé de participer aux travaux.

Bouvreuil prenait des notes. C'étaient autant d'éléments que cette enquête lui fournissait pour son rapport. Mais où le rédigerait-il ? Quand l'enverrait-il ? Il n'en savait plus rien.

Lorsque l'Indien eut rejoint sa voiture, une *volante,* et y eut installé Lavarède, miss Aurett et Murlyton, l'usurier n'osa pas y demander place. Franchement, Lavarède eût été bien naïf de l'emmener avec lui.

Avec Gérolans, Bouvreuil reprit le chemin de fer et revint à Colon pour attendre la réponse de don José. D'abord, il câbla un télégramme à l'adresse de Pénélope, lui disant :

« Je ne reviens pas encore, je pars pour je ne sais où en suivant Lavarède. C'est un homme étonnant. Va te reposer à Sens, dans notre maison de campagne ; attends des nouvelles. »

Pendant ce temps, la petite caravane était arrivée dans l'habitation de Ramon. L'Anglaise reçut de l'Indienne Iloé la plus fraternelle hospitalité. Lavarède, Murlyton et l'Indien bivouaquèrent tant bien que mal, et il fut convenu que l'on se mettrait en route le lendemain matin.

Lavarède n'avait-il pas raison de se fier à sa bonne étoile ? La chance, matée par un peu d'initiative, ne le servait-elle pas, chaque fois qu'il se trouvait aux prises avec un embarras quelconque, en lui amenant une aide imprévue ?

Telles étaient les réflexions que se faisait notre héros, en cheminant, de grand matin, sur la route qui conduit de San-Pablo vers Chorerra, en laissant Arrayan à sa gauche.

Le mot « route » paraîtrait un peu prétentieux à un Européen, accoutumé à nos grandes voies bien entretenues. En tous ces pays isthmiques, jusques et y compris le Mexique, ce sont des chemins, parfois tracés, d'autres fois devinés, où les voitures cahotent à qui mieux mieux, où les mules seules marchent. Souvent ce n'est qu'un sentier.

– Mais tout de même, dit-il à voix haute, quelle splendide végétation !

– Telle, murmura l'Indien, qu'elle couvrira bientôt les travaux du canal si on les interrompt longtemps.

Ce disant, il désignait la région que nos voyageurs laissaient en arrière.

Les trois hommes, Armand, Ramon et Murlyton, marchaient de compagnie. Iloé et miss Aurett étaient dans *la volante*, avec les bagages, conduites par une mule pittoresquement harnachée, qui se dirigeait toute seule, sans qu'il fût besoin d'un *arriero* pour la guider. De l'œil, la bête suivait son maître. Les deux jeunes femmes étaient devenues tout de suite bonnes amies. La simplicité naïve de l'Indienne avait charmé la pureté de l'Anglaise, et réciproquement.

– Ainsi, dit Iloé, ce jeune homme n'est ni ton époux ni ton frère, comme nous l'avions cru... et tu le suis partout !

– En compagnie de mon père, fit Aurett en rougissant.

– Mais tu t'intéresses beaucoup à lui... Est-il donc ton fiancé ?

– Non, non...

– Cependant, tu as de l'affection pour lui ?

– Moi !...

– Oui, cela se voit, cela se devine à ton trouble, à ton émotion, lorsque tu parles des dangers qu'il a courus, de ceux qu'il court encore.

– C'est un noble cœur, c'est mon ami, voilà tout.

– Ah ! répondit simplement l'Indienne en jetant sur sa compagne un regard qui la gêna visiblement.

Puis les deux femmes demeurèrent silencieuses. Les Indiens parlent peu. Miss Aurett songeait et se demandait si la naïve Iloé n'avait pas deviné juste. En tout cas, si elle s'attachait à son compagnon de route, c'était encore d'une façon tout inconsciente. En elle-même elle se révoltait à l'idée que son affection pût paraître assez tendre pour motiver une telle supposition.

À ce moment, Ramon se pencha vers une plante dont il cueillit quelques touffes ; il les remit à sa femme qui les serra précieusement. Lavarède demanda une explication.

– C'est le *guaco,* répondit l'Indien, la plante qui guérit la morsure du *coral.*

– Ah ! le joli petit serpent qui ressemble à un bracelet de femme.

– Joli, en effet, avec sa couleur rouge, ses anneaux d'or et de velours ; petit aussi, car il ne dépasse pas vingt ou vingt-cinq centimètres... mais terrible ; sa morsure donne la mort instantanément.

– Brrr ! fit Armand ; et tu peux nous en préserver ?

– Oui, à l'aide de cette plante. L'Esprit créateur n'a-t-il pas mis toujours le remède à côté du mal !

– C'est juste.

Sir Murlyton, qui avait écouté sans parler, se mit à marcher avec prudence, regardant à terre avec soin.

– Que fais-tu là ? demanda l'Indien en souriant.

– Je cherche s'il n'y a pas de petit serpent.

– Vraiment ! alors ne regarde pas à tes pieds... C'est en haut qu'il faut surveiller.

– Comment cela ? dirent les deux hommes.

– Oui... *le coral* se tient roulé à l'extrémité des branches qui pendent et tombent sur les chemins. Tu le prendrais facilement pour une fleur.

À point nommé l'expérience put être faite. Un bouquet de bois empiétait sur la route : c'étaient un *conacaste,* sorte d'acajou de qualité inférieure ; un *madera-negra,* qu'on appelle *madre de cacao,* parce que le cacao croît sous son ombre ; un *chapulastapa,* au bois brun, réputé le plus bel arbre de ces climats. À la pointe d'une branche sous laquelle allait passer la voiture, un point rouge commença de s'agiter. Ramon prit une baguette flexible, et d'un coup sec abattit le *coral,* fendu en deux. Une forte odeur d'amande s'en dégagea tout aussitôt.

– L'acide prussique, fit Armand.

L'animal était tombé sur une touffe verdoyante. Sir Murlyton, à la demande de sa fille, le voulut prendre, afin de le conserver comme souvenir. Mais il retira vivement sa main en poussant un cri de douleur.

– Est-ce que le coral est encore vivant ?... demanda Lavarède.

– Non, fit l'Indien ; mais cet arbuste où repose son cadavre est un *chichicaste*, et ton ami s'y est piqué... Tiens, voici ton serpent, donne-le à la jeune fille.

– Mais tu ne t'y es pas piqué, toi ?

– Il suffit de retenir son haleine pour toucher impunément l'arbuste-ortie.

Certes, Armand savait bien des choses, mais il ignorait celle-là.

– On s'instruit en voyageant, dit-il en souriant à sir Murlyton, qui en fut quitte pour presser sur son bobo une feuille de *quita-calzones* que lui donna Ramon.

Il y eut peu d'incidents ensuite. Le paysage changea.

Ce n'étaient plus les puissantes végétations tropicales, les fleurs aux couleurs vives, les fruits aux formes étranges ; mais de l'herbe épaisse et dure que l'on appelle *para*, et qui constitue un fourrage spécial, merveilleux et nourrissant. Cette modification indiquait le voisinage d'*haciendas* et de *ranchos*, exploitations agricoles, dont les maîtres sont toujours appelés des « Espagnols », quelle que soit leur nationalité.

Pour l'Indien, pour le pauvre, tout bourgeois est un « Espagnol » et a droit à un salut très humble, presque une génuflexion, accompagnée des mots :

« Votre Grâce. »

Cette entrée en conversation remonte loin, à deux siècles en arrière, à la conquête.

L'étonnement de Lavarède fut considérable en apercevant, non loin du chemin, un cerf absolument semblable à ses congénères de la forêt de Fontainebleau. L'animal avait quitté les hauts taillis de la savane pour venir brouter le *pava*. Mal lui en prit. Ramon l'abattit d'une balle, et ainsi, avec quelques galettes ou *tortillas* préparées par Iloé, il assura la subsistance de la petite caravane.

Un autre étonnement attendait notre ami, une heure plus tard. Il vit un péon qui, gravement, plaçait de gros cailloux les uns sur les autres.

– Que fais-tu là, José ? demanda-t-il.

Tous les Indiens répondent au nom de José, comme toutes les indiennes à celui de Maria. Du Mexique à l'Amérique du Sud, cette tradition subsiste encore.

– Votre Grâce le voit. Je fais une « colonne de sûreté ».

Lavarède ouvrit ses yeux et ses oreilles. Mais il fallut que Ramon lui expliquât cette nuageuse explication.

– Un Indien qui s'absente de chez lui ramasse vingt-deux pierres, pas une de plus, pas une de moins. Il les entasse... et, à son retour, si la colonne n'a pas bougé, c'est que sa femme n'a pas cessé de penser à lui.

Malgré sa gravité native, Murlyton ne put s'empêcher de sourire.

– Mais le vent, mais la pluie, mais l'orage ne peuvent-ils ébranler ce léger édifice ?...

L'autre Indien regarda les Européens.

– Sans doute, fit-il ; mais encore faut-il que le saint d'Esquipulas le permette.

Autre demande d'explication.

– Ce saint miraculeux, dit Ramon, est un grand christ nègre, que l'on voit loin d'ici, dans le Guatemala. Il a souffert tous les maux sur la terre, plus la haine de sa femme. Et, comme c'était un Jésus pauvre, qui aimait les Indiens, ses pareils, il a fait ce miracle pour ses amis des savanes.

Cette légende fut débitée sans aucune intention de plaisanterie, mais aussi sans exaltation, comme une chose naturelle, et de si bonne foi que Lavarède n'osa pas avoir l'air d'en douter, pour ne pas chagriner son ami.

Vers le soir, on rentra dans la savane. Armand n'avait pas voulu s'arrêter à Chorerra, ni dans les villages *ladinos*, c'est-à-dire occupés par les descendants des anciens conquérants, métis d'Espagnols et d'Indiennes. Là, il eût fallu de l'argent pour payer son gîte.

Avec les couvertures et des branchages, Ramon eut bientôt installé un abri, Iloé fit cuire un quartier de cerf. Murlyton fit circuler l'*old brandy* de ses réserves. Et la nuit se passa à peu près tranquille.

Nous disons « à peu près », car les niguas et les moustiques tourmentèrent violemment les Anglais.

Toutefois, miss Aurett en prit son parti en brave. Au fond, les aventures amusaient cette enfant.

Quant à Lavarède, sur le conseil et l'exemple de Ramon, il était allé se nicher sur les plus hautes branches d'un *almendro,* auxquelles se mêlaient, à quinze mètres d'altitude, celles d'un cèdre, son voisin. Il s'établit, à cheval, bien appuyé à gauche et à droite, et, enveloppé dans une couverture de la mule, il dormit comme un juge. Le vol des *mosquitos* est lourd et bas. Là, il n'avait à redouter que les vampires, ces chauves-souris des tropiques. Mais Ramon les chassa en fumant une certaine plante aromatisée.

Au petit jour, nos amis se regardèrent. La pauvre petite Aurett avait l'épaule enflée abominablement, parce qu'en dormant elle avait un peu écarté l'épaisse couverture de drap feutré dans laquelle Iloé l'avait roulée, et les méchantes bestioles nocturnes avaient été à l'assaut de sa chair fraîche. L'infortuné Murlyton, lui, n'avait plus visage humain. Le nez enflé, les paupières gonflées, les joues soulevées par d'énormes cloches lui faisaient un masque que la pitié même n'empêchait pas de trouver comique. Dans sa pharmacie de voyage, il prit de l'alcali et du phénol, qui guérirent à peu près ses blessures.

Un autre péril est encore à craindre dans ces sortes de voyages : les fièvres. Murlyton avait son remède : la quinine. Mais Ramon en indiqua un autre, plus simple, plus pratique.

– Tu éviteras la fièvre en buvant du grog au rhum, dit-il à Lavarède ; j'en ai dans mes bagages, c'est du rhum des Antilles. Ensuite tu mangeras peu et tu prendras un bain froid tous les jours.

– Manger peu est aisé, répondit notre ami en riant. Quant au bain froid, nous rencontrons assez de *rios* sur la route pour faciliter cette hygiénique opération.

VII

En Costa-Rica

Durant une semaine, Lavarède eut le loisir de comprendre l'inanité du mépris des richesses, car seul il allait à pied.

Sir Murlyton, lassé de marcher, avait tout simplement acheté la mule d'un Indien qui passait ; et, l'ayant enfourchée, sans la moindre selle anglaise, il escortait la voiture où se tenaient miss Aurett et la femme de Ramon.

Quoiqu'un peu penaud, Armand fit bon visage à cette mauvaise fortune, et sans doute le dieu qui le protégeait lui sut gré de sa joyeuse humeur, car le neuvième jour il lui vint en aide.

Tous avaient couché dans un pueblo *tule. Tule* est le véritable nom de ceux que les Espagnols appelèrent improprement Indiens. On traversait la grande Savane, dans la direction du Chiriqui, l'un des nombreux volcans de la région, toujours en éruption, lorsque le journaliste avisa, près d'un torrent, le Papayalito, un campement de muletiers.

Deux mules seulement composaient l'équipage ; elles broutaient. Les cuivres de leurs harnais brillaient au soleil, et leur aspect contrastait avec l'allure misérable des deux hommes qui les gardaient, couchés à l'ombre d'un arbre.

– Ce sont des arrieros ? demanda Lavarède.

– Non, dit Ramon, ils n'ont pas le costume. L'un des deux hommes est un Zambo, et l'autre un Indien Do ; sa tribu est loin en arrière de nous, au sud des travaux de l'isthme.

– D'où tu conclus ?...

– Que ce sont des voleurs... Nous allons bien voir.

Et s'approchant brusquement :

– Camarades, nous vous remercions d'être venus au-devant de nous avec nos montures. Ces mules devaient nous attendre vers le Chiriqui : mais je ne vois pas nos *mozos* avec elles.

Puis, sans ajouter un mot, il enfourcha une des montures, et Lavarède l'imita.

Le Zambo et le Do, surpris, se regardèrent. Ramon reprit :

– Sa Grâce va donner une piastre à chacun pour vous remercier de la peine que vous avez prise.

Les deux hommes tendirent aussitôt la main. Lavarède, qui n'avait pas le premier *cuartillo* de cette somme, comprit et paya d'aplomb.

– Canailles, s'écria-t-il en levant son bâton, vous vouliez voler mes mules.

– Non... non... Votre Grâce... C'est Hyeronimo, le muletier de Costa-Rica, qui nous a envoyés en nous promettant un bon prix...

– Cela suffit... Venez le chercher chez l'alcade de Galdera.

Et, avec un toupet d'honnête homme, il piqua des deux, suivi de Ramon. Pour cette fois, la gravité de l'Indien fit place à la gaieté. En riant, il tira la morale de l'incident :

– C'est un double plaisir de voler un voleur.

Ils savaient au moins une chose : les mules appartenaient à un arriero de Costa-Rica, nommé Hyeronimo. Et, à en juger par la splendeur des harnais, cet arriero devait être au service de quelque huppé personnage.

Quelques jours après, Ramon fit savoir que l'on était arrivé où il devait aller.

– C'est ici le pays qu'habite ma tribu. En face de toi est ton chemin. Aujourd'hui même, tu auras quitté le territoire colombien pour être sur celui de la République costaricienne. Garde pour toi les deux mules que Dieu nous a données ; elles te serviront à toi et à ta compagne. Ton ami l'Anglais en a une aussi ; vous êtes donc assurés de faire bonne route. Moi et mon Iloé, nous allons retrouver nos parents, nos frères. Heureux si j'ai pu te guider et t'être utile, fais-moi l'honneur de me serrer la main.

Ce langage ne manquait pas de grandeur en sa simplicité, et ce ne fut pas sans une certaine émotion que Lavarède se sépara de cet ami de quelques jours qui lui avait rendu un si grand service.

– Ramon, fit-il, nous ne nous reverrons peut-être jamais...

– *Quien sabe ?...* Qui le sait ? murmura l'Indien.

– Mais ni moi, ni mes compagnons ne t'oublierons. En quelque lieu que tu sois, si tu as besoin de moi, tu n'auras qu'à m'appeler, fussé-je au bout du monde !

– Et moi de même, fit résolument Ramon.

Puis l'on se sépara.

La route ne fut pas trop pénible, nos amis étant montés tous trois sur d'excellentes mules.

Un seul incident signala cette dernière journée ; des grondements souterrains se firent entendre, ce qui n'a rien de bien surprenant dans cette région volcanique, où les tremblements de terre se produisent, bon an, mal an, une soixantaine de fois.

Le soir venait. À perte de vue, d'énormes massifs de roches s'entassaient dans tous les sens, à travers la brume amoncelée. Nos voyageurs grignotèrent une *tortilla* de maïs, de la provision que leur avait laissée Iloé. Il fallait au moins se soutenir, puisque l'on ne savait où l'on pourrait gîter.

À la frontière, on trouva bien un petit poste, mais c'était à peine un abri pour les soldats.

Sans s'y arrêter, la caravane salua les trois guerriers un peu dépenaillés qui représentaient l'armée des États-Unis de Colombie. Les mules foulèrent le sol de Costa-Rica. La route faisait, à cent mètres plus loin, un coude brusque à angle droit. Tout à coup, Armand, qui marchait en tête, aperçut, derrière un rocher, une sorte de campement ; c'étaient des arrieros, des muletiers, mais avec eux quelques soldats. Il s'arrêta et fit signe aux Anglais d'approcher prudemment.

Au même instant, des cris retentirent. Les muletiers étaient tous debout, criant plus fort les uns que les autres.

– Les voilà !...

– C'est bien nos mules.

– Je reconnais le harnachement.

– Les voleurs viennent ici nous braver !

– Hyeronimo !... où donc es-tu ?

– Cherchez-le ! qu'il vienne tout de suite.

– Ceux-là, en attendant, nous allons les conduire au capitaine Moralès.

– Ah ! leur affaire est claire.

En un clin d'œil Lavarède, Murlyton et miss Aurett furent entourés, descendus de leurs mules par vingt bras vigoureux, un peu bousculés au surplus, et, finalement, conduits devant le capitaine qui, allongé sur un tronc d'arbre, fumait son cigarito. Ils n'avaient pas eu le temps de s'expliquer.

À côté de l'officier un homme était assis, enveloppé dans une capa, dont le haut collet dissimulait son visage. Il se pencha vers son voisin, lui dit quelques mots rapides à voix basse, et l'officier se leva tout aussitôt.

– Silence, fit-il avec autorité !... Laissez cette jeune personne et son honorable père, et tâchez, une autre fois, de mieux reconnaître les gens.

Les arrieros s'écartèrent.

– Señorita, ajouta le capitaine, et vous, señor, nous sommes ici par l'ordre du nouveau gouverneur, don José Miraflor y Courramazas, pour vous servir d'escorte et vous faire honneur. Ces mules sont précisément destinées à Vos Grâces... Mais nous n'attendions que deux voyageurs, et vous êtes trois... Qui es-tu, toi, le troisième ?

– Armand Lavarède, citoyen libre de la République française, voyageant... pour son agrément.

Hyeronimo arrivait à ce moment.

– Le señor Français, dit-il, était monté sur une de mes mules, qui a disparu depuis trois jours... Je l'accuse de l'avoir volée.

– Erreur, estimable, mais naïf arriero ; il y a trois jours, je n'étais pas ici ; quant à tes mules, loin de les avoir dérobées, nous les avons reprises aux voleurs. J'ai des témoins, d'ailleurs, mademoiselle et monsieur peuvent certifier que je dis vrai.

Pendant qu'il racontait l'incident de la route, grâce auquel Ramon s'était emparé des bêtes, l'homme à la capa parla encore à l'officier.

– Tout cela est fort bien, conclut le capitaine Moralès; mais je ne suis ni alcade, ni juge-mayor, et n'ai pas qualité pour prononcer. Je suis chef de l'escorte, nous allons conduire les hôtes del señor Gobernador avec tous les honneurs qui leur sont dus... Quant à vous, señor Français, je vous arrête sous l'inculpation de vol de deux mules ; vous vous expliquerez devant un tribunal dès que nous serons arrivés à Cambo.

Il n'y avait pas à répliquer. L'apparence de justice était contre Armand. Il le comprit, et docilement, en fataliste, se plaça entre les soldats désignés. Puis l'escorte et les voyageurs se mirent en marche, notre pauvre ami à pied, les autres montés. Mais son bon génie, miss Aurett, veillait.

– Mon père, dit-elle à l'officier, avait une mule à lui ; je vois que personne ne s'en sert, et je vous serais obligée de la donner à ce jeune homme que nous connaissons et qui est victime d'une erreur.

– Oh ! cela peut se faire, répondit galamment Moralès. J'ai ordre de me conformer à tous vos désirs.

Et Lavarède eut, au moins, la consolation d'aller « à mule », lui aussi.

– D'ailleurs, reprit le chef de l'escorte, ce soir nous n'avons pas longtemps à marcher. Nous côtoyons en ce moment le Cerro del Brenon ; après franchi le rio Colo et le rio Colorado, nous nous arrêterons au pied de la Cordillera de las Cruces. Là est un rancho où des chambres et un souper sont préparés pour Vos Seigneuries.

La jeune Anglaise réfléchissait. Cette surprise l'attendant sur le sol costaricien ne lui disait rien de bon, et le nom de don José n'était pas non plus pour la rassurer. Mais, après tout, son père était là, Armand aussi, s'il le fallait ; il lui semblait donc qu'elle n'avait rien à craindre.

Cependant l'homme mystérieux à la capa dissimulatrice avait, cette fois, laissé passer le capitaine Moralès, et ayant ralenti le pas de sa mule, il se trouva côte à côte avec Lavarède. Tout d'abord, il ne lui adressa pas la parole. Il ne faisait entendre qu'un petit rire étouffé, qui intriguait fort Armand.

Après quelques pas pourtant, il parla, et, en très bon français, dit à son voisin :

– Eh bien, cher monsieur, je crois que je tiens ma revanche de la *Lorraine !*

Lavarède ne put réprimer un cri de stupéfaction.

– Bouvreuil !...

– Moi-même.

– Quelle heureuse chance, mon cher propriétaire, de vous rencontrer en pays lointains !...

– Raillez, monsieur, raillez... Rira bien qui rira le dernier... et vous verrez demain si la chance est si heureuse pour vous.

– Vous avez donc imaginé quelque nouvelle canaillerie, d'accord avec votre copain le rastaquouère ?

– D'abord, cher monsieur, mon copain, comme il vous plaît de l'appeler, est ici le maître ; il représente le gouvernement, et, comme il n'a rien à me refuser, vous êtes un peu en mon pouvoir... À lui la demoiselle, à moi le beau Parisien.

– Vraiment ? fit Armand, frémissant malgré lui à l'idée de ce partage.

– Et puisque, cette fois, vous êtes bien battu, je ne veux pas me refuser la satisfaction de vous dire à l'avance quel sera votre sort.

– Voyons donc l'avenir, mon cher magicien.

– Il est bien simple... Vous serez demain condamné, pour vol des mules d'Hyeronimo, à un an de prison... En ce pays-ci, douze mois de villégiature ne sont pas trop pénibles, et vous n'aurez pas froid... Mais vous aurez ainsi perdu votre gageure et les millions du cousin... Je puis même vous prédire qu'après cette période de recueillement, vous épouserez Pénélope.

– Brrr !... trembla ironiquement Armand.

– Parfaitement, vous aurez le bonheur de devenir mon gendre.

– Mais, monsieur Bouvreuil, c'est là une aggravation de peine non prévue par le Code costaricien... et je vous promets, moi, de faire des efforts dignes de Latude et du baron de Trenck pour échapper à la destinée dont vous me menacez.

– Faites tout ce que vous voudrez, vous n'y échapperez point... Nous vous tenons encore par d'autres moyens ; mais je ne vous les dirai pas d'avance, ceux-là... Ah ! vous avez peut-être eu tort de passer par ce pays, où don José commande en autocrate ; où mon ami José est préfet, gouverneur, dictateur, en un mot !

– Comme il convient à tout fonctionnaire d'un pays libre, ajouta Lavarède.

Il donnait cependant raison à Bouvreuil. Oui, il avait eu une fâcheuse inspiration en venant ainsi se placer de lui-même dans les griffes de ses adversaires. Mais qu'y faire, à présent ?... Se résigner pour ce soir, dormir et attendre à demain pour prendre un parti. C'est ce qu'il fit, lorsqu'on fut arrivé au rancho del Golfito.

Bouvreuil, bon prince, ne l'avait pas condamné à mourir de faim ; sa victoire assurée avait même apprivoisé le vautour, et Lavarède soupa à la même table que miss Aurett, Murlyton, Moralès et « son futur beau-père ». Par une faveur spéciale, les soldats de garde restèrent au dehors, et ce fut le muletier Hyeronimo qui servit plus particulièrement le Français ; il ne lui ménagea pas le vin d'Espagne, très fort, comme on le boit communément dans le Centre-Amérique.

Le ranchero s'était distingué comme cuisinier ; on sentait qu'il s'agissait de hauts personnages, et Concha, son épouse, avait mis les petits plats dans les grands. Le menu doit être conservé : c'était le premier de ce genre que dégustaient nos amis, et il fut inscrit sur les tablettes de la petite Anglaise :

Soupe de haricots noirs
aux biscuits de mer concassés ;
Chapelet d'œufs d'iguane ;
Rôti de jeunes perroquets ;
Concombres à la sauce ;
Confitures de goyaves, d'ananas, etc.
Le tout arrosé d'alicante, de val-de-peñas et d'aguardiente.

Il faut tout avouer en ce récit : le souper fut très joyeux ; Murlyton fut très gris, et Lavarède le fut plus encore. Du moins, on doit le supposer ; car il s'endormit à table, et les mozos furent obligés de le porter dans la chambre qui lui était destinée. On aurait tort de croire à une ruse de notre ami ; non, il dormait réellement, il dormait comme pouvait le faire un pauvre diable à qui un narcotique avait été versé par les soins de ce Méphistophélès de Bouvreuil ; il dormait si fort et si profondément qu'il n'entendit plus rien et qu'il ne s'aperçut point du tour pendable que lui joua l'homme dont il ne voulait pas devenir le gendre.

À pas de loup, vers minuit, Bouvreuil entra dans la chambre d'Armand. Les arrieros l'avaient déshabillé et couché. Il ronflait en faux-bourdon, comme un sonneur. Bruyante était la digestion des œufs d'iguane et des jeunes perroquets.

– Quoi que tu en aies dit, murmura le satanique propriétaire, tu ne continueras pas ton voyage.

Lentement, méthodiquement, il prit les vêtements du journaliste dont il fit un paquet, ne lui laissant que sa chemise, son caleçon et ses bottines. Ensuite, il sortit, lança le paquet de hardes au loin, dans un ravin de la sierra, et rentra se coucher, l'âme tranquille, ce qui lui permit de jouir d'un agréable repos.

C'était bien simple, en effet. Pour voyager, Armand pût-il échapper à la justice costaricienne, il lui faudrait des effets qu'il ne pouvait se procurer que contre espèces ; dans tous les pays du monde, c'est obligatoire. Or, comme il n'avait que ses cinq sous, il avait chance de demeurer dans ce rancho perdu de Golfito un temps fort appréciable. Et, même s'il trouvait de l'argent, il manquait à la clause du testament. Lavarède était pris cette fois, et bien pris.

Lorsque, au matin, tout le monde s'éveilla, lorsque Murlyton et Aurett furent en selle et l'escorte à sa place, le capitaine Moralès constata l'absence de son prisonnier.

– Il dort encore, lui souffla Bouvreuil, il suffit de laisser un muletier et quelques soldats qui l'amèneront plus tard devant l'alcade de Cambo. Ne perdez pas de temps pour accomplir votre mission, qui est de conduire cette jeune Anglaise à don José, au château de la Cruz.

Un militaire ne connaît que sa consigne. Moralès s'exécuta. Au surplus, ce señor Français n'était pas dans le programme officiel ; c'était par un hasard, dont avait su profiter Bouvreuil, qu'il s'était trouvé en plus dans la caravane attendue sous une hypothétique accusation de vol. Il était tout naturel que l'on se remit en marche sans lui.

Mais, dès le début de la route, miss Aurett, qui avait reconnu Bouvreuil depuis la veille, et qui connaissait la conversation échangée en chemin entre les deux ennemis, demanda d'un air dégagé où était M. Armand.

– Il cuve son vin, répondit le haineux personnage. Il est resté chez le ranchero, sous la garde du muletier Hyeronimo et de deux soldats.

– Mais je croyais que nous ne devions pas le quitter, tout au moins ne pas le perdre de vue ?

– Aoh ! c'est juste, fit Murlyton.

– Soyez sans crainte, riposta Bouvreuil. Il nous rejoindra dans la journée : sa garde a reçu les ordres nécessaires. Quant à nous, nous devons reconnaître la politesse de M. le Gouverneur en nous rendant sans retard à son aimable invitation.

Le soir même, le capitaine Moralès recevait les félicitations del señor Gobernador pour avoir bien amené au château les illustres personnes confiées à sa garde.

Ce que don José appelait pompeusement le château de la Cruz était une hacienda, entourée de plantations de café et close de haies épaisses de cactus. Elle était située sur la route conduisant d'abord aux mines d'or et de quartz, puis au port de Cambo, sa résidence officielle, sur le golfo Dulce.

Il commença par en faire les honneurs avec les formes d'un pur caballero ; mais bientôt sa nature d'aventurier un peu sauvage se montra. Le civilisé disparaissait devant le despote qui se sentait tout permis. Carrément, brutalement, il demanda à sir Murlyton la main d'Aurett.

– *Le padre* (le curé) est là, dans la chapelle que j'ai fait dresser ; et la cérémonie peut avoir lieu immédiatement.

– Ma fille est protestante, objecta sir Murlyton, voulant au moins gagner du temps ; ce mariage n'aurait aucune valeur.

– Rien n'empêchera de le valider ensuite devant votre consul.

– Mais je refuse de me marier, moi !... s'écria la jeune fille, et vous n'oseriez pas contraindre la volonté d'une citoyenne anglaise.

– Je l'oserai, fit José avec un mauvais rire.

Sur un ordre bref, quatre soldats indiens entourèrent et ligotèrent Murlyton.

– Enfermez-le et parlez-lui raison, dit José... Qu'il se décide à donner son consentement.

Il avait prononcé ces derniers mots d'un ton perfide, en regardant de côté la pauvre petite miss Aurett.

– Monsieur, fit-elle résolument, je saurai mourir... je ne vous épouserai jamais.

Et, cherchant une arme des yeux, elle se disposait à défendre son honneur. Mais aucune arme n'était sous sa main. Don José s'approcha d'elle, mielleux, obséquieux.

– Non, miss, ricana le drôle avec une hypocrite douceur, vous ne mourrez point ; mais vous causerez le trépas de votre père, si, après une heure écoulée, vous ne faites pas le geste, vous ne prononcez pas la parole que j'attends : me tendre votre jolie main, me dire : oui.

Et, la laissant atterrée, l'Espagnol sortit avec Bouvreuil qui murmurait tout bas :

– Lavarède n'aura pas la petite Anglaise aux millions... Mais il me semble que mon terrible ami José pousse un peu loin l'abus de son autorité.

VIII

L'odyssée d'un président

Pendant ce temps, qu'advenait-il de Lavarède ?

Éveillé plus tard que les autres, la tête alourdie par les libations, et aussi par la chimie de la veille, il demeura d'abord un certain temps sans se rendre compte de sa situation. Où était-il ? Que faisait-il là ? Les chimères du rêve hantaient encore son esprit.

Mais un rayon de soleil vif, chaud, éclatant, faisant irruption dans sa chambre, le ramena à la réalité. Il se souvint des menaces de Bouvreuil, du péril qu'Aurett allait courir, et il s'empressa de se lever. Là, une surprise l'attendait, comique d'abord, et bien fâcheuse ensuite. Plus de vêtements... plus d'armes... Après l'étonnement, l'indignation :

– Ces mozos, ces soldats peut-être... des voleurs !

Puis la réflexion :

– Pardieu, c'est un tour de coquin... donc, cherchons le coquin... nul autre que Bouvreuil !...

Et avec colère :

– Nous sommes le 13 juin... Ah çà ! est-ce que le 13 me porterait malheur ?

Alors, Lavarède appelle. Concha accourt. Il demande l'heure. Il est près de huit heures du matin. Il apprend que tout le monde est parti au point du jour.

– Votre Grâce, lui dit Concha, est seule à présent dans le rancho.

– Pourtant j'entends des voix, en bas, sous ma fenêtre.

– Oh ! ce sont les soldats qui gardent Votre Grâce.

– Des soldats ?... Quel honneur !... ou quelle précaution !

– Oui, avec Hyeronimo « le Brave ».

– Hyeronimo le muletier !

– Lui-même.

Dans l'autre hémisphère, tout comme en notre vieux monde, les femmes sont un tantinet bavardes, – surtout lorsqu'elles causent avec un élégant cavalier, fût-il en costume sommaire. Lavarède put donc à l'aise faire parler la gente Concha.

– Dites-moi, belle ranchera, savez-vous d'où lui vient ce surnom... Hyeronimo « le Brave » ?

– Oh ! tout le pays le sait aussi bien que moi.

– Mais, moi, je ne suis pas du pays.

– C'est à la suite d'une de nos révolutions, il y a plus d'un an... C'est lui, dit-elle fièrement, qui a donné le signal du pronunciamiento !...

– Ah bah !

– Oui... et il y a deux mois, quand on a renvoyé le président général Zelaya pour reprendre le président docteur Guzman, c'est encore lui qui a tiré le premier coup d'escopette.

– Alors son fusil est à répétition...

– Je ne comprends pas.

– Cela ne fait rien... Il fait les révolutions aller et retour... Mais c'est un gaillard que ce muletier !

– Oh ! señor, il a l'âme sensible, il ne ferait pas de mal à un cobaye... il tire toujours en l'air... D'ailleurs, c'est bien connu qu'en Costa-Rica nous ne sommes pas sanguinaires comme dans les autres républiques voisines... Nos révolutions n'ont jamais fait couler une goutte de sang.

Armand ne put s'empêcher de sourire en écoutant cette leçon d'histoire, donnée par un si gracieux professeur. Mais, se penchant à la fenêtre, il vit un quatrième personnage qui causait avec ceux qu'il appelait plaisamment « sa garde d'honneur ».

– Jésus, Maria !... fit Concha... Voilà le général Zelaya !

– L'ancien président ?

– Lui-même !

– Celui d'avant le docteur Guzman ?

– Parbleu, il n'y en a pas deux...

– Est-ce qu'il voudrait revenir ?

– Cela, señor, je n'en sais rien... Mais je cours le recevoir, car il est très aimé.

– Tiens ! alors pourquoi l'a-t-on renversé ?

– Parce qu'il a refusé de l'avancement à tous les colonels... Il trouvait qu'il y avait assez de généraux.

– Et combien donc y en a-t-il ?

– Trois cents.

– Et combien de soldats dans l'armée ?

– Cinq cents.

Lavarède partit d'un bon éclat de rire que l'air étonné de Concha rendit plus bruyant encore. Cependant, elle sortit pour aller se mettre aux ordres du général, laissant notre ami peu vêtu, mais muni d'un bagage complet de politicien costaricien. À présent, il connaissait sa république comme personne. Et il prêta d'autant plus d'attention à l'entretien qui se poursuivait dans le patio (la cour), entre le général et « sa garde ». Voici ce qu'il entendit ?

C'était l'ex-président Zelaya qui parlait :

– Hyeronimo, notre parti compte sur toi. Ce misérable Guzman, venu au nom de *los serviles*, n'a tenu aucune de ses promesses, et, par surcroît, il veut ramener les Jésuites ! L'an dernier, le signal de la révolution est parti de la province de Nicoya... Qu'il parte cette fois du golfe Dulce, et que ce soit, comme toujours, Hyeronimo le Brave qui le donne. Mais qu'as-tu donc ? Tu parais hésitant...

– Excellence, répondait le muletier, je ne refuse pas absolument... Mais j'ai besoin d'être mieux éclairé... Y a-t-il du danger ?

– Aucun... Cambo, la résidence de José, ainsi que son château, comme dit pompeusement cet Européen, sont peuplés de nos amis. Notre parti est prêt ; tu sais bien que lorsque *los libres* font de l'agitation, c'est qu'ils sont assurés du succès.

– Mais, moi, personnellement, qu'est-ce que je gagnerai à cette nouvelle révolution ?

– Tu demanderas ce que tu voudras, pour toi et ces deux hommes, tes serviteurs, sans doute ?

– Non, Excellence, nous gardons à vue un Français que José veut éloigner pour aujourd'hui du château de la Cruz.

– Laisse ce Français en paix, les affaires de José n'intéressent que lui. Je compte sur toi, et vais sur la route de la capitale préparer le mouvement.

Et lui jetant sa bourse pleine de piastres et de dollars, le général Zelaya partit. Mais il n'avait pas semé seulement l'idée de révolte chez les siens ; un mot avait ravivé les soupçons de Lavarède.

Pourquoi José voulait-il l'éloigner tout un jour ?

Évidemment pour accomplir quelque vilaine entreprise contre la jeune Anglaise, son amie. À tout prix il fallait donc la rejoindre et arriver au château de la Cruz.

Mais comment ? Une minute de réflexion, puis il sourit. Il avait trouvé.

En son costume primitif, il descendit aussitôt dans le patio, après s'être muni d'une chaise, et s'adressant au muletier :

– Mon ami, j'ai tout entendu, et, si vous le voulez, je suis des vôtres... Marchons contre don José.

Mais, à sa grande surprise, Hyeronimo fit un geste de dénégation. Les soldats eurent un mouvement de résignation fataliste.

– Non, señor, dit le muletier avec un certain sens pratique... Cette fois, je ne donnerai pas le signal... D'abord, vous pensez bien que ce José résistera, le général m'a prévenu sans s'en douter... Il n'a pas encore touché son traitement, donc il ne voudra jamais s'en aller les mains vides... Et puis, nous venons d'y songer : il a habité l'Europe, il est armé, il nous tirera dessus !... Il n'est pas, comme nous, un vieux Costaricien : le sang coulera. Nous sommes décidés à ce que ce ne soit pas le nôtre.

– Eh bien ! je vous offre que ce soit le mien...

Les trois hommes le regardèrent stupéfaits. Ils le trouvaient chevaleresque, mais un peu fou. N'y a-t-il pas, d'ailleurs, toujours un grain de folie dans l'héroïsme, folie noble, mais certaine ?

Mais il brandissait sa chaise de façon tant soit peu menaçante. C'était une bonne chaise en bambou, solide, élastique, une arme dangereuse dans la main d'un homme déterminé. Les indigènes, sans avoir besoin de se consulter, tombèrent d'accord. Il ne fallait pas contrarier l'Européen. Mais, tout en acceptant le sacrifice que leur proposait ce nouvel adhérent au parti, l'idée leur vint de prendre quelques précautions sages, inspirées par l'esprit de raison.

– C'est fort bien si la conspiration Zelaya réussit, fit le muletier ; mais, si elle échoue... don José ne me pardonnera pas de vous avoir laissé échapper pour aller à Cambo donner le signal de la révolution.

– Et à nous non plus, ajoutèrent les deux soldats.

Lavarède fronça le sourcil et frappa le sol de sa chaise. Aussitôt l'un des guerriers, Indien terraba de naissance, – ce sont de très doux agriculteurs, – eut une idée pratique.

– Que le seigneur Français veuille bien nous attacher, nous entraver au moins les jambes ; comme cela il nous aura mis dans l'impossibilité de le poursuivre, et il sera évident que nous ne sommes pas ses complices.

– Soit, dit Armand, mais le temps presse... Ligotez-vous réciproquement à la première mauvaise nouvelle que vous recevrez, et cela suffira.

– Votre Grâce est trop bonne.

– Quant à toi, Hyeronimo, je vais prendre ta mule, la meilleure.

– Oh ! seigneur, mon gagne-pain !

La chaise frétilla.

– Prenez, prenez, s'empressa d'ajouter l'arriero ; la meilleure, c'est Matagna... regardez-la, on dirait un cheval anglais.

– Bien... Il ne me manque plus qu'un vêtement convenable... Je ne me vois pas faisant une révolution... en caleçon de toile... même dans un pays chaud.

– Votre Excellence ne veut pourtant pas me dépouiller de mes habits !...

Tranquillement, le journaliste enleva le siège de bambou à bras tendu, et souriant :

– Mais justement si, mon Excellence ne veut pas autre chose. Allons, je te dépouille de gré ou de force.

– Tu as deux costumes, fit observer le Terraba, un de cuir en dessous et un de velours brodé par dessus.

C'est l'usage, lorsqu'un convoi de muletiers doit traverser un pays de montagnes où la température subit de brusques changements comme en cette région.

Hyeronimo regarda l'Indien de travers, donna un coup d'œil à la chaise, et finalement se dépouilla de la large culotte à lacets et du gilet-veste de cuir, qu'Armand revêtit aussitôt. Un sombrero emprunté au ranchero acheva la métamorphose.

Notre Parisien avait tout à fait l'air d'un indigène.

– Au fait, demanda-t-il, quel est donc ce signal que je dois donner ?

– Comme l'année dernière... trois coups de feu.

– Confie-moi alors ton revolver.

– Mais je n'en ai pas !... et puis j'en aurais un que je ne le donnerais pas à Votre Grâce...

– Pourquoi ?...

– Avec vos mauvaises habitudes d'Europe, vous seriez capables de tirer sur des gens.

– Allons, fit Armand en riant, il faudra que je trouve un fusil qui parte tout seul... En route.

Et, ayant enfourché Matagna, la mule au trot rapide, Lavarède courut, d'une seule traite, du rancho aux mines d'or et de quartz, à travers la montagne. Déjà travaillés par Zelaya, des groupes l'attendaient au passage. Ils avaient reconnu la mule d'Hyeronimo et lui firent une ovation.

– Vive le libérateur des peuples !...

– Bon ! voilà que je suis libérateur, pensa Lavarède ; il leur faut un petit speech en passant.

Il y a des phrases qui réussissent toujours, il les employa.

– Hyeronimo le Brave est en route pour soulever les peuples de l'orient du Costa-Rica, leur dit-il en substance... Moi, je soulève les peuples de l'occident ! Suivez-moi à la Cruz, et renversons les tyrans.

– *Vivan los libres !* répondirent les conjurés.

Lavarède donnait bien une légère entorse à la vérité ; mais les philosophes eux-mêmes reconnaissent qu'il faut quelquefois mentir au peuple... quand c'est pour son bien. Or, rien n'encourage les hommes à « se lever contre les tyrans », comme de savoir que d'autres ont commencé.

À chaque hacienda, à chaque rancho devant lequel il passait, quelques partisans se joignaient à sa troupe. À chaque pueblo traversé, la foule grossissait. Parvenu à quelques kilomètres de la Cruz, Lavarède se trouvait à la tête d'un nombre respectable de gens, que sa parole chaude avait enflammés. Ce qui prouve que, s'il est bon de connaître la langue anglaise pour voyager, il n'est pas moins utile de savoir aussi la langue castillane.

Sa petite armée le gênait pourtant un peu, car elle le contraignait à mettre sa monture à l'allure ralentie d'une troupe à pied. Et il avait hâte d'arriver là où miss Aurett était peut-être en danger. Il usa d'un stratagème :

– Mes amis, nous allons ici nous diviser, et vous pénétrerez au château de la Cruz par petites fractions... Nos frères y sont en groupes, reconnaissez-vous les uns les autres... Moi, je vais devant, seul, afin que nul d'entre vous ne coure de risque... C'est la place du chef d'être le premier au danger ! Suivez-moi prudemment et attendez, pour agir tous ensemble, que je donne le signal convenu.

Jamais chef de conspiration n'ayant opéré ainsi, Lavarède – que ses Costariciens appelaient « La Bareda » – fut salué de vives acclamations.

– Vive le libérateur des peuples !...

Les échos de la Cordillera de las Cruces renvoyèrent ces cris à la Lanura Alta de Canas Gordas. Et, pendant que le señor Liberador filait au trot allongé de Matagna, d'autres partisans descendaient les pentes voisines pour se joindre à la promenade militaire d'où allait surgir une révolution.

Dans sa hâte de voler vers Aurett, Armand oublia de se munir d'un revolver. Il atteignit le château de la Cruz.

... Au moment même où la mule pénétrait dans le patio, José venait de rentrer dans la salle du rez-de-chaussée, où était prisonnière la pauvre Aurett.

– Choisissez, disait-il, de condamner votre père à mort ou de devenir ma femme.

Sur le pavé sonore et sec, les pieds de la mule firent comme un appel, auquel, inconsciemment, la petite Anglaise répondit.

Elle courut d'instinct vers la fenêtre. C'était un secours providentiel qui lui arrivait... au trot. Elle reconnut le cavalier. Malgré les efforts de José qui l'enlaçait, elle ouvrit et cria :

– Armand !...

Dans sa situation désespérée, la rigide vertu britannique oublia les lois du *can't* ; elle ne cria pas : « Monsieur Lavarède ! » mais de son cœur, sans le vouloir, partit ce seul mot, résumant tout :

– Armand !...

Lavarède, d'un bond, franchit la barre d'appui et sauta dans la chambre. Sa main vigoureuse saisit José et l'envoya à l'autre extrémité de la salle, l'éloignant de sa victime miraculeusement sauvée.

– Monsieur, lui dit-il avec indignation, vous êtes une rude canaille ; mais, moi vivant, vous ne toucherez pas un cheveu de cette jeune fille !...

José, jaune de colère et de rage, se ramassait derrière un meuble, et sa main droite se crispait sur la crosse d'un revolver qu'il venait de tirer de sa ceinture. Une idée lumineuse traversa l'esprit de Lavarède.

– Je n'ai pas d'armes : ce revolver... c'est lui qui va donner le signal, – et gaiement, – une révolution pour miss Aurett !

Puis, reprenant tout son sang-froid, il commença, lui, désarmé, de railler son adversaire armé.

– Prends garde, José, tu blêmis... tu as peur et tu vas me manquer.

Le rastaquouère allonge le bras et tire. Un cri de la jeune fille répond à la détonation. Mais Armand n'a pas bronché.

– Je l'avais bien dit.

Il est souriant, les bras croisés, et nargue encore l'Américain. Celui-ci ajuste, mieux cette fois, sans doute.

– Manqué encore, fait le Français, auquel pourtant échappe un mouvement imperceptible...

Mais, de son épaule gauche, un filet de sang coule sur sa veste de cuir.

Aurett l'a vu... Elle se précipite pour le couvrir de son corps... José hésite à tirer, il ne veut pas atteindre la belle Anglaise aux millions. Armand voit cette appréhension. D'un geste, il écarte son amie et redevient provocant.

– Lâche ! crie-t-il à José... tire donc une troisième balle... je la veux, tu n'oseras donc pas ?... une troisième, te dis-je !... poltron !

Sous l'injure, le misérable se redresse comme sous un coup de fouet. Livide, il vise lentement, droit au cœur... Au moment où il presse la gâchette, sa face blême s'éclaire d'un mauvais sourire...

Il tire !

C'en est fait, Lavarède, cible vivante, doit être mort. Mais une main a fait dévier la balle. Miss Aurett, au risque de se faire tuer, s'est élancée sur José. D'un mouvement rapide, elle a relevé son bras armé, et la troisième balle est allée se perdre dans la muraille. Lavarède est sauvé par elle. Un éclair de joie illumine leurs visages. Chez miss Aurett, c'est le bonheur d'avoir préservé les jours de son ami. Chez lui, c'est un autre triomphe encore.

En réponse à la troisième détonation, des cris tumultueux ont retenti au dehors. C'est la révolution qui commence. Et Armand, quittant le rôle passif, qui ne lui est plus utile, se précipite sur José terrifié et le désarme.

Aussitôt, quelques hommes pénètrent dans la chambre et s'emparent du gouverneur. D'autres envahissent le patio. Par la fenêtre du rez-de-chaussée, ils voient Lavarède et l'acclament. Ce sont ceux qui ont fait route avec lui et qui le reconnaissent pour chef. Mais une émotion s'empare d'eux. Leur ami « La Bareda » est couvert de sang. Il défaille.

Miss Aurett s'empresse auprès de lui pour le soigner. Heureusement la blessure n'est que légère : la balle de José n'a fait qu'effleurer l'épaule, un pansement rapide arrête l'hémorragie. En deux minutes, tous ceux qui sont présents au château savent la nouvelle. Il a été blessé, son sang a coulé pour la bonne cause. Cela suffit. D'eux-mêmes, tous se rangent sous ses ordres. Et le voilà du coup qualifié de « général » par les partisans de Zelaya et de Hyeronimo. Il est le général La Bareda, libérateur des peuples, martyr de la révolution, plus encore si cela lui plait !... Revenu de son évanouissement passager, il songe au père d'Aurett et donne l'ordre de le délivrer. Les quatre soldats qui l'ont attaché et le gardent le lui amènent immédiatement. Une idée plaisante lui traverse l'esprit.

– Emparez-vous de cet homme, ordonne-t-il en désignant don José, et liez-le solidement avec les mêmes cordes qui ligotaient la victime de son arbitraire.

Il n'y a pas de bonne révolution sans ces compensations-là. Les palais restent les mêmes ainsi que les prisons ; ce sont seulement les locataires qui changent. Les quatre hommes s'acquittaient consciencieusement de leur besogne lorsque sir Murlyton les arrêta d'un geste.

– Qu'y a-t-il ? que voulez-vous ?

– Aoh ! fit l'Anglais, avant de l'attacher, je voudrais boxer lui.

– Soit, dit le libérateur, boxez…

Ce disant, il accompagna cette marque de condescendance et d'autorité d'un de ces mouvements superbes comme en eut le roi Salomon, lorsqu'il rendait la justice.

En un clin d'œil, on se transporta dans la cour ; on forma le cercle, Lavarède assis sur un siège élevé, miss Aurett auprès de lui. Et au plus grand ébaudissement de l'assistance, don José reçut une formidable dégelée de coups de poing, administrée dans les règles les plus correctes de l'art. Les joues bouffies, les chairs meurtries, les yeux pochés et sanglants, il fut enfin arraché à la fureur vengeresse de l'Anglais. Celui-ci, qui avait évidemment la colère concentrée, ne s'était pas départi de son calme habituel.

– Je suis satisfait, dit-il avec un grand flegme… Ma dignité est vengée.

– Et mon honneur est sauf, ajouta à voix basse miss Aurett, grâce à notre ami M. Lavarède.

– Aoh ! ce était tout à fait un gentleman.

Et il alla lui serrer la main avec cordialité. Pendant qu'ils échangeaient le *shake hands*, un brouhaha se produisit vers la porte du château. Un homme cherchait à se sauver. Interpellé, il n'avait pas répondu. Alors, deux ou trois montagnards lui avaient couru après et le ramenaient de force. Tout naturellement, ils le conduisirent devant leur général. Le libérateur partit d'un franc éclat de rire. Le prisonnier était penaud et tremblant.

– Ah ! maître Bouvreuil !... fit Armand... Eh bien, qu'en dites-vous ?... Du jour au lendemain les rôles sont changés en ce pays.

– Ah ! je l'ai vu tout à l'heure, quand cette foule vous acclamait... Je n'ai songé qu'à me sauver.

– Pour éviter mon juste courroux !... Mais vous ne savez pas un mot d'espagnol, vous ne seriez pas allé bien loin.

– Hélas !

– Dites, mon bon monsieur Bouvreuil, hier vous me faisiez arrêter, si je vous faisais fusiller aujourd'hui ?

– Oh !... oh !... Lavarède, mon doux ami... vous ne ferez pas ça... tenez, voici vos quittances, voilà mon désistement, mes billets de banque... tout ! tout ! voulez-vous ma fille avec ?... Prenez tout, mais ne me prenez pas la vie !...

Les Costariciens n'entendaient pas ce dialogue, échangé en français ; mais ils comprenaient parfaitement les mouvements extérieurs.

– Qu'ai-je à faire de votre fortune ? répondit Lavarède avec un geste de refus... J'ai cinq sous, vous le savez bien, et ils me suffisent.

Il n'y avait pas à se méprendre à cette pantomime. Un chef de révolution désintéressé, cela est assez rare pour enthousiasmer la foule sous toutes les latitudes. Pour l'exalter encore :

– Nous ne sommes pas des voleurs, s'écria Armand, en castillan cette fois, nous sommes de libres citoyens.

Un hourrah immense lui répondit. S'il avait seulement levé le doigt, Bouvreuil et José eussent été sur place écharpés par ceux-là mêmes, capitaine Moralès en tête, qui leur obéissaient quelques heures auparavant. Mais le Libérateur en avait décidé autrement. Cette révolution qu'il avait faite uniquement pour sauver sa petite amie, l'Anglaise, cette révolution qui s'accomplissait, il ne savait encore au profit de qui, il la voulait pure de tout crime, exempte de sacrifices humains.

– Non, dit-il majestueusement à Bouvreuil et à José, non, je ne veux pas votre mort ! Cette blessure légère que j'ai reçue, je la bénis, car elle m'a fait le chef de tous ces braves gens, et vous ne la paierez pas de sévères représailles. Seulement, vous comprenez bien que je ne veux pas vous retrouver sur mon chemin... J'ai un trop grand intérêt à continuer ma route pour ne pas me débarrasser de vous. Capitaine Moralès, vous allez, sous bonne escorte, conduire ces deux messieurs, par les montagnes, jusqu'au rivage de l'Atlantique. Vous irez à Puerto-Limone, et vous les ferez embarquer sur le premier navire en partance, dans n'importe quelle direction, pourvu que ce soit loin de la terre de Costa-Rica. Il vous faut assurément quinze jours pour exécuter cet ordre ; après quoi vous reviendrez à la capitale de la République, à San-José, où vous recevrez la récompense que mérite votre mission. Je vous la promets aussi considérable que le service rendu. Voici votre ordre écrit. L'argent que nous laissons à vos deux prisonniers servira à payer leurs voyages et à entretenir l'escorte que vous commandez. J'ai dit. Allez ! Et *vivan los libres !*

– Nous avons la vie sauve, murmura José bas à Bouvreuil, rien n'est perdu encore... Je connais le pays, et je vous réponds que nous nous retrouverons face à face avec ce trop confiant Français.

Un peu remis de la bourrasque passagère, sir Murlyton se rendit compte du service qu'Armand venait de lui rendre, ainsi qu'à sa fille. Celle-ci, de son côté, l'avait compris de suite. Aussi, leur reconnaissance s'en accrut avec leur amitié pour le bon diable au destin de qui ils étaient attachés pour toute une année. Et ce fut pour eux une simple question de conscience de rappeler à Lavarède qu'il n'était pas en route uniquement pour renverser don José de son trône préfectoral.

– Votre voyage, dit l'Anglais, ne doit pas souffrir de tels retards. Honnêtement, je suis prêt à décompter de sa durée les jours perdus ici pour notre salut personnel.

– Non pas, fit Armand, ce sont là menus incidents qu'il faut prévoir lorsqu'on voyage sans argent. C'est la compensation nécessaire.

– Soit, mais que comptez-vous faire maintenant ?

– Parbleu, continuer ce que j'ai commencé ici.

– Le révolution !

– Certes... de ce coin perdu de la Cordillère américaine, où irais-je pour trouver mieux et m'avancer un peu ?... Je ne puis exécuter de besogne plus avantageuse que celle de révolutionner le pays. D'ailleurs, je ne le voudrais point que j'y serais forcé... Ces gens n'ont d'autre objectif que de marcher sur la capitale ; je suis leur chef, je dois les suivre, ainsi que disait chez nous Ledru-Rollin, en 1848... Réfléchissez-y ; au surplus, en agissant de la sorte, je reste dans mon programme ; la capitale, San-José, est dans la direction du nord. Je dois aller vers le nord, pour m'efforcer de rejoindre San-Francisco. Par conséquent, je marche à la tête de ma troupe ; je m'adresse au nouveau président, une fois arrivé là-bas, et, à titre de récompense, je lui demande le moyen de continuer mon voyage.

– Avez-vous songé aux difficultés qui vous attendent pour atteindre San-Francisco ?

– Non. Je les rencontrerai toujours assez tôt.

– Mais il vous faudra traverser tout l'isthme américain... qui n'est pas riche en voies carrossables, ni en chemins de fer ; franchir le Nicaragua, le San-Salvador, le Guatemala ; ensuite, c'est le Mexique à parcourir dans toute sa longueur... jamais vous n'arriverez.

– Surtout, interrompit gaiement Lavarède, surtout si je ne commence pas... Donc, commençons.

Et, ayant donné à ses partisans le signal du départ, le « général » enfourcha sa mule et se mit en route. Fidèle historien de cette aventure, nous devons reconnaître qu'il ne courait pas grand péril. À son arrivée, ce n'était partout qu'acclamations et vivats. Sur son passage, on tirait des coëtes, des pétards ; on se disputait l'honneur de le loger, de l'héberger, lui et sa suite, c'est-à-dire Murlyton et Aurett. Déjà même, parmi les gens de son armée et dans les contrées que l'on parcourait, le bruit s'était répandu que ces deux personnes étaient sa femme et son beau-père. Et quelques-uns des siens répétaient cela aux autres, avec un petit air entendu, des hochements de tête significatifs, que seuls nos trois voyageurs ne comprenaient pas. À la fin miss Aurett voulut en avoir le cœur net. La troupe se dirigeait vers le pays des Guetarez ; on suivait un chemin au pied de la montagne Dota, et le hasard de la route avait logé l'état-major de la petite colonne dans une hacienda, la *Cascante,* dont Mlle Luz, une aimable señorita, faisait les honneurs. Pendant que Lavarède pansait sa blessure de l'épaule avec l'aide accoutumée de sir Murlyton, les deux jeunes filles causèrent, et Aurett apprit tout de la bouche de Luz :

– Un article de la Constitution du 22 décembre 1871 porte que le président de la République costaricienne est élu pour quatre ans, non rééligible ; il doit justifier d'un capital de 50 000 francs, être âgé d'au moins trente ans et être marié.

– Bon, pensa la petite Anglaise, M. Armand a l'âge nécessaire ; il est en train de gagner quatre millions, et ses amis le croient marié... Je ne dois pas les dissuader... Je continuerai de passer pour sa femme, et ce sera très plaisant, très *humbug,* de le faire acclamer président.

Elle accompagnait ses réflexions d'un sourire mutin, qui, involontairement, en disait plus long même qu'elle ne pensait. C'est qu'elle se prenait tout de bon à tendrement aimer – d'amitié certes, mais d'amitié profonde – son jeune et courageux défenseur.

Le voyage se continua sous les mêmes auspices. Moins de vingt jours après le départ du golfo Dulce, notre ami fit une entrée triomphale à San-José, où la rumeur publique avait annoncé son arrivée. Les dépêches télégraphiques aidant, un coup de théâtre inattendu guettait ici « le général La Bareda ». Les cloches sonnaient à toutes volées, les deux canons de la ville tonnaient, le peuple clamait, et les bourgeois, petits et grands, attendaient résignés, sentant qu'il n'y avait pas à lutter contre la poussée populaire.

Partis de Cambo deux cents, les amis du Libérateur des peuples étaient six mille en arrivant à San-José. Sur la place *Mayor* l'attendaient l'armée rangée sur un côté, cent cinquante hommes environ, les délégations des villes de Puntarenas, d'Orosi, d'Angostura, rangées sur une autre face du carré ; on remarquait surtout les délégués de Cartago, la cité rivale, qui étaient venus saluer le Libérateur. En face de l'armée se tenaient les autorités de toutes sortes, et les généraux et colonels en grand nombre. Le quatrième côté appartenait aux chefs de la troupe victorieuse.

Le peuple se pressait à toutes les issues, criant à pleins poumons. Une foule hurlante grouillait sur les toitures des palais de justice, présidentiel et national, des églises de la Soledad, de la Merced, des Dolorès du Carmen, des temples protestant et maçonnique, du séminaire, de l'Université, du collège de Sion, de l'Orphelinat, de partout enfin où il y avait place pour un manifestant. La population ordinaire de la capitale était doublée, et trente mille voix criaient :

– Viva le général La Bareda ! Viva le Liberador des peuples !

Viva notre président !

– Mais qu'est-ce qu'ils disent donc ?... fit Armand inquiet.

Le président des douze députés de la République s'avança :

– Ils disent, illustrissime général, que, par ton origine française, tu es latin comme eux, comme nous ; et que l'acclamation populaire t'a désigné pour être le président de cette République de Costa-Rica, que tu as délivrée des tyrans... Vive le président La Bareda !...

Cette fois, notre ami tombait des nues.

– Allons bon !... me voilà président à présent... Quel dommage que je ne sois pas monté sur un cheval noir, ce serait complet !...

– Que voulez-vous dire ? demanda miss Aurett, qui ne le quittait pas.

– Rien, miss... un souvenir de mon pays.

Les corps constitués allèrent ensuite présenter leurs hommages à la petite Anglaise. On l'appelait « Madame la présidente » gros comme le bras. Elle était ravie et s'amusait infiniment ; Murlyton allait esquisser une protestation qui, du reste, eût été vaine : elle se serait perdue dans le brouhaha et le tumulte universel. Aurett l'arrêta :

– Papa, vous ne devez en rien contrecarrer les actions de M. Lavarède... Ne dites donc pas un mot, ce serait une déloyauté.

Murlyton, un peu abasourdi, demeura bouche béante en face de ce spectacle multicolore, chatoyant et archi-bruyant, fait pour étonner ses yeux et ses oreilles d'Anglais calme, gris et terne. Un officier s'approcha respectueusement d'Armand.

– Excellence, l'armée attend que vous lui fassiez l'honneur de la passer en revue.

– J'y vais, fit dignement Lavarède en piquant des deux au trot de sa mule Matagna.

Le petit nombre des soldats sous les armes le surprit tout d'abord ; il se souvenait de la leçon donnée par Concha.

– Mais le Costa-Rica, dit-il à l'officier, peut mettre cinq cents hommes sur pied en temps de paix... où sont donc les autres ?...

– Excellence, il ne reste plus que ceux-ci... Les autres sont en face, colonels ou généraux, suivant qu'ils ont eu plus ou moins de chance dans les précédents pronunciamientos.

– Parfait, répondit le président en gardant son sérieux, nous allons arranger cela.

Et s'étant placé face à la troupe, il dit en pur et sonore castillan :

– Soldats, vous n'avez pas voulu tirer sur le peuple, vous êtes nos frères... Il faut que ce jour soit heureux pour tous... Demandez-moi ce que vous voudrez... Comme je n'ai rien promis d'avance, je tiendrai plus que les autres... Dites, qu'est-ce que vous désirez ?

– De l'avancement ! répondit un chœur unanime.

– Très bien !... Je vous nomme tous généraux, passez à droite, et vive la Liberté !

– Viva La Bareda !...

Ce cri était poussé non seulement par les soldats, qui prenaient le pas de course pour traverser la place, et rejoindre les autres veinards, ceux des premières promotions, mais aussi par tout le peuple, qui, du haut des maisons, des terrasses, des fenêtres, des balcons, avait vu et compris cette scène où l'Égalité n'était pas un vain mot. Lavarède, ayant satisfait aux vœux des soldats, pénétra avec sa suite dans le palais présidentiel où ses appartements étaient préparés. Vers le soir, toute la ville flamboya des rayons blancs de l'électricité. Il crut d'abord à une illumination spéciale. Non pas, San-José est éclairé à la lumière électrique depuis cinq ans.

– Eh ! mais, dit-il au conseiller Rabata – qui occupait les fonctions de secrétaire auprès de sa personne – ma capitale n'est pas aussi arriérée qu'on pourrait le croire.

– Elle l'est beaucoup moins que vous ne le supposez ; car, si Votre Excellence veut bien écouter ce que va lui dire le téléphone, elle saura que déjà un complot s'ourdit contre elle.

– Un complot pour me tuer ?

– Ici... oh ! jamais !... Pour vous faire partir.

– Ah ! par exemple, j'en suis de ce complot ! j'ai fait aujourd'hui le bonheur de tous ceux qui m'ont approché, je n'ai point perdu ma journée... Mais, puisque je peux tout, je pense que je puis aussi m'en aller.

– Tout excepté ça... le président ne quitte pas le territoire... cela lui est interdit.

Armand fit la grimace. Au lieu de faciliter son voyage, sa grandeur devenait un obstacle.

– Voyons, mon cher secrétaire, voilà le soir venu, mes nouveaux sujets s'entassent à l'hippodrome de Mata-Redonda, ensuite tout le monde ira se reposer... Vous m'avez conduit en ce palais, je vais faire comme les autres, après le banquet, – car je pense que l'on est nourri comme président ? – et nous reparlerons de mon départ aussitôt après, car je n'ai pas l'intention de moisir chez vous.

– Cependant la Constitution ?

– Comme celle de tous les pays, elle est faite pour être violée... D'abord, je ne suis pas naturalisé...

– Les députés ont voté.

– Ensuite, je ne suis pas marié...

– Le peuple a ratifié.

– Nom d'un chien ! jura plaisamment Lavarède. Je ne veux cependant pas rester ici... j'y perdrais trop... quatre millions !... Enfin, la nuit porte conseil ; venez causer avec moi demain, à mon réveil !...

– J'obéirai, Excellence ; mais avant de passer dans la salle du banquet, où vous attendent les autorités et votre famille...

– Pas ma famille, mes amis.

– Soit !... Auparavant, dis-je, ne voulez-vous pas connaître le complot ? Le directeur de votre police n'a pas encore coupé la communication.

– Ah ! c'est vrai... Écoutons le téléphone.

Le messager électrique, imaginé par Edison, communiquait du palais à l'habitation de l'ex-président, le Dr Guzman, située près de la promenade du Parc Central. Dans une salle étaient réunis trois hommes qui discutaient avec animation ; leurs voix résonnaient sur la plaque métallique.

– C'est votre faute à vous, Guzman ! disait le général Zelaya ! Si vous n'aviez pas fait des concessions au parti noir, si vous n'aviez pas rêvé de faire rentrer les jésuites, chassés de chez nous depuis tant d'années, vous n'auriez pas été renversé si aisément.

– Mais c'est bien plus votre faute, à vous, général ! ripostait le docteur... Si vous n'aviez pas préparé le mouvement, pensant qu'il tournerait à votre profit, si vous n'aviez pas soulevé les ouvriers et démoralisé l'armée, cet aventurier étranger n'aurait pas réussi en un tour de main.

– Et moi, geignait Hyeronimo d'un ton lamentable, si je ne lui avais pas confié ma mule Matagna, que tout le peuple connaît, si j'avais donné moi-même le signal, c'est moi qui serais aujourd'hui président à sa place !...

Tout à coup ils s'interrompirent, la sonnette d'appel tintait résolument.

– Allô ! Allô ! disait une voix, vous êtes en communication avec le palais présidentiel.

Les mécontents pâlirent. Ils se crurent perdus.

– Qu'y a-t-il ? demanda Zelaya venant de son côté à l'appareil.

– Il y a qu'il vous arrive un appui pour renverser La Bareda.

– Vous êtes donc de l'entourage du président ?...

– J'y touche de très près.

– Qui êtes-vous ?

– La Bareda lui-même.

IX

Les Guatusos

Le lendemain matin, M. le conseiller Rabata, en sa qualité de secrétaire de la présidence, fut admis au petit lever. Son Excellence avait admirablement dormi dans les draps de l'État ; on lui avait déjà servi le *chocolat* des contribuables, et il s'était enquis de sir Murlyton et d'Aurett qui, de leur côté, avaient pris un repos bien gagné dans les appartements réservés. Rabata venait, suivant l'usage, apporter au président un mois de son traitement. Lavarède eut un beau mouvement et un geste dramatique.

– Je n'ai que faire de cet argent, dit-il ; j'ai servi la cause de la liberté pour elle-même, et non pour quelques méchants dollars ; consacrez cette somme au budget de l'instruction publique.

La belle réponse du général La Bareda ne tarda pas à être connue dans la ville, et sa popularité ne fit que s'en accroître. La Chambre se réunit en séance publique. À l'unanimité des douze représentants, on lui vota, comme récompense nationale, le plus haut grade dans l'ordre de l'Étoile de Costa-Rica, un sabre d'honneur, un muletier également d'honneur, chargé de servir la mule Matagna et, au besoin, le président. À Agostin, l'Indien du rancho, échut ce poste et on l'envoya aussitôt, avec le secrétaire Rabata, demander à La Bareda s'il ne désirait rien de plus.

– Si, répondit-il après réflexion, je désire qu'on me donne un bon revolver avec cent cartouches. Si l'on veut y ajouter une caisse de biscuits de mer, cela me fera plaisir, maintenant que j'ai une mule pour la porter. Enfin, ce que je demande avant tout, c'est de m'en aller.

En apprenant ce vœu intempestif, les pouvoirs publics sourirent... et le peuple gronda.

Magnanime Liberador, – avait-on dit lorsqu'il refusait le traitement. Mauvais citoyen, – disait-on lorsqu'il voulait quitter le palais. Les partisans de Guzman et de Zelaya commençaient même a répandre des bruits étranges, – échos du téléphone que nous avons entendus. Le « héros de Cambo », comme on l'avait surnommé le 23 juin, était soupçonné de félonie et de haute trahison le 25, deux jours après son élévation à la présidence. Il était accusé, tout bas, mais avec persistance, de conspirer contre la sûreté de la République.

Cette rumeur légère, allant *rinforzando* et *crescendo,* ainsi que tout bon air de calomnie, prit bientôt de telles proportions que la Chambre, cédant au mouvement, décréta qu'une garde spéciale, commandée par le « patriote » général Zelaya, surveillerait étroitement et sans cesse le président La Bareda. Comme Masaniello, il connaissait en très peu d'heures les redoutables revirements de l'opinion populaire. Et notre ami, ainsi gardé à vue, en compagnie des deux Anglais, maudissait sa grandeur l'attachant à sa capitale.

– Que faire pour que vous vous en alliez, puisqu'ils refusent votre démission ? demanda miss Aurett.

– M'en rapporter à la Providence, qui m'a déjà tiré de plus d'un mauvais pas.

À peine avait-il prononcé cette sentence philosophique et fataliste à la fois que, malgré la noblesse de sa fonction, M. le président de la République costaricienne s'étala tout de son long par terre dans le salon où il causait avec ses amis. Dans cette posture peu majestueuse, sir Murlyton grognant et miss Aurett riant le rejoignirent incontinent.

– *What is ?*

– Parbleu, c'est un tremblement de terre, une des soixante oscillations annuelles dont je vous ai parlé.

– Le palais semble mollement bercé.

Ils essayèrent de se relever. Mais il leur fut impossible de se tenir debout. Secoués comme une salade en son panier, ils s'étaient assis à la turque, loin des meubles chancelants ou renversés. Un bruit rapproché de vaisselle cassée se mariait avec un lointain grondement de foule affolée. Le seul serviteur resté dévoué, l'indien Agostin, entra en ce moment et trouva toute la société présidentielle accroupie.

– Excellence, dit-il, ne reste pas une minute de plus dans ce palais, qui va s'écrouler.

– Sortir d'ici ! s'écria Armand, mais je ne demande pas mieux !... Seulement la garde du général Zelaya va m'en empêcher.

– La garde s'est dispersée, et le général est loin... Nous

connaissons cela, nous autres du pays : les mouvements de la terre vont augmenter en nombre et en durée !... Regarde, tout le monde fuit et court, les volcans fument plus que jamais... C'est un tremblement de terre plus fort peut-être que les trois derniers !

Avec une promptitude que l'on comprend, nos trois voyageurs s'enfuirent, laissant là la capitale San-José et la présidence de Costa-Rica. Agostin avait sellé les mules, amarré la caisse de biscuits, don national. Chacun, armé et équipé en quelques secondes, avait sauté sur les montures ; et la petite caravane prit du large, guidée par l'Indien. Il avait eu raison, ce fils de la terre américaine : le palais s'écroula derrière eux avec un effroyable fracas.

Bêtes et gens avaient perdu la tête. Les mules dressaient les oreilles devant ce danger qu'elles ne voyaient point et dont leur seul instinct les avertissait. La catastrophe fut si soudaine que nul, dans le péril général, ne s'aperçut du départ du président ; on ne s'occupait que des colères de la nature. L'homme, en pareil cas, se fait petit, et plus d'un brave tremble.

Après deux heures d'un galop effréné, ayant sauté par-dessus des crevasses nouvelles, franchi des torrents devenus des routes desséchées et des chemins transformés en torrents, reconnaissant à peine le paysage bouleversé par ce rapide changement à vue, Agostin fit ralentir l'allure échevelée que l'on gardait depuis San-José. Il était évident que l'on était sorti de la zone où se produisait le bouleversement cosmique. On pouvait respirer un peu et examiner la situation. Pour se reconnaître, Armand ne pouvait compter que sur l'expérience d'Agostin.

– Dans quelle direction marchons-nous ? lui demanda-t-il.

– Au sud-est, pour tourner le dos aux volcans.

– C'est-à-dire que nous nous dirigeons vers l'Atlantique.

– Oui, vers notre océan à nous, la mer Indienne.

– Quelle ville voyons-nous devant nous, là ?

– Cartago.

– Le chemin de fer n'y passe-t-il pas ?

– La route des Ingénieurs, en effet.

– Que veux-tu dire ?

– Je parle du chemin tracé par les Anglais sur des lignes de fer et d'acier... Rien ne t'empêche de la prendre et de gagner Limon par Orosi et Angostura. Là, tu pourras t'embarquer, puisque tu veux partir.

– Certes, je le veux ; mais ce n'est pas cette route que j'aurais désiré prendre.

Et, se tournant vers ses amis, il ajouta :

– Je ne vais pas être plus avancé qu'en arrivant à Colon, puisque nous allons nous retrouver sur la rive de l'Atlantique.

– Le principal était pourtant de quitter San-José, répondit sagement Murlyton.

À Cartago, les effets du tremblement de terre s'étaient fait sentir avec un peu moins de violence. Mais le public n'en était pas moins agité. Et, dans le péril universel, dont chaque habitant prenait sa part, on ne remarqua pas plus que les autres ces quatre voyageurs. L'affolement général était tel qu'Agostin put faire monter les mules et les bagages dans un wagon vide, qu'Armand et ses amis les y rejoignirent sans attirer l'attention, et qu'il échappa à cet autre danger d'être reconnu et arrêté, comme Louis XVI à Varennes.

Le train s'ébranla. Au pied de l'énorme volcan de Turrialba, qui n'a pas loin de douze mille pieds anglais, à la station de Tucurrique, miss Aurett se rejeta vivement au fond du wagon. Elle était pâle et tremblait. Et, désignant du doigt un groupe de gens venant aux nouvelles :

– Don José ! dit-elle d'une voix étranglée.

– Lui, le gredin !... s'écria Lavarède en voulant s'élancer.

Mais elle l'arrêta doucement.

– Vous n'avez pas peur de lui, je le sais... Mais, s'il est encore en ce pays, s'il est revenu, c'est pour se venger de vous... Comme tout le monde, il a dû apprendre par les dépêches télégraphiques que vous étiez gardé à vue dans le palais présidentiel... S'il voit l'un de nous, vous serez signalé, pris, et ramené dans la capitale.

C'était raisonner avec justesse. Armand se rendit à ces observations, et l'étape fut franchie sans obstacle. Seulement, Lavarède résolut de quitter le chemin de fer construit par les ingénieurs anglais, à quelque station intermédiaire. Agostin fut consulté. Il était facile, selon lui, de s'arrêter près de Calabozo ; et, comme il avait compris qu'on voulait surtout éviter d'être rencontré et reconnu, il indiqua que l'on reprendrait le voyage à mulets et que l'on traverserait le pays des Indiens Talamancas.

– C'est, dit-il, la contrée la plus déserte de tout le territoire.

– Allons, cela va recommencer comme avec Ramon... Mais, du moins, c'est la liberté... Sir Murlyton, je crois qu'il faut, pour un temps, dire adieu au roastbeef de la vieille Angleterre ; nous rentrons dans le paradis des galettes de manioc et des tortillas de maïs.

La caravane descendit, comme Agostin l'avait conseillé, à un passage à niveau non gardé, évitant ainsi les réclamations pécuniaires de la Compagnie, et, se dirigeant vers le sud-est, suivit le flanc inférieur des montagnes en s'efforçant de voir, au moins une fois chaque jour, la mer, au loin, sur sa gauche, afin de ne pas perdre sa direction. Seulement, ce que nos amis ne remarquèrent pas à Calabozo, ce fut don José qui, les ayant aperçus à Tucurrique, était monté dans le même train et les observait prudemment.

Les ayant vus s'engager vers cette contrée presque inhabitée du versant atlantique, il savait, lui qui connaissait le pays, dans combien de jours il pourrait les retrouver, et où ils devaient arriver à la fin. Il ne pensait certainement pas à obéir à la Constitution et à ramener le président fugitif : c'était pour servir sa propre vengeance et les intérêts de Bouvreuil qu'il était en Costa-Rica.

Miss Aurett s'était légèrement trompée en le croyant revenu, – il n'était pas parti. Embarqué de force sur un caboteur mexicain, il s'était arrêté, avec son compagnon, à la première escale après Limon, à l'embouchure du San-Juan-de-Nicaragua. Puis, ayant renvoyé Bouvreuil attendre à Colon, – où les communications sont faciles avec toute cette partie de la côte, – il était entré dans le nord du Costa-Rica, muni d'une belle somme d'argent exigée de son complice, et là il s'était mis en rapport avec un chef des Guatusos, Indiens qui habitent entre le Nicaragua et le Costa-Rica. Nous ne tarderons pas à connaître la suite de sa démarche.

Pendant les premières journées de route, les incidents du voyage de Lavarède et des siens n'offrirent aucune particularité inquiétante.

La seule difficulté matérielle était le passage des *rios* torrentiels qui descendent des montagnes ; l'aide des Indiens et de leurs radeaux fut précieuse.

Le 3 juillet, ils atteignirent les premiers contreforts des Montes Negros, en évitant les villes de Bribri et de Cuabré, sur la rive droite du rio Dorado, – car Lavarède ne se souciait point de rencontrer des autorités costariciennes.

– J'aime mieux les sauvages, disait-il ; au moins ils ne construisent pas de prisons.

Ayant trouvé au flanc d'un mamelon abrupt une sorte de ruine, qui avait dû être, au siècle précédent, un rancho, abandonné depuis, ils y avaient passé la nuit, lorsqu'au lever du soleil les mules se mirent à hennir d'une façon particulière.

Agostin, avec son flair d'Indien, déclara qu'il devait y avoir du danger aux environs. Il examina la campagne et bientôt, désignant un point lointain :

– Assez loin, vers le nord-ouest, à peu près sur les traces de notre route d'hier, je distingue une autre caravane... Elle paraît nombreuse... Il y a au moins une trentaine de chevaux et de mulets.

Une inquiétude prit Lavarède.

– Est-ce que ce sont des soldats ?

– Non... il me semble reconnaître l'accoutrement des Indiens.

– Alors, pas de danger ?

– Aucun, si ce sont des gardeurs de troupeaux ou des nomades voyageant en tribu... Je les vois un peu mieux à présent ; ils sont armés presque tous de fusils. Cela m'étonne, car les indigènes du Talamanca ne sont pas grands chasseurs ; ils pêchent plus volontiers qu'ils ne chassent.

Quelques minutes se passèrent encore. Les quatre voyageurs avaient les yeux fixés sur ce groupe lointain qui se rapprochait et que les rayons du soleil levant commençaient d'éclairer. Tout à coup, Agostin blêmit. Lui qui, jusqu'ici, ne semblait pas aisé à effrayer, il claquait des dents et montrait les signes de la plus vive épouvante.

– Qu'y a-t-il ?... Qu'as-tu ?...

– Ce sont les Guatusos !...

– Eh bien ?...

– Les terribles Guatusos, les Indiens au visage pâle, aux yeux bleus, aux cheveux roux...

– On dirait des Anglais à ce signalement, fit sir Murlyton.

– Hélas, oui !... Ce sont les fils d'une bande de pirates anglais égarés, il y a cent ans, sur les bords du rio Frio, et qui ont apporté dans la tribu qui les a recueillis des mœurs féroces et sanguinaires.

– Que dites-vous là ?

– La vérité, malheureusement ; les Guatusos, ou Pranzos, sont capables des plus grandes cruautés... Si c'est à nous que ceux-ci en veulent, nous sommes morts !...

– Mais, interrompit Armand, comment se fait-il que ces sauvages, habitant au nord du Poas, soient venus ici, dans le sud du territoire ?...

– Excellence, je ne me l'explique pas... Ceux-là, voyez-vous, tueraient leur père pour avoir de l'argent et boire de l'aguardiente.

– De l'argent ?... si on leur en donnait pour s'en aller ? hasarda Murlyton.

– Vous oubliez que nous n'en avons pas dans nos poches et qu'ils doivent ignorer les chèques.

– Non, non, murmura Agostin... Ne les attirons pas... et surtout ne bougeons pas... Ah ! si par bonheur ils pouvaient passer sans se douter que nous sommes ici, je sacrifierais avec joie au Grand-Esprit.

– Toi ? Tu es catholique cependant ?...

– Oui, Votre Grâce, comme tous les Indiens pauvres... Mais cela ne nous a jamais empêchés, quand nous sommes en danger, ou entre nous, de prier aussi le Grand-Esprit *Tule,* le dieu de nos pères et de notre patrie.

Dans sa terreur, il avouait ce que, par tradition, les indigènes ont toujours caché avec soin, par peur des conquérants espagnols.

À ce moment, nos voyageurs purent faire, de leur observatoire, une inquiétante constatation. Aux appels de leurs mules, d'autres appels avaient répondu. Les trente cavaliers guatusos s'étaient d'abord arrêtés ; ils avaient semblé tenir conseil ; puis, changeant de route, leur groupe compact, précédé d'une dizaine d'entre eux espacés en fourrageurs, s'était dirigé vers le rancho, escaladant, par un mouvement enveloppant, le mamelon sur lequel campaient Lavarède et ses compagnons de route.

Si ceux-ci avaient pu conserver encore un doute sur l'intention des Guatusos, nulle hésitation n'allait plus leur être permise. Miss Aurett, qui avait braqué sur eux sa jumelle, pâlit légèrement et dit :

– L'aspect physique de ces Indiens répond bien au signalement que nous en a donné Agostin... De plus, je viens de reconnaître au milieu d'eux notre ennemi don José.

– Quel parti devons-nous prendre ? demanda froidement Murlyton, sans que sa voix trahit le moindre trouble.

– Un seul, fit résolument Lavarède, résister... Nous avons des armes, il faut nous en servir et retirer à ces bandits l'envie de nous approcher de trop près.

Les rôles furent distribués aussitôt. Les trois hommes s'embusquèrent, abrités par des fragments de muraille, Agostin armé de son fusil, Armand et Murlyton de leurs revolvers à longue portée. Ils attendirent que les premiers cavaliers ne fussent pas éloignés de plus de deux cents mètres et firent feu tous les trois ensemble. Deux Indiens tombèrent ; le cheval d'un troisième se cabra, il n'obéissait plus à son cavalier, il avait été blessé et redescendit chancelant.

Mais le mouvement ascensionnel des assaillants ne s'arrêta pas à cette première escarmouche. Il fallut deux salves nouvelles qui firent encore cinq victimes, tant chevaux qu'Indiens, pour que les agresseurs se décidassent à rebrousser chemin et, par un temps de galop allongé, à se placer hors de portée des armes à feu. Mais ils restèrent en vue, à peine dissimulés par un pli de terrain et un bouquet d'arbres tropicaux.

– Leur attaque par surprise n'a pas réussi, dit Lavarède... Observons-les attentivement, car ils ne s'en tiendront pas là.

À l'aide de la jumelle anglaise, on voyait distinctement ce qui se passait. Les blessés et les morts étaient étendus, au nombre de cinq, sous un arbre, auprès d'un petit cours d'eau. Un Guatuso les gardait et les soignait. Agostin aperçut deux cavaliers placés en vedette de façon à ne pas perdre de vue le rancho sur la gauche et sur la droite.

À l'exception de ces deux-là, les autres avaient mis pied à terre, et une « palabre » s'engageait. À leurs gestes désignant le mamelon, on pouvait deviner qu'ils concertaient une agression nouvelle, plus prudente sans doute. Et nos amis redoublèrent de surveillance, se tenant sans cesse sur leurs gardes.

Mais, à leur grand étonnement, la journée tout entière se passa de la sorte. On s'observait mutuellement. Agostin fit remarquer que les forces des gens et des bêtes avaient besoin d'être soutenues.

On avait quelques boîtes de conserves, plus le don national, la fameuse caisse de biscuits de mer. Les quatre convives firent largement honneur à ces provisions. Quant aux mules, on leur distribua du biscuit concassé et trempé. Dans la montagne, les sources ne manquent pas. À dix mètres en arrière du rancho jaillissait justement en un mince filet une source claire et limpide.

Cependant, la nuit approchait. Lorsque l'ombre s'étendrait sur le pays, Lavarède redoutait une attaque. Il fut convenu que chacun se reposerait à tour de rôle. On était quatre : Murlyton et Aurett dormiraient pendant que veilleraient Armand et Agostin, en se relevant de deux en deux heures.

Quelque attention que prêtassent les sentinelles, rien ne parut bouger dans la vallée. On percevait des bruits de pas réguliers, indiquant que l'ennemi continuait sa surveillance.

Les Guatusos n'attaquèrent pas.

Mais, au point du jour, les assiégés comprirent que les Indiens avaient changé de tactique. L'assaut brusque ayant échoué, les Guatusos employaient un autre moyen. Ils mettaient le blocus.

Au lieu d'un seul groupe, nos amis en distinguèrent six composés de quelques hommes seulement, mais tenant toutes les issues au nord, au sud comme à l'est ; un seul Indien à cheval, dans chaque poste, veillait sur le rancho entouré.

De s'échapper par l'ouest, il n'y fallait pas songer. Derrière le mamelon où s'élevait leur modeste fortification, la Cordillère était à pic et dominait la plaine jusqu'à la mer.

Les défenseurs tinrent un grave conciliabule. Ils firent le compte des provisions. Pour quatre personnes et quatre montures, ils n'en avaient que pour cinq jours.

La deuxième journée du siège se passa presque gaiement : la belle humeur de Lavarède ne se lassait pas.

– Tout de même, dit-il à l'Anglais, en vous engageant à ne pas me quitter, à me surveiller sans cesse, vous ne vous doutiez pas de ce qui allait vous arriver.

– Assurément non !

– Sans cela, vous n'auriez peut-être pas commencé ?

– C'est probable ; mais maintenant je suis accoutumé à votre caractère. Votre esprit aventureux m'intéresse, et, entre gentlemen, on se doit aide mutuelle.

– Oh ! interrompit miss Aurett, M. Lavarède ne marchande pas, lui ; il m'a déjà sauvée de tant de périls que je ne suis pas quitte envers lui.

Armand sourit et, montrant l'horizon où se dessinaient les vedettes guatusos, il dit :

– Et, d'après les prévisions, nous allons cette fois courir les mêmes dangers ensemble ; il me sera bien difficile alors de vous en préserver ! C'est pour vous surtout que je tremble, ajouta-t-il d'un ton grave.

– Il ne faut trembler ni pour moi ni pour vous, monsieur Armand... Qui sait si, une nuit prochaine, nous n'allons pas pouvoir échapper à ceux qui nous investissent ?

– Eh ! mais c'est à voir, cela... Qu'en dis-tu, Agostin ?

L'Indien ne répondit pas. Le regard obstinément fixé vers le sud-est, il paraissait absorbé. Armand lui frappa sur l'épaule.

– Que cherches-tu par là ? demanda-t-il.

– Le salut... le chemin pour fuir... pour aller vers des tribus amies.

– Il en est de ce côté ?...

– Oui... les Vizeitas ; puis, pas loin, ceux du Chiriqui... Mais comment échapper aux Guatusos ?... Je ne connais pas tous les sentiers.

Et il reprit, silencieux, sa rêverie dans le vague. De temps en temps, un Guatuso s'avançait en reconnaissance vers le rancho, comme pour s'assurer que les assiégés étaient toujours là. Un coup de feu le renseignait immédiatement.

À ce jeu, les assiégeants perdirent encore deux hommes.

On déjeuna après une de ces petites alertes. Seul, Agostin préoccupé, et les yeux toujours dirigés sur les pentes de la montagne, ne mangea pas. Avec un sourire, miss Aurett dit à son père :

– Malgré vos bank-notes et vos chèques, sans l'assistance de notre ami, nous mourrions de faim depuis deux jours.

– C'est vrai... M. Lavarède nous a nourris, et non seulement ici, mais encore pendant le temps de la présidence.

– Vous porterez cela en compte, dit plaisamment Armand.

Le plus gravement du monde, Murlyton ouvrit son carnet et montra des notes prises antérieurement.

– Vous voyez que c'est déjà fait.

– Oh ! vous êtes un homme précis.

– Je suis Anglais, répondit-il simplement.

Tout à coup, Agostin franchit le mur formant parapet et se laissa glisser au dehors. Il suivait la pente sud du mamelon et, presque rampant, il cherchait à voir quelque chose au loin, sans être aperçu des Guatusos en vedette. Mais il n'y réussit pas. Des coups de fusil retentirent, une grêle de balles s'abattit autour de lui.

Dissimulé derrière des roches, il entendait les projectiles crépiter sur la pierre, et malgré cela, il continuait sa route. Il ne s'arrêta que sur la crête d'un ravin. Là, couché de tout son long, la tête penchée au-dessus du vide, il observait, fixant dans sa mémoire la carte du terrain qu'il était venu reconnaître, – et, lorsqu'il se releva, son visage, ordinairement impassible, exprimait la joie.

Puis il reprit le chemin du rancho. La fusillade des Guatusos se ralentit alors. Les assiégeants, c'était visible, ne voulaient que l'empêcher de s'enfuir.

– Eh bien ! dit Armand. Qu'as-tu fait ? qu'as-tu vu ?

– Je cherchais une route... mais tous les chemins sont gardés... Nous ne pourrons pas sortir d'ici.

– Cependant, riposta Lavarède méfiant, tout à l'heure tu semblais satisfait...

– Oui, j'étais content parce que les balles des Guatusos ne pouvaient m'atteindre. Mais c'est tout.

– Ah !...

Et Agostin alla s'asseoir vers les mules, sommeillant ou feignant de sommeiller.

Bientôt, un nouvel incident vint le tirer de son repos et mettre tous les assiégés sous les armes. Du bas de la vallée, un Indien guatuso montait droit dans la direction du rancho. Parvenu à quelques centaines de mètres, c'est-à-dire arrivé à portée de fusil, il agita un morceau d'étoffe blanche.

Lavarède, qui guettait, le revolver au poing, dit à ses amis :

– Dans tous les pays du monde, le drapeau blanc signifie que l'on vient en parlementaire.

– Oui, fit l'Anglais, mais je ne me fie point à ces sauvages... N'est-ce pas un piège ?

Agostin regarda attentivement :

– Non... celui-là est seul... Il est évident qu'il demande à s'approcher sans que nous tirions sur lui.

– Eh bien, comment lui répondre ?

– En employant la même langue que lui. Agitez un mouchoir blanc, il s'avancera.

Aussitôt fait, aussitôt compris. Le Guatuso tenait quelque chose à la main, qu'il montrait de loin. C'était un papier, on le distinguait parfaitement à la lorgnette. Il se dirigea encore pendant cent mètres vers le mouchoir blanc que brandissait miss Aurett, puis il s'arrêta. Il plaça le papier ostensiblement, piqué sur la pointe d'une feuille de yucca, le désigna par une pantomime expressive, et redescendit tout courant, – pas rassuré du tout, – jusqu'à ce qu'il fût couvert par un repli de terrain, vers le bas de la montagne.

Agostin alla chercher le message et le rapporta dans le rancho. C'était écrit en langue castillane, un ultimatum de don José, ainsi conçu :

« *6 juillet 1891.*

« *À Leurs Excellences Sir Murlyton, esquire, et miss Aurett Murlyton.*

« *Le préfet de Cambo, gouverneur du district de Golfo-Dulce en Costa-Rica, a l'honneur d'informer Vos Excellences que ce n'est pas elles qu'il poursuit.*

« *En conséquence, Vos Excellences peuvent librement reprendre leur route et séjourner sur le territoire de la République avec leurs armes, montures et bagages. Elles auront droit à notre protection.*

« *Elles peuvent de même emmener, comme leur serviteur, le soldat Agostin, de la tribu indienne des Terrabas, que nous estimons avoir cédé aux injonctions de l'aventurier français, se faisant indûment appeler le général La Bareda, – celui que les pouvoirs publics ont déclaré déchu du titre de président de la République costaricienne, qu'il avait usurpé à la faveur d'une insurrection fomentée par lui et désormais vaincue. C'est lui seul que, moi et mes fidèles soldats, nous voulons prendre et punir. Le préfet-gouverneur donne à Vos Excellences vingt-quatre heures pour se conformer à ses ordres et se retirer où il leur plaira.*

« *Faute d'obéir dans ce délai, elles encourront les mêmes pénalités que l'aventurier, leur compagnon, dont nous sommes résolus à nous emparer mort ou vif.*

« Signé : Don José Miraflores. »

La lecture de ce document, qu'Armand traduisit à ses amis, les plongea d'abord dans des réflexions un peu sombres. Lavarède rompit le premier le silence en s'adressant à l'Indien.

– Tu es libre, Agostin... et tu peux t'en aller... Tu avais tort, tu vois, de tant redouter les Guatusos.

– Que Votre Grâce ne s'y trompe pas, répliqua-t-il : les Guatusos ne sont pas des soldats du gouvernement, et don José a menti lorsqu'il a écrit ces mots.

– Tu crois ?

– J'en suis sûr ; mais je ne comprends pas pourquoi il consent à laisser passer Son Excellence et la jeune fille... Je devine une ruse, mais je ne sais laquelle.

– Nous le savons, nous, fit miss Aurett... Et, pour ma part, je suis résolue à ne pas me remettre entre les mains de cet homme.

– Oui, ajouta sir Murlyton, sous le couvert de la politique, ce misérable poursuit une vengeance privée contre vous, Lavarède, et un abominable dessein contre ma fille.

– Il est évident, conclut Lavarède, qu'il cherche à nous diviser pour nous affaiblir, et que les Guatusos à sa solde voudraient nous voir sortir de notre inexpugnable fortin... Vous seriez leurs prisonniers, exposés sans défense aux entreprises de José, ce rastaquouère qui ose me traiter d'aventurier ! et, moi, je serais sans doute massacré par ces cruels indiens.

Les conclusions d'Armand étaient justes. Les assiégés n'avaient donc qu'un parti à prendre : combattre jusqu'à la dernière cartouche. Cette résolution arrêtée, le journaliste s'assura que les armes étaient en bon état. Quant aux munitions, elles ne manquaient pas encore.

Ce jour-là se passa sans incident. Seulement le blocus se resserra. Vint la nuit. Lorsque arriva le tour de garde de Lavarède et d'Agostin, l'Indien prit la parole à voix basse, pour ne pas troubler le sommeil des Anglais.

– La journée de demain peut être dure, dit-il. Il faut que le chef ait le corps dispos et l'esprit alerte. Dors donc tranquille toute cette nuit : j'ouvrirai les yeux pour deux.

Lavarède, fatigué par les précédentes veilles, accepta l'offre du soldat et s'endormit profondément. Lorsqu'il se réveilla, le jour pointait à l'horizon. Il jeta un rapide coup d'œil autour de lui dans le rancho. Miss Aurett et son père surveillaient la plaine ; mais l'Indien avait disparu. Un soupçon traversa l'esprit du Français.

– Où donc est Agostin ? demanda-t-il.

– Je ne sais, fit l'Anglais, nous ne l'avons pas aperçu ce matin.

Armand secoua la tête et murmura :

– J'aurais dû m'en douter.

Ce fut tout. Il comprenait que l'Indien, étranger aux intérêts en jeu, avait songé à se mettre en sûreté en abandonnant ses amis d'un jour. Au surplus, Agostin s'était montré prudent, mais non pas traître ; il avait soigneusement laissé, bien en vue, son fusil et ses cartouches.

– En résumé, conclut le jeune homme, c'est un mauvais soldat de moins à nourrir. Nous prolongerons la défense de la place.

Sur ces mots, les trois amis se résignèrent à se passer du fugitif.

Certains de n'avoir plus à compter que sur eux-mêmes, ils puisèrent dans cette conviction une nouvelle énergie. À partir de ce moment, ils se rationneraient : une des mules fut mise en liberté comme bouche inutile.

La bête, du reste, n'abusa pas de sa situation. Lâchée hors du rancho, elle resta presque tout le jour à brouter sur les flancs du coteau. Vers le soir, un Guatuso la prit au lasso. Du rancho, on entendit les cris de joie qui s'élevaient du campement indien.

Les vingt-quatre heures données par don José finissaient. Un assaut était donc à craindre. Aussi, pour la nuit, on modifia la tactique habituelle. Deux défenseurs dormiraient pendant qu'un seul veillerait. La faction ne durerait qu'une heure. De la sorte, chacun avait deux heures de sommeil sur trois.

Au matin, les Guatusos avaient encore rapproché leurs vedettes. Lavarède put en abattre une avec le fusil d'Agostin.

Le 7 juillet se passa, lent, interminable ; mais la patience manque à ces gens habitués aux rapides coups de main. Le lendemain, leur intention d'en finir apparut clairement. Ils commencèrent à tirer sur le rancho, dès qu'une tête se montrait. Cependant, aucun de leurs projectiles n'atteignit les Européens.

Une fois encore les Guatusos modifièrent leur tactique : la nuit, ils creusèrent des trous dans le flanc de l'escarpement et se terrèrent. Lavarède se fâcha.

– Ils établissent leur tranchée indienne, dit-il. Invisibles, ils arriveront jusqu'à nous sans perdre un homme. Il faut à tout prix les obliger à se montrer, les mules vont nous servir.

Les bêtes étaient entravées près de la montagne, dans une sorte de patio abrité.

Il les amena devant et les attacha de façon que la longe leur permettait d'atteindre les embrasures naturelles formées par les ruines. Instinctivement, les animaux y passaient la tête, pour humer le grand air et regarder dans l'espace. Les assiégeants se prirent à ce stratagème et, sur ces cibles nouvelles, ouvrirent le feu. Un mulet fut blessé à la tête et au garrot. Mais, afin de pouvoir tirer, les Indiens s'étaient assez découverts pour signaler leurs cachettes. Murlyton et Armand firent coup double.

Miss Aurett, qui lorgnait attentivement, vit deux Guatusos

dévaler la montagne ; l'un d'eux ne bougea plus, l'autre fut emporté par ses camarades. Furieux, les ennemis se réunissaient en bas du mamelon. À leurs gestes désordonnés, aux cris de fureur dont l'écho montait jusqu'au rancho, Armand devina que l'assaut était proche.

– Monsieur Lavarède, dit miss Aurett, vous voyez que je suis très calme... Confiez-moi donc votre revolver, vous prendrez le fusil d'Agostin. J'ai tiré à la cible, et, vous le verrez, je ne suis pas maladroite.

– Quand on a atteint la cible, on peut bien abattre un Guatuso.

Murlyton, toujours placide, appuya en ces termes la proposition de sa fille ; et Lavarède, plus ému qu'eux, plaça sa vaillante compagne du mieux qu'il était possible, la mule Matagna lui faisant un rempart de son corps. L'Anglaise imitait, sans s'en douter, la manœuvre de cavalerie cosaque, qui consiste à couvrir le cavalier de sa monture, derrière laquelle, bien abrité, il tire à l'aise.

À peine ces préparatifs étaient-ils terminés qu'un hurlement retentit. Les Guatusos montaient en groupe compact vers le fortin improvisé. En arrière, quelques Indiens, blessés légèrement dans les escarmouches précédentes, formaient une sorte de réserve. Au milieu d'eux, on voyait leur chef et don José, celui-ci reconnaissable à son large sombrero. Ils se tenaient hors de danger, encourageant les autres du geste et de la voix.

Les trois défenseurs attendirent que l'ennemi fût à bonne portée. Alors, ils ouvrirent le feu. Les assaillants chargeant en masse, tout coup portait. En quelques secondes, six cadavres furent couchés sur le sol. Autant de blessés se repliaient sur la réserve.

Les Guatusos battirent en retraite. L'assaut avait été infructueux.

La garnison du rancho avait peu souffert. Murlyton, égratigné au front par une balle, en fut quitte pour s'entourer la tête du mouchoir de sa fille.

Les assaillants, refroidis par la réception vigoureuse des Européens, avaient gagné un petit vallonnement défilé des feux du rancho. Mais le répit accordé aux assiégés ne fut pas de longue durée.

Criant, hurlant, tirant, les Guatusos reparurent de nouveau. Cette fois, au lieu de marcher groupés, ils se sont formés en une ligne de tirailleurs mince, enveloppante. Chacun des trois défenseurs va avoir à lutter contre six ou sept adversaires.

En vain, leurs armes crachent les balles sans relâche ; en vain, ils blessent ou tuent ceux qui se trouvent en face d'eux.

– Il y en a trop ! fit Armand avec rage.

Son regard rencontre celui d'Aurett. Il y a comme un voile sur ses yeux, mais il n'a pas le temps de s'attendrir. Les Guatusos sont à quelques mètres du mur en ruines. Leurs visages grimacent la haine. Vision effrayante. C'est la charge d'une troupe de démons !

Ils ont jeté leurs fusils. Ils brandissent les terribles *machete,* qu'ils portent d'ordinaire à la ceinture. Ils atteignent la brèche de la muraille. À bout portant, Lavarède foudroie un premier assaillant ; de sa crosse, il en assomme un autre, sur le retranchement même.

De son côté, Murlyton, transformant son revolver en massue, étourdit l'Indien le plus rapproché de lui, s'empare de son couteau à large lame, et le lui plonge dans le cœur.

Mais miss Aurett n'est point faite pour cette lutte sauvage à l'arme blanche. Un Guatuso s'avance vers elle, les traits contractés. Affolée, elle veut fuir, ses jambes sont paralysées, ses pieds refusent de se détacher du sol. Poussant un cri terrible, elle chancelle et tombe évanouie.

À son appel, Armand, effrayant d'épouvante, se précipite au-devant de l'Indien. Mais son émotion nuit à la justesse de ses coups. Le *machete* de son adversaire s'abat sur lui. Il roule à terre, auprès de miss Aurett qu'il éclabousse de son sang !...

Les sauvages vont triompher : les vaincus sont à eux ; les hommes pour le scalp et la femme pour un supplice plus odieux encore ! Mais, tout à coup, une fusillade nourrie éclate au dehors... des balles sifflent comme des oiseaux de mort dans la troupe des Guatusos.

Stupéfaits, ceux-ci s'arrêtent, regardent autour d'eux. Une seconde décharge les décime. Cette fois, ils lâchent pied !... et ils abandonnent le rancho où sont étendus Lavarède blessé et miss Aurett évanouie, que, pétrifié, sir Murlyton, couvert de sang, contemple, sans comprendre encore quelle diversion inattendue vient de se produire.

X

De l'Atlantique au Pacifique

La diversion qui sauvait les trois Européens réhabilitait en même temps Agostin, l'Indien terraba. Le rusé soldat ne s'était pas enfui en abandonnant ses amis ; il était allé chercher du secours au dehors, sentant bien que, si l'on était resté au rancho, livré à soi-même, l'issue finale de la lutte n'eût pas été douteuse.

Telle est la haine que la férocité des Guatusos inspire aux autres tribus indiennes que la parole d'Agostin trouva vite de l'écho. Quelques Vizeitas et Tervis, Chiripos et Blancos se joignirent à lui. Mais, si les Guatusos sont haïs, ils sont redoutés aussi. Et les braves gens qui suivaient le Terraba étaient de mœurs trop douces pour être bien dangereux, lorsqu'un hasard leur donna un chef vigoureux.

Peut-être se souvient-on de l'Indien Ramon, qui a accompagné Lavarède jusqu'aux confins de la Colombie. Depuis, retiré avec ceux de sa tribu, sur les pentes du Chiriqui, il pratique comme eux la pêche des tortues sur la côte de la mer Carribe.

Pacifiques de mœurs, et issus de la même famille, les Indiens ne s'occupent guère des lignes de démarcation géographique établies par les descendants des conquérants espagnols. Pour eux c'est toujours l'ancienne terre *tule,* la mère patrie, dont la rive est baignée par un océan où Dieu n'a pas tracé de frontières. En sorte que les pêcheurs du Chiriqui et du Talamanca vivent ensemble en fort bons termes dans les parages de l'île del Drago, encore qu'officiellement ils n'appartiennent pas au même État, les uns étant Colombiens, les autres Costariciens.

Donc, Ramon et les siens étaient, pour un temps, mêlés avec leurs placides voisins, lorsque Agostin vint chercher des hommes résolus pour sauver « La Bareda ». Comme tout le monde, Ramon avait entendu parler de l'aventure politique du « Général de la Liberté des peuples » ; mais il ignorait que le libérateur fût son ami du Panama.

Après quelques mots du Terraba Agostin, il n'eut plus de doutes. Énergique et courageux, habitué au commandement pendant les travaux du percement de l'isthme, il eût tôt fait de prendre une décision. D'instinct, les autres le reconnurent pour chef, et c'est ainsi qu'après deux jours de marche la troupe de Ramon mit en déroute les Guatusos de José et put sauver Lavarède, Murlyton et miss Aurett.

Si sanguinaires que soient les Guatusos, ils s'enfuirent au plus tôt en cette occasion ; car, ne se battant ici que pour la somme qu'avait reçue leur cacique, ils n'y mettaient pas tant d'ardeur. Après tout, quelques-uns des leurs avaient été tués, d'autres blessés ; ils avaient bien gagné leur argent, et tirèrent leurs révérences à don José.

Celui-ci, pris de peur à son tour, se dirigea rapidement vers Puerto-Viejo, qui fut autrefois florissant et est aujourd'hui, pour ainsi dire, abandonné. Là il s'embarqua sur un caboteur de la côte et revint vivement à Colon pour rendre compte à Bouvreuil, le bailleur de fonds de l'affaire, de l'insuccès de son entreprise dans le Talamanca.

Cependant, Ramon et Agostin avaient pénétré dans le rancho si vaillamment défendu. Un lamentable spectacle les attendait.

Une plaie béante au côté droit de la poitrine, Armand est étendu baigné dans son sang qui coule abondamment. Il est pâle, le visage est exsangue ; il ne donne plus signe de vie. Près de lui, miss Aurett, sans connaissance, semble être blessée aussi, tant le sang de son défenseur a rejailli sur elle.

Tandis que Murlyton, qui n'a été que légèrement atteint, reconnaît Ramon, Agostin s'aperçoit que la jeune fille n'est qu'évanouie. Le médecin de la tribu est là ; il lui fait respirer un vigoureux révulsif. Elle ouvre les yeux à la fin et regarde, affolée, autour d'elle ces Indiens qui s'empressent.

Le souvenir des Guatusos lui revient. Dans une vision troublée, elle a vu l'un de ces hommes terribles se heurter à son ami.

Puis plus rien... qu'un nuage. Son premier mot est pour son défenseur.

– Monsieur Armand ? demande-t-elle.

Son père lui désigne le corps étendu près d'elle, dont Ramon soulève doucement la tête :

– Et vous, mon père ?... Ah !... pardonnez-moi... Vous êtes blessé ?...

– Moi... ce n'est rien, ma fille... mais lui, notre brave ami... hélas !...

– Mon Dieu ! s'écria-t-elle en se levant et se rapprochant... Est-ce grave, dites ?... Ah ! Ramon, je vous reconnais !... Eh bien, dites, je vous en prie... Je tremble !...

À ces paroles émues, Ramon ne répond que par un regard silencieux et éloquent, montrant l'Indien savant qui examine la blessure d'Armand.

Après un moment, celui-ci dit ces seuls mots :

– Dangereux... surtout si le machete était empoisonné.

Alors, miss Aurett poussa un cri qui alla droit à l'âme de son père et de Ramon, tellement il contenait de douleur et d'émotion. Si Lavarède avait pu l'entendre, ce cri, il lui eût révélé le secret de tendresse renfermé dans le cœur de la jeune fille.

L'Indien médecin en fut touché lui-même. Il prit dans sa sacoche une herbe desséchée, la réduisit en une poudre qu'il fit dissoudre dans l'eau, et en lava les lèvres de la plaie. Anxieusement penché sur elles, on voyait son visage passer par des expressions diverses, l'angoisse, l'attente, enfin la tranquillité.

– Rassure-toi, jeune fille, et toi aussi, Ramon, il n'y avait pas de poison sur l'arme du Guatuso.

Un double soupir de soulagement et de joie...

– Mais, reprit-il, le coup n'en est pas moins profond et met en péril l'existence de votre ami...

– Tout ce sang qui a coulé, c'est sa vie qui s'en va, sans doute ?

– Non... et c'est même heureux qu'il s'en soit tant épanché au dehors... Il serait déjà mort étouffé sans cette circonstance... L'eau du torrent est là, je vais d'abord laver cette blessure à grande eau.

Les Indiens placèrent le corps comme il l'indiquait, c'est-à-dire l'épaule droite dans le sens du courant, de telle sorte que, par sa chute naturelle, la claire et fraîche eau de source se renouvelât constamment. Puis le guérisseur prépara un liquide avec des jus d'herbes, médicaments précieux, astringents et antiseptiques, que la nature a donnés aux peuples primitifs. Le pauvre journaliste n'avait toujours pas repris connaissance. Murlyton lui fit passer de force, entre les dents, une bonne dose de tafia. Ce cordial put à peine rendre au cœur quelques faibles battements.

Armand était très grièvement blessé, et Aurett répétait à mi-voix :

– C'est pour moi, encore une fois... c'est pour moi, toujours.

On ne pouvait cependant pas rester en ce lieu perdu ; il fallait songer à transporter Lavarède quelque part où des soins complets pussent lui être donnés.

Ramon et Agostin, Murlyton et Aurett se consultèrent. Le pansement de l'Indien suffisait d'abord ; on avait, d'ailleurs, de quoi le renouveler pendant quelques jours. Mais on devait sans retard gagner la ville la plus proche, hors du territoire costaricien. C'était Colon sur l'Atlantique. Là seulement on trouverait les soins éclairés et la tranquillité nécessaire. Seulement il fallait un moyen de transport qui ne donnât pas de secousses au blessé, sous peine de perdre tout l'effet des plantes médicinales.

Si la plaie ne se refermait pas, si elle se rouvrait, c'était la mort.

D'autre part, la fièvre et le délire allaient arriver bientôt, quand le malade recouvrerait ses sens : à tout prix, il fallait se hâter. Agostin eut vite organisé une sorte de cacolet, brancard fabriqué avec des branchages et un pagne d'étoffe solide, qui fut adjoint au harnachement de la mule Matagna. Le blessé y fut doucement posé, puis, avec son escorte d'amis, il fut descendu vers la côte, en longeant le rio Tervis ; ce fut l'affaire de quelques heures seulement pour être sur le rivage de la mer, aussi désert, au surplus, que le reste de la contrée.

La pauvre petite Aurett ne quittait pas un seul instant son cher malade. Lorsqu'on l'étendit à bord d'un *champan*, chaland plat, amarré à la barque de Ramon qui le remorquait, ce fut elle qui, de ses genoux, fit un coussin pour soulever la tête d'Armand, qu'elle inondait de ses larmes. Murlyton ne protesta même pas, au nom des convenances ; c'eût été bien inutile, puisque Lavarède était presque un cadavre sans connaissance, ne respirant que très faiblement ; le dernier souffle de vie pouvait s'envoler à chaque instant.

Les Indiens serraient de près la côte, afin d'éviter les coups de vagues. En approchant des Boccas del Toro, on trouva dans la baie d'Admirante une mer très douce. En somme, la traversée, qui dura six jours, fut exempte d'accidents.

Lavarède n'ouvrit les yeux que le troisième jour ; seulement, ainsi que l'avait prévu le médecin indien, il n'avait pas conscience de son être. Il vivait, c'était tout. Mais le délire commençait à le prendre, et c'est sans qu'il le sût, sans qu'il s'en rendît compte, qu'il fut transporté dans une chambre du rez-de-chaussée, à l'Isthmus's-Hotel – où déjà Murlyton était descendu une première fois deux mois auparavant.

– Ainsi, tant de fatigues, tant de courage dépensé, murmurait Aurett, n'auront servi à rien. En se dévouant pour moi, M. Armand a perdu de longues semaines sans avancer d'un pas !

L'Anglais n'avait pas hésité une minute à se charger de tout : docteurs, chirurgiens, hôtel, rien ne manquait au malade, – pas même le renouvellement de sa garde-robe.

– Je le ferais comme gentleman, disait-il, et par humanité, même pour un étranger que j'aurais trouvé dans cette situation... à plus forte raison, pour notre cher compagnon...

Mais Aurett voulait mieux encore, dans sa petite tête ; et, un beau matin, elle s'en ouvrit à son père.

– Cette blessure met non seulement en danger l'existence de M. Lavarède, mais aussi son avenir, si nous avons le bonheur de le guérir.

– Que veux-tu dire ?

– Qu'il perd nécessairement ses chances de gagner les quatre millions du cousin Richard, puisqu'il en a pour des semaines avant d'être remis sur pied, et puisque le revoici à Colon, comme à son arrivée d'Europe, ayant perdu deux mois dans l'isthme américain.

– Ma fille, ce sont les aléas de l'entreprise un peu folle de notre ami.

– Mais son sang sacrifié pour me préserver, mais sa vie généreusement donnée pour la mienne ! sont-ce là, mon père, des aléas, comme vous dites, dont il soit digne que nous ne tenions pas compte ?

– Je ne méconnais pas plus que toi, ma chère enfant, les qualités de courage et de dévouement de M. Lavarède... Seulement, que puis-je faire de plus que ce que j'ai fait ? Ne lui prodiguons-nous pas tous les soins dont nous entourerions l'un des nôtres ?...

– Cela ne suffit pas... Nous avons encore d'autres devoirs à remplir envers lui.

– Tu sais que je suis un homme d'honneur et un père affectueux. Si tu veux que je les remplisse, au moins dis-moi quels sont ces devoirs, – que ton chaleureux entraînement te suggère... et que je ne vois pas bien nettement avec ma seule raison.

– Eh bien, les voici... Non seulement nous ne devons pas l'entraver dans sa tâche, mais nous devons encore l'aider à l'accomplir, car c'est pour nous, c'est pour moi qu'il est arrêté. Il faut que, pour moi, par nous, il avance, même inconsciemment, vers le résultat qu'il veut atteindre.

– Ce qui veut dire ?

– Ceci, cher père : son but, en passant par la route de terre, était d'atteindre San-Francisco. La route de terre est fermée, reste la route de mer. J'ai pris mes renseignements... Dans deux jours, un steamer américain, l'*Alaska,* part de Panama pour San-Francisco, et nous avons la stricte obligation, au moins par reconnaissance, d'y faire embarquer mon sauveur. La traversée dure treize jours, quatorze au plus. À bord, nous continuerons de le soigner, nous achèverons sa guérison... Le chirurgien, notre compatriote, vous l'a dit ici même, les blessures à l'arme blanche sont suivies d'une convalescence rapide quand les organes essentiels ne sont pas atteints. Tel est le cas de M. Armand. Il ne se rend pas encore compte de sa situation ; profitons-en pour exécuter mon projet... Je vous en serai, mon père, profondément reconnaissante.

– Ma chère enfant, tu me sembles t'échauffer plus que de raison pour une froide Anglaise... Mais le sentiment qui t'inspire est trop honorable pour que je ne pardonne pas ce que je lui juge d'exagéré. C'est entendu ; nous prendrons passage tous les trois à bord de l'*Alaska.* Je te ferai observer que notre blessé est en ce moment dans son lit et que, pour trouver ton steamer, il faut aller le chercher de l'autre côté de l'isthme. Est-ce possible ?...

Murlyton cédait, Aurett se fit câline et tendre.

– Certes, c'est possible. J'ai retrouvé ici M. Gérolans, ce Français, ami de M. Lavarède, qui est employé aux travaux du canal, et nous en avons causé ensemble, avec le chirurgien... « Notre blessé » – j'aime à t'entendre dire « notre » – est transportable ainsi : il restera dans son lit, on mettra son matelas sur une plate-forme de wagon de Colon à Panama : dix-sept ou dix-huit lieues de France sont vite franchies en chemin de fer... Et on le hissera à bord du bateau américain, toujours sur le matelas, qu'il nous suffit de faire ajouter sur la note de l'hôtel. Dans le trajet, où nous ne le quitterons pas, il ne risque qu'un peu de fièvre. Le calme du voyage qui suit dans le Pacifique nous donnera le temps et le moyen d'apaiser cet accès. Avant trois semaines, il sera debout, ayant gagné du terrain, et prêt à continuer sa route. Vous voyez que nous aurons fait une action honnête, de celles, par conséquent, dont on n'a jamais à se repentir.

– Je retrouve en toi les qualités pratiques de notre nation, ma petite Aurett ; tu as tout combiné, tout prévu... Qu'il soit donc fait comme tu le désires... et que Dieu nous guide...

Avec une tête comme celle d'Aurett, avec un bras comme celui de Murlyton, on passait rapidement des paroles aux actes. Pendant que Gérolans et Ramon, qui venaient chaque jour aux nouvelles, procédaient à l'installation du blessé, – toujours enfiévré, mais qui, de temps à autre, trouvait de placides accalmies, heureux présages de sa prochaine résurrection, – miss Aurett aperçut le perfide Bouvreuil, qui, résidant à Colon depuis quelque temps, s'était tenu au courant des mésaventures de celui que, mentalement, il appelait « son gendre » avec de doucereuses et féroces inflexions.

– Eh bien, mademoiselle, que devient donc votre excellent ami ?... Je n'ose pas aller moi-même prendre de ses nouvelles ; mais j'en ai de seconde main, et j'ai appris votre dévouement.

– Je cherche simplement à m'acquitter envers M. Lavarède, qui m'a sauvée d'embûches... auxquelles vous n'êtes peut-être pas étranger.

– Oh !... miss ! pouvez-vous avoir une pareille idée ?... Je suis ici depuis près d'un mois, depuis que le Président, ajouta-t-il railleur, m'a chassé de ses États... Mais je suis heureux de voir que vos efforts ont été couronnés de succès : Lavarède va mieux, puisqu'il a quitté l'hôtel.

Aurett comprit qu'il fallait dépister le Bouvreuil.

D'un ton le plus ingénu, elle répondit, mêlant assez de vérité pour faire passer son mensonge :

— Il ne va pas mieux, au contraire. L'air de ce pays marécageux lui est très défavorable, et, par ordre des médecins, nous le transportons dans l'intérieur du pays, dans un village élevé de la Cordillère, où l'atmosphère pure sera meilleure pour sa santé.

Ce disant, elle prit congé, courut au train et laissa Bouvreuil un peu interloqué.

Quelques minutes après, celui-ci était rejoint par un personnage qui s'était jusque-là caché de l'Anglaise, par don José, dont elle n'avait pas même soupçonné la présence si près d'elle.

Tout d'abord, nos deux maîtres coquins se félicitèrent du succès relatif de leur machination.

Le plus marri était l'aventurier.

— Si je n'ai pas pu, dit-il, m'emparer de la petite aux millions, ce qui m'eût fait une belle part dans la combinaison, vous n'avez pas à vous plaindre, vous êtes mieux servi. Le coup de machete de mon Guatuso met en panne, pour longtemps, votre coureur de grand chemin ; et cela, vaut bien les mille piastres qu'il vous en coûte !

— Je ne dis pas le contraire ; mais, malgré moi, je me défie de cette jeune Anglaise... J'ai peur qu'elle n'emmène mon voyageur je ne sais où... Si elle allait lui faire faire le tour du monde, même blessé ?...

— Et jusqu'où voulez-vous qu'elle aille avec un homme à moitié mort qui voyage comme un colis ?

— C'est que le gaillard est solide... et, après tout, je désire qu'il en réchappe pour qu'il s'avoue vaincu, à genoux, devant Pénélope. C'est une idée fixe maintenant. Après tous les tours qu'il m'a joués, je veux qu'il épouse ma fille.

Cette vengeance matrimoniale fit sourire l'Espagnol. Il parut réfléchir.

— Eh ! mais rien ne nous est plus facile que de monter dans le premier train en partance et de savoir où ils se sont arrêtés. Que diable ! un voyageur couché sur un matelas, cela se remarque.

Il n'y avait pas de train de voyageurs avant quelques heures. Mais, en route, aux stations proches de la montagne, ils eurent beau s'informer : personne n'avait vu descendre le blessé dont ils donnaient le signalement. Vers la Culebra, ils virent Gérolans et Ramon, qui revenaient de Panama, et ils les interrogèrent.

– Ennemi de notre ami, dit tout bas l'Indien au Français, laisse-moi faire.

Et il leur indiqua une fausse piste : le convoi s'était soi-disant arrêté dans le pays fleuri qui domine le versant du Pacifique ; mais il ignorait le nom du pueblo vers lequel on avait dirigé le malade.

Cela suffit pour leur faire perdre une journée en inutiles recherches. Il n'en fallait pas davantage. Quand, le 18 juillet, surlendemain de leur départ de Colon, ils arrivèrent à Panama, ce fut tout juste pour voir déraper l'*Alaska* et apercevoir sur le pont la silhouette de la blonde miss. Impossible de rattraper le steamer... et il n'y a de départ régulier que trois fois par mois !...

Ce fut, chez Bouvreuil et José, un débordement de jurons et de blasphèmes à scandaliser un parpaillot !

Un juif qui passait sur le quai de la Ville-Vieille – les juifs ont, depuis quelques années, accaparé tout le commerce du pays – les entendit et, flairant une aubaine, puisqu'une passion humaine était en jeu, il s'enquit des motifs de cette colère.

– C'était, clamait José, une affaire magnifique, ratée parce que lui et son ami venaient de manquer le départ du bateau. À tout prix il faudrait être à San-Francisco en même temps que l'*Alaska*.

– En même temps, ce n'est pas possible, mais à un ou deux jours près, je vous en fournirai le moyen... si vous avez de l'argent.

Pour un condor de Colombie, soit cinquante francs en or, l'Israélite apporta le précieux renseignement que la lecture attentive des indicateurs maritimes, mexicains et américains, leur eût donné gratis. Il suffisait de retourner au plus vite à Colon, par le *railway* isthmique, et de s'y embarquer pour la Jamaïque. Cette île est reliée par un service régulier avec la Havane, qui est en rapports constants et quotidiens avec la Vera-cruz. Là, rien de plus simple que de prendre le si curieux *Camino de hierro nacional mexicano*, qui conduit à Mexico, – et traverse en douze heures les trois zones torride, tempérée et froide, en montrant au voyageur les végétations tropicales d'en bas, reliées aux sapins neigeux des sommets par un rappel des forêts d'Europe dans les hauteurs moyennes. À Mexico, le *Laredo-Ruta* leur indiquerait, par le ferro-carril, le chemin le plus direct, *El paso del Norte,* pour retrouver les grands trains américains qui parcourent les États-Unis de l'est à l'ouest et reprendre un des embranchements du *South-Pacific* jusqu'à San-Francisco.

Tout cela exige au minimum quinze jours, et encore faut-il avoir la chance que les départs des steam-boats concordent, afin de ne pas perdre de temps en route.

S'étant muni de billets de banque et d'or à Colon, où il changea un fort chèque français, Bouvreuil commença cette chasse fantastique, accompagné de son inséparable don José. Mais, la première ardeur passée, le rastaquouère songea que ce n'était pas lui qui faisait la meilleure affaire en tout cela, et il s'y prit de façon à égaliser les chances à son profit. Bouvreuil avait réalisé une vingtaine de mille francs environ. En traversant le golfe du Mexique, José le soulagea des trois quarts de la somme et perdit son complice en débarquant à la Vera-cruz.

Le propriétaire, après un inutile accès de fureur et une plainte déposée au consulat, dut continuer seul son voyage, en songeant tristement à ce Lavarède fantôme qu'il n'atteignait que pour le reperdre chaque fois.

– Ne serait-il pas plus simple et moins fatigant, disait-il, qu'il épousât Pénélope ?...

Durant le temps que cet artiste en papier timbré arpentait les mers, les îles et les continents de ces régions américaines, l'*Alaska* naviguait doucement, l'océan Pacifique ayant bien mérité son nom, et emportait nos amis.

L'air iodé et vivifiant, les soins tendres et assidus faisaient merveille, et Lavarède reprenait ses forces de jour en jour.

Dès que sa raison fut revenue, il demanda comment il se trouvait là, à bord d'un navire américain faisant voile vers « Frisco », comme ils disent là-bas. Miss Aurett dut tout avouer ; et comme il protestait :

– Permettez, interrompit Murlyton, je ne souffrirais pas que nous soyons vos obligés... Vous nous avez sauvés, vous nous avez nourris ; à notre tour, nous en faisons autant. Comme cela, nous ne nous devrons rien, ni les uns ni les autres.

C'était précis et net ; mais Armand, à ce moment, échangea avec Aurett un regard expressif qui voulait dire :

– Il se trompe, je vous devrai toujours au moins de la reconnaissance, ne fût-ce que pour la façon si douce dont vous m'avez soigné...

Et la petite miss, énergique et blonde, répondit par un serrement de main qu'on aurait pu traduire ainsi :

– Et moi, je n'oublierai jamais que je vous dois l'honneur, la vie, et aussi une sensation jusqu'alors inconnue à mon cœur.

Bientôt Lavarède se leva.

Le médecin du bord le permit, l'ordonna même, en interdisant tout effort, toute fatigue.

Le jour, il se promenait à l'ombre, appuyé sur Murlyton ; le soir, miss Aurett causait ou lisait.

Tous les livres et journaux du salon des passagers de première classe y passèrent. Mais une lecture les égaya plus que toutes les autres. Ce fut celle du *Diario de l'Estado de Panama*, journal qui avait paru le matin du départ.

Son correspondant de San-José de Costa-Rica rendait compte de « la tentative socialiste » d'un aventurier français qui avait réussi à se faire élire, « à force d'intrigues et de corruptions », président de la République costaricienne.

« Le triomphe de cet usurpateur, concluait l'emphatique *Cronista,* n'aura pas été de longue durée. Le Ciel lui-même a manifesté son horreur pour cette illégalité : il a suscité une catastrophe, et la vieille terre de Costa-Rica a frémi sur sa base, pour chasser le faux libérateur, qui voulait forger nos chaînes.

« Les pouvoirs publics se sont réunis ensuite, et il a été décrété que cet homme, dont on ne sait même pas le véritable nom, ce criminel (car on ne dissimule son état civil que lorsqu'on est coupable) serait désormais chassé de l'État costaricien, avec défense de porter le nom de « La Bareda ! »

– Cela me rappelle, fit Armand avec un rire bien sincère, un drame de Bouchardy, que j'ai vu représenter dans mon enfance, et où un infortuné, comme moi, est « à jamais chassé de Florence, avec défense de porter le nom de Pietro »... Allons, ce sera du moins un souvenir pittoresque de mon voyage... Je pourrai dire : Et moi aussi, j'ai été président d'une république !...

Enfin, le 1ᵉʳ août, à quatre heures du soir, l'*Alaska* franchit la « Porte d'Or », évolua au milieu des bâtiments de toutes nationalités rangés dans le port de San-Francisco, et vint jeter l'ancre à une encablure du « North Pier ».

Un quart d'heure plus tard, la chaloupe du bord déposait sur le quai Lavarède et ses compagnons.

XI

Frisco

San-Francisco – *Frisco,* pour les Américains économes de temps et de paroles – est le port le plus important de l'Ouest-Amérique, et sa rade merveilleuse a été célébrée par maints voyageurs.

De toutes les cités américaines, c'est celle qui ressemble le moins à « une ville d'Amérique ». La foule ici est plus bigarrée, moins uniforme. Les plaisirs y sont plus éclatants, moins dissimulés. Les gens sont plus « en dehors », moins hypocrites. L'aspect extérieur est plus gai, moins austère. C'est évidemment le séjour le mieux fait pour plaire à un Européen, qui finirait par mourir d'ennui dans certaines rigides et pudibondes cités de la Nouvelle-Angleterre, par exemple.

Sur le quai de débarquement, encombré de tonneaux, de caisses, de ballots, s'agitait une cohue compacte et bruyante : commerçants, matelots, coolies chinois, porteurs irlandais se croisaient en tous sens, affairés à ce point qu'ils n'accordaient point un regard aux nouveaux débarqués.

Ceux-ci s'étaient arrêtés, un peu étourdis d'abord de passer brusquement du calme de la pleine mer au mouvement d'une grande ville. Armand songeait, avec une nuance de tristesse, à ces quelques jours de traversée, pendant lesquels miss Aurett lui avait prodigué les douces causeries et les délicates attentions. On s'habitue vite à se laisser vivre, surtout auprès d'une jolie fille. Aussi le jeune homme voyait presque avec regret arriver l'heure où il devait recommencer la lutte.

– Où allons-nous ? demanda miss Aurett.

La question fit tressaillir Armand, qui, se tournant vers sir Murlyton, lui dit :

– Connaissez-vous la ville ?

– Pas le moins du monde.

– Alors, permettez-moi de vous donner un conseil. Prenez cette large rue plantée d'arbres qui s'ouvre en face de nous, c'est Kearny street. À cinq cents mètres d'ici vous verrez, à côté de la Bourse du

Commerce, le China-Pacific Hôtel, je vous le recommande.

– Ah ça ! interrompit l'Anglais ébahi, vous êtes déjà venu ici ?

Lavarède sourit :

– Pas précisément, mais j'ai lu tant de choses...

Puis changeant de ton :

– Nous voici à terre, je ne souffre presque plus de ma blessure ; il faut que je songe à gagner ma vie et à continuer mon voyage.

– Comme cela, tout de suite ? dit Murlyton à qui sa fille venait d'adresser un regard expressif.

– Accepter plus longtemps votre hospitalité serait indiscret.

Et, tranquillement, il ajouta :

– Voyez là-bas cet homme entouré d'un tas de pauvres diables de toutes nations. Il embauche des déchargeurs... Il m'engagera. C'est le vivre assuré pour deux jours, avec le temps de réfléchir.

Il tendait la main à l'Anglais.

– *Very curious*, murmura celui-ci : chef d'État là-bas, portefaix ici... *Very curious*.

Mais miss Aurett intervint :

– Mon père, vous oubliez ce qu'a dit le médecin du bord. Au moindre effort violent, sa blessure peut se rouvrir. Il serait inhumain et déloyal de laisser faire M. Lavarède.

Le gentleman se frappa le front :

– Aoh ! c'est juste... Écoutez, mon cher convalescent, votre état réclame encore des soins pendant une huitaine. Accompagnez-nous à l'hôtel que vous avez indiqué.

– Comment... à l'hôtel ?

– Oui, c'est compris dans les soins que je vous redois.

– Et le beefsteak aussi ?...

– Oui, cela est le prix de ma fille ; je rembourse, voilà tout... Les bons comptes font les bons amis.

– Et les bons adversaires, ajouta Armand en souriant.

– Je ne pense pas, conclut Aurett, que M. Lavarède prétende imposer à mon père l'humiliation de rester son débiteur.

Le journaliste n'avait qu'à s'incliner. Il entraîna ses compagnons de voyage et s'engagea avec eux dans Kearny street.

Cette rue, la plus belle de San-Francisco, est bordée de monuments. L'ancien et le nouveau City-Hall, la Douane, la Poste, l'Hôtel des Monnaies, la Bourse des Marchands, la Bibliothèque commerciale, tous édifices utiles. Quinze églises alternent avec les théâtres, Baldwin, Californian, etc., les grandes maisons de banque, les hôtels somptueux, élevés de dix étages, aux balcons chargés de plantes tropicales.

– Magnifique ! déclara Murlyton.

– Surtout, répliqua Armand, si l'on songe que cette immense cité a quarante-cinq ans d'existence.

– Seulement ? fit Aurett.

– Pas davantage, mademoiselle. En 1847, il n'y avait au bord de la mer qu'un bourg d'un millier d'habitants, Yerba-Buena, fondé en 1776 par des missionnaires franciscains du Mexique.

– Et, aujourd'hui ?

– San-Francisco compte 300 000 âmes. La découverte des placers y a amené la foule des aventuriers ; cette fièvre s'est calmée : maintenant l'industrie et l'agriculture remplacent le « claim »... Mais, remarqua le Français, nous sommes arrivés.

Devant eux, se dressait le China-Pacific Hôtel. Ils pénétrèrent dans le bureau, où le master director Tower était majestueusement assis. Devant lui, se tenait un garçon d'une vingtaine d'années, qui lui parlait avec animation.

À l'arrivée des voyageurs, ce dernier s'éloigna de quelques pas. M. Tower s'inclina légèrement, et s'adressant à l'Anglais :

– Vous voulez des chambres, gentlemen, je devine ?

Le « je devine », *I guess*, est une locution usuelle en Amérique ; comme le *I say* en Angleterre, le *savez-vous* en Belgique, et le *dis donc* en France. Murlyton répondit à la question :

– En effet, trois chambres... Nous comptons rester huit jours ici.

– *All right,* gentleman ! Vos bagages sont en gare, *I guess ?*

– Nous n'avons pas de bagages.

– *All right...* alors, nous disons : trois personnes, quinze dollars par jour ; huit journées, cent vingt dollars au comptant.

Sir Murlyton tira son portefeuille et remit à M. Tower des bank-notes pour la somme annoncée.

L'inconnu qui, un instant auparavant, conversait avec le directeur de l'hôtel, s'était rapproché. Il avait pris un air satisfait en voyant l'Anglais solder son compte. Tandis que M. Tower sonnait les domestiques pour conduire ses clients à leurs chambres, le jeune homme s'inclina devant l'Anglais :

– Vous êtes étranger, sir ? demanda-t-il.

– Pas étranger, répliqua le gentleman raide, Anglais.

L'inconnu s'inclina derechef, ce dont Murlyton lui sut gré. La révérence flattait son amour-propre national.

– Donc, vous avez l'honneur d'être Anglais. Eh bien, permettez à un simple « chasseur de pépites » de vous donner un bon conseil.

– Je vous permets.

– Défiez-vous des voleurs... *Beware of pickpockets*.

Et, du doigt, montrant la poche où son interlocuteur avait serré son portefeuille :

– Vous avez là de quoi les tenter, reprit le jeune homme.

– Peuh ! pour les prendre là, il faudrait être...

– Adroit, tout simplement. N'oubliez pas, sir, que nos pickpockets se recrutent aussi dans la Grande-Bretagne.

Sur cette réflexion, dont l'Anglais ne parut pas goûter beaucoup le chauvinisme particulier, l'inconnu sortit tranquillement. Au même instant un des domestiques de l'hôtel parut. Sur l'ordre de M. Tower, il pria les voyageurs de le suivre. En trois secondes, l'ascenseur les déposa sur le palier du premier étage.

– C'est ici, dit leur guide, les chambres 13, 15 et 17, ces deux dernières communiquant à l'intérieur.

– À moi le 13, murmura Lavarède.

Et comme Aurett parut contrariée :

– Il m'a déjà porté bonheur en Costa-Rica, ajouta-t-il gaiement.

La jeune fille sourit. Lavarède, laissant ses compagnons s'installer, s'enferma dans sa chambre, banale, mais confortable, et procéda à sa toilette. Puis, rafraîchi, convaincu, par un regard à la glace, que les épreuves précédentes n'avaient pas trop altéré sa bonne mine, le Parisien ouvrit sa croisée et contempla l'immense perspective des rues Montgomery et Kearny.

Les maisons luxueuses qui bordent ces voies sont construites en sapin rouge ; mais, revêtues d'un enduit spécial, elles donnent l'illusion de palais de marbre. Des voitures de toute espèce, des tramways, des omnibus se croisaient incessamment sur la chaussée, tandis que les piétons affairés se coudoyaient sur les trottoirs, et de la rue montait un bourdonnement, fait de cris, de conversations, déroulements, qui réjouissait délicieusement Armand. Ce bruit lui rappelait « son Paris ». Pourtant, il n'aurait pas été « du boulevard » si, en n'importe quel endroit du monde, il n'avait éprouvé le besoin de se déclarer à lui-même que « ça n'avait pas le même cachet ».

Des comparaisons, il passa aux souvenirs. Il revit la rue de Châteaudun où, pour la première fois, il s'était rencontré avec la charmante jeune fille qui l'accompagnait autour du monde. Tout à coup, il fut tiré de sa rêverie.

Dans la chambre voisine, occupée par Murlyton, les sonnettes électriques tintaient furieusement, et des éclats de voix arrivaient jusqu'à Lavarède. Il fallait une chose grave pour que l'impassible Anglais en vint aux cris. Très intrigué, voire un peu inquiet, Armand courut à la porte du n° 15. Elle était ouverte.

Au milieu de la chambre, Murlyton, la figure écarlate, brandissait une liasse de papiers. Aurett semblait chercher à le calmer.

À l'instant où le journaliste arrivait, un garçon d'hôtel se précipita dans la chambre.

– Master Tower, s'écria l'Anglais, dès qu'il l'aperçut, qu'il vienne de suite... tout de suite !

Le garçon, effaré, s'éloigna.

– Aoh ! poursuivit le gentleman, en faisant signe au Français d'entrer, je suis furieux... Mes chèques, mes bank-notes... tout papier blanc !...

– Pardon, vous dites ?

– Mon père a été volé, intervint Aurett. À la place du

portefeuille, il n'a plus trouvé qu'une liasse de papier blanc.

– Yes, oui, parfaitement, volé, appuya Murlyton avec une colère croissante... et avec le portefeuille ma montre, mon rasoir, tout !...

M. Tower entra :

– On me dit que vous me demandez ?

– Monsieur, déclara l'Anglais en essayant de reprendre son calme, j'ai été volé... J'avais mon portefeuille en arrivant ici, vous avez pu le constater.

– En effet, vous en avez extrait la somme nécessaire au paiement de la huitaine.

– Bien ! Depuis ce moment, j'ai parlé à trois personnes : vous, ce monsieur avec lequel vous causiez, et le garçon. L'un des trois est mon voleur.

Le plus tranquillement du monde, l'hôtelier répondit :

– Très justement déduit.

– Pas de compliments. Sur qui se portent vos soupçons ?

M. Tower sourit :

– Ma conviction est faite, gentleman. Vous avez été soulagé de votre numéraire par la personne qui se trouvait dans mon bureau.

Les voyageurs se regardèrent stupéfaits.

– Comment ! balbutia Aurett, exprimant la pensée de ses compagnons, vous accusez cette personne ? Vous sembliez pourtant être avec elle dans les meilleurs termes !

Le gros Tower leva l'index en l'air :

– Cela mérite explication. Vous êtes Européenne, mademoiselle, et vous ignorez qu'à San-Francisco la police est impuissante. À dix kilomètres de la ville commence la prairie, où se réfugient tous les individus ayant commis un crime.

– Ce n'est pas une raison pour leur ouvrir sa maison, remarqua Lavarède, ni même pour leur serrer la main.

– Attendez un peu. – Les « robbers » de la cité se sont syndiqués et ont établi une Société d'assurance contre eux-mêmes.

– Une assurance ! s'écria Murlyton.

– Oui, gentleman. L'idée était pratique. Nous autres Américains, nous comprenons les idées pratiques, et la Société fonctionne à la satisfaction générale. Ainsi, moyennant une prime annuelle de deux cents dollars, je suis assuré qu'aucun vol ne sera commis à mon préjudice.

– Cela se voit ! ricana l'Anglais.

– Distinguons, je vous prie... Je n'assure pas les voyageurs, mais seulement ma propriété... et je gagne au marché, car nos « robbers » sont si adroits qu'ils enlèveraient la maison et moi dedans, sans que je m'en aperçoive... Ce jeune homme est le caissier des voleurs, et il venait toucher la prime.

Et, sur cette péroraison concluante, M. Tower se retira sans que personne songeât à le retenir.

Les voyageurs se regardaient en silence. Lavarède, frappé surtout par le côté comique de la situation, retrouva le premier la parole.

– Aimable pays, murmura-t-il entre haut et bas, où les voleurs se syndiquent, où les policemen sont bafoués.

– Aoh ! fit sir Murlyton d'un air lugubre, je regrette beaucoup d'être venu ici... Nulle part on ne tolérerait une pareille situation.

– Pardonnez-moi, elle existe dans toutes les parties du monde. Les Touareg du Sahara ne forment-ils pas un véritable syndicat ? La première tribu que rencontre une caravane prélève un droit de passage ; après quoi, les marchands, leurs bêtes et leurs colis n'ont plus rien à craindre. Quelques cavaliers les escortent ou les précèdent, afin d'apprendre aux autres pillards du désert que le droit de passage a été acquitté. Dans l'Asie antérieure, de nombreuses peuplades kurdes procèdent de même, à la satisfaction générale. Enfin, en pleine Europe, l'association des bandits italiens, la *Maffia*, n'est-elle pas prospère ?

Aurett écoutait en souriant.

– Fort bien, dit-elle enfin, mon père a donc été dépouillé en Amérique aussi bien qu'on peut l'être en Afrique, en Asie ou en Europe... Mais cela n'empêche pas qu'il ne soit, pour l'instant, totalement démuni d'argent.

– Il ne me reste pas un farthing, appuya le gentleman avec une piteuse grimace.

– Je possède cinq sous, reprit Armand, c'était déjà un peu juste pour faire le tour du monde tout seul ; mais, à trois personnes, ce sera sûrement insuffisant. Et voyez l'ennui : comme vous ne pouvez continuer à me suivre, je suis immobilisé ici, je perds du temps.

L'Anglais le regarda :

– Vous avez raison. Je vais aller au bureau du télégraphe le plus proche et « câbler », comme on dit ici, à mon banquier.

Il s'assit, rédigea un télégramme et le relut a voix haute, comme pour demander l'approbation de ses auditeurs :

« Harris, Goldener and sons. Grace church street, London, England.

« Folio 237. – Envoyez par retour mandat télégraphique deux mille livres. China and Pacific Hôtel Kearny, San-Francisco ».

« Edward Murlyton. »

Le telegraph-office, établi dans Sacramento street, est voisin. Tous trois y arrivèrent bientôt. Mais là une nouvelle déception les attendait. C'était la journée de guigne décidément !... L'employé qui reçoit la dépêche réclame, pour la transmission, un dollar par mot, soit vingt-six dollars. En vain sir Murlyton lui explique son aventure, donne son adresse, affirme que la maison Harris, Goldener and sons s'empressera de faire honneur à sa signature, le commis ne veut rien entendre.

– Contre vingt-six dollars, je transmets... L'administration ne fait pas de crédit.

Et, sur cette réponse, il ferme son guichet au nez des voyageurs déconfits.

La nuit tombait quand l'Anglais, très affecté, regagna l'hôtel. Aurett était presque aussi abattue que son père, et l'anxiété peinte sur son visage étouffait toute velléité joyeuse chez le Parisien.

Le dîner fut silencieux, et, la dernière bouchée avalée, sir Murlyton et la jeune fille se retirèrent dans leurs chambres. Lavarède s'ennuya une demi-heure au parloir, parmi des inconnus de toutes nationalités, et, à son tour, rentra chez lui.

Le lendemain, vers neuf heures, miss Aurett buvait mélancoliquement une tasse de thé dans laquelle elle trempait des rôties. Puis elle rejoignait son père qui, pas plus qu'elle, n'avait dormi. Tous deux étaient pâles, et une pensée fastidieuse leur revenait toujours :

– Nous sommes à quatre mille lieues de notre pays, sans un penny en poche.

– Et avec cela, continua à haute voix la jeune fille, si ce jeune homme trouve le moyen de continuer son voyage, nous n'avons pas le droit de le retenir.

– Ah ! si cet employé du télégraphe avait consenti à me faire crédit !

– Oui, mais il n'a pas voulu : c'était son droit.

– C'est bien ce qui m'embarrasse. Je ne sais que faire : aller chez notre consul ? Mais mon voleur a emporté mes papiers en même temps que mes bank-notes. Il faudra une enquête, quinze jours peut-être... Et pourtant je ne vois pas d'autre moyen.

À ce moment, un coup discret fut frappé à la porte et l'un des stewards parut.

– M. Armand Lavarède, dit-il, demande si, malgré l'heure matinale, monsieur peut le recevoir. Il aurait à l'entretenir d'une affaire importante.

Sir Murlyton regarda sa fille ; les yeux de miss Aurett exprimaient l'espoir. Le seul nom du Français l'avait rassérénée.

– Qu'il vienne, fit-il.

Un instant après, le jeune homme faisait son entrée. Il était souriant. Tout dans sa personne trahissait le contentement. La jeune Anglaise pensa que si M. Armand paraissait satisfait, c'est qu'il avait dû trouver un moyen de mettre fin à leurs ennuis.

– Je vais droit au fait, déclara Lavarède, après un rapide *shake-hand* à ses amis. Adversaires courtois, nous faisons le tour du monde ensemble. Or, pendant que j'étais blessé, incapable de poursuivre ma route, vous m'avez soigné, choyé, dorloté et transporté ; je suis donc votre débiteur.

– Du tout, interrompit l'Anglais, je restituais... Vous avez été blessé en protégeant ma fille.

Armand leva les bras au ciel d'un air désolé :

– Vous sortez de la question. J'ai le droit de dépenser un peu de sang en chemin ; le testament du cousin Richard ne m'impose que l'économie de l'argent. Or, accepter votre hospitalité, c'est presque faillir aux conventions. Aussi je viens vous prier de... me permettre de vous trouver les vingt-six dollars dont vous avez besoin pour câbler à Londres.

Murlyton se leva tout ému.

– Comment ! vous voulez ?... vous pouvez ?...

Aurett ne bougea pas. Dès l'arrivée de son compagnon de voyage, n'avait-elle pas deviné qu'il venait pour cela ? Mais ses grands yeux se fixèrent sur le jeune homme avec une expression très douce. Cependant Lavarède répliquait :

– Je puis vous procurer la somme... C'est mon intérêt, d'ailleurs. Je ne veux pas m'arrêter longtemps dans cette ville, et mon départ est subordonné au vôtre...

– Mais comment arriverez-vous ?

– J'arriverai à tenir ce que je vous promets le plus simplement du monde. L'alchimie moderne me permettra de transformer en bons dollars les cinq sous que la générosité de mon cousin m'a accordés et que mes ennemis n'ont pas songé à prendre sur la cheminée quand ils m'ont volé mes vêtements chez la señora Concha. Ils ne savaient pas ce que l'on peut faire avec vingt-cinq centimes ; mais, moi, je le sais, aussi les ai-je précieusement conservés.

– Mais quelle alchimie ?

– Ah ! sir, respectez mon secret. Je m'occuperai de cette affaire après le déjeuner. Je vous autorise à suivre mes démarches, à distance, – car peut-être choquerai-je quelque peu vos préjugés. Là, maintenant que nous sommes d'accord, faites trêve à vos ennuis jusqu'à trois heures, et parlons d'autre chose. Tenez, parlons de la ville où nous sommes.

– Jusqu'à trois heures ?

– Parfaitement... Pour vous occuper, permettez-moi de vous faire visiter Frisco.

Que faire sans argent, à moins que l'on ne vaque ?... Ils virent ainsi les villas d'architectures variées, construites sur les hauteurs,

Montgomery, le Parc-du-Nord, Cliffhouse, l'auberge de la Falaise, d'où l'on découvre un des plus admirables panoramas du monde. Ici, la cité, dominée par ces trois gares d'Oakland, du South et du North-Pacific, qui la relient à New-York, Mexico et aux territoires du Dominion ; là, une rade encombrée, le fort du Presidio, la mer, que les voiles piquent de taches blanches et les steams de panaches gris ; de ce lointain émerge le Seal-Rock, avec ses troupeaux de phoques protégés par le gouvernement fédéral. Lavarède expliquait tout.

– Voyez, disait-il, ces bandes de verdure qui coupent le fouillis des maisons. Elles indiquent l'emplacement des cimetières de Lone-Mount, des Francs-Maçons et des Old-Fellows. C'est là que les amoureux vont parler de l'avenir auprès des pierres qui scellent le passé... comme ils le font en Orient.

Et comme Aurett faisait un mouvement :

– Que voulez-vous, miss ? tout est étrange, ici. Considérez cet îlot de constructions les unes contre les autres : c'est la ville chinoise.

– Voyons la ville chinoise, mon cher cicérone.

– Entre les squares Lafayette et Alta-Plaza, s'empressa de continuer Armand, sont groupés trente pâtés de maisons, édifiées à la façon chinoise, et séparées par des ruelles étroites encombrées d'immondices. Celles des maisons qui ont été achetées toutes construites logent maintenant dix fois plus de monde qu'auparavant. C'est là le siège des six grandes Compagnies d'immigration. Ah ! ces Compagnies !... En France on se plaint des bureaux de placement. Que pourraient dire les sujets du Fils du Ciel ? Ces sociétés ont, sur toute la côte de l'Empire du Milieu, des agents qui racolent les émigrants, – employés ici comme coolies, domestiques, artisans, blanchisseurs, *et cætera*. On les embarque sous la seule condition qu'en cas de décès leur corps sera rapatrié... Notez, ajouta le journaliste, que les Compagnies ont leurs lois, leurs tribunaux, devant qui se jugent sans appel tous les conflits entre Célestes.

Il était temps de rentrer à l'hôtel. Après le repas, volontairement prolongé, une courte sieste dans le parloir conduisit les voyageurs à l'heure indiquée par le Parisien.

– Trois heures ! s'écrièrent miss Aurett et son père.

Armand s'inclina, et, cinq minutes plus tard, tous trois

arpentaient le trottoir de Kearny street. Le Français marchait en avant. Il semblait inspecter le terrain.

Arrivé devant la Bourse des Marchands, assiégée par une foule compacte de spéculateurs, il eut un geste de satisfaction.

Alors Murlyton et Aurett assistèrent à un spectacle incompréhensible pour eux. Lavarède tira son mouchoir de sa poche, le déplia, le secoua, et enfin l'étala sur le trottoir avec l'air absorbé d'un homme se livrant à une opération capitale. Après quoi il fit le tour du carré de batiste, murmurant des paroles inintelligibles, agitant les bras.

Fouillant dans son gousset, il prit un à un les cinq sols qui composaient tout son bagage et les déposa en ligne sinueuse sur le mouchoir.

Ce manège avait attiré l'attention des groupes voisins. Un passant, puis deux, puis dix s'étaient arrêtés. Quand le Parisien eut terminé, un cercle s'était formé.

Gracieusement, il salua et, en excellent anglais, il débita le petit boniment que voici :

– Originaire de ce pays libre, je fus élevé en France. C'est là que je fis la merveilleuse découverte dont je viens doter ma patrie. Durant tout le moyen âge, les savants, alors dénommés alchimistes, ont cherché la pierre philosophale, la métamorphose d'un métal vil en or pur... Eh bien, ce que ces admirables travailleurs ont vainement cherché, le hasard me l'a fait découvrir. Oui, gentlemen, dans mes mains le bronze devient argent. Un *cent* se transforme en dollar... Tenez voici un sou de France, vous allez assister à la curieuse expérience. Mais, si je vous livre mon secret, veuillez encourager l'opérateur. Allons, la main à la poche, profitez de l'occasion, gentlemen.

– Eh ! remarqua un spectateur qui venait de se glisser dans le cercle, si la méthode était infaillible, l'inventeur n'aurait pas besoin de faire appel à la générosité publique.

Lavarède regarda l'interrupteur et demeura court. C'était Bouvreuil en personne. Miss Aurett l'avait reconnu tout d'abord.

– Mon père, dit-elle à sir Murlyton avec une nuance d'effroi, voilà ce vilain homme !

Comment se trouvait-il là ? De la façon la plus aisément explicable. Arrivé le matin même par le South-Pacific Railway, le père de Pénélope, à qui il restait près de quatre mille francs encore, et ses lettres de crédit, s'était tenu ce langage :

– Le sieur Armand est un boulevardier. C'est donc sur la promenade la plus fréquentée, sur le boulevard de l'endroit, que j'ai chance de le retrouver.

Il s'était informé, et, comme on le voit, l'événement lui donnait raison.

Un murmure approbateur avait accueilli son observation, encore que, faite en français, elle dut être traduite par quelqu'un. Mais le Parisien avait repris tout son aplomb, la supériorité que lui donnait l'usage de la langue du pays aidant.

– Gentlemen, s'écria-t-il, celui qui vient de parler n'a pas l'âme d'un philanthrope... Il ne comprend rien à la délicatesse. Si je vous demande votre obole, c'est pour ne pas avoir l'air de vous faire l'aumône. Il n'a pas vu cela, il ne veut pas lâcher un cent... Il est de ces gens qui prétendent recevoir sans donner... C'est peut-être même un usurier.

Et d'une voix éclatante :

– C'en est un, gentlemen !... Voyez les caractéristiques de la race : le nez épaté, le regard fuyant, les lèvres minces, s'ouvrant sur des dents de chacal. Oh ! l'odieuse et basse physionomie !

Les assistants riaient. Bouvreuil, qui en comprenait assez pour juger bon de quitter la place, alla se mettre en observation à quelques pas de là.

– Plaisante, mon bel ami, grommelait-il, je t'ai retrouvé... Je saurai bien te faire regretter tes quolibets !

Ayant ri, les curieux payèrent. Les « cents » tombaient, pluie de cuivre qu'Armand recueillait avec soin, entraînant les hésitants.

– Allons, gentlemen, encore dix cents... plus que cinq, trois, deux !

Deux pièces de monnaie sonnèrent sur le sol. Le jeune homme alors remit son mouchoir, ses sous et sa recette dans sa poche, puis gravement :

– L'expérience est terminée ; vous le voyez : avec un sou, je viens de me procurer un dollar. L'exercice auquel vous avez assisté est ce que les camelots parisiens appellent « la Postiche ».

Un rire argentin accueillit cette péroraison. C'était miss Aurett. À qui lui eût dit, trois mois auparavant, qu'elle admirerait un journaliste français en pareille occurrence, elle eût répondu par un démenti catégorique. Le « can't » britannique ne permettait pas une semblable aberration. Et, pourtant, la chose impossible, invraisemblable, se réalisait sans qu'au fond d'elle-même elle sentît une révolte. Il est vrai qu'elle était éloignée de la correcte Angleterre, et que Lavarède « charlatanisait » pour elle.

La gaieté d'une jolie personne est communicative. Les assistants se dispersèrent avec des mines épanouies.

– *Good humbug !* disaient-ils.

– Seul, un homme à la barbe rousse inculte, aux vêtements tachés de glèbe, un « gratteur de placers », comme on désigne là-bas les « tard-venus », qui glanent les rares parcelles d'or oubliées dans les gisements abandonnés, arma son revolver, et d'une voix rauque :

– Part à deux, mon négociant ; je t'ai jeté un « cent », je me contenterai d'un demi-dollar de bénéfices... Pour l'alchimiste, s'il vous plaît.

Il tenait Armand en joue.

L'Anglaise vit le mouvement et poussa un cri. Sir Murlyton fit un pas pour s'interposer, mais le Parisien l'arrêta du geste. Mettant, lui aussi, le revolver à la main, il fit face à son adversaire. Celui-ci pressa sur la détente. Une balle siffla aux oreilles du journaliste et alla trouer le chapeau d'un passant, – un véritable Américain, celui-là, qui se retourna en maugréant :

– Assommants, ces gens qui s'expliquent dans la rue !...

Et il s'en alla en brossant le poil de son chapeau.

Armand tira à son tour et avec tant de bonheur qu'il brisa la crosse de l'arme de son agresseur, dont la main fut traversée du même coup.

– Est-ce assez ? demanda-t-il.

– *Yes,* maugréa le blessé, *all right !*

Le saluant légèrement de la tête, Lavarède se disposait à

s'éloigner. Il avait hâte de rejoindre ses amis, qu'il voyait à dix pas de lui, comme cloués au sol, le gentleman très rouge, la jeune fille subitement pâlie. Mais un nouvel incident le retarda encore. Un Chinois, qu'à sa tunique bleue, à sa calotte surmontée d'un globule d'ambre, on reconnaissait pour un lettré de deuxième classe, lui barra le passage. Ce « Céleste » s'était arrêté un des premiers auprès du jeune homme. Il avait assisté à toute la scène avec un air de satisfaction ardente.

– Vous avez du sang-froid, monsieur, dit-il en anglais nasillé.

Le Français le regarda en souriant :

– Est-ce une deuxième querelle ?

– Non, une question seulement ! Vous êtes courageux et vous avez besoin d'argent ?

– Alors, c'est une affaire que vous allez me proposer ?

– Juste !

– Faites vite, des amis m'attendent.

– Il s'agit d'une besogne dangereuse, bien rétribuée.

Armand hésita. Il n'avait aucune raison pour se lancer dans une entreprise hasardeuse ; car, maintenant, avec le dollar qu'il possédait, il était sûr de se procurer la somme promise à sir Murlyton ; mais un secret instinct l'intéressait à la proposition de ce Chinois. Et puis, il ne risquait rien à voir venir.

– Je reste libre de refuser si les conditions ne me conviennent pas ?

– Oui.

– Que faut-il faire ?

– Venez, ce soir, à dix heures, à l'angle sud du square Alta-Plaza.

– À la limite de la ville chinoise ?

– C'est cela ! On vous conduira à l'endroit où vous apprendrez ce que l'on attend de vous.

– À dix heures, je serai au rendez-vous.

Et, en aparté, il murmura :

– Mâtin !... en voilà de la couleur locale.

Sur ce, le lettré à bouton d'ambre tira de son côté, et Lavarède du sien.

– Ah ! s'écria Murlyton, je n'aurais pas permis que vous cherchiez de l'argent pour moi si j'avais su que vous deviez encore risquer vos jours.

– Ne parlons plus de cela, interrompit le jeune homme. Très pittoresque, n'est-ce pas, ce duel dans la rue ? Cela me fera une chronique amusante... au retour. Pour le moment, allons à l'office du *Californian Times.*

Au bureau du journal, l'Anglais, stylé par Lavarède, obtint, pour un dollar, l'insertion de l'annonce suivante :

« Moyen sûr de gagner aux courses. Écrire V. R., 271, au bureau du journal. Joindre dix cents. »

– Avec cette annonce, dit le jeune homme à ses compagnons en sortant, nous aurons demain ce qu'il nous faut et au-delà.

– C'est bien possible, remarqua l'Anglais, la bêtise humaine est incommensurable ; mais quel est le moyen sûr que vous promettez ?

Lavarède haussa les épaules, et, en riant :

– Ne jouer que sur les gagnants.

– Oh ! déclara vivement miss Aurett, cela n'est pas honnête !

La remarque parut blesser le Français.

– Vous vous trompez, mademoiselle ; nous avons besoin de quelques dollar ?, je les emprunte comme je puis, avec la certitude de ne faire tort à personne. Demain nous irons au *Californian.* Nous ouvrirons les lettres à nous adressées jusqu'à concurrence de vingt-six dollars ; sir Murlyton câblera à Londres. Puis, la réponse de votre banquier étant arrivée, nous remettrons dix cents dans chacune des missives décachetées que nous rapporterons au journal. Monsieur votre père voudra bien alors faire passer une nouvelle annonce dont voici le sens : « Le moyen sûr de gagner aux courses n'existe pas. Nos correspondants n'ont qu'à se présenter au *Californian Times*, où, après justification, les sommes versées leur seront remboursées. » Coût, trois ou quatre dollars. Ce sera mon courtage.

La jeune fille avait rougi en écoutant ces explications. Elle avait honte de sa mauvaise pensée et elle l'avoua franchement.

– Voulez-vous me pardonner, monsieur Lavarède ? dit-elle en lui tendant la main.

– Une susceptibilité qui vous fait honneur, riposta le Français, qui avait retrouvé toute sa bonne humeur, mais je vous en félicite et suis presque heureux de la petite mortification qu'elle m'a value.

À cette réplique, la rougeur de l'Anglaise s'accentua encore ; mais les voyageurs atteignaient le China-Pacific-Hôtel, et leurs pensées changèrent de direction à la vue de Bouvreuil qui pénétrait à leur suite dans le vestibule. Le propriétaire les avait « filés » et, certain de connaître enfin leur gîte, il allait prendre une chambre dans la maison, afin d'être à même de surveiller son gendre, comme il s'obstinait à désigner Lavarède. Celui-ci toisa l'homme d'affaires.

– C'est encore vous, monsieur Bouvreuil ?

– Ce sera toujours moi.

– Vous êtes décidé à ne pas me quitter ?...

– Et à vous ramener en Europe, ruiné et repentant, oui.

– Alors, vous songez quand même à me marier ?...

– À ma fille Pénélope, quand vous aurez échoué dans votre folle entreprise... parfaitement !

– En ce cas, monsieur Bouvreuil, préparez vos jambes. J'ai l'intention de vous faire courir.

– Je courrai.

– Même de vous distancer, moins pour hériter de mon cousin que pour ne plus vous voir.

Et, tournant le dos à son ennemi, Armand sauta dans l'ascenseur où les Anglais avaient déjà pris place, laissant Bouvreuil de fort méchante humeur. Mais, sans doute, la réflexion calma le délégué des porteurs de Panama, car, une heure plus tard, après avoir retenu sa chambre chez M. Tower, il se rendait au télégraphe et faisait passer à sa fille, à Sens (Yonne), cette dépêche :

« *San-Francisco. Retrouvé fugitif. Bon espoir.* »

XII

Au quartier chinois

Le même soir, comme dix heures sonnaient aux innombrables horloges de San-Francisco, Armand arrivait à l'angle sud du square d'Alta-Plaza. Il s'assura que son revolver glissait facilement dans sa gaine de cuir et regarda autour de lui. À sa droite s'élevaient des maisons de construction américaine, hautes et nues ; à sa gauche commençait la ville chinoise, avec ses habitations basses, ses toits bizarrement contournés.

– Ah çà ! murmura le journaliste, le mandarin veut donc me faire poser ?

Comme pour répondre à la question, un individu qui, jusque-là, s'était tenu caché sous la voussure d'une porte, s'approcha, glissant sans bruit sur ses semelles de feutre.

– Vous êtes brave et vous avez besoin d'argent, dit-il du ton nasillard particulier aux « Célestes ».

– Bravo ! fit Lavarède, tout y est, même le mot de passe. Marchons.

– Un instant, reprit le Chinois, qui vous a envoyé ici ?

– Un lettré à bouton d'ambre.

– Où l'avez-vous vu ?

– À la Bourse des Marchands.

– C'est bien vous que l'on attend. Veuillez me suivre.

Sur ces mots, les deux hommes se mirent en marche d'un pas rapide et s'engagèrent dans une des ruelles du quartier chinois. Armand suivait son guide, dont la silhouette mouvante lui fournissait un point de direction indispensable, car, au milieu de la cité américaine que l'électricité inonde de lumière « la ville jaune » fait une tache d'ombre. Ici comme chez eux, les natifs de « l'Empire du Milieu » sont réfractaires au progrès. Les rues devraient être éclairées par des lampes à pétrole. Les lampes existent, mais on ne les allume jamais. Il n'y a que quelques lanternes de papier huilé. Et cependant, nulle part, la clarté ne serait aussi utile.

Les chaussées de terre battue, coupées au milieu par des rigoles puantes où séjournent les eaux ménagères et les ordures amoncelées par les habitants, sans souci de gêner la circulation, offrent aux promeneurs des facilités extraordinaires pour se rompre le cou. Mais Lavarède avait étudié San Francisco, aussi il se tint prudemment dans les traces de son conducteur et atteignit, après avoir trébuché deux ou trois fois seulement, la rue Sacramento qui traverse le milieu de cet étrange quartier. C'est sur cette voie que sont les habitations des Chinois aisés et les bureaux des agences d'émigration.

L'individu que le Parisien accompagnait s'approcha d'une maison voisine, saisit le marteau de cuivre de la porte et le heurta d'une certaine manière sur l'huis. Aussitôt le battant tourna sur ses gonds. Les visiteurs entrés, la porte se referma toute seule sans que personne parût.

– Très amusant, murmura le Parisien, nous avons l'air de jouer un drame du boulevard dans un théâtre bien machiné.

Tout en parlant, il regardait autour de lui. Il se trouvait dans une cour assez vaste, entourée de bâtiments peu élevés. On ne lui donna du reste pas le temps de poursuivre son examen.

– Venez, dit son guide en l'entraînant.

En face d'eux, s'ouvrait une porte encadrée de solives rouges agrémentées de filets noirs, laissant apercevoir les premières marches d'un escalier étroit. Tous deux s'y engagèrent. Au premier étage, ils parcoururent une enfilade de pièces vaguement éclairées par des bougies enfermées dans des lanternes de papier. Dans la dernière, où la clarté était dispensée avec moins de parcimonie, trois hommes, vêtus à la dernière mode de Pékin, s'entretenaient à voix basse.

À l'arrivée d'Armand, tous se levèrent ; et l'un d'eux, que le Parisien reconnut sans peine pour le Chinois de la Bourse des Marchands, dit à ses compagnons :

– Voici le brave dont je vous ai parlé.

Le journaliste salua sans paraître gêné par les regards scrutateurs que fixaient sur lui trois paires d'yeux obliques.

– Asseyez-vous, reprit le lettré au bouton d'ambre.

– Volontiers, fit Lavarède, profitant de la permission ; – et à part lui, il ajouta : – Quelle diable d'affaire vont me proposer ces faces de safran ?

Le guide s'était discrètement retiré. Après un silence, le Céleste qui déjà avait pris la parole s'adressa au Parisien :

– Vous n'êtes pas Anglais, n'est-ce pas ?

– À quoi avez-vous reconnu cela ?

– Vous vous exprimez bien, mais avec un accent particulier qui m'a convaincu que vous êtes né en France.

– *All right.*

– C'est même ce qui m'a décidé à vous fixer un rendez-vous.

Armand s'inclina, attendant que son interlocuteur voulût bien s'expliquer. Celui-ci continua :

– Cinq cents dollars sont bons à prendre.

– Cinq cents dollars, pensa le Français !... Tous ces Chinois sont avares... Leur affaire doit être épouvantable.

Le lettré se méprit à l'expression de sa physionomie.

– Voyons, dit-il, ne finassons pas. Nous sommes autorisés à aller jusqu'à deux mille. C'est le dernier prix. Acceptez-vous ?

– À ce prix-là, murmura Lavarède, ils vont me demander de faire sauter toute la ville.

– Eh bien ?

– Eh bien ! C'est convenu. Quand toucherai-je la somme ?

– Dans trois jours, à minuit.

– Ah !

Il y avait du désappointement dans cette exclamation. En recevant de suite une portion de la prime promise, le Parisien eût pu renoncer à l'annonce du *Californian-Times* qui avait déplu à miss Aurett.

– Qu'avez-vous ? interrogea le Chinois.

– Rien. Je répète : c'est convenu. Que faut-il faire ?

– Attacher un pavé aux pieds d'un cadavre, et précipiter le tout dans la mer.

– Ah ! dit Armand avec un sourire... C'est vous qui l'avez fait, ce cadavre ?

– Non, c'est la maladie.

– Tiens... il ne s'agit pas de cacher un crime ? Alors pourquoi m'offrez-vous deux mille dollars ?

Puis, se frappant le front :

– J'y suis !... Toujours le drame... Il y a un héritage ?

– Non.

– Alors, je ne comprends plus.

– Avez-vous besoin de comprendre ?

– Dès l'enfance, je n'ai su agir que lorsque le but m'apparaissait distinct, net... et... point criminel.

Les Chinois se regardèrent, ils eurent un rapide colloque à voix basse ; puis, celui qui décidément était le porte-parole reprit :

– Soit, vous allez être satisfait.

– À la bonne heure !

– Mais souvenez-vous que rien au monde ne pourrait vous soustraire à notre vengeance, si vous nous trahissiez.

– Menace inutile, fit Lavarède tranquillement. Si j'étais poltron, je ne serais pas ici. Pourquoi vous trahirais-je, puisque je n'ai pas peur de vous ?

Son interlocuteur parut goûter le raisonnement, et, d'une voix lente, commença :

– Notre nom est : *Lotus blanc*. Notre nom est : *Pas d'hypocrisie*.

– Ah ! bien !... interrompit Armand, j'y suis... Il s'agit d'un complot politique... Vous êtes les révolutionnaires de l'Empire du Milieu. J'aime mieux ça !

Le lettré lui jeta un coup d'œil bienveillant.

– Vous êtes au courant, tant mieux. Un mot seulement est inexact dans votre définition. Nous ne sommes pas plus révolutionnaires que les gens de ce pays qui disent : « L'Amérique aux Américains ! » Nous disons nous : « La Chine aux Chinois ! » Conquis par une horde mandchoue, qui aujourd'hui détient le pouvoir, nous prétendons délivrer notre patrie et établir un gouvernement national chinois.

– Et pour vous faire la main vous massacrez des Européens à Shanghai, Canton, dans le Petchi-Li !

– Nous déplorons ces massacres sans pouvoir les empêcher. Le bas peuple se souvient qu'en 1860 les soldats d'Europe ont aidé à l'écrasement des Tai-Pings voués à la même œuvre que nous ; et dans son ignorance, il englobe tous les Européens dans la même haine. Mais, dit le lettré en souriant, nous ne nous sommes pas rassemblés pour faire un cours de politique intérieure. Revenons à nos moutons, c'est, je crois, une expression française.

– En effet, affirma le journaliste que le tour de l'entretien amusait.

– Voici donc la chose : Dans cette ville habite un nommé Kin-Tchang, Mandchou d'origine. Autrefois, en Chine, il avait livré aux autorités deux affiliés du Lotus blanc. Sachant que la Société venge ses membres, il s'était expatrié. Il était en sûreté ici. Le gouvernement des États-Unis est mal disposé à notre égard ; une grande réserve nous est imposée. Nous tenions cependant à punir son infamie. Vous savez que nous avons l'amour du sol natal. Si nous émigrons, c'est à la condition expresse qu'en cas de décès notre dépouille mortelle sera ramenée en Chine.

– C'est connu cela. Vous avez même l'habitude, qui nous paraît singulière en Europe, de faire fabriquer votre cercueil de votre vivant. Vous lui donnez une place en vue dans votre logis, et vous mettez une sorte de coquetterie à l'enjoliver de sculptures, de dorures...

L'homme au bouton d'ambre inclina la tête d'un air satisfait.

– Très exact ! Eh bien ! Nous avons décidé que le corps du Mandchou Kin-Tchang ne rentrerait pas dans l'Empire du Milieu.

– Diable !

Avec nos usages, une pareille punition semble puérile ; mais le journaliste comprenait que les idées chinoises faisaient de cette exclusion une peine terrible. Le lettré poursuivit :

– Il eut sans doute vent de notre projet, car il prit ses précautions... Il est mort hier et son corps, immédiatement enlevé, a été transporté au dock de la « Box-Pacific ». Vous ignorez peut-être ce qu'est cette Compagnie de navigation ?

Le journaliste ne résista pas au désir de montrer un peu d'érudition et, du ton d'un professeur en chaire :

– Vous allez voir si je l'ignore, dit-il... Vos compatriotes sont nombreux dans l'État de Californie. Marcel Monnier en compte plus de cinquante mille. Autrefois, ceux qui succombaient sur la terre d'exil étaient rapatriés par une jonque chinoise qui faisait la navette entre la côte américaine et la côte asiatique. Un départ tous les deux mois environ. C'était trop peu. Les défunts restaient en souffrance. Il y avait une lacune à combler. Aussi une Société yankee se forma, fréta quatre vapeurs, dotant d'un départ, chaque quinzaine, les feus fils de Han, c'est ainsi que vous vous désignez vous-mêmes, n'est-il pas vrai ?

– Parfaitement, affirma le lettré ravi.

– Comme le « macchabée » ne donne pas toujours en quantité suffisante, les steamers de la Box-Pacific-Line-Company complètent leur chargement en acceptant des marchandises et même quelques passagers que ces « corbillards nautiques » n'effraient point. Voilà !

– Allons, déclara l'homme au bouton d'ambre décidément conquis, je vois que j'ai eu la main heureuse.

Armand s'inclina.

– Voici ce que nous attendons de vous. Le cercueil de Kin-Tchang porte le numéro 49. Il s'agit d'en extraire le Mandchou et de le jeter à la mer avec une bonne pierre au cou.

– Et vous offrez deux mille dollars pour... si peu de chose ?

– C'est plus difficile que vous ne croyez. Aucun de nous ne peut mener à bien l'entreprise. D'abord, pas un Chinois n'accomplirait ce sacrilège. Ensuite la Compagnie est sur le qui-vive, et le gardien du dock doit se défier de tout ce qui ressemble à un sujet du fils du Ciel.

– Tandis qu'il n'aura pas de méfiance envers moi, Européen, acheva le Parisien et j'en abuserai pour détériorer sa cargaison.

– C'est cela même.

– De plus, ajouta Lavarède, la Société est américaine, et, en cas d'insuccès, vous ne vous souciez pas d'avoir affaire aux tribunaux de l'Union... En effet, je commence à comprendre les difficultés :

effraction, vol, sacrilège, etc.

Son interlocuteur se mordit les lèvres, mais se remettant aussitôt :

– Dame ! Deux mille dollars, dix mille francs en monnaie française...

– Valent bien que l'on coure quelques risques. C'est mon avis. J'accepte le marché... Mais comment la somme me sera-t-elle remise ?

– Le dock est à cinquante mètres du port. Durant toute la troisième nuit, à compter de celle-ci, un des nôtres y sera en faction. En lui présentant le cadavre, vous toucherez l'argent.

– Donnant, donnant. Cela me va. Il ne me manque plus qu'à trouver le moyen d'entrer dans le dock.

– Cela vous regarde. Cependant, je veux vous donner un renseignement utile.

– Voyons ?

– L'employé qui sera de garde cette nuit-là est un nommé Vincents, Irlandais d'origine ; il prend ses repas à Oxtail-Tavern, dans Susgrave street, à côté des installations de la Box-Line, en face l'Oceanic-Steamship.

– C'est noté.

– J'ajouterai encore ceci : Il est indispensable d'agir au moment fixé ; car le lendemain matin, les bières seront embarquées sur le *Heavenway,* qui prendra la mer dans la journée.

Le visage du journaliste s'illumina et ne pouvant se contenir plus longtemps, l'aimable garçon s'écria :

– Eurêka !

– Vous avez trouvé quoi ? interrogea le Chinois, prouvant ainsi qu'il méritait de porter l'insigne des lettrés.

– Ce que je cherchais ; soyez heureux, vous aurez votre Mandchou.

Et mentalement il ajouta :

– Il me gênerait trop sans cela.

Tout étant arrêté, le jeune homme prit congé de ses hôtes et regagna l'hôtel en fredonnant. Sans doute, il avait rapporté du quartier chinois une gaieté robuste, car le lendemain, au déjeuner, sir Murlyton et miss Aurett s'étonnèrent de sa belle humeur. Ils lui en firent la remarque.

– Bon, répliqua Lavarède, vous allez comprendre ma joie. Aujourd'hui, lundi 3 août, j'ai l'honneur de vous annoncer que, jeudi 6, je quitterai San Francisco.

– Ah ! prononça derrière lui une voix qui le fit tressaillir.

Il se retourna. Bouvreuil était auprès de lui. Bouvreuil qui, frappé de son air réjoui, s'était approché sans bruit et avait entendu ses dernières paroles.

Un instant, Armand avait oublié son ennemi, mais, si désagréable que lui fût son apparition, il se garda d'en rien laisser voir.

– Tiens ! Encore ce brave monsieur Bouvreuil, dit-il en souriant.

– Moi-même. Vous parliez de votre départ, et comme l'intérêt que je vous porte m'interdit de vous quitter...

– Voyez un peu combien est vrai l'axiome : En amitié, il en est toujours un qui aime et l'autre qui se laisse aimer. Je suis l'autre, et je compte bien vous fausser compagnie.

– Ne l'espérez pas. Ma fille Pénélope attend...

Le nom de la fille de l'usurier avait le don d'exaspérer Armand.

– Monsieur Bouvreuil, dit-il, Pénélope attendait Ulysse en « filant ». Par prudence, je vous engage à en faire autant.

Son pied avait des mouvements inquiétants. Le propriétaire s'éloigna, non sans avoir décoché au jeune homme cette phrase saugrenue :

– Vous êtes vif, mais je suis tenace. Nous verrons bien !

Débarrassé de lui. Lavarède conta à ses compagnons de voyage son expédition chez les « semelles de feutre. » Il leur fit part du projet qui, tout naturellement, avait germé dans son cerveau : prendre la place du mandarin Kin-Tchang et gagner la Chine dans le cercueil 49, réservé au défunt... Murlyton se récria :

– Mais alors, ma fille et moi devrons prendre passage sur ce navire funèbre, le « *Heavenway* » et passer une vingtaine de jours au milieu des trépassés.

Aurett avait pâli légèrement. Cependant, elle se hâta d'interrompre l'Anglais.

– Nous n'avons pas le droit de mettre obstacle au départ de M. Lavarède. Ce serait incorrect, mon père.

– Sans doute, mais...

– Vous exagérez beaucoup ma sensibilité nerveuse. Je suis plus intrépide que vous ne semblez le croire, et la traversée sur le steamer du « Box-Pacific-Line » ne me paraîtra pas autrement insupportable.

Le journaliste comprit tout ce qu'elle ne disait pas. Il voulut la remercier, mais elle l'arrêta, et souriante :

– Vous avez vu la mort de près pour moi ; à mon tour, je verrai les morts ; je m'acquitte.

Elle débita cela gentiment, avec tant de bonne grâce que sir Murlyton fut persuadé que ses craintes n'étaient pas fondées. Rien ne s'opposait, dès lors à ce qu'il retînt deux cabines à la Compagnie de navigation, dès qu'il aurait reçu l'argent de Londres. Et l'incident fut clos à la satisfaction générale. Armand pria seulement ses amis de faire tous leurs efforts pour dérouter l'insupportable Bouvreuil, et tous attendirent l'heure de se présenter au *Californian-Times* pour connaître le résultat de l'annonce parue le matin.

À la nuit, ils se rendirent au bureau du journal. Le nombre des lettres arrivées à l'adresse de L. P. D. 26 atteignait cinq cents, ce qui, à 10 cents par missive, représentait 250 francs ou 50 dollars, le double de ce qu'il leur fallait.

– Ô puissance de la réclame ! déclara le gentleman ravi qui, ainsi qu'il avait été convenu, se contenta de prélever les vingt-six dollars réclamés au télégraphe.

Cinquante minutes plus tard, il avait « câblé » à ses banquiers de Londres et il rentrait au China-Pacific, où les jeunes gens l'avaient précédé. Il les trouva au parloir et, tout rasséréné par l'assurance d'être bientôt muni d'argent, il dit à Lavarède en lui serrant la main à la briser :

– Je commence à croire que vous hériterez de votre cousin.

– Nous ne sommes pas au bout du voyage.

– Bast ! Vous êtes homme à ne pas dépenser vos cinq sous et à faire fortune en route.

Armand lui rendit son *shake hand* et il murmura :

– Nous sommes dix mille comme cela, au boulevard, qui vivons en général dans le rêve... Si nous nous mettions en tête d'amasser de l'argent, il n'en resterait bientôt plus pour les financiers.

XIII

The Box-Pacific-Line-Company

Susgrave street est une rue étroite qui aboutit sur le port. C'est là qu'est la taverne de la Soupe-à-la-queue-de-bœuf, à Oxtail-Tavern, où déjeune l'Irlandais Vincents, l'employé du Box, signalé à Armand par son Chinois aux deux mille dollars.

Le mardi, à midi, ayant brossé son complet de coupe anglaise et lissé sa moustache brune, Lavarède entra en ce cabaret, les yeux pétillants de joyeuse espérance. Il traversa, sans le regarder, le public de marins, d'ouvriers du port et de bas employés entassés aux tables, s'approcha du comptoir et s'adressa à la patronne, grosse commère couperosée, qui éclatait dans sa robe.

– Pardon, madame, un renseignement, s'il vous plaît ?

– Tout ce que vous voudrez, gentleman, répondit la forte dame en minaudant.

– Mille fois bonne. N'auriez-vous pas, parmi vos hôtes, un sir Vincents ?

– Si bien.

– Est-il ici en ce moment ?

La tavernière parcourut la salle du regard, et la bouche en cœur :

– Il y est. Tenez, là-bas dans le coin. Celui qui est assis à la petite table ronde.

– Tout seul ?

– Oui, il préfère cela.

Armand lança à l'aubergiste un coup d'œil qui pensa la faire pâmer d'aise, et se dirigea vers le personnage qu'elle lui avait désigné. Gros, court, les cheveux blonds-roux, Vincents, installé dans un angle de la salle, mangeait gloutonnement en lisant un journal. Ses poings charnus allaient et venaient sans qu'il levât la tête, et il était à ce point absorbé par sa double occupation que, seul peut-être de l'établissement, il n'avait pas remarqué l'entrée du Parisien.

Celui-ci prit tranquillement un escabeau, s'assit en face de l'employé du Box-Pacific, et appliquant la main sur le journal :

– C'est à M. Vincents que j'ai le plaisir de parler, demanda-t-il ?

L'homme toisa celui qui le dérangeait ainsi. Sûrement, il était mécontent d'être troublé dans son repas, mais le journaliste ne s'émut pas pour si peu :

– Vous ne me connaissez pas, reprit-il, c'est tout naturel... j'arrive de France. Je cherche un cousin qui habite la ville. Il se nomme Vincents et il a droit à la moitié d'un héritage. Le gaillard a quitté le pays il y a de longues années je ne l'ai jamais vu, alors je parcours Frisco, visitant tous les Vincents... Peut-être êtes-vous le bon !

– Moi ? grogna son interlocuteur.

– Dame ! C'est possible. Au reste, nous allons bien le voir. Mais je déjeunerai en même temps, cela sera plus agréable pour causer. Y a-t-il du vin présentable ici ?

Le visage de Vincents se dérida.

– Oui, seulement, il est cher.

– Bah ! Je ne vise pas à l'économie... Vous ne refuserez pas de me faire raison.

Cette fois, la figure de Vincents devint presque aimable. Comment ne pas bien accueillir, du reste, un inconnu qui vous propose un héritage et du vin généreux ?... Sur son ordre le « boy » qui faisait le service leur apporta un plat quelconque et plaça devant eux une bouteille cachetée et deux verres. Lavarède les remplit aussitôt, et choquant le verre de son vis-à-vis.

– À votre santé, dit-il, et puissiez-vous être mon cousin ! Ceci sans compliment, vous avez une physionomie qui me va...

Son commensal cligna des yeux, lampa d'un trait le vin qui lui avait été versé, puis faisant claquer la langue :

– Fameux tout de même, murmura-t-il, dommage que l'on n'en puisse pas faire son ordinaire.

– On le pourrait, reprit le Parisien en baissant la voix, si l'on avait la chance d'hériter.

– Ah ça ! oui, seulement... Voyons, parlons donc de l'affaire en question.

– Je ne demande pas mieux, puisque j'ai fait le voyage d'Amérique exprès... Mais laissez-moi manger un peu, je meurs de faim.

Le boy venait de servir Lavarède, et pendant un instant, le journaliste parut s'absorber dans la dégustation du ragoût au pippermint placé devant lui. Vincents l'observait en dessous, avec une impatience qu'il eût sans doute exprimée, si Armand n'avait pris soin de remplir son verre à plusieurs reprises. On ne bouscule pas l'homme qui distribue si généreusement « le lait de la vigne ». Enfin il jugea son sujet bien à point, et, entamant une seconde bouteille que le garçon lui présentait avec le respect du débitant pour le client qui fait de la dépense :

– Mon cher monsieur Vincents, dit-il, vous concevez que mon enquête est délicate et que, pour n'être pas victime d'un aventurier quelconque, j'ai dû m'entourer de précautions.

– Sans doute, mais...

– Vous ne pouvez être confondu avec les aigrefins si nombreux en cette ville. Vous êtes un citoyen. Honorable, vivant de son travail et auquel mon estime est acquise. Mon entrée en matière avait seulement pour but de vous prier de vouloir bien répondre à certaines questions préliminaires indispensables.

– Vous n'avez qu'à interroger, je répondrai.

L'employé était visiblement sur des charbons. Il avait hâte de savoir.

– Bon, murmura Lavarède, le poisson est ferré, il n'y a plus qu'à tirer la ligne.

Et gracieusement :

– Connaissez-vous le lieu de votre naissance, monsieur Vincents ?

L'homme eut un mouvement d'épaules :

– *By god !*... En voilà une demande. Je suis resté jusqu'à vingt ans au Pays.

– Qui se nomme ?

– Ladbroke-Hill, à six milles de Dublin... Irlande !

Le Parisien simula une surprise joyeuse, et par réflexion, le visage de Vincents s'éclaira :

– Vous continuez l'interrogatoire, demanda-t-il timidement ?

– Je crois bien, vous êtes fils de ?...

– De José-Williams Vincents, de Ladbroke, et de Marie-Paulina Crooks, de Noxleburg.

– Très bien.

– Très bien, fit l'employé haletant, suis-je votre cousin ?

– Presque...

– Comment presque ?

– Oui, il ne reste qu'un point à éclaircir.

– Faites vite.

Affolé à la pensée d'hériter, Vincents avait une si étrange figure que le journaliste fut sur le point d'éclater de rire, ce qui, sans nul doute, aurait compromis le succès de sa négociation... Il se contint, non sans peine, et poursuivit :

– N'avez-vous pas souvenir d'une vieille parente qui habitait Dublin ? Riche et très avare, elle ne voyait jamais ses parents, craignant sans doute que les pauvres gens ne lui empruntassent quelque chose :

L'employé parut chercher :

– Non, dit-il enfin avec effort, tremblant que sa réponse ne mit fin à son rêve doré ; mais cela n'a rien d'étonnant... Le père est mort quand j'avais douze ans, et la mère l'a suivi en terre au bout de quelque mois.

– Cherchez bien, la tante Margareth ?

– Margareth, s'écria Vincents triomphant, je connais ce nom-là.

« Parbleu ! pensa Lavarède, il est assez commun en Irlande. »

Puis, avec une gravité parfaitement jouée, le jeune homme tendit les mains à son interlocuteur en disant :

– Cousin...

L'autre ne le laissa pas achever.

– Cousin, répéta-t-il.

– Nous le sommes, cela ne fait plus de doute pour moi. Écoutez donc : la tante Margareth est décédée laissant huit mille livres sterling, deux cent mille francs à partager par moitié entre vous et moi, à la condition que nous toucherons tous deux le même jour. Elle a voulu sûrement réparer ainsi ses torts envers les deux branches de la famille.

Et au pauvre diable qui l'écoutait bouche bée, il raconta comment lui-même, étant quelque peu pressé d'argent, s'était décidé à venir en personne retrouver son cousin. Il lui dit être descendu au China-Pacific-Hotel, dans Montgomery street, ce qui fit ouvrir de grands yeux au besogneux Vincents.

– De ce train-là, remarqua ce dernier, vos quatre mille livres ne vous conduiront pas loin. Moi, je ne ferai pas le grand seigneur... J'achèterai de la terre en Irlande et je vivrai en fermier.

Lavarède ne se souciait pas de connaître les projets d'avenir de son pseudo-parent ; il l'interrompit donc pour demander :

– À quelle heure devez-vous rentrer à votre office ?

– À deux heures.

– Il est moins cinq.

– Que m'importe maintenant. J'ai envie de leur donner ma démission.

Armand sursauta :

– Ah ! non, pas ça, s'écria-t-il.

En une seconde, il voyait réduit en poudre son plan si péniblement dressé.

– Pourquoi... « pas ça » ?

– Mais parce que...

Il ne pouvait pourtant pas lui répondre : « Parce que j'ai besoin de vous pour pénétrer dans le dock de la Compagnie. »

Cherchant ses mots, il dit :

– Parce que... les formalités seront longues chez les notaires des *United States*, qui doivent se mettre en relations avec ceux de Dublin, représentant la tante Margareth, et avec celui de Paris chargé de mes intérêts... Si vous donniez votre démission aujourd'hui vous risqueriez de rester un bon mois sur le pavé.

– C'est juste, mais c'est dommage aussi... car j'aurais bien voulu éviter la corvée qui m'incombe demain.

– Laquelle donc ? fit le Parisien du ton le plus naïf du monde, tandis qu'il remerciait mentalement le « Dieu des voyageurs » d'avoir amené la transition tant désirée.

– La garde de nuit auprès des « Sleeping Yellows », autrement dit, les « Chinois défunts ».

Lavarède prit l'air surpris d'un touriste ignorant et se laissa bénévolement expliquer par l'employé le fonctionnement de la *Box-Pacific.*

– Brrrou ! murmura-t-il quand Vincents eut fini. Cela doit faire une singulière impression de passer la nuit au milieu de ces cercueils.

– C'est assommant.

– Pas banal au moins comme aventure de voyage, et si c'était possible, j'aimerais assez le faire... pour le raconter à mon retour.

– Cela se peut, s'écria son interlocuteur enchanté, et si le cœur vous en dit ?...

– Ma foi oui.

– Rien de plus simple. Demain, j'entre par la porte de l'administration ; vous restez au dehors. Je vous ouvre la porte donnant sur le quai... c'est par là que l'on enlève les colis pour les embarquer... et ni vu ni connu, nous sommes chez nous jusqu'au matin. Apportez du whisky.

Armand avait peine à cacher sa joie. Sa ruse avait complètement réussi. Le gardien s'offrait lui-même à lui faciliter l'entrée du dock. Maintenant, il s'agissait de quitter Oxtail-Tavern sans bourse délier, puisqu'il n'avait toujours en poche que ses vingt-cinq centimes.

– Cousin, dit-il, une proposition ?

– J'accepte d'avance.

– Étant de garde demain, vous obtiendrez facilement de votre administration congé pour cet après-midi ?

– Peut-être bien que oui.

– Allons le demander ensemble. Ensuite, nous nous rendrons à mon hôtel, où nous dînerons.

– Mais je ne sais si je dois... balbutia l'employé tout ému à l'idée de prendre son repas à une table de premier ordre.

– Acceptez donc.

– Allons soit.

Le quart d'heure de Rabelais était arrivé, mais il avait été préparé de main de maître, et quand Lavarède, après s'être fouillé, déclara d'un air ennuyé qu'il n'avait que des valeurs françaises, Vincents lui assura noblement qu'il ne l'aurait pas laissé régler la dépense. Il alla même plus loin. Il exigea de son nouvel ami qu'il acceptât encore à déjeuner le lendemain à l'Oxtail-Tavern, politesse à laquelle Armand répondit :

– Soit ! Mais je vous aurai le soir au China.

– Parfait ! Le déjeuner à moi, le souper à vous.

Et radieux, le gros homme pensait :

– Je fais une excellente affaire comme ça, car, à l'hôtel, c'est meilleur et plus cher.

En rentrant chez lui, le journaliste rencontra sir Murlyton qui sortait. Le digne gentleman était radieux. Il avait reçu la réponse des banquiers de Londres, touché son argent à l'office central des postes et reportait au *Californian-Times,* les lettres ouvertes par lui, après y avoir honnêtement remis les dix cents empruntés aux naïfs correspondants. L'annonce indiquée par Lavarède réglerait définitivement la question. Un instant, le Parisien quitta son pseudo-cousin et, à voix basse, il dit à l'Anglais :

– Profitez de votre promenade pour retenir votre passage à bord du *Heavenway.*

– Nous partons donc ?

– En avez-vous douté ?

Et, désignant Vincents :

– Ce brave garçon m'en fournit le moyen, sans s'en douter, bien entendu. Il vous contera cela au dîner. Je l'ai invité pour ce soir et demain.

– Mais, fit Murlyton, deux dîners vont vous coûter plus de vingt-cinq centimes.

Armand secoua la tête.

– Pas le moins du monde. Vous avez payé à master Tower huit jours pleins.

– Oui, mais je ne vois pas...

– Attendez. Nous sommes arrivés samedi ici. L'hôtel me doit donc tous les repas jusqu'au déjeuner du samedi inclusivement. Or, je quitte la maison mercredi soir, ayant encore droit pour les jeudi, vendredi et samedi, à cinq repas. J'en prélève deux pour cet homme. Quant aux trois autres, je les emporte. M. Tower reste donc mon débiteur pour ma chambre, qui devient vacante deux jours avant le terme fixé.

– Très justement raisonné, déclara l'Anglais, je vais retenir les places à la Box-Pacific.

Le soir, au dîner, Vincents, à qui le Parisien fit raconter l'histoire de leur connaissance, amusa énormément le gentleman et sa fille. Seulement quand il fut parti, miss Aurett dit doucement à Lavarède :

– Le pauvre homme me fait de la peine. Il croit à son héritage et sa désillusion sera grande.

– Bon. Je lui ménage une consolation.

– Laquelle ?

Il hésita une seconde ; puis, prenant son parti :

– C'est un secret que vous me demandez-là !

Aurett le regarda bien en face et, avec un accent singulier :

– Oui, je le demande. Il y a une ombre dans ma pensée, chassez-là !

– J'obéis. Je destine à Vincents les deux mille dollars de mes amis les Chinois.

Le visage de la jeune fille s'illumina d'un sourire ; elle tendit la main à son interlocuteur et la serra vigoureusement avec ce seul mot :

– Merci !

Rentrée dans sa chambre, elle se déclara sérieusement qu'elle était très satisfaite de parcourir le monde en compagnie de Lavarède. Mais, par un sentiment de réserve bizarre, elle ne dit rien de tout cela à l'honorable sir Murlyton.

XIV

Lavarède devient « mort »

Le lendemain, vers dix heures du soir, Armand sortit du China-Pacific-Hotel avec Vincents. Le premier portait à la main un paquet volumineux enveloppé de papier fort. Quant au second, il semblait avoir peine à se porter lui-même. Rien d'étonnant à cela. Pendant le dîner, Lavarède s'était fait l'échanson de son commensal, et, l'un remplissant le verre, l'autre le vidant, la raison de l'employé n'avait pas tardé à sombrer. Vincents avait un magnifique « plumet ».

Cependant, quelque peu soutenu par son compagnon, encouragé surtout par la confidence que le paquet contenait entre autres choses une bouteille d'excellent rhum, le brave homme arriva tant bien que mal au « Public intrance » de la Compagnie des transports funèbres. Là, il se sépara du journaliste, et tandis que ce dernier suivait Susgrave street jusqu'au quai, il passa devant la loge du concierge, traversa la cour d'un pas mal assuré, s'engagea dans une enfilade de bureaux et enfin atteignit le hall des trépassés.

Les quatre murs nus formaient un rectangle allongé que recouvrait une toiture vitrée. Deux portes y donnaient accès. L'une, par laquelle venait d'entrer l'employé, l'autre située dans la paroi opposée, qui servait à la sortie des « marchandises ». Une cinquantaine de « bières » posées sur des chevalets, étaient alignées le long des murailles. Au-dessus de chacune était fichée une étiquette portant un numéro d'ordre.

Vincents commença par s'enfermer soigneusement, puis choisit dans un trousseau de clefs celle de la porte du quai et alla ouvrir à son cher cousin.

Un instant après, les deux hommes étaient assis côte à côte et surveillaient une casserole où le rhum, échauffé par la flamme d'une lampe à esprit-de-vin, faisait entendre un grésillement du plus heureux augure. Malgré un certain embarras de la langue, le « veilleur » parlait beaucoup, commençant des histoires qu'il ne terminait pas, et ne conservant dans le trouble de ses idées qu'une pensée nette. C'était la seule, aussi l'exprimait-il fréquemment.

– By God, disait-il, j'ai le gosier sec comme amadou. Pressez le punch, cousin, que je lui donne l'accolade.

Enfin Lavarède déclara à point le mélange contenu dans la casserole et servit largement l'employé. Mais on eut dit que le breuvage augmentait encore la soif de Vincents. Il engloutissait les verres de punch avec une rapidité prodigieuse, sans s'apercevoir que son compagnon ne buvait pas.

L'effet de ce surcroît d'alcool fut foudroyant. L'Irlandais cessa brusquement de bavarder, ses yeux se fermèrent malgré lui. Il oscilla sur l'escabeau qui lui servait de siège et il serait infailliblement tombé à la renverse si Armand ne l'avait reçu dans ses bras.

Doucement, le Parisien le coucha sur le sol, où l'ivrogne s'étendit avec un grognement de béatitude.

– Ouf ! murmura Lavarède, m'en voici débarrassé. Maintenant, à l'ouvrage.

Sur une table étaient rangés les outils : tournevis, marteau, etc., nécessaires pour réparer les accidents survenus aux colis. Le jeune homme s'en empara et fit le tour du hall en consultant les étiquettes des cercueils. Le numéro 49 frappa bientôt ses regards. Lavarède s'arrêta, en proie à une émotion singulière.

Devant lui s'allongeait la bière de chêne verni, curieusement fouillé, qui contenait la dépouille du Mandchou Kin-Tchang. Dans cette demeure exiguë, le mort avait rêvé de dormir le sommeil éternel. Il avait pensé, protégé par elle, retourner au pays natal d'où, vivant, il avait du s'exiler ; et à l'idée de tromper ce suprême espoir, de dépouiller cette chose sans nom qui avait été un homme, le Parisien sentit s'accélérer les battements de son cœur, pendant qu'une sueur glacée perlait à ses tempes.

Il fut sur le point de renoncer à son expédition, de s'enfuir, pour ne pas devenir profanateur d'un tombeau, mais il se ressaisit. Après tout, c'était un Chinois, un de ces magots dont, tout petits, les Occidentaux apprennent à rire ; et puis, en somme, quel tort lui faisait-il ? La terre de l'Empire du Milieu était elle préférable au linceul vert des eaux ?

Brusquement, Lavarède desserra les écrous qui maintenaient le couvercle du cercueil et découvrit la caisse. À l'intérieur, capitonné de satin bleu brodé d'or, dans une sorte de nacelle de plomb, le

Mandchou apparut, les coudes au corps, les bras repliés de telle sorte que les index s'appuyaient aux lobes des oreilles. Ses yeux grands ouverts (en Chine on ouvre les yeux du défunt, alors que dans nos pays on les ferme) semblaient regarder avec une fixité inquiétante les paysages de l'au-delà. À ce moment passa dans l'air comme un murmure de voix. Lavarède se retourna, saisi par une angoisse inexplicable. Mais presque aussitôt, un sourire distendit ses traits. Le bruit venait du côté où dormait Vincents. L'ivrogne rêvait.

Courir à lui, lui prendre son trousseau de clés et revenir au Mandchou fut l'affaire d'un instant. Avec mille précautions, le journaliste fit glisser le cercueil à terre, et surmontant sa répugnance, il saisit Kin-Tchang par le milieu du corps. D'un brusque effort, il le tira de la caisse, et, frissonnant au contact de son lugubre fardeau, il marcha vers la porte du quai. Il l'atteignait presque, quand Vincents l'appela :

– Mon cousin !

Le jeune homme s'arrêta, les pieds cloués au sol, et tourna la tête vers l'ivrogne. Dans ce mouvement, il se trouva nez à nez avec le mort, dont le chef reposait sur son épaule. Le Mandchou semblait sourire. Certes, si d'une autre patrie, il assistait à la scène, il devait se trouver bien vengé par les transes de son ennemi. Lavarède subissait une sorte d'hypnotisme ; les yeux fixés sur les yeux de Kin-Tchang, il avait le cou comme ankylosé et ne pouvait détourner la tête.

Une minute se passa ainsi, un siècle... pendant lequel Armand, gagné par l'immobilité de celui qu'il portait, croyait à tout moment sentir s'abattre sur son épaule la main de Vincents. Mais rien ne bougea. Peu à peu, le Parisien se rassura, ses muscles tendus s'assouplirent... Un ronflement sonore lui prouva que l'employé n'avait pas cessé de dormir, et il se mit en devoir d'ouvrir la porte. Le quai était désert.

– Sapristi ! Est-ce qu'il manquerait au rendez-vous ? grommela Armand. Non, reprit-il, après une inspection plus attentive, je crois reconnaître la silhouette de l'individu qui arrive là-bas.

À peu de distance, en effet, un homme marchait à petits pas, sans bruit, grâce à ses semelles de feutre. Lavarède adossa le corps du Mandchou au mur et se dirigea vers le promeneur. Ce dernier le regardait venir. Il le reconnut de son côté, car il lui demanda :

– Avez-vous réussi ?

– Parfaitement ! Le traître attend votre bon plaisir.

Le lettré à bouton d'ambre, – c'était lui, – eut un geste joyeux.

– En ce cas, faisons vite.

Sans émotion, cette fois, Armand retourna au hall, rechargea l'infortuné Kin-Tchang sur son épaule et le porta jusqu'au bord du quai. Le mandarin se pencha sur le mort.

– C'est bien lui, dit-il avec l'accent de la haine, le « Lotus blanc » est vengé.

Il descendit alors quelques marches de l'un des escaliers de débarquement ménagés dans le quai et ramassa avec peine un cylindre de fonte qu'il avait sans doute caché là par avance. Une corde solide l'assujettit à la ceinture du cadavre et, tranquillement, le Chinois poussa le tout dans l'eau.

Un bruit mat, suivi d'un éclaboussement, de grands cercles concentriques s'éloignant lentement du bord, puis plus rien. Le miroir liquide redevint uni, effaçant toute trace de l'opération funèbre. Le lettré tendit un paquet de bank-notes à Lavarède :

– Voici les deux mille dollars qui vous sont dus. Adieu, mon compagnon. Que la divinité vous soit propice.

Et il s'éloigna rapidement, peu soucieux sans doute de demeurer plus longtemps sur le théâtre de ses exploits.

Armand le suivit des yeux, et quand sa silhouette se fut confondue avec l'obscurité, il rentra dans le hall. Un instant après, le cercueil de plomb contenu dans le coffre allait rejoindre la dépouille du Mandchou : cela faisait de la place. Lavarède ne tremblait plus. À l'aide d'une vrille, il perça de quelques trous les parois de la caisse, où il comptait vivre désormais.

Ces préparatifs terminés, il remit à leur place les outils de la Compagnie et rattacha les clefs à la ceinture de Vincents. L'employé ronflait toujours. Un sourire flottant sur ses lèvres, le Parisien le considéra, puis il introduisit dans une enveloppe qu'il avait préparée les bank-notes du mandarin, la ferma soigneusement et la plaça bien en vue sur la chaise qu'occupait naguère son pseudo-cousin. Cela fait, il ramassa les vivres dont il s'était chargé en quittant le China-Pacific-Hotel, les déposa dans la bière vide replacée sur les chevalets, et s'étendant lui-même au fond de la boîte funéraire, il en fit retomber le couvercle sur lui. Désormais, jusqu'à la côte chinoise, Lavarède était « mort » !...

À l'aube, quand Vincents, la tête lourde, ouvrit les yeux, il s'étonna d'être seul. Mais il aperçut la lettre du Français. La suscription ne laissait aucun doute ; elle lui était adressée. Il la décacheta et ses gros doigts rouges tremblant au contact des banknotes, il lut :

« *Mon cher cousin,*

« *Acceptez ces deux mille dollars à compte sur l'héritage dont je vous ai parlé. Moi, je renonce volontairement à la vie, mais on revient parfois de l'autre monde. Si cela m'arrive, je m'empresserai de vous en informer.*

« *Croyez bien qu'en quittant cette terre, j'emporte de vous le plus cordial souvenir.* »

L'employé se frotta les yeux, relut l'étrange missive, se prit la tête à deux mains, geste qui, chacun le sait, signifie que l'on donne sa langue aux chiens. Sa mimique se termina par un haussement d'épaules et par cette phrase, prononcée d'un ton tranquille :

– C'était un fou ; mais deux mille dollars c'est raisonnable.

Sur cette oraison funèbre quelque peu cavalière, Vincents quitta le hall sans prendre garde à un rire étouffé qui semblait partir de la bière numéro 49.

À la même heure, Bouvreuil, assis dans sa chambre, était en grande conversation avec l'un des jeunes garçons du China-Pacific-Hotel originaire d'Allemagne. Moyennant une rétribution honnête, le boy surveillait, pour le compte du propriétaire, les démarches d'Armand et de ses compagnons.

– Alors, s'écriait le père de Pénélope, vous dites qu'il n'est pas rentré de la nuit ?

– Non, monsieur ; le voyageur de la chambre 13 a découché.

– Découché !... et les autres ?

– Ils se sont enfermés chez eux.

– Enfermés !

Bouvreuil sauta à terre, et tout en passant son pantalon :

– Pourvu qu'ils n'aient pas quitté l'hôtel à la faveur des ténèbres.

Le petit Allemand secoua la tête.

– C'est peu probable, car leurs chaussures sont encore à leur porte.

L'usurier respira :

– Ah ! c'est bien, mon ami, je vous remercie.

Resté seul, Bouvreuil réfléchit tout en continuant de s'habiller.

– Ce diable d'homme a disparu, se dit-il, mais j'ai un moyen de le rejoindre. S'il est sur le point de poursuivre son voyage, les Anglais, forcés de faire route avec lui, vont sûrement le retrouver. Il s'agit donc de ne pas les perdre de vue.

À la hâte il empila pêle-mêle dans sa valise sa peu volumineuse garde-robe et quitta sa chambre. Sir Murlyton et sa fille dormaient encore. Leurs brodequins, ainsi que l'avait affirmé le garçon, s'alignaient devant leur porte.

Bouvreuil, enchanté, alla se dissimuler dans le bureau de l'hôtel, désert à cette heure matinale, et d'où il pouvait voir sans être vu. Pendant près de deux heures il attendit. La faction commençait à lui paraître insupportable, quand miss Aurett, donnant le bras à son père, se montra enfin.

Tous deux gagnèrent la rue, du pas tranquille de deux bons bourgeois qui se promènent. Certes, sans l'absence inexplicable de Lavarède, le propriétaire n'aurait pas songé à leur emboîter le pas. Mais sa méfiance, – et il en avait en proportion directe de sa duplicité, – était éveillée. Son bagage à la main, il suivit les Anglais.

Ceux-ci ne soupçonnaient pas l'usurier si près d'eux. Ils faisaient, le long du chemin, les emplettes indispensables pour la longue traversée qu'ils allaient entreprendre. Bouvreuil tressaillit d'aise en les voyant se munir d'une valise et y entasser du linge, des objets de toilette, des parfums. Décidément, ces gens étaient sur leur départ, et il se louait de sa perspicacité.

À l'angle d'une rue, les Anglais ayant tourné, il allongea le pas pour les rejoindre. Mais en débouchant sur l'avenue, il se jeta presque dans leurs bras. En l'apercevant, Aurett poussa un petit cri.

– Mon père, voyez-vous cet homme !

– Aoh ! répliqua flegmatiquement Murlyton, que fait-il là ?

– Il a sa valise.

– Comme nous la nôtre.

– Il nous suit.

– Peut-être !

Pendant ce rapide colloque, Bouvreuil avait traversé la rue, et debout sur le trottoir opposé, semblait très intéressé par la lecture d'une affiche.

– Il faut que nous lui fassions perdre notre trace, mon père.

– Vous pensez ainsi, Aurett ?

– Oui, par délicatesse envers M. Lavarède.

– Alors, vous allez être satisfaite.

Un « hansom » passait. Sur un signe du gentleman, la voiture vint se ranger contre le trottoir. Les Anglais y prirent place. Mais déjà, le propriétaire, attentif à tous leurs mouvements, arrêtait un autre véhicule. La jeune miss lui montra le poing avec colère.

– C'est trop fort ! Il prétend ne pas nous quitter !

Murlyton haussa les épaules et, montrant une livre sterling au « cabby », juché sur le siège.

– Vous voyez ceci ? fit-il paisiblement.

– Oui, gentleman !

– C'est à vous si vous distancez le cab.

– Où allons-nous ?

– Où vous voudrez.

– *All right !*

L'homme rassembla les rênes, enleva son cheval d'un coup de fouet et la voiture partit bon train. Le cab de Bouvreuil s'ébranla et suivit à la même allure. Durant quelques minutes, les deux véhicules maintinrent leur distance. Soudain, un rassemblement barra le passage.

– Bon ! grommela le gentleman, il ne manquait plus que cela ! Nous sommes cernés.

Mais la promesse d'une guinée donne de l'esprit à un cocher. Celui du « hansom » leva son fouet en l'air et, d'une voix retentissante cria :

– Service de la police !

Les badauds s'écartèrent aussitôt pour se reformer en masse plus compacte après le passage de la voiture. Aurett battit des mains toute joyeuse. Moins adroit ou moins stimulé, l'automédon de Bouvreuil parlementait avec la foule qui refusait de lui faire place.

Pendant ce temps, le « hansom » roulait rapidement, se jetait dans une rue transversale et disparaissait. Bouvreuil était battu. Dépité au possible, il revint au China-Pacific-Hotel. Il lui restait une chance de retrouver les fugitifs. C'était de consulter le « tableau du mouvement du port », afin de savoir quels bateaux devaient prendre la mer dans la journée.

Comme il y arrivait, un homme sortait de l'hôtel. C'était Vincents qui, sa garde terminée, était venu demander à master Tower s'il n'avait pas revu son pseudo-cousin.

Sur sa réponse négative, il s'en allait, haussant les épaules. Bouvreuil le reconnut : c'était le convive amené à deux reprises à la table d'hôte par Lavarède, personnage qui l'avait fort intrigué. L'occasion était trop belle pour qu'il ne la saisît pas aux cheveux, lesdits cheveux étant, dans l'espèce, le bras de Vincents qu'il happa au moment où l'Irlandais passait à sa portée :

– *What's* ? fit celui-ci, non sans étonnement.

– Vous cherchez sans doute votre ami ? répliqua l'usurier.

– Oui.

– Moi aussi !

– Vous ?

– Moi... Nous avons fait ensemble le voyage de France ici... Je suis très inquiet, et comme hier soir il a quitté l'hôtel en votre compagnie, je pensais que vous pourriez me rassurer sur son compte.

– Hélas ! non ! soupira Vincents en prenant un air affligé. Je crois qu'il est mort... du moins il me l'a écrit.

– Qu'est-ce que vous me chantez-là ?

– La vérité... Voici la lettre de mon pauvre cousin.

– Il est votre cousin ?

– Oui... venu d'Irlande tout exprès pour me voir.

Le propriétaire à ces mots eut peine à réprimer un mouvement de joie. Ses soupçons vagues prenaient corps. Il devinait qu'il avait en main un instrument dont le Parisien s'était servi. Pourquoi ? Dans quel but ? Voilà ce qu'il importait de savoir, et ce qu'il saurait.

– Tenez, reprit-il d'un ton bonhomme, vous me paraissez aussi affecté que moi-même. Voulez-vous accepter un verre de porto ? Nous causerons, peut-être qu'à nous deux nous réussirons à retrouver sa trace ; car il n'est pas possible qu'il soit déjà mort.

Un verre de porto-wine ne se refuse jamais. Vincents accepta. Un instant après, les deux hommes étaient assis dans la chambre de Bouvreuil, en face d'une bouteille dont la panse poussiéreuse attestait l'âge respectable... et Vincents racontait... et Bouvreuil écoutait...

Cependant, miss Aurett et son père, délivrés de leur opiniâtre poursuivant, s'étaient fait conduire dans un restaurant voisin du port, avaient déjeuné et s'étaient ensuite rendus à bord du *Heavenway.* Son chargement terminé, le steamer attendait sous pression que la marée fût haute. Tout était disposé à bord et les volutes de fumée qui s'échappaient des cheminées indiquaient que le navire était prêt à prendre le large au premier signal.

La jeune Anglaise ne tenait plus en place. Debout, près de la « coupée », elle fouillait du regard la foule grouillant sur le quai, avec une crainte énorme de reconnaître Bouvreuil parmi les promeneurs. À deux pas, le capitaine du *Heavenway,* ex-capitaine marchand, que la haute paye offerte par la « Box-Pacific-Line » avait séduit, regardait aussi. Il était peu probable qu'il se présentât un supplément de chargement à cette heure ; mais on ne sait jamais et le « captain » était « paré » à recevoir l'imprévu.

La tête massive, le sang à la peau, la face élargie par des favoris roux, le maître, après Dieu, à bord du *Heavenway* était un Yankee dans toute la force du terme, aimable, peu ; bavard, pas ; mais pratique au possible, sachant utiliser les événements et la place. Son navire jaugeait deux mille tonneaux. Il trouvait le moyen d'y faire entrer pareil poids de marchandises et par-dessus le marché, les défunts chinois et les passagers vivants !... L'heure du départ était venue.

– Sommes-nous en pression ? demanda le capitaine à son second, debout sur la passerelle.

– Oui, monsieur.

À ce moment un homme pressé, une valise à la main, pénétra sur le steamer en demandant d'une voix anxieuse :

– Monsieur Mathew, commandant du *Heavenway* ?

Sir Murlyton et sa fille eurent un geste de mécontentement. Le nouveau venu était Bouvreuil.

L'usurier avait fait parler Vincents, et, de son récit, il avait conclu que Lavarède devait être à bord du vapeur, car il s'était trop intéressé aux Chinois pour que cela ne cachât pas quelque chose de suspect. Cette supposition était devenue une certitude lorsqu'il avait aperçu les Anglais sur le pont.

– Monsieur Mathew ? répéta-t-il.

– C'est moi, monsieur, répondit le capitaine en s'avançant vers lui.

– Fort bien. Enchanté de faire votre connaissance !...

Et lui tendant un imprimé :

– Je vais faire la traversée avec vous... Voici qui vous prouvera que je suis en règle avec l'administration du Box-Pacific.

M. Mathew s'inclina.

– C'est parfait, monsieur, seulement...

– Il y a un seulement ?

– Oui. Mon navire n'est pas aménagé en vue de passagers. Je ne possède que douze cabines.

– Cela suffit, déclara Bouvreuil.

– Or, continua imperturbablement l'Américain, sept sont occupées en ce moment...

– Il en reste donc cinq...

– Qui sont retenues par des gentlemen qui embarqueront à l'escale d'Honolulu.

Le père de Pénélope fit la grimace.

– Ce qui signifie ? reprit-il avec une visible anxiété.

– Que jusqu'aux îles Sandwich, il m'est possible de vous assurer une cabine, mais que, pour le reste du trajet, il vous faudra vous contenter d'un hamac dans le poste de l'équipage, à moins que vous ne préfériez attendre le prochain départ.

– Non, non, je me contenterai de ce qu'il y a, s'empressa de répliquer le propriétaire.

Il dut cependant s'avouer, in petto, que les voyages en mer ne lui réussissaient pas, et il évoqua le pénible souvenir de la *Lorraine*.

M. Mathew, portant à ses lèvres un gros sifflet fixé à l'extrémité d'une chaînette d'acier, en tira un son aigu et prolongé. À ce signal, le steamer parut s'animer, tel un monstre marin mugissant et crachant la vapeur. Les pistons glissèrent progressivement dans les cylindres avec un ronflement sourd. La fumée fusa par les cheminées. Et, sous la poussée de son hélice qui se tordait dans un tourbillon d'écume blanche, le *Heavenway* s'éloigna majestueusement du quai.

Lentement, comme pour laisser admirer la ville en son splendide panorama, il traversa le port encombré comme toujours par une véritable flotte marchande ; il louvoya par la baie, conduit par le pilote, entre les innombrables navires qui font le service des localités voisines : Auckland, Sancelito, Fulton. Plus loin, il dépassa l'îlot de la Quarantaine, puis San Rafaël et le coteau du Télégraphe. Enfin, après le fortin du Présidio, ayant franchi la passe de la Porte-d'Or, le navire stoppa pour laisser rentrer le pilote. Le cotre de ce dernier s'éloigna.

Alors, laissant Cliffhouse et l'île des Phoques en arrière, le *Heavenway* fendit de son étrave les flots de l'océan Pacifique.

Les premiers jours de la traversée s'écoulèrent sans incident... Le Pacifique restait uni comme un miroir, et les passagers du *Heavenway* pouvaient se promener sur le pont sans craindre les surprises du roulis.

Miss Aurett et son père avaient décidé que les autres passagers, – marchands de bœufs américains ou Chinois sans importance, – n'étaient point gens à fréquenter, et ils n'échangeaient quelques paroles qu'avec le capitaine Mathew et son second, M. Craigton.

Mais ces gentlemen eux-mêmes, quelque peu embarrassés en présence de personnes aussi correctes, ne leur étaient qu'une faible distraction.

Le dimanche, après une lecture de la Bible, faite à haute voix par le capitaine entouré de son équipage, Bouvreuil avait bien essayé de converser avec les Anglais, mais dès les premiers mots, la jeune fille lui avait répondu si sèchement qu'il s'était tenu pour battu et n'avait plus insisté. Depuis ce moment, il avait évité d'approcher d'elle, se bornant à surveiller à distance tous ses mouvements.

Il avait son idée, ce propriétaire. Les Murlyton étant à bord, Lavarède devait y être aussi. Seulement le diable de journaliste était bien caché, et le père de Pénélope eut beau parcourir le navire, il ne l'aperçût nulle part. La chambre des machines, la soute aux vivres, le poste de l'équipage, sa demeure future, furent de sa part l'objet d'investigations minutieuses, qui ne donnèrent aucun résultat ; mais il y mettait de l'entêtement.

– Il est ici, se répétait-il, à un moment quelconque il devra bien se montrer. Il s'agit donc de ne pas perdre de vue la jeune miss. Elle est mon « indicateur ».

Et sur cette épithète policière qui eût fait bondir celle qui en était l'objet, Bouvreuil s'était mis aux aguets.

Les journées des 8 et 9 août se passèrent sans qu'il eût relevé le plus léger indice de la présence de son ennemi à bord, et rentré dans sa cabine de fort méchante humeur, il s'étendit sur son cadre en proférant contre Armand les plus terribles menaces. Heureusement les forces humaines ont des limites ; malgré son exaspération, l'usurier s'endormit de ce sommeil profond improprement appelé sommeil de l'innocence.

Au milieu de la nuit, il fut réveillé en sursaut par un bruit éclatant qui retentit sous le plancher de sa cabine. Bouvreuil n'était rien moins qu'un héros. Il se dressa sur son séant et, très ému, prêta l'oreille. Mais le silence s'était fait. Au bout d'un instant, le propriétaire se renfonça dans ses draps en maugréant. Il avait eu un cauchemar, voilà tout. Au-dessous des cabines était le compartiment réservé aux cercueils. Quelle apparence que le vacarme vint de là ! Les défunts couchés dans leurs bières sont gens silencieux, de voisinage paisible. Le doute n'était pas permis, Bouvreuil avait rêvé. Et sur cette affirmation, le délégué des porteurs de Panama s'était rendormi benoîtement.

Pour une fois, sa perspicacité était en défaut ; le bruit venait bien réellement de la soute aux trépassés. Lavarède, une fois enfermé dans sa bière, s'était ennuyé fermement, on le devine. Aux secousses qui agitaient sa prison, il avait compris qu'on l'embarquait. Puis la trépidation de l'arbre de l'hélice lui avait indiqué le moment du départ ; et, bien qu'il fût à l'étroit, il respira à l'aise lorsque le mouvement du roulis agitant le *Heavenway* d'un bord à l'autre lui eut apprit que le steamer avait gagné la haute mer. Nul ne pénétrait dans le compartiment funèbre. Le journaliste put donc sortir de sa caisse et se dégourdir les membres, quelque peu alourdis par sa longue immobilité. Certes, la promenade entre deux rangées de cercueils n'avait rien de folâtre ; certes aussi l'atmosphère était imprégnée d'une senteur musquée particulière à la race jaune ; mais, comme le jeune homme se le déclara à lui-même : « Il n'était pas là pour s'amuser ».

Tant bien que mal, les journées du 7 et du 8 août se passèrent ; mais le matin du 9, Armand constata avec inquiétude que ses provisions empruntées à l'office du China-Pacific-Hotel étaient épuisées. Un peu de chocolat, un croûton de pain, voilà tout ce qui lui restait pour accomplir une traversée de trente-deux jours !... Il ne s'abandonna pas au désespoir et résolut tout simplement d'attendre la nuit pour se glisser vers la cuisine et renouveler ses approvisionnements.

Elle fut longue à venir, cette nuit. L'estomac vide du voyageur protestait contre la lenteur des heures, mais les objurgations de cet organe n'influèrent pas sur la détermination du Parisien. Une imprudence pouvait tout perdre. Il valait mieux souffrir un peu et ne quitter sa cachette qu'au moment où, sauf les matelots de quart occupés sur le pont, tout dormirait à bord. Enfin, cet instant impatiemment désiré arriva.

Armand quitta le compartiment des « rapatriés », se glissa le long des coursives et atteignit sans encombre l'office, qui, sur les bâtiments modernes, remplace l'ancienne soute aux vivres. Biscuits, conserves de bœufs, bidons de vin furent empilés à la hâte dans un morceau de toile que notre explorateur trouva là.

Son butin empaqueté, il reprit en sens inverse le chemin qu'il venait de parcourir. Mais la chance qui avait protégé son excursion jusque-là, l'abandonna soudain. Dans le couloir des cabines, Lavarède se trouva face à face avec un homme de l'équipage. Le corridor était étroit. Le matelot dévisageait Armand et paraissait surpris de ne reconnaître en lui ni un de ses camarades, ni un des passagers.

– *What are you doing here ?* demanda-t-il.

– Ce que je fais ici, commença le journaliste...

Ce qu'il faisait, il ne pouvait le dire. Un coup d'audace seul était capable de le tirer de là. Brusquement, il se jeta sur le marin sans défiance encore, lui passa la jambe et, tandis que l'Américain « nageait » sur le plancher, il s'élança en courant dans la direction du compartiment des cercueils. Mais l'homme, furieux, s'était relevé et se précipitait à sa poursuite. Armand tourna la tête sans ralentir son allure. Vingt pas le séparaient de son ennemi. C'était suffisant. D'un dernier effort, il atteignit la porte du compartiment, bondit dans sa bière et y disparut en faisant retomber le couvercle avec fracas au moment même où le matelot s'apprêtait à entrer dans le hall.

L'Américain s'arrêta net. D'un coup d'œil il avait reconnu le lieu où il se trouvait, et ce bruit subit, inexplicable, le terrifiait. Tous superstitieux, les marins. Sans crainte ils bravent les éléments déchaînés mais tremblent au seul nom de l'invisible.

L'homme n'alla pas plus loin. Il referma soigneusement la porte de la « chambre des morts », dans laquelle, ému, il avait jeté un regard un peu troublé. Rien d'insolite ne lui était apparu. Il remonta sur le pont, assez bouleversé ; là, il confia son aventure aux matelots de quart, et tous, sans hésitation, déclarèrent que le camarade avait rencontré un revenant. Et ils pouvaient bien le dire, par un raisonnement logique : les morts seuls habitent chez les morts ; sans nul doute, on se trouvait en présence d'une âme séparée de sa guenille terrestre sans être en état de grâce.

Impressionné par les appréciations de ses compagnons, celui qui avait poursuivi Lavarède commença à n'avoir plus une perception bien nette de l'événement. Il en arriva à se figurer qu'il avait senti s'appliquer sur son mollet un objet plus froid que glace. Son amour-propre, du reste y trouvait son compte. Ce n'était pas un homme, c'était un esprit qui l'avait renversé...

À cette occasion, on rappela la lutte de Jacob avec l'ange, mais en dépit des citations bibliques et de l'air dégagé qu'affectaient quelques marins, la peur planait sur le navire.

En passant le quart à leurs remplaçants, les matelots leur firent part de l'incident merveilleux, en l'enjolivant un peu, bien entendu. Les seconds tremblèrent plus fort que les premiers et rapportèrent au poste de l'équipage une nervosité qui gagna les hommes de proche en proche.

Bref, au matin tandis que Lavarède, un peu inquiet des suites de l'aventure, se tenait coi dans sa caisse capitonnée, il n'était pas un gabier qui, en suivant les couloirs du steamer, ne se sentit mal à l'aise et n'interrogeât d'un regard anxieux les coins noyés d'ombre, avec la crainte de voir se dresser brusquement « l'âme en peine du *Heavenway* ».

Or, de bonne heure, sir Murlyton et sa fille étaient montés sur le Pont. Le capitaine Mathew les avait informés que ce jour-là, 10 août, le steamer traverserait le grand courant du Pacifique, désigné sous le nom de Kuro-Sivo ou fleuve Noir. Appuyés au bastingage, ils écoutaient les explications de l'Américain.

– Le nom de ce courant, disait-il, est parfaitement justifié. Il forme un véritable fleuve dont les eaux ont une teinte plus foncée. Large de huit à neuf kilomètres en moyenne, le Kuro-Sivo se fraie un passage à travers les flots de l'océan. Il est bien le pendant du Gulf-Stream, le courant atlantique.

– Mais, demanda Aurett, a-t-il une température aussi élevée ?

– Oui, mademoiselle, et si la portion sud du territoire d'Alaska est couverte d'une végétation abondante, c'est uniquement à l'influence du Kuro-Sivo que ce phénomène doit être attribué. Sans cela, comme tout le reste de la presqu'île, la côte méridionale serait obstruée par les glaces et la flore y serait représentée par des mousses, des lichens et quelques maigres bouleaux.

– Enfin c'est quelque chose comme Roscoff en France ?

– Précisément. Seulement le « Roscoff » américain, qui fut russe autrefois, s'étend sur une longueur de quatre cents kilomètres.

Sir Murlyton complétait ces renseignements par la théorie connue des courants chauds, quand M. Craigton s'approcha d'un air embarrassé.

– Qu'avez-vous donc ? demanda M. Mathew à son second, vous ne semblez pas dans votre assiette.

– C'est qu'il se passe à bord des choses mystérieuses.

Le capitaine eut un haut-le-corps.

– À mon bord ?

– Oui, monsieur.

– Expliquez-vous.

– Je ne demande pas mieux, monsieur Mathew. Voici. Cette nuit, le matelot Fivecreek a rencontré, dans le couloir des cabines, un être qui avait la forme d'un homme.

– La forme d'un homme, s'écria le capitaine. Qu'entendez-vous par ces mots : la forme d'un homme ?

– Je veux dire que c'était seulement une apparence. Fivecreek ne reconnut en lui ni un passager, ni un marin de l'équipage, et il lui demanda ce qu'il faisait à cet endroit.

– Eh bien ?

– Mal lui en prit, continua Craigton, car soudain il entendit des paroles dites en une langue inconnue... puis un froid terrible. On eût dit qu'un bloc de glace lui était appliqué sur la peau. L'impression fut si forte qu'il tomba à terre.

M. Mathew haussa les épaules.

– Fivecreek était ivre... Il a rêvé.

– Je ne crois pas, monsieur. Le premier moment de stupeur passé, le garçon se releva et poursuivit le singulier promeneur, mais celui-ci gagna le « compartiment des morts » et y disparut avec un fracas de tonnerre.

La jeune Anglaise regarda son père, moitié sérieuse, moitié souriante.

Elle devinait bien qui était l'auteur de la panique. Elle riait à la pensée de Lavarède devenu un revenant pour l'équipage ; mais, comprenant que le jeune homme était sorti de sa cachette pour remplacer ses vivres épuisés, elle éprouvait une sourde inquiétude. Avait-il réussi dans son expédition, et dans ce moment même ne souffrait-il pas de la faim ?

Le capitaine se tut un instant. Évidemment il était embarrassé. Les règlements maritimes n'ont pas prévu le cas où un revenant s'introduirait à bord. Que devait-il faire ? La réponse à la question ne vint pas, et plutôt que de rester court, M. Mathew jugea politique d'affecter l'incrédulité la plus complète.

– Monsieur Craigton, dit-il d'un ton goguenard, je ne conçois pas que vous, un officier sérieux, vous vous fassiez l'écho de pareils contes. Veuillez prévenir Fivecreek que s'il lui arrive encore des aventures merveilleuses, je le mettrai aux fers pour calmer son imagination.

Le second s'inclina, mais, tout à coup, il demeura courbé en deux, sans achever le mouvement commencé. Une voix avait prononcé ces paroles :

– M'est avis que le matelot n'a point rêvé. J'ai moi-même été réveillé cette nuit par un grand bruit qui paraissait venir de l'endroit où sont les cercueils.

Tout le monde s'était retourné vers celui qui avait parlé. C'était Bouvreuil. Monté sur le pont depuis quelques minutes, il avait écouté sans être remarqué le rapport du second. L'inquiétude de la jeune Anglaise ne lui avait pas échappé et flairant vaguement une corrélation entre l'aventure du matelot et la disparition de son introuvable « gendre », il s'était mêlé à la conversation. Le capitaine toisa le passager.

– Vous prétendez avoir entendu ?...

– Oui, capitaine, je vous le répète, j'ai été tiré de mon sommeil par un bruit épouvantable.

– Et, questionna le second, avez-vous remarqué à quelle heure le fait s'est produit ?

– Il pouvait être environ minuit.

Craigton hocha la tête.

– C'est bien l'heure indiquée par Fivecreek.

Quant à M. Mathew, il ne riait plus. Point esprit fort du tout, n'ayant qu'une instruction primaire peu supérieure à celle de ses subordonnés, le capitaine, en dehors de son métier qu'il connaissait bien, était ignorant de toutes choses. Rien d'étonnant à ce qu'il partageât les superstitions de ses matelots. Il avait essayé de railler d'abord, mais le témoignage d'un passager donnait à l'incident un caractère d'authenticité indéniable. Le navire était hanté. Et M. Mathew songeait, avec un malaise inexprimable, qu'avant d'atteindre Honolulu, première escale du steamer, il faudrait vivre sept jours dans un étroit espace ou un être de l'autre monde avait élu domicile. La perspective n'était rien moins que gaie.

Miss Aurett suivait ses pensées sur son visage. Elle essaya d'égarer l'opinion du brave homme et d'un ton indifférent :

– Je crois qu'un colis mal attaché sera tombé, dit-elle ; cela expliquerait le vacarme qui a réveillé monsieur.

Elle désignait Bouvreuil. Celui-ci n'avait pas quitté la jeune fille des yeux et ses soupçons avaient pris corps. Son jeu était de contrecarrer l'Anglaise ; aussi il s'empressa de répondre :

– En effet, mais la rencontre faite par le matelot Fivecreek n'est pas expliquée par cette hypothèse.

Puis d'un air bonhomme :

– Il me semble d'ailleurs facile de savoir à quoi s'en tenir.

– Ah ! fit M. Mathew, et comment, je vous prie ?

– L'être fantastique s'est dissipé dans la chambre des Chinois. Il suffirait de placer un factionnaire à la porte de cette pièce. Ou la supposition de mademoiselle est la bonne et il ne se produira plus rien d'anormal, ou le marin a bien vu et alors le visiteur mystérieux fera encore des siennes. Nos doutes seront ainsi transformés en certitude, et nous n'aurons plus, le cas échéant, qu'à faire dire quelques prières pour assurer le repos de l'âme errante et le nôtre.

Aurett avait pâli légèrement. Le compartiment des rapatriés gardé, Lavarède était condamné à mourir de faim ou à s'avouer vaincu. L'une ou l'autre alternative lui paraissait désolante. Et cependant M. Mathew, enchanté de la solution proposée par l'usurier, se tournait vers son second en se frottant les mains.

– Vous avez compris, monsieur Craigton ?

– Parfaitement, monsieur Mathew.

– Eh bien ! Faites que la porte de la chambre jaune soit constamment surveillée.

Bouvreuil lança un regard de triomphe à la jeune miss. Celle-ci détourna la tête ; mais l'usurier avait eu le temps de constater que ses yeux étaient humides. De fait, Aurett avait éprouvé une émotion pénible en entendant l'ordre du capitaine. Un désir fou de bondir sur le propriétaire et de l'étreindre à la gorge avait possédé la douce enfant, et le souci du « convenable », toujours présent dans une cervelle britannique, avait failli être vaincu. Ce n'était plus seulement de l'antipathie qu'elle éprouvait pour Bouvreuil, mais un sentiment rageur qui ressemblait fort à de la haine. Sans déplaisir, elle eût vu le père de Pénélope aux prises avec les plus abominables aventures. En un mot, la colère apprenait la férocité à l'innocente créature qui, jusque-là, n'avait connu que le sourire et la bonté. L'agneau devenait enragé. Et par contrecoup, la jeune fille, qui jusqu'alors, s'était avoué timidement qu'elle ressentait « une certaine amitié » pour Armand, en arriva à se déclarer nettement que le mot amitié était insuffisant.

Sa franchise fut aussitôt récompensée par un trouble si délicieux qu'elle n'hésita plus à considérer comme un devoir d'aider le journaliste. Elle dut reconnaître cependant qu'en agissant dans ce sens elle irait à l'encontre de l'intérêt de son père et jugea décent d'obtenir son assentiment. La chose était aisée. Le gentleman adorait sa fille. Il accepta sans trop de peine les raisons quelque peu spécieuses dont elle le bombarda.

– Eh bien, soit ! lui dit-il pour conclure…, devoir d'humanité, devoir de reconnaissance… agissez à votre guise. Je vous donne carte blanche.

La cloche du déjeuner réunit au « carré » les officiers et les passagers.

L'Anglaise avait repris son air souriant, mais le rose de ses joues s'était légèrement accentué et ses yeux pétillaient de malice, ainsi que ceux d'un jeune chat auquel le hasard accorde un tête-à-tête avec un fromage à la crème. Bouvreuil fit toutes ces remarques, non sans une certaine inquiétude. Miss Aurett ne le regarda même pas. Tranquillement, elle s'assit à sa place habituelle, causa comme à l'ordinaire des menus incidents du bord, et parut avoir oublié ce qui s'était passé le matin. Mais, quand le café fumant eut été versé aux convives, elle interrompit tout à coup le capitaine Mathew au milieu d'une dissertation sur les « frégates » ces admirables oiseaux que l'on rencontre en pleine mer, à cinq ou six journées des côtes.

– À propos, capitaine, et le fameux revenant ?

– On ne l'a pas revu, mademoiselle.

– Vraiment ! Vos marins doivent être rassurés ?

M. Mathew fit la grimace :

– Peuh !

– Quoi ! Ils tremblent encore ? Un esprit... gardé par un factionnaire n'est cependant plus à craindre.

Elle riait en parlant ainsi. Son ton gouailleur piqua le capitaine au vif.

– Eh ! mademoiselle, les matelots sont courageux lorsqu'il s'agit d'un danger connu. La tempête, la foudre ne les empêchent pas de veiller à la manœuvre ; mais contre... les choses de l'autre monde, contre les êtres impalpables, l'homme le plus brave ne peut rien.

Il avait baissé la voix sur ces mots, prouvant ainsi qu'il n'était pas à l'abri de toute inquiétude. La gaieté d'Aurett parut s'en augmenter. Elle reprit :

– Vous n'avez pas un marin anglais dans l'équipage ?

– Non, tous Américains, mais pourquoi ?

– Parce qu'il aurait redonné du cœur aux autres.

On sait l'antagonisme qui existe entre la vieille Albion et la jeune Amérique, entre John Bull et son fils Jonathan. Rien ne pouvait être plus désagréable au capitaine que la réflexion de la jeune fille.

– Un Anglais, répliqua-t-il d'un ton bourru, ne ferait pas autrement que les autres.

– Oh ! que si !

M. Mathew devint cramoisi.

– Eh bien ! Je vous parie, commença-t-il...

Mais il s'arrêta et continua avec plus de calme :

– J'allais dire une sottise, puisqu'il n'y a aucun matelot de votre nation à bord.

– Cela ne fait rien, qu'alliez-vous parier ? questionna la jeune fille, intérieurement ravie de voir son interlocuteur au point où elle voulait l'amener.

– Non, c'est inutile...

– Je vous en prie.

– C'est pour vous obéir alors. J'allais parier qu'un Anglais ne se montrerait pas plus tranquille que mes hommes. Vous le voyez, le pari était platonique, puisque mon navire ne porte aucun natif de la Grande-Bretagne.

Le visage d'Aurett était devenu grave.

– Je ne suis qu'une jeune fille, dit-elle en affectant un grand sérieux, mais je tiens le pari. Moi, je ferai ce qu'aucun de vos matelots ne ferait, et j'espère ainsi les rassurer.

– Vous ! s'écrièrent tous les assistants ébahis.

– Moi-même.

Et comme les convives l'interrogeaient du regard, l'Anglaise poursuivit :

– Le pari est-il tenu ?

– Oui, mademoiselle.

– Fixez vous-même l'enjeu.

– Dix dollars.

– Bien. Alors, capitaine, veuillez rassembler l'équipage sur le pont et lui faire la proposition que je vous soumettrai au dernier moment.

M. Mathew parut interloqué.

– Il est entendu n'est-ce pas, mademoiselle, que vous ne demanderez que des choses possibles.

– Naturellement. Puisque je m'engage à faire ce que je réclamerai de vos hommes. Vous ne supposez pas que je me livrerais à des fantaisies dont une personne bien élevée aurait à rougir.

Rassuré par cette déclaration, le capitaine promit, et le café dégusté, il monta sur le pont, suivi des passagers, curieux de savoir ce qui allait se passer. Ceux-ci, du reste, suivant la coutume américaine, engageaient des paris à leur tour. Les dix dollars de M. Mathew en mettaient mille en mouvement. Sur l'ordre transmis par le second, le sifflet des quartiers-maîtres appela l'équipage « en haut ». De la mâture, de l'entrepont, les marins obéirent à l'appel et se placèrent sur deux rangs, en face du groupe que formaient les officiers et les passagers. Alors miss Aurett se pencha à l'oreille de M. Mathew et prononça quelques mots à voix basse. Le capitaine eut un geste de surprise, puis prenant son parti, il s'adressa aux marins :

– Mes enfants, dit-il, un de vous a rencontré l'autre soir un personnage qui ne devrait pas être à bord.

Un murmure parcourut les rangs.

– Peut-être a-t-il été le jouet de son imagination. Il faudrait le prouver, afin de vous dispenser de la corvée de monter la garde à la porte du compartiment des Chinois.

Les matelots ébauchèrent un sourire. Évidemment, la suppression de la faction ne leur déplaisait pas. Encouragé par cet accueil, M. Mathew continua :

– L'affaire est simple. Désignez l'un de vous qui s'enfermera ce soir dans la chambre jaune. Comme cela au moins on saura si, oui ou non, l'âme d'un des défunts se promène la nuit. Vous me direz tout à l'heure ce que vous aurez décidé. Rompez les rangs !

Tous les visages s'étaient assombris. Les matelots se concertèrent entre eux. Au bout de cinq minutes, le plus ancien vint au capitaine, son béret à la main.

– Eh bien ? demanda M. Mathew.

L'homme se dandinait d'un air embarrassé :

– Faites excuses, capitaine, répondit-il enfin, mais les camarades aiment mieux que vous commandiez le service à l'un d'eux. Personne ne se soucie de défier les esprits, d'autant qu'il arrive malheur à ceux qui les narguent. Service ordonné, on obéira. Sans cela, jamais on n'arrivera à s'entendre.

– J'ai gagné le pari, capitaine, s'écria joyeusement Aurett.

Se tournant vers le gabier, elle ajouta :

– Dites à vos camarades qu'ils ne s'inquiètent plus. Aucun matelot n'ira dans la chambre des morts.

Le loup de mer interrogea des yeux son capitaine, et voyant que celui-ci approuvait la passagère, il s'en fut rejoindre ses compagnons, qui poussèrent un hurrah en apprenant le résultat de sa négociation. Pendant ce temps, l'Anglaise, avec son plus doux sourire, déclarait à ceux qui l'entouraient qu'elle passerait la nuit au milieu des cercueils. Tout le monde vanta son courage, Bouvreuil comme les autres. Mais, il s'éloigna en murmurant :

– Je comprends tout. C'est un système analogue à celui qu'il a employé de Paris à Bordeaux. Cette fois, la caisse est une bière. Je crois que je le tiens enfin et que le mariage de Pénélope marche.

XV

Les francs-maçons chinois

– Heureux qui, jeune encore, pâlit, chancelle et tombe

Dans l'éternel repos, dans la paix de la tombe.

– Rimeur imbécile, philosophe pompier ! Joli le repos ; adorable la paix ! Lequel des deux m'a donné ce commencement de lumbago ?

Lavarède parlait ainsi tout en s'étirant, en cambrant ses reins douloureusement impressionnés par une station trop prolongée dans la caisse du Mandchou Kin-Tchang. De la journée entière, il n'avait osé sortir de sa cachette. Il craignait une surprise. Il avait entendu les allées et venues des matelots remplaçant les factionnaires placés à la porte de son domicile ; et, se doutant bien de la cause de ce remue-ménage, il s'était tenu impassible. Mais encore que la boîte rectangulaire fût capitonnée, son peu de largeur en faisait un lit incommode. Aussi, lassé, moulu, le journaliste l'avait quittée vers le soir. Il était certain que l'on ne ferait plus de ronde à ce moment, et le voyageur de contrebande se promettait de passer la nuit assis, afin de se remettre de sa longue station horizontale. Prenant dans sa bière, transformée à la fois en chambre à coucher et en salle à manger, une boîte de bœuf conservé enlevée la veille à la cuisine, il commençait à souper de grand appétit, quand des pas se firent entendre dans le couloir.

– Bon, pensa-t-il, les passagers regagnent leurs cabines en corps. Ah çà ! Est-ce que je leur aurais fait peur ?

Il se tut brusquement, les pas s'étaient arrêtés à la porte et presque aussitôt une clef grinça dans la serrure. Le jeune homme n'eut que le temps de se jeter derrière un cercueil. Un flot de lumière pénétra dans son compartiment.

– Une ronde, ça y est, je suis pris !

L'imprudent s'était éloigné de sa cachette, et il lui était impossible maintenant de la regagner sans être vu. Vingt-cinq secondes s'écoulèrent, scandées par les battements de son cœur... et soudain s'éleva une voix douce :

– Je vous remercie, capitaine, disait-elle, ces bougies pour m'éclairer, ce livre pour me distraire suffisent. Je ne crois pas aux apparitions fantastiques, je suis certaine qu'il ne se produira rien de surnaturel et je veux gagner tout à fait mon pari.

– Pourtant, un matelot de garde dans le couloir, mademoiselle...

– Mais non, mais non, je ne cours aucun danger. Veuillez seulement, me remettre la clef... Merci, et maintenant, bonsoir.

On chuchota un instant, puis la porte se referma. Avançant un peu la tête, Lavarède aperçut miss Aurett, debout une bougie à la main, le corps légèrement penché en avant, écoutant s'éloigner ceux qui l'avaient accompagnée. Rassurée enfin par le silence, elle s'approcha des cercueils avec une répugnance visible et consulta les plaques de cuivre portant les numéros d'ordre appliquées sur les couvercles.

– 49, murmura-t-elle entre haut et bas, où est le 49 ?

Très surpris de la voir seule en pareil lieu, le locataire de ce numéro répondit aussitôt sur le même diapason :

– N'ayez pas peur, mademoiselle, le 49 est en promenade.

Elle tressaillit au son de sa voix, mais se remettant aussitôt :

– C'est vous, monsieur Lavarède ?

– Moi-même.

Sortant de sa cachette, il ajouta avec le plus grand sérieux :

– À quel heureux hasard dois-je le plaisir de votre visite ?

Les circonstances donnaient à la question un caractère burlesque. La jeune fille sourit et la glace fut rompue.

Au premier moment, l'Anglaise avait éprouvé quelque embarras, mais il était bien dissipé maintenant, et ce fut comme à un bon camarade qu'elle conta gaiement l'histoire du revenant. Elle devint plus sérieuse pour dire ses inquiétudes, la façon dont elle avait procédé pour pénétrer dans le compartiment des Chinois, afin d'apporter des provisions au prisonnier, et, en personne pratique, elle termina en tirant d'un sac caché sous sa robe, du chocolat, des biscuits, du porto-wine et même un superbe roast-beef froid précieusement enveloppé de papier de soie.

– Comme cela, déclara-t-elle, je serai tranquille. On ne surveillera plus ce lieu sinistre, et je pourrai renouveler vos vivres.

Armand l'écoutait avec une satisfaction très douce. Sur ces derniers mots, il lui prit la main et la porta à ses lèvres. Et comme elle paraissait embarrassée :

– Ne craignez rien, mademoiselle, fit-il, c'est ainsi que nos ancêtres marquaient leur respect aux princesses. En ce moment, voyez-vous, je suis touché de l'intérêt que vous me témoignez et de la courtoisie parfaite de sir Murlyton, car il vous a sûrement autorisée ?...

Elle eut un mouvement de tête plein de mutinerie.

– Mon père a permis... sans positivement permettre... mais il m'avait donné carte blanche. J'en ai usé.

– Il n'ignore pas votre présence ici, cependant ?

– Oh ! non, mais il ignorait que j'avais l'intention d'y venir lorsqu'il m'a donné licence de vous secourir. Je dois même ajouter, reprit-elle après un temps, que j'ai été fort grondée à cette occasion.

– Grondée, vous ?

Aurett prit une mine contrite.

– Oui, monsieur Lavarède. Après l'incident du pont, mon père me prit à part et me parla ainsi : « Je suppose, Aurett, que vous ne donnerez pas suite à votre projet ? – Pourquoi cela ? répondis-je. – Mais vous ne songez pas que ce tête-à-tête nocturne, avec mon très loyal adversaire ne serait pas convenable. » Je l'avoue, la réflexion m'embarrassa. Je n'avais pas songé à cela.

– Ni moi non plus, affirma le journaliste.

Elle frappa ses mains l'une contre l'autre.

– Vous non plus, alors j'ai bien fait d'insister. Enfin mon père se laissa fléchir, car il vous a en haute estime ; mais il vous demande la promesse formelle de garder le silence sur notre *shocking interview*.

– Oh ! mademoiselle, il ne m'a pas cru capable de chercher à vous nuire ?

– Me nuire ? répéta-t-elle. Il avait donc raison, cela serait-il compromettant ?...

– Non, non, ma chère et bonne petite sœur, il n'y a rien que de très amical et de très gentil dans tout ceci. Les seuls sentiments que j'éprouve sont la reconnaissance et le respect.

Le ton n'était peut-être pas tout à fait d'accord avec les paroles, la voix d'Armand tremblait légèrement, mais Aurett, qui, en posant sa question, avait cédé à un mouvement de coquetterie, lui sut un gré infini de sa réserve. Qu'importait désormais d'être seule avec lui. Une sœur n'a rien à craindre de son frère. Elle pensait qu'avec ce seul mot il avait réduit à néant les velléités de médisance qui eussent pu se produire. Tous deux, du reste, avaient conscience que le terrain était brûlant. Ils changèrent de conversation. Ils discutèrent longuement sur les divers moyens de rentrer en Europe, une fois qu'ils auraient atteint la Chine.

Lavarède projetait de gagner Shanghai et de s'engager comme matelot à bord d'un des vapeurs à destination de la Grande-Bretagne. La chose était facile, car les autorités chinoises faisant tous leurs efforts pour retenir les marins à terre, surtout depuis que la réfection de la marine est à l'ordre du jour dans l'Empire du Milieu, les équipages des steamers venus d'Europe sont rarement au complet au moment du retour.

Aurett approuvait ce plan qui semblait facile à réaliser. C'était même le seul qui fût pratique, comme le fit remarquer Armand. Impossible, en effet, de gagner l'Europe par la voie de terre. Il aurait fallu parcourir plus de sept mille kilomètres à travers des régions peu connues, au milieu de populations hostiles ou de déserts glacés.

Ce sujet de conversation épuisé, les jeunes gens n'échangèrent plus que de rares paroles. Miss Murlyton sentait le sommeil la gagner. Ses paupières alourdies se fermaient malgré elle. Lavarède s'en aperçut :

– Dormez, lui dit-il doucement, dormez, petite sœur.

Elle lui sourit et, confiante, s'endormit sous la garde de son ami.

Elle fut réveillée au matin par la voix de son père. Le gentleman, fâché de ne pas la voir, heurtait fortement la porte du compartiment. D'un regard rapide elle s'assura qu'Armand avait regagné sa cachette et, tranquille de ce côté, elle ouvrit.

– Quelle heure est-il donc ? demanda-t-elle à sir Murlyton que le second accompagnait.

– Six heures, il fait grand jour, et je commençais à m'inquiéter...

– Vraiment ! j'ai dormi si longtemps ?

M. Craigton eut un cri de stupéfaction.

– Vous avez dormi, mademoiselle ? Aoh !

– Mais certainement...

Et, fixant sur son père son clair regard, Aurett ajouta :

– J'ai même rêvé que l'esprit du bord me serrait la main en me nommant « sa sœur ».

Murlyton approuva de la tête et reconduisit sa fille à sa cabine. Mais elle n'échappa point pour cela à l'admiration de l'équipage et tout le reste du jour, lorsqu'elle se promena sur le pont, elle put voir les matelots s'incliner sur son passage avec un respect superstitieux.

En résumé, son intervention avait merveilleusement réussi. Le factionnaire de la chambre jaune était supprimé, et le Parisien débloqué ne courait plus le risque d'être vaincu par la famine. Aussi était-elle d'une humeur charmante. À ce point qu'une ou deux fois, elle daigna répondre à des observations émises par Bouvreuil. Comme elle aurait regretté sa condescendance si elle s'était douté que l'usurier avait quitté son cadre pendant la nuit, et qu'il avait passé une heure l'oreille collée à la cloison du compartiment des Chinois. Et ses regrets se fussent changés en terreur si elle l'avait entendu, après ce patient espionnage, murmurer en se frottant les mains, son geste favori quand il avait manigancé quelque chose de désagréable pour ses semblables :

– Flirtez, ma jolie miss, ce n'est pas celle qui flirte qui épouse.

La vie du bord avait repris sa monotonie. Pas un nuage au ciel, pas une lame à la surface de l'océan. Le soleil, implacablement, dardait ses rayons sur le steamer. Les passagers, engourdis par la chaleur, cherchaient la bande d'ombre des cheminées ou de la passerelle et là, étendus sur des rocking-chairs, ils somnolaient, plongés dans une sorte d'anéantissement.

Le *Heavenway*, silencieux au milieu de l'immensité muette, prenait l'apparence de ce vaisseau fantôme qui, suivant la légende maritime, erre sans cesse dans les déserts océaniques, conduit par un équipage de trépassés.

Si Lavarède s'ennuyait, il n'était pas le seul à bord. Miss Aurett elle-même paraissait d'une gaieté douteuse, ce qui désolait

M. Mathew, car la jeune fille, depuis son « exploit », était de sa part l'objet d'un culte particulier. Il la comparait naïvement à toutes les femmes célèbres dont il avait lu la biographie dans un livre du bord : Ophictalis l'assyrienne, Amnoser d'Égypte, qui défendit Thèbes, l'Armoricaine Arreda, Jeanne d'Arc, Sonia Kvercedja, brûlée vive par les Tatars, et qui a été surnommée la Jeanne moscovite. Une telle héroïne s'ennuyait ! Le brave homme était au désespoir. Par bonheur, dans la journée du 15 août, des requins se montrèrent autour du navire. Ils l'accompagnaient, prêts à happer ce qui tomberait à la mer. À défaut d'autre distraction, la pêche du squale n'est pas à dédaigner. Officiers et matelots furent enchantés d'en pouvoir offrir le spectacle à leur « young lady ».

Après une demi-heure d'efforts, on hissa sur le pont un des monstres. C'était un requin-marteau, ainsi nommé à cause de la forme de la tête. Il mesurait près de sept mètres et les assistants frissonnèrent en apercevant sa gueule énorme armée de deux rangées de dents triangulaires, tranchantes comme des lames d'acier.

Après la capture d'un de ces terribles hôtes de l'océan, il est d'usage de leur ouvrir l'estomac.

On y trouve généralement des objets absolument indigestibles qui attestent la prodigieuse voracité de l'espèce. Les marins du *Heavenway* n'eurent garde de manquer à cette coutume, et leur fidélité à la tradition fut récompensée par la découverte d'un tube de fer-blanc, hermétiquement clos, qui fut remis au capitaine.

– Aoh ! fit celui-ci, sans doute un document confié à la mer par des naufragés.

Ces mots excitèrent la curiosité des passagers qui entouraient M. Mathew ; l'officier fit sauter le bouchon de gutta-percha qui fermait le cylindre et tira du récipient une feuille de papier sur laquelle des signes s'alignaient.

(Plus heureux que les passagers du Heavenway, nous pouvons donner la traduction de ce curieux document.)

Le capitaine Mathew fit un geste de désappointement :

– C'est du chinois, grommela-t-il, impossible de déchiffrer ces hiéroglyphes.

– Voyons, demanda sir Murlyton en prenant le papier.

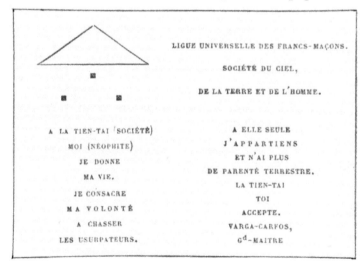

L'Anglais examina longuement les caractères et enfin :

– Je ne sais ce que signifient ces lignes, dit-il, mais il est au moins des signes que je reconnais.

– Lesquels ? demandèrent les passagers.

– Ce triangle et ces trois points qui sont placés en haut à gauche. Ils indiquent que nous nous trouvons en présence d'un document émanant des francs-maçons de Chine.

Tout le monde se récria :

– Des francs-maçons chez les Célestes, allons donc !

– Il en existe, affirma Murlyton, et non seulement ils ont le même emblème que nos francs-maçons d'Europe ou d'Amérique, le triangle ; mais encore les épreuves d'admission usitées chez nous, semblent avoir été empruntées à la société chinoise, de beaucoup plus ancienne.

– Vraiment, dit M. Mathew très intéressé, et vous pourriez nous apprendre comment procèdent les « Jaunes » ?

– Oui, grâce à une publication très étudiée qui a paru en Angleterre. Ma science est bornée, mais enfin voici ce dont je me souviens tant bien que mal.

Un mouvement d'attention parcourut l'auditoire et sir Murlyton commença :

– La Ligue du Tien-Taï ou « Société du Ciel, de la Terre et de l'Homme » existait déjà au deuxième siècle de l'ère chrétienne, et toutes les « images » des francs-maçons européens ont été inventées par elle. Ainsi, lorsqu'un néophyte veut être admis dans la Tien-Taï, également connue sous le nom de *Triade* et de *Ligue universelle,* il doit se rendre au « camp des fidèles » et se présenter à la « Porte de l'Orient ». C'est là que se tient l'exécuteur des hautes œuvres, dont le glaive nu est toujours prêt à s'abattre sur la tête des profanes assez audacieux pour s'introduire sans autorisation dans l'enceinte sacrée. Le nouveau venu est vêtu de blanc ; en principe, il doit porter une robe neuve, mais s'il est trop pauvre, la Société lui épargne cette dépense à la seule condition qu'il ait fait nettoyer son costume ordinaire avec le plus grand soin. Son épaule droite et ses genoux sont nus ; au lieu de tresser ses cheveux en nattes, il les laisse flotter librement sur sa nuque, afin de montrer qu'il proteste contre la domination tartare. Avant de franchir la porte sacro-sainte, le néophyte paye sa cotisation qui s'élève à dix-sept francs cinquante centimes. Cette indispensable formalité une fois accomplie, huit membres de la ligue le font passer sous une voûte de glaives entrelacés.

– Très curieux, déclarèrent les passagers d'une commune voix.

L'Anglais, enchanté de l'effet qu'il produisait, continua :

– Le catéchumène s'avance en tremblant dans l'enceinte mystérieuse. Le voici arrivé au pavillon des Fleurs Rouges, où les fidèles purifient leur âme dans les eaux puisées au fleuve Sam-Ho, sur les bords duquel se sont réfugiés les « cinq ancêtres », persécutés par l'ingratitude de l'empereur et les intrigues de son indigne favori Tan-Sing. Le néophyte parcourt ensuite le cercle du Ciel et de la Terre et traverse le Pont à deux Planches gardé par le « Jeune Homme rouge » armé d'une lance destinée à transpercer les profanes qui ont échappé à l'œil vigilant du gardien de la Porte de l'Orient. De l'autre côté de ce redoutable passage se trouvent le Marché de la Paix universelle, le Temple du Bonheur, la Cité des Saules et le Jardin des Pêchers ; c'est là le siège du Grand-Maître. Au moment où commence la cérémonie, le spectacle devient imposant, la voûte des épées se forme de nouveau sur la tête du néophyte. Il se met à genoux, prête un serment en trente-six articles et déclare que tous ses parents sont morts. Dans la langue des initiés cette formule signifie qu'un membre de la ligue ne reconnaît plus de liens terrestres. Après avoir fait cette déclaration, le catéchumène se prosterne au pied du trône du Grand-Maître, et les huit épées qui étaient entrelacées au-dessus de sa tête s'appuient sur son épaule nue. On lui présente une coupe d'arack, il mêle à ce breuvage quelques gouttes de sang qu'il fait couler de son bras dont l'épiderme vient d'être effleuré d'une légère piqûre, puis il boit le tout d'un seul trait et la Tien-Taï compte un fidèle de plus.

– Bon, interrompit Aurett, je constate que le ridicule est de tous les pays.

Le sourire des auditeurs prouvait qu'ils partageaient l'appréciation de la jeune fille, mais sir Murlyton secoua la tête.

– Vous avez tort, Aurett, dit-il, vous jugez légèrement. Ces mômeries, destinées à frapper l'esprit des simples, cachent des projets terribles pour le gouvernement chinois. Tout adhérent à la

Tien-Taï s'engage à n'avoir jamais recours aux autorités chinoises, à ne comparaître même comme témoin devant aucun tribunal. Il ne doit réclamer justice qu'au Grand-Maître de sa loge. Les sentences prononcées par ce dignitaire sont exécutées par les affiliés ; et la puissance de la Société, qui chiffre ses adhérents par millions, est telle que les mandarins n'osent sévir contre elle. Comprenez-vous qu'il ne faut pas railler une association dont le but avéré est de chasser les conquérants mandchous et qui a déjà inspiré à ses ennemis une crainte telle que ses membres sont assurés de l'impunité ?

– Ma foi, s'écria le capitaine, je ne saurais mieux vous remercier de votre conférence qu'en priant mademoiselle de conserver ce document ; il a un intérêt de curiosité, sans compter que le facteur qui l'a apporté à bord n'est pas banal.

Aurett accepta sans se faire prier. Le parchemin chinois ferait bien dans la collection de « souvenirs » qu'elle avait réunis, comme toute Anglaise voyageuse, et M. Mathew avait raison, la façon dont il était parvenu à bord lui donnait un véritable prix.

Huit heures plus tard, les passagers entendaient avec joie annoncer la terre.

Le *Heavenway* était en vue du port d'Honolulu, le meilleur mouillage des îles Sandwich ou Hawaï.

XVI

Des sandwich à la côte chinoise

Guidé par un pilote, le *Heavenway* embouqua la passe dangereuse tracée au milieu des récifs et jeta bientôt l'ancre dans le port d'Honolulu.

La ville s'étage en demi-cercle autour de la rade. C'est un spectacle ravissant pour les yeux fatigués de l'invariable horizon de la haute mer.

Les maisons apparaissent au milieu de massifs de cocotiers, d'aleuristes, de kalapepe, donnant l'impression moins d'une cité que d'une agglomération de villas de plaisance.

Le steamer ne devant reprendre le large que le lendemain, sir Murlyton et sa fille résolurent de passer la journée à terre. Une longue promenade leur ferait du bien. Ils pouvaient d'ailleurs se livrer sans danger au plaisir de la marche dans ce pays fortuné où les reptiles sont inconnus. Les batraciens eux-mêmes n'existent pas aux Sandwich ; et tout le monde s'y souvient de ce missionnaire allemand que les indigènes déclarèrent « fou », parce qu'il avait fait une allusion à l'ancien usage féodal de faire battre l'eau des fossés des castels pour imposer silence à la gent coassante.

Donc, les Anglais, après avoir parcouru quelques rues de la ville, gagnèrent la rivière Kanaha dont l'embouchure est voisine et remontant son cours, s'engagèrent dans la vallée de Nouhouhanou. Ils allaient d'un bon pas, admirant les champs cultivés, limités par des rangées de pandanus, d'arbres à pain, de cassia, de sida. L'air tiède incessamment rafraîchi par les brises de mer était chargé de parfums aromatiques.

Après une heure de marche, ils trouvèrent un véritable bois de fougères arborescentes. Ces plantes légères, qui dans nos climats restent toujours de petite dimension, s'élançaient ici à huit et dix mètres du sol, formant une voûte de verdure sous laquelle résonnait le bourdonnement grave des scarabées. Du feuillage pendaient de longues chevelures blondes, floraisons des fougères, mêlées aux touffes éclatantes du *haos*, arbuste étrange dont les fleurs, blanches le matin, deviennent jaunes au milieu du jour et rouges le soir. Au-delà, le sol s'élevait. Les voyageurs avaient atteint les premières assises de la montagne qui, aux Sandwich exceptés, comme dans toutes les îles de l'Océanie, occupe le centre des terres émergées.

À ce moment ils rencontrèrent un Papolo, un Canaque de la classe pauvre. L'indigène, encore que son visage fût tatoué de rouge et de bleu, portait avec aisance un complet de toile et un superbe panama. Il salua les voyageurs de ces mots :

– *Good Morning*, signor... señorita, je vous salue.

Cette salutation en diverses langues fit sourire Aurett. Elle ignorait que les Canaques hawaïens, sans cesse en contact avec les Américains et les Européens qui détiennent tout le commerce de l'archipel, ont accepté leur langage comme leur monnaie. De même que les louis français, les livres sterling, les dollars et les aigles américains, les lires d'Italie, les roubles russes et les piastres mexicaines tintent ensemble dans leurs poches, de même les mots de nationalités diverses se confondent dans leurs discours, ce qui, en y ajoutant le dialecte autochtone, donne naissance au plus réjouissant patois. Un voyageur a pu dire avec raison que la langue hawaïenne moderne est un volapuk océanien. En tout cas elle constitue une sorte de *sabir*, facile à parler et à comprendre, comme est pour les Latins le *sabir* des rives méditerranéennes.

Dans cet idiome panaché, le Papolo continua :

– Vous allez voir les Kakounas ?...

– Les Kakounas ? répéta sir Murlyton.

– Eh oui ! les prêtres de la déesse Pélé.

– Il en existe donc encore ? demanda le gentleman. Je croyais que l'ancienne religion avait complètement disparue, remplacée par le protestantisme, et même, depuis le roi Kalakaua, par l'athéisme.

L'indigène hocha la tête.

– Nous ne sacrifions plus à Pélé depuis que notre reine Kahaoumanou, veuve de Kametamahou, décida son fils le prince Liboliho, à violer « le tabou » le jour même où il revêtait le manteau de plumes royal. Mais les prêtres consacrés au culte de la déesse n'ont pas déserté ses autels et nous leur faisons comme autrefois des offrandes.

– Oui, murmura sir Murlyton, je comprends. Vous êtes chrétiens de nom et adorateurs de Pélé au fond de vous-mêmes.

Le Papolo eut un geste de dénégation énergique.

– Non, non, monsieur, ne croyez pas cela. Nous respectons les Kakounas parce que cela fait plaisir aux anciens, mais notre amitié est au Christ ; car c'est lui qui a mis fin à la tyrannie des chefs et qui nous a donné le suffrage universel.

Sous une forme bizarre, le Canaque disait la vérité. Les habitants de ce pays lointain, perdu en plein océan, jouissent du suffrage universel que la Belgique n'a pas encore pu obtenir.

Tout en devisant ainsi, les voyageurs escaladaient les flancs de la montagne. Aux arbres de la plaine avaient succédé des myrtes gigantesques, aux branches noueuses, couvertes de blanches floraisons.

– Nous sommes arrivés, dit le Papolo.

Il débouchait avec ses compagnons sur un plateau couvert d'une herbe courte et drue, que bornait une muraille perpendiculaire de rochers. Dans le granit, le ciseau patient des générations disparues avait creusé des figures enluminées d'ocre rouge. Une voûte irrégulière s'ouvrait au pied du roc, crevant d'un trou d'ombre la paroi inondée de lumière.

– Le temple de Pélé, dit simplement l'indigène.

Et comme les Anglais s'arrêtaient, regardant curieusement les lignes rouges tracées sur le rocher :

– Venez, ajouta-t-il, le tabou n'est plus observé et les Kakounas font bon accueil aux visiteurs.

Il y a encore soixante ans, un étranger n'eût pas traversé impunément le plateau où se trouvaient miss Aurett et son père. Le tabou, ou talus, consécration d'un lieu à la Divinité, punissait le profanateur d'atroces tortures ; mais aujourd'hui les coutumes d'hier sont déjà tombées en désuétude et, de l'antique religion canaque, il ne reste qu'un temple, demeure déserte d'un dieu détrôné.

À la suite du Papolo, les Anglais pénétrèrent dans le temple. C'est une succession de cavernes qui s'étendent sous la montagne, réunies par des couloirs étroits, tantôt plans, tantôt en pente raide où des marches ont été grossièrement taillées. Partout des aiguilles de granit trouant le plafond, s'élevant au-dessus du sol, des blocs aux formes étranges auxquels les enlumineurs sacrés ont donné l'apparence de monstres fantastiques ; et, dans les coins obscurs, des silhouettes de guerriers, appuyés sur leur lance, semblant monter l'éternelle faction dans cette demeure de l'éternité. Autrefois, le soldat vainqueur consacrait à la déesse les armes grâce auxquelles il avait remporté la victoire.

Sir Murlyton et la jeune fille suivaient leur guide, silencieux, recueillis, éprouvant, si l'on peut ainsi s'exprimer, une émotion rétrospective. Il leur paraissait que brusquement la roue des années était revenue en arrière, et qu'ils allaient assister à un de ces terrifiants sacrifices dont les voûtes du temple avaient été si souvent témoins. À leurs oreilles emplies de bourdonnements, arrivait comme un écho lointain du tambour sacré et ils se figuraient apercevoir, dans la pénombre, la théorie mystérieuse des prêtres et des vierges se rendant processionnellement à la salle du suprême sacrifice.

Ils s'arrêtèrent soudain. Au détour d'un couloir obscur, ils se trouvaient sur le seuil de cette salle, nommée aussi « caverne des victimes ». Plus vaste, plus peuplée de monstres de pierre que les précédentes, elle apparaissait grandiose. De la voûte, une crevasse bordée de végétations rubescentes, laissait filtrer une lumière rose qui ajoutait à l'apparence surnaturelle du lieu.

Presque aussitôt, une voix leur souhaita la bienvenue. Un Kakouna vêtu de la kalauwi, sorte de chasuble ouverte d'un seul côté, s'était levé du banc de pierre où il rêvait aux splendeurs disparues et venait à eux. Ah ! Il était bien loin des farouches sectateurs de Pélé. Il conduisit les touristes ainsi que l'eût fait un cicérone de profession, et la visite terminée, il réclama prosaïquement un pourboire que sir Murlyton lui octroya « à l'anglaise », c'est-à-dire suffisant, mais pas généreux. Le Papolo restait au temple, mais avant de prendre congé des Anglais, il leur dit :

– Hâtez-vous de gagner la plaine, car le vent moumoukaou pourrait bien souffler ce tantôt, et dans la montagne, il est dangereux.

– Qu'appelez-vous moumoukaou ? demanda Aurett.

L'indigène étendit le bras dans la direction du nord-est. C'est de ce côté, en effet, que soufflent les tempêtes qui ravagent parfois l'archipel. Le nom hawaïen de ce vent en dit long sur les désastres qu'il cause. Moumoukaou signifie « destruction ».

Les Anglais reprirent d'un bon pas le chemin de la ville. Comme ils se rapprochaient de la région cultivée, ils aperçurent devant eux, au bord de la mer, un vaste terrain, piqué de petites cases, véritables cottages, et égayé par des bouquets d'arbres et des allées bien ratissées. Seulement le tout était enclos de hautes palissades et de fossés. Sur une question qu'ils firent, un passant eut un geste d'épouvante et murmura dans son idiome.

– Moü-paké !

Ces paroles canaques n'apprenaient rien aux Anglais ; mais la mimique se joignit aux explications de l'indigène et il retrouva dans son vocabulaire polyglotte le mot horrible qu'il cherchait.

– Les lépreux !...

La lèpre, en effet, cette terrible affection qui désola l'Europe au moyen âge, sévit, depuis une trentaine d'années, sur le « petit peuple doré » d'Hawaï, qui l'appelle le *mal de Chine*. Deux centièmes de la population en sont frappés. Autrefois, on se contentait d'attacher des grelots au cou des malades pour avertir de leur présence et éviter tout contact. Mais depuis que la population blanche a été atteinte elle-même, les précautions sont devenues plus rudes, féroces presque. Les lépreux, qu'une commission annuelle recherche avec soin, sont parqués, les uns, les « protégés » dans la léproserie voisine d'Honolulu, les autres dans l'île Molokai, la « Terre de Misère », d'où l'on ne revient jamais. C'est le seul moyen que la civilisation ait trouvé pour empêcher la contagion.

À Molokai, un prêtre fit l'admiration de tous, le Père Damien, Belge d'origine, qui passa au milieu de ces malheureux seize ans d'un héroïque apostolat et mourut de leur mal, à l'âge de trente-trois ans, comme le Christ. Marcel Monnier a vu les plus indifférents, les protestants fanatiques les plus acharnés dans leur haine contre le papisme se découvrir émus en prononçant le nom du consolateur des pestiférés.

C'est fort bien à eux, mais aucun anglican n'a pris sa succession, libre depuis trois ans.

– Les pauvres gens ! dit l'Anglaise, à qui son père venait de donner rapidement ces explications, ne trouvez-vous pas bien cruel de les traiter ainsi et de leur enlever tout espoir ?

– Certaines cruautés s'imposent, mon enfant, dans l'intérêt de tous, répondit le gentleman. Il y a cinq cents ans, la lèpre avait envahi les pays chrétiens. Si les malades n'avaient été parqués dans des endroits spéciaux, d'où ils ne pouvaient sortir qu'armés d'une crécelle dont le son mettait leurs concitoyens en fuite, l'Europe serait aujourd'hui un vaste ossuaire. L'humanité passe son temps à se défendre. Un danger écarté, un autre surgit. Ainsi la plaie actuelle de notre civilisation, c'est l'alcoolisme ; il faudra avant peu prendre des mesures énergiques pour l'enrayer ; car il amène l'épilepsie, la folie et les décompositions sanguines de toute espèce.

Tout attristés par ces réflexions moroses, les promeneurs atteignirent la ville. Il était temps. Le ciel s'était soudainement obscurci, une chaleur lourde pesait sur la terre, d'où s'élevait comme une sorte de buée qui rétrécissait à chaque instant l'horizon. Un bruit lointain, ayant quelque analogie avec une canonnade, se fit entendre, et tout à coup, une rafale furieuse passa, décapitant les arbres, secouant les maisons. Le vent moumoukaou se levait.

Il ne fallait pas songer à regagner le port par la tourmente. Sir Murlyton et sa fille furent projetés contre une muraille, tout près d'une porte. Tout étourdis du choc, les voyageurs demandèrent asile dans l'habitation.

C'était une modeste villa occupée par un pasteur réformé ; à des compatriotes on fit le plus amical accueil ; mais ils arrivaient en plein prêche, on leur fit signe de se taire et d'écouter. Devant une douzaine d'auditeurs, le révérend Zacharias, brandissant un papier, tonnait contre un invisible ennemi.

– Oui, mes frères, ce soir tout Honolulu impie ira assister à ce spectacle damnable et risquer son salut éternel... Vous, du moins, vous ne verrez pas cette envoyée du démon, ce suppôt de l'enfer, cet être apocalyptique qui n'a d'une femme que la forme, et dont le nom, aux consonances hébraïques et hollandaises, ne m'apparaît qu'à travers les épouvantes bibliques.

Le papier imprimé, sur lequel frappait incessamment la main du révérend, n'était autre qu'un programme du théâtre, où la troupe de Sarah Bernhardt donnait le soir même une des représentations de sa tournée à travers le monde.

Miss Aurett trouva le moyen de se le faire offrir en prenant congé de leur hôte de quelques instants.

– Cela amusera monsieur Lavarède, dit-elle à son père. Du fond de son tombeau chinois, il croira revoir un peu son cher Paris.

Le lendemain quand le *Heavenway* quitta le port de Honolulu, filant vers le Japon, dernière escale avant la côte chinoise, il comptait quelques passagers de plus : les Chinois annoncés au départ de San Francisco par le capitaine Mathew. Et selon les conventions passées, Bouvreuil vivait maintenant avec l'équipage.

Or, si la présence des « Célestes » laissait indifférents sir Murlyton et sa fille, l'éloignement relatif du propriétaire leur causait une certaine satisfaction. Ce dernier du reste se montrait peu. On eût dit qu'il s'efforçait d'éviter à ses compagnons de voyage le déplaisir de le voir. S'il montait sur le pont, il se tenait loin de l'endroit où ils rêvaient, absorbés dans la contemplation de l'horizon fuyant. Aux repas, il n'ouvrait la bouche que pour manger. Enfin sa physionomie elle-même s'était modifiée. Elle avait revêtu une expression paterne et, dans l'aspect de l'usurier, on ne voyait plus trace d'inquiétude.

Il n'en avait plus d'ailleurs, ainsi que l'on peut s'en convaincre en lisant le texte du câblogramme, daté d'Honolulu, que Mlle Pénélope Bouvreuil reçut à Sens, le 19 août, au soir, comme elle finissait de dîner. Cette dépêche lui causa une joie si profonde que l'émoi de son cœur de vierge anguleuse se communiqua à son estomac et qu'elle en pensa mourir d'indigestion. En voici le libellé :

« Faisons route pour Takéou (Chine). Impossible aller plus loin. Mariage assuré ».

Au moment précis où Pénélope, fort malade, se mettait au lit, miss Aurett, de l'autre côté de la terre, quittait le sien et montait sur le pont pour donner un coup d'œil à l'île Graduer, aux récifs Maus et Krusenstein que côtoyait la route du steamer. La veille au soir, la jeune fille accompagnée de son père, avait rendu visite à Lavarède. Elle lui avait montré le document chinois apporté à bord, bien malgré lui, par le requin capturé ; et le journaliste s'était fait fort d'en déchiffrer certains signes.

– De même que les hiéroglyphes égyptiens, dit-il, les premiers caractères chinois furent de simples reproductions de formes naturelles. Puis le temps marcha et la nécessité de rendre par des signes les choses impalpables amena une première complication. Un même caractère représenta un être et sa qualité dominante, le cheval et la vitesse, le vieillard et l'expérience. Pour éviter la confusion, le signe primitif subit une légère altération. Suivant les cas, on ajouta ou on retrancha. L'évolution de l'esprit humain continuait. Chaque jour les idées plus nombreuses enfantaient de nouvelles inventions graphiques, si bien que les types primitifs, torturés, mutilés, contorsionnés devenaient méconnaissables. Pourtant, avec de la patience, on arrive parfois à retrouver le dessin « origine », le dessin « racine », à démêler ainsi la filiation du caractère que l'on a sous les yeux, et à deviner à peu près le sens de l'énigme posée par l'écrivain.

– Ma foi, avait répliqué l'Anglaise, je veux m'assurer de la justesse de votre théorie. Je vous laisse ce papier à deux conditions.

– Elles sont acceptées d'avance.

– D'abord, vous me ferez part du résultat de vos recherches.

– Avec joie, vous le savez bien, mademoiselle.

– Puis, avait continué la jeune fille sans paraître remarquer l'intonation caressante de son interlocuteur, vous prendrez soin de ne point égarer mon document « céleste », car à mon retour à Londres, je veux le placer dans une vitrine avec cette mention : « Pièce franc-maçonnique chinoise trouvée dans l'estomac d'un requin près d'Honolulu. »

– Et toutes vos amies envieront un pareil souvenir.

– Vous l'avez dit.

Ainsi engagée, la conversation s'était portée tout naturellement sur la Chine, ce mystérieux empire des fils de Han, où quatre cent millions d'hommes de race jaune empêchent, par la seule force du nombre, la pénétration européenne.

– Peuple étrange, dit Armand. Tout d'abord il s'est élevé jusqu'à un haut degré de civilisation ; puis il est demeuré stationnaire, permettant à l'Occident barbare de le dépasser. Je ne vous parlerai ni de la boussole, ni de la poudre, connues dans l'Empire du Milieu plusieurs siècles avant que la race blanche les découvrit. On peut prétendre que ces inventions sont le résultat du hasard ; mais l'hypothèse de la sphéricité de la terre indique un raisonnement scientifique avancé, n'est-ce pas ? Comme moi, vous savez que le pressentiment de cette vérité ne se fit jour dans le monde chrétien qu'au quinzième siècle, et qu'en 1492, lorsque Christophe Colomb quitta l'Espagne avec ses trois caravelles, pour en fournir la démonstration expérimentale en allant chercher ce qu'il croyait être l'Inde asiatique, la plupart des savants du temps le raillèrent agréablement... Eh bien, la preuve était faite en Chine dès l'année 203 de notre ère. Le « Colomb » asiatique, Li-Paï-Chun, parti aventureusement sur une jonque grossière, avait abordé dans le golfe de Californie. Séduits par ses récits, ses compatriotes formèrent une seconde expédition en l'an 206 ; mais les navires qui la composaient furent dispersés par la tempête, et Li-Paï-Chun vint échouer sur le récif Krusenstein, voisin des îles Hawaï, où il mourut misérablement.

L'histoire avait intéressé mis Aurett. Aussi apprenant que le *Heavenway* passerait au nord du récif, elle avait voulu jeter un regard sur ce rocher incessamment battu par les flots, tombeau mélancolique du voyageur chinois. Et puis c'était la dernière terre qu'elle pourrait apercevoir avant l'escale japonaise de Nagasaki, car la route du steamer laissait loin au sud les archipels Anson et de Magellan.

Les jours suivants, aucun incident ne troubla la monotonie de la traversée. Le ciel uniformément bleu semblait une immense coupe de lazuli renversée sur le plateau d'émeraude de l'océan. La jeune Anglaise se montrait nerveuse, agacée ; vainement sir Murlyton, toujours impassible, ainsi qu'il convient à un véritable gentleman, faisait de son mieux pour l'amener à la patience : il perdait son temps. Aurett avait dû prendre en grippe le soleil, car son visage ne se rasérénait qu'à l'heure où l'astre radieux, ayant achevé sa course, disparaissait à l'horizon dans une apothéose de pourpre.

Le dîner terminé, elle ramenait son père à l'arrière et là, penchée sur le bordage, elle regardait les lames allongées s'élever sous les poussées de l'hélice en bouillons phosphorescents. Elle prétendait reconnaître des lettres dans les rapides lueurs serpentant sur l'eau sombre. Lesquelles ? La jeune fille ne s'expliquait pas à ce sujet ; mais sûrement elle aimait à les considérer, car sa contemplation durait longtemps. Et quand sur le navire endormi, le « quart » seul veillait à la sûreté de tous, elle disait à son père avec un accent intraduisible :

– Descendons au compartiment des Chinois, le voulez-vous ?

– Tous les soirs alors !... pourquoi ?...

– Pour savoir ce que nous rencontrerons demain. M. Lavarède marque la route du bâtiment sur la carte que je lui ai donnée ; et s'il y a un flot, un rocher, il nous enseignera ce qui a pu s'y passer de remarquable. Le capitaine de ce navire ne sait rien.

Le père approuvait bénévolement et tous deux se rendaient à la salle des cercueils. Durant une heure, ils devisaient avec Armand, oublieux de ces morts que la piété natale ramenait dans leur patrie. Enfin sir Murlyton se levait et avec un flegme tout britannique :

– Il se fait tard, disait-il, monsieur Lavarède doit avoir besoin de repos.

– Mais non, répliquait le journaliste en regardant miss Aurett.

– Je vous demande pardon, prolonger notre visite serait indiscret et je ne me le pardonnerais jamais.

Sur quoi on se serrait la main en se souhaitant bonne nuit et tandis que les Anglais regagnaient leurs cabines, Armand s'étendait philosophiquement dans son cercueil en murmurant ces mots qui ne s'adressaient probablement pas au gentleman :

– C'est un ange !... Jamais, sans ses trop courtes apparitions, je n'aurais eu le courage de continuer cette fastidieuse traversée.

Quant à miss Aurett, ses nervosités passées à l'endroit des morts la faisaient sourire ; et elle s'avouait ingénument qu'aucune partie du navire ne lui paraissait aussi agréable que « la chambre du sommeil ». C'est par cet euphémisme qu'elle désignait le compartiment jaune.

Cependant le *Heavenway* marchait toujours. Le 4 septembre il entra dans le détroit de Diémen, situé entre l'extrême pointe de l'île Kiou-Siou, limite méridionale du Japon, et les îles chinoises de Lieou-Kieou. Le lendemain soir, il atteindrait Nagasaki, et la jeune Anglaise se réjouit à cette nouvelle que lui donna M. Mathew. Sans encombre la traversée était presque terminée.

La nuit venue, une nuit sombre, sans lune, Aurett selon sa coutume avait conduit son père sur le pont en attendant l'heure où il serait possible de descendre auprès de leur ami. Seulement les passagers ne semblaient pas disposés à s'aller coucher. Accoudés sur le bastingage, ils regardaient la surface de l'océan. On eut dit qu'ils attendaient un phénomène trop lent à se produire. La jeune Anglaise s'informa ; mais, avant que la personne interrogée par elle eut répondu, une voix s'était élevée :

– Voici ! voici ! criait-elle, *all right.*

Miss Aurett, jetant les yeux sur la mer, avait compris. Le *Heavenway* voguait au milieu d'un océan d'or en fusion. Un instant séparées par le passage du navire, les eaux se rejoignaient en arrière formant un tourbillon d'écume lumineuse. Et le remous se propageait, inondant la crête des lames d'un diadème éclatant. La phosphorescence, que la présence d'une algue particulière rend fréquente dans ces parages, augmentait d'intensité à chaque minute, et sur les vagues noires s'étendait un tapis de lumière.

Des matelots montaient sur le pont, chargés d'objets sans valeur ; ferrailles, bouteilles vides, et les jetaient par-dessus bord. Au choc, les gouttelettes liquides s'élevaient comme une volée de lucioles.

Durant plus de deux heures le phénomène se produisit. Passagers et matelots oubliaient le sommeil en présence du merveilleux spectacle qui s'offrait à leurs yeux. Puis, la mer s'éteignit et tous, la tête un peu lourde, la vue fatiguée par cette débauche lumineuse, regagnèrent, qui leur cabine, qui le poste de l'équipage. Miss Aurett retint son père qui aurait volontiers suivi le mouvement.

– Attendons, dit-elle, n'oublions pas que monsieur Lavarède compte sur notre visite.

– Il est bien tard, fit remarquer sir Murlyton, et je crois qu'il serait mieux de remettre à demain...

Mais elle se récria :

– Y songez-vous ? Enfermé comme il l'est, il ne peut soupçonner ce qui arrive. Que penserait-il de nous ?

L'Anglais haussa imperceptiblement les épaules, mais il ne répondit pas ; il savait bien qu'une femme, pouvant parler deux fois plus vite et plus longtemps qu'un homme, finit toujours par avoir raison.

De fait miss Aurett était dans le vrai. Lavarède s'étonnait d'être délaissé par ses compagnons de voyage. Tout d'abord il avait cru à un léger retard causé par un incident sans importance. Mais le temps passant, il était devenu nerveux, puis inquiet, enfin triste. L'imagination aidant, il se figura qu'un accident, une indisposition retenait l'un des Anglais dans sa cabine. Au risque d'être rencontré, il allait quitter son asile quand sir Murlyton et la jeune fille parurent.

En quelques mots on le mit au courant.

Il était heureux de constater l'inanité de ses noirs pressentiments, si heureux qu'il approuva le gentleman, lorsque ce dernier fit remarquer l'heure tardive et la nécessité d'abréger un peu, ce soir-là, l'instant de conversation quotidien. Il serra donc la main d'Aurett, un peu longuement peut-être, et accompagna les Anglais vers la porte. Tout à coup, il les saisit par le bras et murmura :

– Écoutez !

Une mince cloison séparait le compartiment des trépassés du couloir, et à travers ce frêle obstacle, les moindres bruits étaient perceptibles. Or, ce qui avait attiré l'attention du Parisien, c'était un frottement qui se produisait à l'extérieur. On eut dit qu'une main glissait sur la cloison.

Les Anglais avaient entendu également. Ils s'étaient arrêtés, retenant leur haleine.

– Ah ! fit sir Murlyton, on marche sur la pointe des pieds dans le couloir.

– Oui, reprit Lavarède, et on se dirige de ce côté.

– Qu'est-ce que cela peut être ?

– Je n'en sais rien. Mais dans l'incertitude, il est bon de nous dissimuler au cas où un matelot pénétrerait dans cette salle.

Avec des précautions infinies, tous trois se coulèrent entre les cercueils. Alors, la porte s'ouvrit lentement et plusieurs hommes entrèrent, frôlant presque les Européens cachés.

La porte refermée par le dernier, l'un des mystérieux arrivants alluma une sorte de petite lanterne qui projeta dans le compartiment une lumière atténuée comme eut été celle d'une veilleuse.

Miss Aurett retint avec peine un cri de surprise. Cinq individus étaient là et elle reconnaissait en eux les passagers chinois embarqués à Honolulu.

Or, jusqu'à ce jour, ces personnages avaient feint de ne point se connaître. Dans quel but se réunissaient-ils ainsi, au milieu de la nuit, dans ce lieu où nul ne pénétrait ?

Sir Murlyton se faisait la même question. Quant au journaliste, il regardait curieusement, attendant que le mystère s'expliquât de lui-même.

– Frères, Han, Jap, Toung et Li, commença celui qui paraissait être le chef, écoutez-moi.

Il parlait d'une voix couverte, mais qui arrivait jusqu'aux Européens.

– Ah ça ! murmura Armand tout interloqué, voilà que je comprends le chinois maintenant.

– Deux d'entre vous, continua l'orateur, ont été élevés par les Prêtres blancs. Ils ignorent la langue des fils de Han, je m'exprimerai donc en patois hawaïen, car tous doivent entendre.

– Bon, bon, souligna le Parisien, l'explication me rassure.

La main d'Aurett s'appuya sur le bras du jeune homme pour l'inviter au silence. Le Chinois continuait :

– Frères, demain nous atteindrons Nagasaki où Jap, Toung et Li descendront à terre pour gagner la côte chinoise à bord de la première jonque marchande qui se présentera.

Les Chinois inclinèrent la tête.

– Vous savez pourquoi notre chef suprême nous a rappelés. Notre Société « Pas d'hypocrisie » mérite son nom. Le moindre des adeptes sait pourquoi et contre quoi il combat. Chacun de nous représente un détachement qu'il faut réunir à Péking à une date que je vais vous dire.

– Ce sera fait, répondirent les autres d'une seule voix.

– Bien. Maintenant voici quels sont les ordres de notre Grand-Maître et les faits qui les motivent : Nous fils de Han, nous voulons rendre la Chine aux Chinois et chasser les envahisseurs mandchous qui détiennent le pouvoir. Or, leur chef qu'ils qualifient orgueilleusement de « Fils du Ciel », sent son trône trembler sous la poussée d'un peuple marchant à la liberté. Apeuré, il tend les bras vers les étrangers d'Europe, espérant qu'ils le défendront contre nos entreprises. Il leur a déjà permis d'établir des comptoirs sur les côtes, maintenant il rêve de leur ouvrir l'intérieur du pays.

Un grognement interrompit celui qui parlait. Ses auditeurs avaient eu un même geste de menace et leurs faces jaunes, contractées par la colère, étaient effrayantes.

– Un homme, continua le chef, un Allemand, le docteur Kasper, est venu vers l'empereur. Il lui a dit : « Avec un sac de soie que je remplirai de gaz, je m'élèverai et me dirigerai dans l'air. Accorde-moi la permission de tenter l'expérience au milieu de ta capitale et de circuler loin au-dessus des terres soumises à ta domination. » L'empereur a consenti et le 22 octobre, ce Kasper s'enlèvera avec sa machine qu'il appelle « ballon dirigeable ».

Le Chinois prit un temps ; puis d'une voix insinuante, comme pour faire passer sa conviction dans l'esprit des assistants :

– Telle est la version officielle. Mais ici comme toujours, on trompe le peuple. Dominant le pays, cet Allemand étudiera les routes, les rivières, les canaux, de telle sorte qu'au moment venu, les armées d'Europe connaîtront exactement tous nos moyens de communication et en profiteront pour nous écraser. Mais nous veillons ! Aux entreprises de nos ennemis nous opposerons la volonté de toute une nation. Nous avons le nombre et le dévouement, prouvons que nous avons aussi l'intelligence. À l'envahissement loyal, les Européens découragés par les massacres font succéder l'invasion dissimulée. Détruisons leur appareil et nous démontrerons ainsi que nous ne sommes point des gens que l'on berne.

– Oui, oui, nous obéirons.

Un frémissement secouait ces fanatiques, jaloux de leur liberté au point de considérer la civilisation comme un danger.

– Maintenant, frères, conclut l'orateur, regagnez vos cabines. Jap, Toung et Li vont sortir les premiers. Han et moi nous laisserons passer quelques instants, puis nous partirons à notre tour.

Les personnages désignés tendirent leurs mains au chef, puis les portant sur leur poitrine et sur leur tête, ils quittèrent le compartiment des rapatriés. Alors, celui qui avait transmis à ces hommes les ordres du Grand-Maître de la Société secrète « Pas d'hypocrisies » se tourna vers l'affilié demeuré auprès de lui et, doucement :

– Han, dit-il, je t'ai fait rester parce que j'ai besoin de toi pour autre chose encore.

– Ordonnez, répondit simplement son interlocuteur.

D'une voix claire, le chef laissa tomber ces paroles qui firent frissonner la jeune Anglaise dans sa cachette.

– Il faut, après l'escale de Nagasaki, jeter à la mer le cercueil portant le numéro 49.

Han haussa les épaules.

– On l'y jettera.

– Tu ne demandes pas pourquoi ?

– Que m'importe, vous parlez, j'obéis.

– Je veux que tu saches pourtant... Il y a quinze jours, le comité de San Francisco m'avisait qu'un traître mandchou, condamné par le tribunal secret à ne jamais reposer sur la terre chinoise, allait réussir à éluder la sentence, grâce à la diligence de l'administration de la Box-Pacific-Line, et à quitter l'Amérique.

– Eh bien ? interrogea curieusement le nommé Han.

– Je n'ai reçu depuis aucune communication nouvelle. Le cercueil est donc à bord et je dois me conformer aux instructions du comité.

Tout en parlant, il avait pris la lanterne et dirigeait le rayon lumineux sur les cercueils. Chacun, on s'en souvient, était marqué d'une plaque de cuivre gravée, portant un numéro d'ordre.

– Le voici, reprit le chef en s'arrêtant devant la bière de Lavarède ; après-demain dans la nuit, nous le précipiterons dans les eaux du golfe de Petchi-Li.

– Pourquoi pas tout de suite, fit Han, puisque nous sommes ici ?

– Parce que cette caisse flotterait et serait peut-être repêchée par un autre navire. À Nagasaki, je me munirai de saumons de plomb qui entraîneront le corps du Mandchou et sa dernière demeure dans les abîmes de la mer. Comprends-tu ?

– Oui, chef !

– Bien... Allons dormir, et après-demain le traître subira son sort.

– Puissent être ainsi frappés tous ceux qui lui ressemblent, psalmodia le Chinois Han.

– Oui, tous !

– Et l'Empire du Milieu revenir à ses légitimes possesseurs.

La porte de la chambre jaune retomba avec un claquement léger, les conspirateurs disparurent et, avec un peu de bonne volonté, les trois spectateurs de cette étrange scène eussent pu se figurer qu'ils venaient de rêver. Mais la réalité de l'aventure ne faisait doute pour personne et miss Aurett très impressionnée demanda d'une voix tremblante :

– Vous avez entendu, monsieur Lavarède ?

– Oui, mademoiselle, répliqua tranquillement le Parisien. Ces faces de safran prétendent plonger le cercueil 49 dans les profondeurs de l'océan. Le comité d'Honolulu retarde sur le comité de Frisco. C'est très drôle.

– Vous trouvez ? interrompit sir Murlyton.

– Ma foi !

– Vous avez un heureux caractère, monsieur Lavarède, je me plais à le reconnaître ; mais enfin, dans la circonstance, la résolution de ces gens me paraît très dangereuse pour vous.

– Dangereuse... Vous croyez ?

– Au moins au point de vue de la succession de votre cousin.

– Comment cela ?

– Je pense bien que vous ne serez pas dans la caisse 49 lorsque ces conspirateurs l'emporteront.

– Soyez-en certain, mon cher monsieur Murlyton.

– Oui, mais sans cet ustensile, il vous sera impossible de débarquer à Takéou, et alors...

Armand sourit.

– Il est évident que s'ils me privaient de ma bière, mon voyage serait compromis.

– C'est ce que je dis.

– Seulement, ils ne m'en priveront pas.

Et comme les Anglais le regardaient avec stupéfaction :

– Vous allez comprendre pourquoi, acheva le journaliste, c'est simple comme bonjour... grâce à ce canif.

Il avait tiré de sa poche un petit canif à manche d'écaille. Il l'ouvrit et, s'approchant du cercueil dans lequel il avait élu domicile, il introduisit la lame dans la rainure de l'une des vis retenant la plaque de cuivre numérotée.

– Que faites-vous ? questionna miss Aurett.

– Vous le voyez, mademoiselle, je dévisse cette plaque.

Au même instant la seconde vis cédait. Le Parisien recommença la même opération sur le cercueil voisin.

– Ah ! s'écria la jeune fille, je comprends.

– Je change de numéro ; la plaque de mon voisin sur mon cercueil et je suis quarante-huit ; la mienne sur le sien, il est quarante-neuf. C'est lui que ses compatriotes lesteront de saumons de plomb et enverront faire l'excursion sous-marine dont ils me menaçaient.

Quelques secondes plus tard, la substitution était opérée et Lavarède enchanté souhaitait le bonsoir à son adversaire. La pression de main de miss Aurett fut plus longue que les autres jours. Ces affreux Chinois avaient fait si grand-peur à la fille du gentleman qu'elle était excusable d'oublier ses doigts effilés dans ceux d'un homme aimable, qui se tirait comme en se jouant des passes les plus difficiles.

Le 5 septembre, sous petite vapeur, le *Heavenway* doubla le cap Long qui masque et abrite la ville de Nagasaki, chef-lieu du Ken ou gouvernement du même nom et l'un des sept ports japonais ouverts aux Européens.

Comme toutes les jeunes filles, miss Aurett avait lu l'œuvre de Pierre Loti. Elle eut un sourire en apercevant l'agglomération de maisons minuscules qui composent la ville et qui, entourées de collines verdoyantes, paraissent d'une exiguïté ridicule... Petites habitations, petites gens, appartements formés de cloisons mobiles en papier ; poissons rouges, toujours en papier, suspendus à des perches en signe de réjouissance, enfin tout ce qui fait la vie japonaise, défila devant ses yeux dans le souvenir d'une lecture, et cependant bientôt elle devint sérieuse.

C'est qu'à côté de ces détails risibles, elle sentait l'effort d'un peuple intelligent et laborieux, possédé du désir de rattraper les civilisations d'Occident. C'était d'abord, à l'entrée du port, le phare d'Ojesaki, dont le feu est visible à quarante-deux kilomètres ainsi que le lui expliqua M. Mathew ; puis, le long des quais, les docks immenses où vient s'empiler le charbon extrait des mines de Tahasima ; tout indique les tendances d'une nation qui marche vers le progrès sous les ordres de son empereur, de ce mikado, autocrate absolu hier, souverain constitutionnel aujourd'hui.

Puis, en face, et comme pour servir de repoussoir à ces édifices élevés par le Japon nouveau, les paysages ensanglantés naguère par le fanatisme aveugle : l'île Takouboko ou de la Haute-Lance, la pointe Daika et surtout la montagne Papenberg d'où, en 1858, quatre mille Chrétiens furent précipités à la mer.

Une fois débarqués, les Anglais se rendirent compte mieux encore du mouvement d'esprit qui bouleverse le Japon. L'homme du peuple, portant la blouse nationale et la coiffure conique, est coudoyé par le fonctionnaire sanglé dans sa redingote noire et coiffé du chapeau haut de forme. Un peu gauches ces fonctionnaires, dans leur costume européen –, manque d'habitude sans doute. Leurs épouses, parées à la dernière mode de Paris ou de Londres, ont meilleur air. Là-bas comme partout, la femme se façonne plus vite aux usages nouveaux.

La boutique exiguë, ancien modèle, confine au magasin moderne, dont les hautes glaces excitent l'admiration du passant.

L'affreuse politique parlementaire elle-même s'est implantée dans l'empire du mikado. Les voyageurs en acquirent la preuve en voyant des pans de murs bariolés d'affiches électorales multicolores. Un jour, peut-être, les Japonais reprocheront cette importation aux Européens ; et, pour leur défense, ceux-ci devront rappeler qu'ils ont aussi apporté le baiser. La plus tendre des caresses était ignorée en effet des habitants de Kiou-Siou et de Niphon. Elle était remplacée par un cérémonial compliqué. Ici encore, les femmes ont eu la gloire de comprendre les premières.

Les Anglais voulurent dîner avant de regagner le bord. Hélas ! La cuisine du pays est, comme le pays lui-même, dans une période de transformation ; et les dîneurs ne purent manger les croquettes de rhubarbe frites dans l'huile de ricin, le poulet rôti, piqué d'œufs de fourmis rouges, le poisson à la vinaigrette, saupoudré de cassonade, qui leur étaient triomphalement servis par un indigène en petite veste, les reins ceints du tablier blanc de nos garçons de café parisiens. Aux mets d'importation étrangère les cuisiniers japonais ajoutent quelques condiments autochtones, la cassonade dans la vinaigrette, les œufs de fourmis dans le rôti, de telle sorte que, dans cette ville infortunée, habitants et voyageurs sont également incapables de faire un bon repas. Au nom du progrès, on serre sa ceinture.

Pays singulier, au surplus, qui montre en même temps un soldat de police, un samouraï, frappant le prince européen qu'il est chargé de protéger, et la petite Japonaise, assise dans sa *tchaia* coquette, bâtie sur pilotis, souriant à tous les étrangers, qu'elle salue d'un rouitshiva, bonjour gracieux ; où il y a bien des chemins de fer déjà, mais où c'est en chaise à porteurs que l'on s'y fait conduire. La transition des mœurs se manifeste encore dans la tenue des soldats de la garde impériale, imitée des uniformes du second empire.

Nous aurions tort, au surplus, de railler ce petit peuple vaillant, intelligent et passionné ; car, malgré nos défaites récentes, ce n'est pas l'influence allemande qui y domine, la France y est toujours l'aimée, la préférée.

Assez las de leur excursion, sir Murlyton et sa fille regagnèrent le port. Le canot du *Heavenway* était à quai. Ils y prirent place. Presque aussitôt deux hommes accoururent. Miss Aurett ne put réprimer un tressaillement en reconnaissant les deux passagers chinois, dont elle avait entendu la conversation dans le compartiment des morts. Chacun était chargé d'un paquet long, d'un poids assez considérable, à en juger par les efforts des porteurs.

– Vous les reconnaissez, mon père ? demanda la jeune fille.

– Oui, parfaitement, déclara le gentleman.

Et comme elle lui désignait les objets que tenaient les deux individus, il ajouta tranquillement :

– Probablement les saumons de plomb qui entraîneront leur défunt compatriote au fond de l'océan.

Aurett détourna la tête. Elle songeait que sans un hasard providentiel, rien n'eût averti Lavarède des projets des Chinois et alors... elle se figurait ces hommes se glissant une nuit dans la chambre jaune, attachant leurs plombs au cercueil où le Parisien dormait et laissant couler le tout dans l'eau noire qui se refermait sans bruit sur sa proie engloutie.

– Qu'avez-vous donc, Aurett, interrogea sir Murlyton, vous êtes pâle ?

– C'est parce que je pense… à ce qui ne peut plus arriver.

L'Anglais regarda fixement la jeune fille, puis ses yeux se reportèrent sur les Chinois. Ce mouvement ramena les couleurs sur les joues de la jolie voyageuse. Elle se sentait devinée et elle en éprouvait une impression délicate. Certains sentiments ne veulent pas de confidents et le père le plus cher a parfois tort de lire dans l'âme de sa fille.

Lorsque l'embarcation eut accosté le navire, les Anglais se promenèrent sur le pont en silence, attendant l'heure où ils pourraient sans crainte de surprise, descendre chez Lavarède. Il leur fallait voir Armand ce jour-là, puisque les Chinois avaient choisi le lendemain pour immerger le cercueil 49. Une rencontre avec ces initiés « Lotus blanc » eût été désastreuse, et le plus prudent était de s'abstenir.

La visite se prolongea bien au-delà des limites ordinaires. Le gentleman dut, à plusieurs reprises, indiquer que l'heure s'avançait pour décider miss Aurett à regagner sa cabine. Elle tombait de sommeil pourtant, car à peine étendue sur son lit, elle s'endormit profondément.

Lorsqu'elle rouvrit les yeux le *Heavenway* avait quitté Nagasaki et fendait les flots de la mer Bleue. L'heure du déjeuner venait de sonner. En se rendant à la salle à manger, la jeune fille aperçut à l'horizon une terre, dont la silhouette déchiquetée se découpait sur le ciel pur.

– Quelle est cette montagne ? demanda-t-elle à M. Mathew qui se trouvait auprès d'elle.

– L'île Mense, miss, répliqua l'Américain. Ce soir nous l'aurons doublée et nous entrerons dans la mer Jaune que la Corée et la côte chinoise resserrent de plus en plus jusqu'au golfe de Petchi-Li.

– Mer Bleue, mer Jaune. Que de couleurs !

– Ces noms sont justifiés, miss.

– Vous plaisantez, monsieur Mathew ; bleue, passe encore, mais jaune ?

Le capitaine eut un sourire.

– Vous la verrez de cette teinte. Du reste, l'explication du phénomène est aisée. Cette mer est peu profonde et les fleuves ou rivières qui s'y jettent traversent des terrains d'alluvion dits « terres jaunes ». Le limon qu'ils charrient est très fin et reste en suspens dans les eaux. De là leur teinte particulière.

La jeune fille écouta cette petite leçon géographique d'une façon distraite. Elle comptait les jours qui la séparaient encore du terme de la traversée et il lui importait peu d'égrener ces chapelets de vingt-quatre heures sur des flots de telle ou telle autre couleur.

Mais si elle était morose, Bouvreuil devenait exubérant. L'arrivée au port le transportait d'aise. Joie bien naturelle, pensaient les passagers, car la vie dans le poste de l'équipage n'a rien de récréatif.

La journée parut interminable à l'Anglaise. L'idée que, la nuit venue, il lui faudrait s'enfermer dans sa cabine sans donner un amical *shake hand* à M. Lavarède lui causait un véritable ennui. Jamais le steamer ne lui avait paru si laid, l'océan si insipide ; l'immuable bleu du ciel l'agaçait.

Et comme sir Murlyton, né observateur, avait compris, à certains froncements de narines, l'orage intérieur qui se déchaînait, il se gardait bien de parler à sa fille. Il s'était lancé dans une grande discussion avec le second du navire sur la question des pêcheries de Terre-Neuve, sur le droit à la boëtte, à la capture du homard. Sur un thème pareil, un Anglais et un Américain discuteraient des semaines entières, pourvu que le brandy ne manquât pas. Grâce à ce stratagème, le gentleman gagna l'heure du dîner sans que miss Aurett eût trouvé la moindre occasion de déverser sur lui une part de son irritation.

La nuit venue, il fallut remonter sur le pont. Murlyton appréhendait ce moment. Mais, à sa grande surprise, Aurett se montra aimable, enjouée. Toute sa mauvaise humeur semblait s'être dissipée avec la lumière du soleil. Elle resta assez tard sur le pont, mollement étendue dans un rocking-chair auquel le mouvement du steamer communiquait un doux balancement.

Vers onze heures, elle se déclara lasse, embrassa tendrement son père et se retira dans sa cabine sans avoir prononcé le nom du journaliste.

Aussi, l'Anglais s'enferma dans la sienne, ravi d'avoir évité la bourrasque attendue et se livra aux douceurs du sommeil. Il eût été moins tranquille s'il avait su quelle idée avait rasséréné sa fille.

Elle s'était résolument promis de surveiller les deux Chinois dans l'accomplissement de leur funèbre besogne. Tout le monde étant endormi, elle se glissa dans le couloir sombre.

Presque aussitôt des pas légers se firent entendre à l'autre extrémité. Une lueur voilée lui permit d'apercevoir deux vagues silhouettes. C'en était assez. Elle avait reconnu Han et son chef, s'éclairant de leur lanterne.

La lumière disparut soudain. Aurett comprit que les Célestes étaient entrés dans le compartiment des morts, et, prise d'une curiosité irrésistible, elle se glissa sans bruit jusqu'à la porte. Han l'avait laissée entrouverte. Par l'entrebâillement, l'Anglaise coula un regard.

Les affiliés du « Lotus blanc » avaient posé leur lanterne à terre et s'occupaient à faire glisser le cercueil étiqueté 49 des tasseaux qui le supportaient. Un faux mouvement fit heurter le plancher au coffre de chêne. Aurett déjà troublée, ne put réprimer un léger cri. Aussitôt une main nerveuse saisit son poignet ; et avant qu'elle eût pu se rendre compte de ce qui se passait, elle fut entraînée dans la chambre des morts.

Au son de sa voix, Han avait bondi et il l'amenait à son chef. Celui-ci faisait peser sur la jeune fille un regard aigu, pénétrant, et, comme l'oiseau fasciné par un serpent, elle essayait de détourner la tête, d'échapper à ces yeux immobiles qui l'hypnotisaient. Derrière elle, barrant la porte, Han attendait les ordres de son compagnon. Enfin le chef haussa les épaules.

– Tant pis pour elle !... va !...

D'un geste rapide, Han tira son poignard et le leva sur l'Anglaise. Elle était perdue, quand tout à coup le Chinois tourna sur lui-même comme une toupie et s'alla heurter avec un grognement de douleur à l'angle d'une bière voisine.

À côté de la jeune fille, Lavarède venait de se dresser. Prévenu de la visite des « Célestes » et voulant assister à leur « petit travail », il s'était caché ; puis, tout naturellement, il avait couru au secours de la blonde miss. Maintenant, il était devant elle, la couvrant de son corps en face des Chinois menaçants.

La lutte allait s'engager. Aurett eut l'intuition fugitive que son ami venait de lui sacrifier l'héritage de son cousin. Au bruit, les marins viendraient certainement, le journaliste serait découvert. Et si, par hasard, on ne venait pas, la situation n'en était pas moins désespérée. Le secret du Parisien ne lui appartenait plus. Les deux Chinois le possédaient, sans compter que, dans ce combat inégal, le brave garçon pouvait succomber. Elle regarda Armand. Il souriait.

– Voyons, dit-il en employant le sabir hawaïen, pourquoi voulez-vous assassiner cette jeune personne, mon amie ?

Celui que Han appelait le chef regarda Lavarède avec surprise, mais ne répondit pas.

– Oh ! poursuivit imperturbablement ce dernier, vous craignez de vous compromettre. Comme si je ne savais pas que vous êtes ici pour jeter à la mer le cercueil 49.

Et, sur un mouvement de stupéfaction de ses auditeurs :

– Chargé de la même mission, j'habite la bière 48.

Il soulevait en même temps le couvercle de sa prison, montrant aux Chinois ébahis qu'elle était vide. Du coup le chef retrouva la parole :

– Qui es-tu donc ?

– Qui je suis ?... regarde.

Surmontant avec peine l'envie de rire qui le gagnait, Armand tendit à son interlocuteur la boîte de fer-blanc trouvée dans l'estomac du requin.

Rien que la vue du récipient parut plonger le Chinois dans l'étonnement. Il l'ouvrit, lut le parchemin, puis le rendant au journaliste :

– Tu es un de nos frères, et tu réponds de cette Européenne ?

– Depuis San Francisco, ma sœur vient la nuit m'apporter les aliments sans lesquels je serais aujourd'hui semblable à ceux qui nous entourent.

– Bien. Elle gardera le silence, n'est-ce pas ?

– Comme moi-même.

– C'est bien. Han, reprenons notre opération.

Peu après, les Chinois sortaient, emportant l'ex 48 devenu, de par la volonté du Français, le 49 voué à l'exécration du « Lotus blanc. »

– Maintenant, mademoiselle, reprit galamment Lavarède, rentrez chez vous et dormez... Excusez-moi de ne pas vous reconduire ; mais, vous le savez, ma santé m'interdit de quitter la chambre.

Elle lui pressa longuement la main et se retira. Le lendemain, comme elle était seule sur le pont, Han vint s'accouder au *bastingage,* à deux mètres d'elle ; et sans la regarder, sans un geste qui pût trahir leur complicité :

– Sœur d'un des nôtres, tu as eu peur cette nuit. Pardonne-nous. Tu vas dans l'Empire du Milieu. Accepte ceci. Le chef te l'envoie.

Il tenait une fleur de métal figurant la corolle blanche du lotus.

– Placée à ton corsage, cette fleur t'évitera les brutalités des polices mandarines et te fera rencontrer des amis partout où tu passeras.

Ainsi qu'un passager lassé d'admirer l'océan, le Chinois se retourna, s'assura que personne ne l'observait et lança adroitement la fleur aux pieds de la jeune fille. Cela fait, il s'éloigna tranquillement.

Après un instant, Aurett ramassa l'emblème de la puissante société secrète et le glissa dans sa poche. Presque malgré elle, elle murmura :

– Je pourrai peut-être « lui » être utile !

Cependant, le voyage continuait. Le *Heavenway* se rapprochait de la côte coréenne, laissant apercevoir des villes, des villages. M. Mathew racontait les curieuses coutumes du pays, où l'hospitalité est plus qu'écossaise.

Enfin, le soir du 10, on arriva en vue de Takéou.

Il était trop tard pour entrer dans le port et le *Heavenway* dut capeyer sous petite vapeur, en attendant le point du jour. Pour la dernière fois, les Anglais descendirent auprès de Lavarède. Ils convinrent de se retrouver le lendemain soir à l'hôtel établi par les soins de la *Box-Pacific-Line-Company*. Dans la journée, Armand trouverait le moyen de tromper la vigilance des agents de la Compagnie. Et remplis de confiance, les compétiteurs devenus amis se serrèrent vigoureusement les mains en répétant :

– À demain !

XVII

Complications et chinoiseries

Le 11 septembre, vers dix heures du matin, M. Saxby, directeur de l'office de Takéou, représentant pour la Chine du « Box-Pacific », était dans son cabinet, une vaste salle où des fenêtres largement ouvertes laissaient entrer du soleil, des parfums de fleurs et des chants d'oiseaux. Il dépouillait son courrier, assisté par un jeune employé qui trahissait son respect pour son chef hiérarchique par une gaucherie réjouissante. M. Saxby lui tendit une lettre.

– Tenez, Howdin, notez ceci : la famille Pali-Ma, du village de Tien-Bé, viendra ce matin même réclamer le corps de la défunte Li-Moua, décédée à San Francisco et rapatriée par le *Heavenway*. Consultez le livre de bord et faites apporter le cercueil ici, afin que la reconnaissance puisse être opérée lestement. Sans cela, nous risquons de déjeuner trop tard.

Et, tandis que l'employé se précipitait au dehors en se cognant à la porte, le directeur ajouta en aparté :

– C'est incroyable, un pareil empressement. Le navire est à peine entré dans le port que ces gens réclament leurs colis. Le public devient de plus en plus exigeant. On n'a pas le temps de souffler.

Puis, après un silence :

– J'ai envie, conclut-il, de promulguer une circulaire. On ne prendra livraison que vingt-quatre heures après l'arrivée des transpacifiques.

À ce moment, on gratta à la porte et un petit groom, correctement vêtu de drap brun, parut sur le seuil.

– Qu'y a-t-il, Bridge ? demanda M. Saxby.

– Un homme sollicite une audience de monsieur le Directeur.

– Quelle espèce d'homme ?

– Un passager amené par le *Heavenway*. Il prétend avoir une communication importante à faire.

– Bon ! Une réclamation encore !... Enfin, c'est un client de la Compagnie, je dois le recevoir... Faites entrer.

Le groom disparut, puis annonça :

– Monsieur Bouvreuil.

L'usurier entra, souriant, salua M. Saxby, ennuyé, qui répondit par un signe de tête.

– Monsieur, commença-t-il, je suis Français, propriétaire, deux fois millionnaire, président de...

Le directeur se leva, comme mû par un ressort, et, d'un air engageant :

– Prenez donc la peine de vous asseoir.

Quand Bouvreuil se fut installé :

– En quoi aurai-je l'agrément de vous être utile ?

– En rien, monsieur... C'est moi, au contraire, qui viens vous rendre un service.

– Vous, monsieur ?

M. Saxby était étonné, cela se voyait.

– Ma foi oui, reprit le père de Pénélope d'un ton paterne. Comme tous ceux qui connaissent l'aléa des grandes entreprises, j'ai horreur de la fraude. Or, votre Compagnie est victime d'un fraudeur.

– Vous m'étonnez, notre surveillance est inattaquable. Je l'écrivais encore dans mon plus récent rapport à l'administration centrale.

– Je ne vous dis pas le contraire ; cependant, un de mes compatriotes s'est introduit dans le hall réservé aux rapatriés et il a traversé le Pacifique sans solder son passage.

– Comment cela a-t-il pu se faire ? grommela le directeur ébahi.

– Je l'ignore, mais je puis vous affirmer que cela s'est fait. L'homme doit être encore à bord, je ne l'ai pas vu descendre et j'ai bien surveillé, je vous en réponds... Vous le prenez, vous exigez le remboursement de la somme dont il vous a frustré et voilà tout.

L'employé Howdin rentra :

– Monsieur, la famille Pali-Ma est là. On vous attend pour l'ouverture du cercueil et la signature de la feuille de livraison.

– J'y vais... vous permettez, monsieur, une minute et je reviens.

– Oh ! déclara Bouvreuil, je m'en vais, ma mission est terminée.

Et se frottant les paumes, il termina à voix basse :

– Comme le voyage de mon cher gendre... terminé aussi celui-là.

Les deux hommes passèrent dans la pièce voisine, où plusieurs personnes entouraient une bière posée à terre. Tous Chinois, les nouveaux venus portaient des vêtements de soie, sur lesquels étaient fixées de larges bandes transversales roses et blanches, en signe de grand deuil. Une vieille femme pleurait. Deux « désolées » poussaient des hurlements aigus lugubrement rythmés. La famille devait être à l'aise car ces « employées » ne ménageaient pas les oreilles des assistants.

La vieille vint à M. Saxby.

– C'est moi, Pali-Ma, la mère de Li-Moua, morte à vingt-deux ans. Voici le certificat du mandarin de mon village.

– Bien, fit le directeur, allez !

Les agents de la Compagnie qui avaient apporté la bière numéro 48 se préparèrent à dévisser le couvercle. Mais ils l'avaient à peine touché, qu'ils se rejetèrent en arrière avec un cri d'épouvante. Un homme s'était brusquement dressé.

– Lavarède ! s'écria Bouvreuil tandis que les Chinois reculaient éperdus.

Et s'adressant au directeur :

– Voilà votre fraudeur !

M. Saxby tira prestement son revolver, qu'en bon Américain il portait toujours dans la poche *ad hoc,* et ajustant Armand surpris de se trouver en si nombreuse société :

– Vous êtes pris ! Au moindre mouvement je fais feu.

– Inutile, répondit le journaliste, je comprends que l'immobilité est nécessaire.

Sur un signe de leur directeur, les agents de la Compagnie s'étaient approchés et avaient empoigné le voyageur. M. Saxby examinait Armand. Sa bonne mine prévenait en sa faveur, aussi fût-ce d'un ton presque amical qu'il reprit :

– Monsieur, *I guess,* je devine que tout ceci n'est qu'une plaisanterie, une gageure ; je ne ferai donc point d'éclat vous priant seulement de régler le prix de votre passage. Vu l'exiguïté de la cabine que vous occupiez, je vous consentirai même une réduction de 25 pour 100.

Lavarède s'inclina :

– Il est impossible de se montrer plus aimable, seulement...

– Ah ! il y a un seulement ?

– Oui... même réduit, le passage est encore trop lourd pour ma bourse, car je ne possède que vingt-cinq centimes.

Les bras de M. Saxby s'agitèrent désespérément.

– Cinq *cents* !... Et vous avez osé vous embarquer sur un de nos steamers !...

– Permettez, monsieur, on m'a embarqué, après m'avoir traîtreusement enfermé dans un cercueil, avec quelques provisions. Je me propose même d'intenter une action en dommages et intérêts à la « Box-Pacific-Line-Company ».

Du coup, le directeur se fâcha.

– Vous vous moquez de moi... Soit, je vais vous faire arrêter.

– Un instant, intervint Bouvreuil qui jusque-là s'était tenu à l'écart. Il y aurait un moyen de tout arranger... Je prêterai avec plaisir à monsieur la faible somme dont il a besoin.

– Ah ! ce bon Bouvreuil !... s'écria le jeune homme, je m'étonnais déjà de ne pas vous voir ici.

Mais l'Américain l'interrompit.

– Empruntez à ce monsieur et que cela finisse.

– Mais je ne puis pas lui emprunter !...

– Comment, vous ne pouvez pas ?

Cessant de rire, Armand reprit :

– Non, et il le sait bien, pour des raisons qu'il serait trop long de vous expliquer, mais je vais vous faire une proposition.

– Peuh !

– Vous êtes intelligent, cela se voit. Américain, vous êtes pratique. Bien. En traversant le Pacifique comme je l'ai fait, j'ai mis votre Compagnie en perte.

– Très exact.

– N'est-ce pas ? Vous voyez, nous nous entendons déjà… Cette perte, il m'est impossible de l'empêcher ; mais, à titre de compensation, je puis vous donner le moyen de réaliser un bénéfice bien supérieur au prix de la traversée.

– Lequel ?

Lavarède eut un regard railleur à l'adresse de Bouvreuil qui écoutait avec stupeur. L'Américain était au point où il s'était promis de l'amener.

– Pardon, monsieur le directeur, si je vous donne ce moyen, me tenez-vous quitte de ma dette ?

– Parfaitement, répondit M. Saxby après une seconde de réflexion.

– Alors, écoutez-moi. Vous possédez quatre navires. Chacun effectue environ six voyages par an avec une moyenne de cinquante rapatriés. Donc, transport assuré de douze cents Chinois.

– Cela est vrai… mais je ne vois pas quel rapport…

– Suivez mon raisonnement. Sur ces douze cents passagers, un sixième à peine est assez fortuné pour acheter son cercueil de son vivant. Restent donc mille défunts auxquels vous fournissez la double boîte, plomb et bois. Or, vous employez du beau chêne, j'ai pu m'en convaincre et la bière vous doit revenir à cinq dollars.

– Juste.

– Si elle ne vous coûtait plus que trois dollars, il y aurait pour vous un bénéfice net de dix mille francs par an.

– Eh ! grommela M. Saxby, nous y avons bien songé, mais les clients veulent du chêne.

– Vous leur en donnerez… ou du moins vous leur en donnerez l'apparence.

– Dites ?

– Du sapin blanc, lavé d'abord à l'acide sulfurique étendu d'eau au cinquième, puis à l'acide chlorhydrique au sixième, encaustiqué et enfin verni.

– Très simple, mais êtes-vous sûr de ce que vous avancez ?

– Gardez-moi prisonnier jusqu'au moment où vous aurez fait l'expérience… Ce n'est pas bien long.

M. Saxby tendit la main au journaliste.

– Ma foi, monsieur, vous ne paierez pas votre passage et la Compagnie fera encore une bonne affaire. Je suis réellement enchanté d'avoir fait votre connaissance.

Et à Bouvreuil, rongeant son frein, Lavarède murmura avec son plus gracieux sourire :

– Vous le voyez, mon cher monsieur Bouvreuil, avec un peu de chimie, on écarte les êtres nuisibles de son chemin.

Tout semblait arrangé. Les Chinois, réunis dans un coin, ne protestaient pas, et pour cause, contre les conventions débattues en Anglais, quand un nouveau personnage pénétra dans la salle.

À sa tunique bleue bordée d'une bande verte, à sa coiffure sombre surmontée d'un bouton de jade, on reconnaissait un officier de la police. Auprès de lui se tenait un jeune homme de la famille Pali-Ma qui s'était brusquement éclipsé lors de l'ouverture du cercueil. Celui-ci désigna Lavarède au policier en prononçant des paroles que le Français ne comprit pas.

L'agent s'élança vers la porte et fit entendre une exclamation gutturale. Aussitôt une dizaine d'hommes, vêtus comme lui, firent irruption dans la pièce et garrottèrent Armand.

– Je regrette de vous avoir retenu, lui dit M. Saxby qui venait de s'entretenir avec le chef de la troupe, votre affaire est grave.

– À ce point là ?

– Vous êtes accusé d'avoir détruit la dépouille de la jeune Li-Moua pour prendre sa place. Sacrilège, profanation de sépulture, tout y est. Selon toutes les probabilités, vous serez condamné à mort.

Lavarède eut un léger frisson, mais se dominant aussitôt.

– Grand merci du renseignement, répondit-il.

– Soyez assuré que je suis bien fâché, reprit le directeur, et même si je pouvais vous être utile. N'avez-vous point de parents, d'amis, auxquels vous désiriez adresser vos adieux ? Je ferai parvenir vos lettres.

Un instant le journaliste hésita. La douce image d'Aurett passa devant ses yeux, puis il secoua la tête.

– Je vous suis obligé, mais je ne souhaite encore annoncer ma mort à personne… Si, cependant, à ce bon monsieur Bouvreuil, qui nous écoute ; comme je lui ai sauvé la vie, la nouvelle lui fera plaisir.

Saluant l'usurier visiblement troublé, il se remit aux mains des agents et sortit sous leur escorte, pour gagner la prison. Durant la traversée de la ville de Takéou, quelques groupes se formèrent sur le passage du cortège, mais ils furent aussitôt dispersés par le bâton que les policiers maniaient avec une dextérité indiquant une grande habitude.

Les cités chinoises sont malpropres. Les rues, coupées au milieu de la chaussée par une rigole où les habitants jettent les immondices, affectent désagréablement la vue et l'odorat. En sa qualité de port, Takéou est encore un peu plus sale que les villes de l'intérieur.

De monuments, aucun. La plupart des maisons sont construites de boue et de torchis. De loin en loin, une habitation plus riche montre sa façade ornée de faïences multicolores, figurant des arabesques compliquées, des animaux, des fleurs. Une seule promenade existe, au bord du fleuve Pei-Ho, à l'embouchure duquel s'élève la morose bourgade chinoise. Et encore cet unique endroit de plaisir est-il attristé par la prison dont il est bordé. C'est là aussi, du reste, que le Ti-Tou, gouverneur d'un Hsien, ou ville de troisième ordre, fait exécuter les criminels.

Armand ignorait ces détails ; aussi, en arrivant auprès du fleuve, il poussa un soupir de satisfaction. Dans les ruelles étroites et puantes il étouffait. Ici il pouvait respirer à pleins poumons. Devant lui s'étendait l'estuaire du Pei-Ho, large de trois kilomètres, avec ses eaux jaunâtres, coulant entre des rives basses, grises, ternes, mais au moins l'espace ne manquait pas et l'œil pouvait parcourir le pays environnant. Sous les branches entrecroisées des platanes énormes qui abritent la promenade, Armand marchait avec une impression de soulagement. Pourquoi ? Sa situation n'était pas moins critique, ses gardiens n'étaient pas moins attentifs ; mais un air plus pur arrivait à ses poumons, et cela suffisait pour que la confiance revint au vaillant Parisien.

Par exemple il pâlit en apercevant à quelques pas de lui deux visages connus. Miss Aurett et son père, touristes quand même, visitaient la ville en attendant l'heure où Lavarède avait promis de les rejoindre à l'hôtel ; et le hasard, ce malencontreux hasard les avait conduits sur les bords du Pei-Ho à point nommé pour s'y croiser avec le captif.

La jeune fille porta la main à son cœur. Elle voulut parler, mais l'émotion était trop forte, les paroles ne dépassaient pas ses lèvres. Sir Murlyton, toujours calme, demanda, en anglais pour ne pas être compris des gardiens :

– Vous avez été pris ?

– Oui, sur la dénonciation de monsieur Bouvreuil.

– Oh ! le vilain homme, s'écria Aurett, retrouvant subitement sa voix.

L'un des policiers menaça le journaliste de son sabre. C'était une invitation au silence. Tout le monde la comprit et l'Anglais entraîna sa fille défaillante.

– Du courage, mon enfant, fit-il, sachons où l'on conduit notre compagnon. Peut-être notre consul pourra-t-il agir en sa faveur.

Et Lavarède qui se retournait pour apercevoir encore ses amis, les vit suivre à distance son escorte d'agents. Quand la porte de bois aux traverses rouges, agrémentée de blocs de bronze figurant de fabuleux animaux, se referma sur lui, son regard rencontra celui de la blonde Anglaise, fixe, égaré, et à ce moment terrible où tout le séparait d'elle, il comprit que d'un mutuel consentement, ils auraient pu, par un mariage, annuler le testament d'un parcimonieux cousin.

Très occupé par cette pensée, il traversa distraitement à la suite de ses gardes du corps, la cour pavée de briques, gravit les degrés d'un perron de bois, couvert d'un auvent peint en bleu, franchit une porte basse encadrée de jaune et se trouva dans une pièce sombre ou un jeune Chinois écrivait au pinceau sur une longue bande de papier.

Le chef de l'escorte s'approcha du scribe et lui dit quelques mots. Ce dernier se leva aussitôt et sortit, pour rentrer un instant après avec un gros homme tellement bouffi de graisse que ses yeux bridés s'ouvraient à peine. Les policiers s'inclinèrent profondément en portant alternativement les mains à la hauteur des oreilles.

– Bon ! pensa Lavarède, c'est le directeur de la prison.

Le poussah demanda quelques explications aux agents, puis il fit un geste comme pour dire : Allez ! Deux policiers maintinrent aussitôt Armand, tandis que le Chinois écrivain vidait ses poches avec une dextérité merveilleuse.

– Voilà un greffier, murmura le prisonnier, que les pickpockets ne renieraient point.

Ce fut tout ; il s'apercevait que dans l'Empire du Milieu comme en Europe, le captif est dépouillé, dès son entrée, de tout ce qu'il possède.

Le « fouilleur » avait étalé les objets sur son bureau, si l'on peut nommer ainsi une sorte de chevalet supportant une tablette inclinée. Le canif, les cinq sous, fortune du voyageur, furent l'objet d'un examen prolongé ; puis les regards du directeur s'arrêtèrent sur la boîte de fer-blanc apportée par le requin dans les eaux d'Honolulu. Lavarède fit un geste pour la reprendre :

– Ce n'est pas à moi, commença-t-il...

Mais ses surveillants le secouèrent brutalement. Il songea aussi que le français se parle peu en Chine, et il s'abstint. Le greffier ouvrit la boîte, et en tira le parchemin qu'Armand s'était engagé à déchiffrer. Tranquillement, avec un geste prétentieux, les gratte-papier sont les mêmes sous toutes les latitudes, il le déroula, mais à peine y eut-il jeté les yeux qu'il le laissa tomber sur la table en faisant une épouvantable grimace.

Le directeur ramassa la feuille et la reposa aussitôt en gonflant ses joues. Après quoi, il se passa la main sur la tête, regarda son greffier, puis le chef des policiers, et fit quelques pas en soufflant :

– Peuh ! Peuh !

Il revint encore à l'homme qui avait arrêté le Français. Un colloque animé s'engagea. De ses bras courts, le fonctionnaire décrivait de grands gestes, mais le policier impassible, ne paraissait pas s'en émouvoir. Il répondait brièvement, conservant une attitude froide. Évidemment il refusait une chose que son interlocuteur demandait avec insistance. Cela dura un quart d'heure sans que Lavarède pût deviner de quoi il s'agissait. Les deux hommes tombèrent sans doute d'accord, car on conduisit le captif dans une chambre où on l'enferma.

Resté seul, Armand se prit à réfléchir à sa triste situation. Un instant, amusé par les grotesques qui avaient défilé devant lui, il songeait maintenant qu'il était enfermé dans une prison chinoise et accusé de sacrilège. Il connaissait, par les récits des missionnaires et des voyageurs, l'inflexibilité de la loi du pays, la cruauté des supplices, et il était obligé de s'avouer qu'à moins d'un miracle, son affaire était claire. Le vieil adage des fils de Han lui revenait à l'esprit :

– Punir un coupable est bon, mais frapper un barbare d'Europe est délicieux !

Ces réflexions moroses mettaient sur le visage du prisonnier un masque mélancolique, et il ne s'étonna pas qu'une larme obscurcît vaguement ses yeux tandis qu'il prononçait douloureusement un nom :

– Aurett.

Ce doux nom, joyeux, pimpant comme un rayon d'aurore ou le prélude du pinson, prenait dans cette geôle l'aspect d'une raillerie. Plus infortuné que Tantale, qui au moins pouvait dévorer des yeux les fruits éternellement éloignés de ses lèvres, Armand ne verrait plus la jeune fille.

Donc, le gai Parisien « broyait du noir » quand la porte de sa prison, en s'ouvrant, le fit sursauter. Gravement, avec des gestes courtois, le gros directeur parut, conduisant par la main une jeune fille. Fermant la marche, le scribe se montra portant une table chargée de plats.

Il la posa cérémonieusement devant le captif, avec deux bouteilles contenant un liquide semblable à du vin. Le directeur sourit et du geste invita Lavarède à manger. Puis il poussa devant lui la petite Chinoise. Celle-ci, très intimidée, fixa un instant ses yeux noirs sur le journaliste et, rougissant, ce qui donna à sa jolie peau citron la teinte d'une orange, elle dit, d'une voix basse, en excellent français :

– Je suis Diamba !

– Hein ? fit Armand surpris.

– Je suis Diamba, répéta-t-elle.

– Je comprends bien, mais comment se fait-il que tu parles la même langue que moi ?

– Les bonzes blancs m'ont appris.

– Bien ! Tu as été élevée par les missionnaires.

Elle inclina la tête pour affirmer.

– Et on t'a permis de venir désennuyer un peu le prisonnier ?

– Ce n'est pas cela.

– Alors, je ne comprends plus.

La fillette baissa les yeux :

– Je dois te parler.

– Je t'écoute, mon enfant, va.

Diamba regarda le directeur et échangea quelques mots chinois avec lui.

Après quoi, elle s'adressa à Lavarède :

– Chun-Tzé, directeur de la prison de Takéou, te dit ceci : « Je regrette de te tenir captif ; mais humble fonctionnaire, je dois obéir au Ti-Tou qui gouverne la ville. Sans cela on m'enverrait le sabre avec lequel je serais contraint de m'ouvrir le ventre. Sauf la liberté, je te donnerai tout ce que tu demanderas : bons repas, vins exquis, eau-de-vie de première qualité, thé de l'empereur, cueilli par des vierges, aux mains gantées, afin que la feuille en reste immaculée. Enfin, si tu désires écrire à tes amis, tes lettres leur seront fidèlement remises. »

Les yeux écarquillés, la bouche ouverte en O, Armand écoutait avec stupéfaction.

Et le directeur Chun-Tzé s'inclinait, souriait de la façon la plus engageante. Diamba poursuivit :

– Chun-Tzé sachant qui tu es, qui sont tes frères, a voulu te remettre en liberté ; il en a référé au Ti-Tou. Celui-ci a refusé.

– Ah ! put enfin s'écrier le journaliste.

– Les tiens, a-t-il prétendu, montrent trop d'audace. Un express partira demain pour Pékin, et le fils du Ciel lui-même statuera sur ton sort. Chun-Tzé, ici présent, te prie de remarquer qu'il s'est employé à te sauver. Il te prie aussi, lorsque tu correspondras avec tes amis, de leur affirmer qu'il les admire et que, malgré sa fonction, il fait des vœux pour eux.

– De quels amis parles-tu ? questionna le captif, tout interloqué par l'étrangeté de l'entretien.

Diamba croisa les mains sur sa poitrine, courba son corps en une inclination très respectueuse, puis se redressant, elle décrivit du doigt un triangle sur son front.

Du coup Lavarède frappa le sien. Il avait compris. Le diplôme de franc-maçon trouvé sur lui faisait son effet.

Le prisonnier bénéficiait de la terreur inspirée par les sociétés secrètes ; on le ménageait pour n'être pas victime de la secte à laquelle on le supposait affilié.

Toute sa bonne humeur lui revint. D'un mouvement noble, il tendit la main à la Chinoise, et montant son ton au diapason de la comédie où il se trouvait mêlé :

– Diamba, dit-il, Chun-Tzé ne pouvait choisir plus gracieuse messagère. Reporte-lui mes paroles. Que la crainte s'éloigne de son esprit. Ceux qui respectent les membres de la Loge universelle n'ont point à trembler. Elle les protégera, au besoin. Qu'il continue à se montrer attentif et courtois, et loin de le menacer, on veillera sur lui.

Le visage du directeur s'épanouit. Le poussah esquissa même une génuflexion, et il se retira avec forces protestations, que Diamba avait peine à traduire.

De nouveau, le journaliste resta seul. Mais l'espoir éclairait maintenant la nuit de son esprit. Son geôlier se transformait en domestique.

XVIII

Les angoisses d'Aurett

En voyant disparaître Armand dans la prison de Takéou, Aurett avait demandé :

– Quelle est cette maison ?

– Probablement la prison, répondit Murlyton.

La jeune fille piétina.

– La prison ! Et vous dites cela avec tranquillité. Les Chinois osent enfermer un citoyen d'une nation libre dans les cachots réservés aux seuls criminels ; si l'on n'y met bon ordre, demain cela nous arrivera, à vous, à moi.

– Non, interrompit le gentleman, puisque nous voyageons correctement.

Un regard indigné de sa compagne lui coupa la parole.

– Je pense, mon père, reprit Aurett d'une voix étrangement calme, que vous n'allez pas reprocher à ce jeune homme certaines... irrégularités dont vous êtes seul coupable.

– Moi ! se récria l'Anglais.

– Sans doute, vous. En acceptant la clause ridicule d'un testament insensé, vous avez contraint notre... ami à faire de même. Vous l'avez en quelque sorte mis hors la loi, et j'estime...

Elle s'arrêta un instant.

– Vous estimez ? répéta le père, très ému par ces reproches, encore qu'il les sentît immérités.

– J'estime qu'il serait convenable de nous efforcer d'obtenir l'élargissement de monsieur Lavarède.

Murlyton regarda son interlocutrice d'un air ébahi.

– Et comment ? Je ne connais personne dans ce diable de pays. Je suis incapable de me faire entendre des habitants...

– Oh ! parce que vous ne voulez pas...

– Comment ? Je ne parle pas chinois, parce que je ne veux pas ?

– Ce n'est point là ce que je veux dire.

– Alors, explique-toi.

Il cédait visiblement. Aurett cessa de gronder. Elle se fit persuasive et douce.

– Voyons, mon père, continua-t-elle d'une voix caressante, quand un Anglais est embarrassé en quelque point du monde, que fait-il ?

– Il en appelle à son consul.

– Justement. Eh bien ! Ne trouvez-vous pas que jamais son intervention n'aura été plus justifiée ?

– Si, seulement Lavarède n'est pas Anglais !...

– Il est notre ami, cela suffit... Depuis le départ il m'a sauvé dix fois la vie.

– Au fait, pourquoi pas ? Allons au consulat.

Au fond, sir Murlyton aurait été très heureux de tirer d'affaire son compagnon de tour du monde, pour lequel il éprouvait une très vive amitié. Aussi mit-il aussitôt à exécution l'idée de sa fille.

Le consul écouta son récit, s'engagea à faire les démarches nécessaires pour obtenir la mise en liberté du journaliste, et fixa à ses compatriotes un rendez-vous pour le lendemain. Il lui fallait bien le temps de procéder à une rapide enquête, afin d'établir nettement les faits.

Une heure avant le moment désigné, la jeune Anglaise et son père se présentaient au consulat. Bien entendu, cet empressement intempestif devait être attribué à miss Aurett. Le résultat d'ailleurs fut une longue attente sur les sièges de bambou de l'antichambre. Enfin, ils furent introduits auprès du consul. Le visage de celui-ci était renfrogné.

– Je me suis occupé de votre affaire, dit-il à sir Murlyton ; mais votre protégé s'est mis dans un mauvais cas. Le directeur de la Compagnie de navigation m'a tout conté, et le gouverneur, que j'ai visité, m'a déclaré que le sacrilège aurait été décapité dès ce matin, s'il n'avait le bonheur d'être affilié à la Ligue universelle du Ciel, de la Terre et de l'Homme.

Poussé par sa fille, le gentleman raconta alors comment l'acte d'adhésion à la Ligue était tombé entre leurs mains ; comment des Chinois embarqués à bord avaient commis le sacrilège imputé à Lavarède. Mais le consul l'arrêta :

– Gardez-vous de parler de tout cela. Laissez croire que le prisonnier fait partie d'une société secrète. Tous les fonctionnaires tremblent devant elle. Le gouverneur en a eu peur. Il n'a pas osé prendre la responsabilité de l'exécution, et il a envoyé demander des ordres à Péking. Ah ! si la famille Pali-Ma n'avait pas été riche, puissante, soyez sûr que votre protégé serait libre à cette heure. Malheureusement, un des Pali-Ma est mandarin Té-Tchong, c'est-à-dire chef militaire... Vous comprenez ? Pris entre les Pali-Ma et les francs-maçons, le gouverneur a décidé qu'il ne déciderait rien lui-même. Il préfère laisser toute la responsabilité au Tsong-li-Yamen, conseil des ministres et du souverain.

– Mais alors, demanda l'Anglaise, que faut-il faire ?

– Attendre, mademoiselle.

– Longtemps ?

– Trois, quatre semaines peut-être.

Elle leva les yeux au ciel avec une expression si désolée que le consul crut devoir lui adresser quelques paroles encourageantes :

– Je pense, mademoiselle, que tout finira bien ; dans ce pays, quand on ne tue pas tout de suite un coupable, il y a de grandes chances pour qu'il échappe à la mort. J'en ai parlé à mon collègue le consul de France, qui pense comme moi. Je vous promets de m'informer, et de vous tenir au courant de ce qui adviendra.

Et sur cette promesse vague, il congédia les visiteurs.

Tous deux reprirent le chemin de l'hôtel en silence, absorbés par leurs pensées, ne s'apercevant pas que des jeunes gens les suivaient. Armés de bâtons, foulant le sol de leurs pieds nus, les Chinois avaient l'air menaçant. Comme sir Murlyton et sa fille s'engageaient dans une ruelle, un bâton siffla en l'air et vint s'abattre rudement sur l'épaule du gentleman. En même temps une clameur furieuse s'élevait, et le groupe compact des assaillants se rapprochait rapidement ?

– Qu'est-ce que c'est ? interrogea la jeune fille.

– L'hospitalité chinoise, fit flegmatiquement l'Anglais ; la devise en est simple et belle : Mort aux étrangers.

Tout en parlant, il avait tiré son revolver et faisait face aux ennemis. Même armé, la partie était inégale maintenant. Deux cents forcenés hurlaient la menace. Il allait tirer quand même, Aurett retint son bras. Comme un éclair, le souvenir de Han, le Céleste rencontré sur le *Heavenway*, lui était revenu. Elle entendait ses paroles, lorsqu'il lui avait jeté la fleur de lotus.

– Avec cet insigne, vous trouverez des amis partout.

Cette fleur, elle la portait dissimulée dans les plis de son corsage. La prendre et la présenter aux assaillants fut l'affaire d'une seconde, et soudain les clameurs s'apaisèrent, les bâtons levés pour frapper s'abaissèrent lentement. Avant que le gentleman eut pu demander l'explication de ce brusque revirement, la rue était vide, les ennemis évanouis.

Aurett s'amusa de son étonnement, puis elle lui raconta son aventure. Elle la lui avait cachée jusque-là, mais vraiment elle venait d'avoir un si utile épilogue, qu'un père bien plus sévère que sir Murlyton eut pardonné. Il ne reprocha point à sa fille son équipée à la chambre des morts, et grommela seulement :

– Ce pays ne me convient pas. Trop de sociétés secrètes.

La réflexion ne manquait pas de justesse. Les affiliations sont la plaie de l'Empire du Milieu. État dans l'État, elles entretiennent une perpétuelle agitation et les courageux missionnaires qui, par la religion, le langage, cherchent à étendre là-bas l'influence européenne, voient leurs efforts paralysés par un pouvoir occulte. Heureux encore quand eux et leurs élèves ne sont pas déchirés par l'émeute sauvage.

À dater de ce jour, les Anglais purent circuler à travers la ville. Nul n'entravait leur marche, mais instinctivement ils se sentaient surveillés, protégés. Ils eurent la preuve qu'ils ne se trompaient pas. Dans une de leurs promenades, ils s'égarèrent. Très embarrassés, ils cherchaient leur route. Un indigène s'approcha d'eux, les invita par gestes à le suivre, et les ramena à leur hôtel. Arrivé là, il s'éloigna sans accepter la pièce d'argent que lui offrait le gentleman.

Cependant la jeune fille s'ennuyait et surtout s'inquiétait. Que devenait Armand ? Quand seule elle s'interrogeait, c'était toujours ainsi qu'elle l'appelait. Tous ses préjugés britanniques avaient fondu en face du danger de mort qu'il courait. Au lieu de résister à son sentiment, comme le veut le *can't*, elle se laissait entraîner par lui, heureuse et un peu fière de l'âme nouvelle qu'elle se découvrait, et doucement elle répétait l'interrogation du philosophe :

– Pourquoi la tendresse, si la mort ? Pourquoi la mort, si la tendresse ?

Le huitième jour, elle voulut voir Lavarède. Puisque son épingle en fleur de lotus apaisait les masses, il fallait essayer son pouvoir sur les fonctionnaires. Avec sir Murlyton, très affecté par les derniers événements, elle se rendit à la prison.

Mais toute son éloquence se brisa contre la passivité de Chun-Tzé. Le directeur ventru se retrancha derrière les ordres du Ti-Tou ; tout ce qu'il pouvait faire était de permettre à la jeune dame d'écrire au prisonnier. Il lui porterait la missive et reviendrait avec la réponse.

Diamba, naturellement, servit d'interprète. Sur l'ordre du directeur, elle demeurait à la prison afin que le captif pût causer avec une personne parlant sa langue. Nul ne remarqua l'attention avec laquelle la Chinoise considéra l'Anglaise ; mais après le départ de la visiteuse, elle alla s'asseoir dans la chambre d'Armand, et de sa voix concentrée :

– Elle est belle, ta fiancée, murmura-t-elle.

Et comme Lavarède tressaillait :

– Elle est jolie, continua l'enfant, et son âme est à toi.

Ce fut tout. Dans ces simples paroles tintait comme une tristesse résignée. Peut-être la Chinoise avait-elle associé le journaliste à un rêve rouge, couleur des rêves d'hyménée en Chine et seule employée pour la toilette des mariées. Pressant dans sa main fermée le papier sur lequel Armand avait crayonné en hâte quelques lignes affectueuses, miss Aurett sortit de la prison. Sir Murlyton paraissait mécontent du demi-succès de sa démarche.

Sur le quai du Peï-Ho, ils se trouvèrent face à face avec M. Bouvreuil. L'usurier sembla gêné tout d'abord, mais se remettant, il salua cérémonieusement les Anglais et d'un ton pénétré :

– Vous venez sans doute de visiter le prisonnier ?

Sir Murlyton et sa fille firent un détour pour éviter ce gêneur, et poursuivirent leur marche sans lui répondre. Mais ce n'était pas le compte de Bouvreuil. Pivotant sur ses talons, il rejoignit les promeneurs.

– Peut-être jugez-vous ma conduite un peu sévèrement. Soyez certains que je ne prévoyais pas ce qui arrive, je voulais seulement arrêter M. Lavarède pour assurer son union avec ma chère Pénélope.

Aurett se retourna comme si elle avait été piquée par une vipère :

– Mademoiselle Pénélope n'épousera pas monsieur Lavarède, dit-elle sèchement.

– Ah ! bah ! bégaya l'usurier un peu troublé par le ton dont ces paroles avaient été prononcées.

– On ne donne pas son nom à la fille d'un dénonciateur, continua l'Anglaise, se montant peu à peu. Il faudrait l'excuse de la passion pour entrer dans une famille aussi pauvre d'honneur, et M. Armand est loin de vous aimer vous et cette demoiselle. Le résultat de vos manœuvres est que votre victime vous méprise un peu plus chaque jour. Et je suis obligée de dire que mon père et moi nous l'approuvons.

Bouvreuil, suffoqué, voulut protester. L'Anglais ne lui en laissa pas le temps.

– Miss Murlyton a bien parlé. J'ajoute qu'aucun rapport ne peut exister entre nous et un personnage de votre sorte. Maintenant éloignez-vous, et notez ceci : Désormais, ma bouche ne s'ouvrira plus pour vous répondre, mais mes poings se fermeront.

Et le gentleman présenta au propriétaire un poing de boxeur si menaçant que ce dernier fit deux pas en arrière. Il s'abstint de retenir des gens avec lesquels la conversation était si difficile.

Dans le fond, Bouvreuil éprouvait un très réel chagrin. Non que le remords étreignit sa conscience. Depuis longues années, il s'était débarrassé de cet *impedimentum*, propre tout au plus à arrêter les honnêtes gens sur le chemin de la fortune ; mais il comprenait que le mariage de Pénélope était plus hypothétique que jamais. De plus, il connaissait l'aimable caractère de son héritière. Et de rentrer à Paris sans le fiancé attendu lui paraissait exempt de charmes.

Sans doute, l'usurier s'était frotté les mains à l'idée de forcer Lavarède à payer son passage sur le *Heavenway*, mais sa joie s'était transformée en désespoir lorsque les autorités chinoises s'étaient immiscées dans l'affaire. De suite il s'était rendu compte de la gravité de la situation. Il s'était remué, visitant les fonctionnaires, offrant de larges pourboires aux secrétaires des mandarins. Ces employés avaient accepté l'argent mais n'avaient pas rendu le prisonnier. Découragé par quelques échecs coûteux, Bouvreuil s'était rabattu sur les consulats. Alors, il avait entendu prononcer de grands mots qui faisaient frémir sa chair. Sacrilège, violation de sépulture ! On lui avait raconté des choses inexplicables : Lavarède conspirateur, franc-maçon chinois, affilié à la Ligue universelle du Ciel, de la Terre et de l'Homme.

Il s'était enquis des sociétés secrètes, stupéfait de voir le journaliste mêlé à la politique intérieure de l'Empire du Milieu. Si bien que, n'y comprenant plus rien, il avait puisé, dans le désarroi même de son esprit, le courage d'aborder Murlyton pour tâcher d'en tirer quelque éclaircissement.

La réception du gentleman n'avait pas répondu à son attente. Aussi le malheureux propriétaire eut-il, quand les Anglais furent trop éloignés pour l'entendre, un transport de colère auprès duquel les épiques rages des héros d'Homère eussent semblé de simples mouvements d'impatience.

Les nerfs de tout homme, fut-il usurier, ne peuvent demeurer éternellement tendus. Bouvreuil se calma donc. Plus paisible, il tint conseil avec lui-même, et décida que, les circonstances ne lui permettant pas d'agir autrement, le plus sage était d'attendre les événements. Mais, supposant que la présence de miss Aurett dans la prison cachait peut-être quelque projet d'évasion, il se déclara qu'il convenait de surveiller étroitement la jeune fille, afin de poursuivre son « gendre », s'il réussissait à tromper la surveillance des geôliers de Takéou.

Deux semaines s'écoulèrent, sans qu'il découvrit le moindre indice propre à l'avertir d'une fuite prochaine. L'Anglaise sortait avec son père. Chaque jour, elle était un peu plus pâle, et autour de ses yeux si doux, le chagrin plaquait une meurtrissure bleutée. Elle avait fait trois visites à la prison, mais après chacune elle revenait plus attristée.

« Sapristi, se disait Bouvreuil, ça ne marche donc pas. Qu'est-ce qu'ils attendent ? »

Le mois d'octobre commença. Jusqu'au 15, la vie continua de couler, monotone, fastidieuse, écœurante ; mais le soir de ce dernier jour une nouvelle terrible arriva.

Ce fut le consul anglais qui l'apporta à ses compatriotes, au moment où ils prenaient silencieusement le thé, à l'hôtel de la « Box-Pacific-Line ».

En le voyant paraître au parloir, Aurett courut à lui les mains tendues, les yeux dilatés par une ardente interrogation.

– La décision de l'empereur a été notifiée au Ti-Tou cet après-midi.

– Ah ! fit seulement la jeune fille.

– Et qu'a décidé Sa Grâce ? demanda sir Murlyton en se levant.

Le consul baissa la tête. Une émotion poignante secoua ses interlocuteurs.

– Quoi, balbutièrent-ils, monsieur Lavarède ?...

– Doit être conduit à Péking chargé de la cangue, et décapité au lieu ordinaire des exécutions, près le pont des Larmes.

Aurett ferma les yeux et chancela. Non seulement celui qu'elle aimait appartenait au bourreau, mais encore il subirait le supplice de la cangue. Supplice atroce ! La cangue est une sorte de carcan formé de planches épaisses de trois à quatre centimètres, réunies par des lanières de cuir. Des trous pour passer la tête et les mains du patient y sont ménagés. Le malheureux doit marcher avec ce lourd appareil, qui gêne ses mouvements, lui déchire le cou et les poignets.

La jeune fille voyait Armand suivant, ainsi torturé, les routes poudreuses de la province de Petchi-Li. Durant cinq jours, il devrait, meurtri, pantelant, fournir une longue étape avant de gagner Péking. Et là ! L'horrible chose ! La fin de ses maux serait le trépas brutal ! Un coup de sabre jetterait sur le sol sa tête intelligente. Ses regards aux douceurs rieuses s'éteindraient pour toujours.

Tout à coup l'Anglaise releva le front. Le consul s'était éloigné discrètement, laissant seuls ceux auxquels il venait d'apporter une si terrifiante nouvelle.

– Mon père, dit-elle.

– Mon enfant, courage ! répliqua sir Murlyton d'un ton ému.

– Du courage ? J'en ai ; mais j'ai aussi une prière à vous adresser.

– Parle, ma fille chérie !

Elle regarda le gentleman bien en face, lui découvrant les pervenches humides de ses yeux, puis elle poursuivit :

– J'avais rêvé de devenir l'épouse de monsieur Lavarède, mon père. Depuis longtemps déjà, j'ai reconnu que je l'aime. Pardonnez-moi de ne pas vous l'avoir avoué plus tôt. Un pari est engagé, je devais me taire jusqu'à ce que le sort eût prononcé. Aujourd'hui, hélas le sort a parlé. Il va mourir, je veux être là, auprès de lui, protéger son corps contre les injures de la multitude, lui assurer une sépulture, et après ?...

Aurett s'était arrêtée, étranglée par l'émotion.

– Après ? répéta anxieusement le gentleman.

Pour toute réponse, elle se jeta dans ses bras et éclata en sanglots.

À force d'éloquence, sir Murlyton réussit à lui rendre quelque espérance. Lavarède s'évaderait peut-être pendant la route. Dans une prison, au milieu de nombreux gardiens, la fuite est plus difficile que sur les chemins, où mille incidents surgissent dont un homme déterminé sait profiter. On irait à Péking, puisqu'elle le désirait.

Aurett parut oublier sa douleur pour s'occuper des préparatifs du départ. Avec son père, elle se mit en quête d'un véhicule quelconque, mais la ville en comptait peu, et tous ceux qu'elle possédait avaient été retenus par les fonctionnaires ou les riches marchands. Ces gens se rendaient à Péking pour assister à des fêtes sans précédent. Un ballon dirigeable, ils disaient un navire aérien, devait faire son ascension. L'annonce de cette merveille avait secoué l'apathie des habitants, et dans tout le Ken de Petchi-Li, il ne restait voiture ou jonque à louer.

Cependant, à force de chercher, l'Anglais découvrit un coolie coréen qui, moyennant le prix exorbitant d'un taël par jour, consentit à conduire les voyageurs dans sa brouette à voile. Le taël est une pièce d'or, à valeur variable. Quant à la brouette à voile, elle se compose d'une sorte de table carrée, percée au milieu pour laisser passer l'unique roue qui la porte. À l'avant, quand le vent est favorable, un mât permet de hisser une voile. À l'arrière, deux bras entre lesquels trotte le conducteur du bizarre équipage servent de gouvernail. Pas très stables, ces véhicules exposent les touristes à des culbutes fréquentes, mais il fallait se contenter de ce que l'on trouvait.

Murlyton et Aurett s'entendirent avec le Coréen. Il viendrait les prendre à l'hôtel le lendemain, 16 octobre, à huit heures du matin. Le gentleman lui remit quelques sapèques – monnaie de billon – à titre d'avance, et rentra avec Aurett, pour la dernière fois, à l'établissement monté par la Box-Pacific.

XIX

Le Lotus Blanc

Le jour venait à peine de paraître, lorsque Lavarède fut tiré de son sommeil par l'entrée processionnelle de Chun-Tzé, suivi de son greffier, de Diamba et d'un personnage à uniforme bleu et vert, spécial aux agents de la police.

Il s'assit sur son lit, et considéra les visiteurs. Le directeur s'épongeait le front, Diamba baissait ses paupières rougies par les larmes. Le greffier et l'agent demeuraient impassibles. La petite Chinoise annonça au prisonnier qu'il allait être transféré à Péking pour y être exécuté, et que Fonni-Kouen, policier estimé, l'escorterait.

Le voyageur accueillit d'abord la nouvelle avec satisfaction. La prison lui pesait ; mais quand, descendu dans la cour, on lui eut pris le col et les poignets dans les planches de la cangue, il commença à penser que le changement n'est pas toujours une amélioration.

Dix Toas, ou policiers, étaient préposés à sa garde.

Après des adieux amicaux à Chun-Tzé et à la pauvre Diamba tout éplorée, les portes de la prison s'ouvrirent et le cortège se mit en marche. Le guide Fonni-Kouen remonta le fleuve. Bientôt la petite troupe sortit de la ville et s'engagea dans la campagne. Des paysans faisaient la récolte du maïs et du sorgho ; et, dépouillée de sa parure de plantes, la terre apparaissait d'un jaune doré particulier à ces contrées.

Vers dix heures, on s'arrêta dans un petit village, où les hommes de l'escorte prirent leur repas. Très fatigué, meurtri par le contact du bois de la cangue, Lavarède s'était assis en tailleur, de façon que la portion inférieure du hideux instrument portât sur le sol, ce qui soulageait momentanément son cou endolori.

Il était seul. Un des policiers s'approcha de lui, tenant sous son bras des planches, que le journaliste jugea devoir former un autre carcan. Le nouveau venu mit un doigt sur ses lèvres pour recommander le silence au prisonnier, et, avec une habileté merveilleuse, il le débarrassa de la cangue, qu'il remplaça par celle dont il était chargé.

À sa grande surprise, Armand s'aperçut que la seconde était beaucoup plus légère. En outre, le tranchant du bois s'appuyant sur le cou était garni d'un bourrelet de crin qui amortissait la douleur du contact.

Son opération terminée, l'agent entrouvrit sa tunique et mit sa poitrine à nu. Du geste il désigna une fleur de lotus tatouée sur la peau et s'éloigna précipitamment. Le Parisien eut un sourire. Encore un qui le prenait pour un franc-maçon, et le soulageait dans la mesure de ses moyens.

Après la sieste, on se remit en marche. Le soir, à neuf heures, le détachement entra dans la ville de Tien-Tcheng, mollement couchée au bord du Pei-Ho. Après quelques détours dans les ruelles, il traversa le pont de marbre, orné de douze figures géantes de Bouddha, qui réunit les deux quartiers de la ville, et il gagna une maison de police située sur la rive gauche. Lavarède fut enfermé dans une cellule assez spacieuse où on le dépouilla de la cangue. Cette parure du supplice était réservée pour la promenade en public.

Le jeune homme s'étira. Malgré la substitution opérée à la première halte, il souffrait d'un violent torticolis ; ses poignets étaient gonflés et douloureux.

– Encore quatre jours de marche, grommela-t-il, je serai gentil en arrivant.

La porte s'ouvrit à ce moment, et le policier à la fleur de lotus se glissa dans la cellule. Il tenait à la main une boîte remplie d'une pommade rougeâtre.

– Zoueg-Maô, dit-il à voix basse.

Et comme le prisonnier le regardait sans comprendre, il répéta un peu plus haut :

– Zoueg-Maô !

Un souvenir traversa l'esprit du journaliste. Il se rappela un épisode du récit de Marco Polo vivant à la cour de Koubilaï Khan, où le célèbre voyageur raconte que les condamnés, dans les bagnes, obtiennent quelques jours de repos en se frottant l'épiderme de Zoueg-Maô.

« Cette préparation, dit Marco Polo, rend les chairs violacées, les couvre de pustules et leur donne l'apparence de l'inflammation la plus aigüe. Apparence seulement, car celui qui fait usage du Zoueg-Maô n'éprouve aucune gêne. »

Le policier montra la boîte, puis les pieds de Lavarède. Celui-ci comprit : Le « truc », vieux de tant de siècles, servait encore. Dans ce monde chinois, stagnant au milieu des peuples courant au progrès, tout est éternel, les trucs comme les usages, les idées comme les erreurs. Il fit une action de grâces à la routine. Lui le Parisien avide de « demain », pour qui la vapeur était trop lente, il admira le char immobilisé par l'ornière.

Pour prouver à son protecteur qu'il avait saisi sa pensée, il se déchaussa et enduisit sa chair de pommade. L'agent parut satisfait et se retira.

Au matin, lorsqu'on vint le chercher pour continuer sa route, Armand montra aux Toas ses pieds gonflés, marbrés de plaques rouges. Ceux-ci hochèrent la tête et allèrent prendre les ordres de leur chef. Une demi-heure plus tard, Armand était emporté sur une civière et conduit ainsi à bord d'une jonque, au fond de laquelle il fut commodément installé. Après quoi, les bateliers déployèrent les voiles de paille tressée et, poussée par un bon vent, l'embarcation remonta le cours du Peï-Ho. C'est ainsi que le prisonnier effectua son voyage, qui eût été charmant sans l'inquiétude de la fin.

Cependant avec sa mobilité d'esprit habituelle, Armand s'intéressa au paysage. Il admira les nombreux canaux naturels qui réunissent le lac Ami-Io au fleuve. Il eut un véritable plaisir à voir défiler les monuments, les palais, les pagodes de Tien-Tsing, ville d'un million d'habitants, capitale de la province de Petchi-Li. Il se remémora que Péking, cité administrative et résidence de l'empereur, est seulement chef-lieu d'un département de cette province, le département de Choun-Tien. Il regretta fort que les troupes anglo-françaises ne fussent plus en cet endroit où, en 1860, la guerre contre la Chine fut close par un traité qui ouvrait les villes du littoral aux Européens.

– Ah ! comme on m'aurait tiré des mains de ces drôles, murmura-t-il, puis sa robuste confiance en lui reprenant le dessus : J'en sortirai bien tout de même, conclut le vaillant jeune homme.

On passa la nuit à La-Min, un peu au-delà de Tien-Tsing.

Le lendemain, la jonque conduisit l'escorte jusqu'à Bac-Nou, petit bourg qui sert de comptoir à l'importante cité de Pao-Ti.

Enfin, au déclin du troisième jour, on aborda à Toung-Tchéou.

Les voyageurs devaient parcourir par terre les dix-huit kilomètres qui les séparaient encore de Péking. Dans une chaise à porteurs grossière, réquisitionnée par le chef de l'escorte, Armand fut enfermé ; puis, malgré l'heure avancée, toute la troupe se mit en marche.

Il était environ minuit quand Lavarède fit son entrée dans la capitale officielle.

– Ah ! pensa-t-il, nous arrivons. Je ne serai pas fâché de dormir.

Ce souhait ne devait être exaucé qu'après deux heures de promenade dans cette cité. Les rues, désertes à ce moment de la nuit, bordées de murailles de briques servant de clôture aux jardins qui entourent toutes les maisons de la ville impériale, avaient un aspect lugubre. À chacune de leurs extrémités, des chaînes tendues arrêtaient la marche des policiers qui devaient les détacher, puis les replacer avant de poursuivre leur route.

Plusieurs fois, des agents de police vinrent reconnaître les voyageurs. Ils annonçaient de loin leur présence en frappant à coups redoublés un cylindre de bois, dont ces fonctionnaires sont munis. Après un colloque de quelques instants, ils se retiraient. C'est ainsi que Lavarède traversa lentement la ville chinoise et atteignit la large voie qui borde la muraille de la ville intérieure ou impériale. La rue de la Tranquillité, Tchang-Ngaï-Kini, tel est le nom de cette avenue, d'où l'on aperçoit, au-delà du mur qui ceint les habitations du fils du Ciel et de sa cour, des toits recouverts de tuiles jaunes ou rouges, suivant qu'ils abritent les membres de la famille impériale ou de simples seigneurs. Les tuiles grises sont l'apanage des maisons particulières.

Devant l'une des trois portes qui relient la King-Tchung – cité de la cour – à la Ouéï-Tchung – ville des sujets –, les policiers se prosternèrent. C'était la Nyang-Ting-Men, ou porte de la Paix, par laquelle entrèrent les alliés en 1860.

Enfin le véhicule où le prisonnier s'impatientait pénétra sous une voûte noire et s'arrêta. On était arrivé. Après quelques formalités de greffe, Lavarède, conduit dans un cachot sombre, put s'étendre sur les planches servant de couchette et s'endormir profondément.

Un choc le réveilla. On eût dit qu'on lui avait porté un coup à la jambe. Il allongea le bras instinctivement. Sa main rencontra une main.

– Qui est là ? demanda-t-il, non sans quelque émotion !

– Un Français ! s'écria une voix avec une inflexion joyeuse.

– Deux, si j'en juge à votre langage.

– Oui, deux... Qui êtes-vous ?

– Prisonnier... et vous ?

– Prisonnier aussi et prêtre catholique.

Lassé du voyage, Armand dans l'obscurité ne s'était pas aperçu que son cachot contenait déjà un habitant, et celui-ci dormait, ainsi qu'il l'expliqua au voyageur.

Il lui dit son histoire. Missionnaire persécuté par les autorités chinoises. Arrêté sans motif après que les affiliés du Lotus blanc, dans un jour d'émeute, eurent brûlé sa mission et massacré ses compagnons, on l'avait conduit dans cette prison où l'on paraissait l'oublier. Et comme Armand s'indignait, le prêtre murmura doucement :

– Presque tous nous finissons ainsi. Mais les récriminations seraient injustifiées. En venant en Chine, nous savons à quoi nous nous exposons et nous pardonnons d'avance. Les pauvres gens ne savent pas ce qu'ils font. Croiriez-vous que les lettrés eux-mêmes nous accusent de recueillir les enfants, non pour les élever, mais pour les tuer et employer leurs corps à des opérations magiques ? Leurs yeux notamment nous servent, au dire des mandarins, à fabriquer le collodion pour la photographie.

– C'est insensé.

– N'est-ce pas ? Mais cette ignorance qui nous condamne est moins pénible pour moi que la désunion des nations d'Europe. Des écrivains civilisés n'ont pas craint d'approuver les actes de sauvagerie commis par la foule, avec le concours tacite des fonctionnaires.

– Oh ! se récria Lavarède, pas des journalistes français, je suppose ?

– Loin de là. On a écrit que les massacres étaient uniquement dirigés contre les Français et les catholiques, et j'ai en poche une copie de la proclamation qui fut affichée dans le Hou-Nan, quelques jours avant l'attaque de notre mission. Voici ce qu'elle contient :

« Incendions les demeures et les temples des étrangers. Arrachons le christianisme jusqu'à la racine ; punissons les traîtres chinois qui ont embrassé cette religion : bannissons leurs familles en Amérique. *L'Allemagne est avec nous* ».

Un silence suivit ces paroles. Le missionnaire le rompit le premier.

– Laissons ce sujet sombre. Dieu a son but en permettant ces crimes. Parlons de vous, et si ma question n'est pas indiscrète, apprenez-moi quelles fâcheuses circonstances vous ont amené dans cet enfer ?

Pour raconter son odyssée, Armand retrouva sa belle humeur. Le prêtre l'écouta avec attention, et quand il eut fini :

– Les sociétés secrètes vous protègent visiblement, dit-il ; la substitution de cangue, le voyage en jonque le prouvent. Peut-être serez-vous sauvé, ce que je souhaite, car la France a besoin d'hommes de cœur et d'esprit.

– Faible espoir. Je dois être exécuté demain 22 octobre.

– Alors prions Dieu que le Chang-I-Sée et le Kin-Tien-Kien déclarent le jour néfaste et interdisent à l'empereur de sortir.

– Comment dites-vous cela ?

– C'est juste ! Vous n'êtes pas enchinoisé, vous. Les assemblées que je viens de nommer sont les collèges des rites et des astronomes qui, seuls, peuvent autoriser les promenades du souverain.

– Quel rapport avec mon affaire ?

– Ah ! si le chef de l'État demeurait enfermé dans la ville Rouge, il y aurait peu de soldats au pont des Larmes, lieu du supplice... un coup de main serait facile, tandis que...

– Tandis que, termina philosophiquement Lavarède, si l'empereur quitte son palais, il m'oblige à quitter la terre. Le système des compensations. Ô Azaïs !

Bien que prononcées d'un ton léger, ces paroles assombrirent les deux hommes, et pendant longtemps ils cessèrent de converser.

Lentement les heures de la journée tombèrent du sablier de l'éternité. La seule distraction d'Armand fut d'être conduit devant un mandarin qui, avec une politesse cruelle, l'informa que le lendemain il partirait pour le pays des ancêtres, la tête séparée du corps. Et à ce prisonnier qu'il considérait déjà comme mort, le fonctionnaire ne cacha point sa haine pour les hommes d'Europe.

– Je voudrais, lui dit-il, que tous ceux de ta race fussent entre mes mains, afin de broyer à la fois tous les ennemis de mon pays.

Sur ces paroles encourageantes, on ramena le journaliste à la prison. Il éprouvait une grande lassitude ! Le découragement pesait sur lui. Le trépas en lui-même ne l'effrayait pas, et cependant sa poitrine était comprimée par l'angoisse. Faisant bon marché de sa vie, il regrettait son doux rêve. L'éclair bleuâtre du sabre du bourreau allait le séparer à jamais d'Aurett.

La nuit, il dormit mal, souvent réveillé en sursaut par des bruits imaginaires, et le matin, quand on vint le chercher pour marcher au supplice, il était brisé ; ses membres raidis par la courbature lui refusaient presque le service. Il embrassa le missionnaire qui lui glissa à l'oreille des paroles d'espoir.

– L'empereur ne sortira peut-être pas ! Ayez foi en Dieu, mon enfant, mon frère...

Puis il suivit les policiers chargés de le mener au bourreau...

On quitta la prison. Dans la rue, Armand comprit qu'il était perdu. Le maître absolu de quatre cent millions de Chinois allait parcourir la ville. Tout le prouvait : les maisons closes tendues de toiles blanches ; le mouvement inusité des soldats ; le carré d'étoffe que les passants portaient à la main, afin de s'en couvrir la tête au passage de l'empereur, dont la vue interdite est punie de mort. Une idée folle vint au Parisien.

– Si je rencontre mon cher cousin dans l'autre monde, pensa-t-il, il sera bien heureux de m'avoir joué un pareil tour.

Cependant la cangue au cou, la vraie, cette fois, entouré de ses gardiens au costume bleu et vert, Armand marchait. Comme à travers un voile, il entrevit les portes de la Soumission et de l'Aurore. Un instant, la vue du lac Taï-y-Tché, couvert de fleurs de lotus, reposa ses yeux.

À mesure que l'on avançait, la foule devenait plus compacte. Des soldats réguliers, en uniforme bleu céleste, formaient la haie, maintenant un espace libre au milieu de la rue, repoussant les curieux contre les maisons.

– Ah çà ! murmura Lavarède, serait-ce ma présence qui émeut à ce point la ville ?

Mais en arrivant au canal qui sert de déversoir au lac Lien-Koua-Tché, cette pensée vaniteuse s'évanouit. Devant lui s'ouvrait le pont des Larmes gardé militairement. Sur la rive opposée s'étendait une vaste place dont un des angles était isolé par une palissade. Au-dessus de la clôture se balançait un énorme objet jaunâtre, allongé en forme de cigare. On eût dit un monstre marin. Mais Armand ne s'y trompa pas. Il reconnut d'emblée le ballon dirigeable.

Des guerriers mandchous, aux vêtements multicolores, aux armes luxueusement ornées, étaient rangés autour de la place.

À ce spectacle, le condamné oublia un instant sa situation ; mais une fois le pont franchi, son escorte s'arrêtant brusquement, il fut rappelé au sentiment de la réalité. À sa droite, sur un plancher élevé, le bourreau de Péking et ses aides, portant la tchépa bleue à larges manches, avec le dragon jaune brodé sur la poitrine, attendaient immobiles, le moment de « travailler ». Près d'eux, on apercevait le banc sur lequel on étend le condamné à mort et les cages de bois destinées à recevoir les têtes criminelles. Plusieurs déjà contenaient leur proie, et de voir ces visages exsangues, grimaçant la mort à la foule, c'était lugubre.

Lavarède pâlit, mais l'orgueil gaulois lui fit aussitôt redresser la tête. Puisque la mort était inévitable, il fallait l'accueillir gaiement, comme une amie attendue et montrer aux fils de Han comment sait mourir un Français. Sur l'ordre des Toas de l'escorte, il s'assit sur le banc des suppliciés.

Là, écrasé sous le poids de la cangue, les oreilles emplies de bourdonnements, il attendit que l'instant fatal eût sonné.

Tout à coup il tressaillit, ses regards devinrent fixes. La ligne de soldats venait de s'ouvrir et, dans l'espace réservé, miss Aurett avait paru, appuyée au bras de son père.

La voile de la brouette gonflée par un vent favorable, les Anglais avaient quitté Takéou. L'esquif terrestre marchait bon train, et le coolie coréen trottait dans les brancards.

Le soir du premier jour, ils atteignirent Tien-Tzing où le résident anglais, sir Grewbis, voulut absolument les garder à dîner. Cet homme aimable était enchanté de passer une soirée avec des compatriotes, et lorsqu'il apprit leur projet de gagner Péking, sa joie devint du délire. Lui-même se rendait aux fêtes dont le lancement du ballon dirigeable était le prétexte. Il se ferait un plaisir de donner à ses hôtes une place dans sa voiture, bon véhicule construit en Europe et ne ressemblant en rien aux chars primitifs qui cahotent les indigènes. Seulement, il ne crut pas devoir cacher à sir Murlyton que la ville impériale serait particulièrement dangereuse.

– Les Chinois, lui dit-il, sont gens de routine. Notre compatriote M. Hart, a fondé à Péking, une usine à gaz qu'il a dû fermer faute de clientèle. Le docteur Kasper, cet Allemand aéronaute, l'a rouverte pour procéder au gonflement de son « dirigeable ». De là, grande effervescence dans le populaire. Les sociétés secrètes ne demandent que prétextes à émeutes...

– C'est précisément ce qui nous intéresse, déclara nettement Aurett.

– En ce cas, je ne retiens qu'une chose : le plaisir de voyager en bonne compagne.

Sir Murlyton congédia donc le coolie et sa brouette, non sans avoir versé au rusé Coréen le prix convenu pour le voyage complet.

Au lever du jour, ce dernier reprit le chemin de Takéou. À deux « li » de Tien-Tzing, l'homme se croisa avec un piéton qui paraissait de fort méchante humeur. C'était Bouvreuil...

Moins heureux que les Anglais, il n'avait pu se procurer aucun moyen de transport. Il assista à leur départ, et tremblant de perdre leurs traces, il se décida à effectuer à pied les cent trente-cinq kilomètres qui séparent Péking de la mer. Au bout de trente kilomètres, ou pour parler la langue du pays, trente-sept « li », il s'arrêta épuisé dans une bourgade. Au moment où il rencontra le coolie, il venait de se remettre en route, les pieds et les reins endoloris. Il lui sembla reconnaître le conducteur de la brouette. Il l'interrogea, comprit qu'il était libre, et séance tenante traita avec lui par gestes pour se faire conduire au but de son voyage.

Commerçant comme tous ses pareils, le Coréen ne se décida qu'à l'énoncé du prix exorbitant de deux taëls par jour. La somme acceptée, il fit diligence et le 22 octobre, au matin. Bouvreuil entra dans Péking.

Un peu défiguré, par exemple. Dans sa hâte, le « brouetteur » avait versé son client à plusieurs reprises. Le nez enflé et le front bossué du propriétaire faisaient foi de la solidité des routes du Petchi-Li.

Depuis la veille, Murlyton et sa fille étaient installés chez le collègue de sir Grewbis. Adroitement, Aurett s'enquit de Lavarède ; sans pâlir, elle entendit le résident lui répondre que l'exécution aurait lieu à dix heures du matin au pont des Larmes. Elle trouva même la force de sourire en remerciant son compatriote. Mais elle ne dormit pas de la nuit.

Les projets les plus insensés naissaient dans sa cervelle. Plus lentes à s'émouvoir, les femmes du Nord dépassent les Méridionales en audace dans l'exécution de leurs conceptions. Le sens pratique qu'elles tiennent de race transforme leurs imaginations en réalités ; et tel acte de folle témérité qui, chez la Napolitaine ou l'Andalouse restera à l'état de rêve, sera exécuté par l'Anglaise éprise. Et Aurett aimait de toute son âme, de toute sa jeunesse.

À peine levée, elle détacha d'une panoplie un couteau affilé, s'assura que son revolver était en bon état, puis elle pénétra dans la chambre de son père. Le gentleman, tenu éveillé par une double inquiétude, était déjà prêt. Il regarda sa fille. Elle semblait calme, mais ses yeux bleus, luisant d'un éclat fiévreux, exprimaient une volonté froide, implacable.

– Que voulez-vous faire, Aurett ? demanda Murlyton.

– Aller où il est, mon père, dit-elle seulement.

L'Anglais hocha la tête. Il sentait que la vie de sa fille se jouait en ce moment, mais, pris par une sorte de fatalisme, il ne résista pas. Il fit signe qu'il attendait le bon plaisir d'Aurett. Alors il y eut chez la pauvre enfant comme une détente. Elle vint à son père, l'embrassa longuement, puis sans prononcer une parole, l'entraîna vers la porte.

Dans la rue, grouillait une population agitée. Le pont des Larmes est proche de la résidence. Bientôt les Anglais atteignirent la place, dont le milieu était isolé par une double haie de soldats. En arrière, s'écrasait une foule épaisse, bruyante, bariolée, qui semblait toute au plaisir du spectacle attendu. Cependant en y regardant de plus près, on eût vu que certains curieux échangeaient des signes rapides. Des regards ardents se fixaient sur les réguliers ; et parfois, sous la blouse courte d'un passant, se montrait l'extrémité d'un poignard recourbé.

Aurett ne voyait rien. Elle se dirigeait vers l'angle de la place, où se dressait le banc des suppliciés, sans souci des bousculades, ni des récriminations. On avait murmuré d'abord, puis un mot avait circulé.

– Lien-Koua ! répétaient les badauds en lui faisant place.

Lien-Koua ! Lotus ! En effet, fichée dans son corsage, l'épingle, qui déjà l'avait protégée à Takéou, brillait au soleil. La rumeur arriva aux soldats. L'un d'eux étendit son sabre pour barrer le passage à la jeune fille, mais ses regards se portèrent sur la fleur de lotus, et il abaissa son arme. Aurett et son père pénétrèrent dans l'enceinte réservée. C'est à ce moment que Lavarède les aperçut.

Comme la première, la seconde ligne de guerriers s'ouvrit devant eux. Ils atteignirent l'estrade, gravirent les trois marches y donnant accès, et, passant devant les bourreaux stupéfaits, s'approchèrent du banc des suppliciés. On crut à une permission spéciale accordée à ces Européens.

Armand s'était levé. Aurett lui prit les mains dépassant la cangue, et se donnant tout entière avec la simplicité de celles qui aiment :

– Vous m'attendiez, n'est-ce pas ? dit-elle.

Il la considéra, hésitant à répondre ; mais ses regards rencontrèrent les regards humides du gentleman, et ainsi qu'un torrent qui éventre ses digues, les paroles s'échappèrent pressées de ses lèvres.

– Oui, je vous attendais, comme au seuil de la nuit on attend la lumière. Je vous attendais, parce que...

Il s'arrêta mais presque aussitôt il reprit d'une voix haletante :

– Ici, je puis parler. Le bourreau me guette. L'adieu ne mesure point les termes, car il est la fin... Dans un instant, la bouche coupable sera close pour jamais. L'expiation et la faute se confondront presque. Je vous attendais parce que je vous aime.

Aurett ferma les yeux. D'un jet la rougeur envahit son visage.

– Pardonnez-moi, continua le malheureux, vous aussi, sir Murlyton. C'est déjà un mort qui vous parle. Qu'à cette heure j'aime ou non, qu'importe ?

La jeune fille répéta sourdement :

– Qu'importe ?

– Ah ! grommela Murlyton c'eût été le bonheur de ma fille !

Et, comme le journaliste l'interrogeait des yeux, Aurett murmura si bas qu'Armand l'entendit à peine :

– Moi aussi, je vous aime.

Le visage du condamné se transfigura. Toutes les joies terrestres s'épanouirent sur ses traits. Tout à coup, il redevint sombre.

– Le bourreau est allé demander des ordres au commandant des soldats ; il revient pour nous séparer et comme le guerrier mandchou frappé à mort, je ne puis que crier : « Adieu, Lien-Koua, mon Lotus blanc !... »

C'était un cri de douleur, de désespérance qu'exhalait le jeune homme.

– Lien-Koua !... Lien-Koua !...

Un écho confus répétait ce mot prononcé presque à mi-voix. Un sourd grondement partit de la foule attentive. Aurett n'y prit pas garde. Elle s'était retournée et regardait le bourreau se rapprocher.

Déjà l'homme gravissait les marches de l'estrade. C'était fini. L'heure des séparations violentes sonnait. Elle eut la vision épouvantable du supplice. Un flot de haine pour ceux qui la condamnaient au deuil lui monta au cerveau. Elle saisit le poignard arraché à la panoplie du résident, trancha les courroies de cuir reliant les différentes pièces de la cangue et tendant un revolver au Parisien délivré.

– Au moins, défendons-nous, cria-t-elle.

D'instinct, Armand tira sur le bourreau, qu'il abattit.

Stupéfait de l'acte de sa fille, Murlyton s'arma machinalement, et tous trois parurent menaçants, prêts au combat, dominant le peuple de la hauteur de l'estrade... que les aides épouvantés avaient laissée vide.

Mais, un phénomène étrange se produisit. Une houle agita le peuple ; la ligne des gardiens fut disloquée, un rugissement éclata dans l'air.

– Lien-Koua !...

Lavarède entendit. Il comprit.

– Le Lotus blanc nous sauve !...

Vers le pilori, une foule hurlante se ruait, renversant et tuant soldats et bourreaux. Armand et ses compagnons furent emportés comme par une marée humaine, et ils se trouvèrent, sans savoir comment, à deux pas du ballon du docteur Kasper.

Gonflé, prêt au départ, tendant ses amarres, l'appareil semblait impatient de s'élever. Il invitait à la fuite. D'un bond, Armand fut dans la nacelle, appelant ses compagnons. Ceux-ci le rejoignirent et se mirent avec lui à couper les cordages qui retenaient encore le « dirigeable » au sol.

À ce moment, les réguliers mandchous, revenus de leur surprise et ramenés par leurs mandarins, attaquaient les affiliés du Lotus blanc, formant un rempart vivant aux fugitifs. Ceux-ci pliaient. Lavarède trancha le dernier lien et le ballon s'éleva lentement.

– Sauvés ! s'écria le Parisien.

Mais le mouvement ascensionnel de l'aérostat s'arrêta tout à coup. Les trois passagers s'entre-regardèrent.

– Qu'y a-t-il donc ?

– Encore une amarre sans doute !

Et, se penchant au dehors, Armand tenta de voir ce qui entravait l'essor du ballon. Cramponné à l'ancre appliquée au flanc de la nacelle, un homme retenait le navire aérien. C'était encore Bouvreuil !

Arrivé le matin à Péking, il avait assisté à toute la scène. Il avait suivi les fugitifs ; mais à l'idée d'être séparé d'eux, il perdit la tête et s'attacha désespérément à cette nacelle qui emportait le bien-aimé de Pénélope.

D'un coup d'œil, Armand comprit le péril. Les réguliers mieux armés repoussaient lentement ses sauveurs. Déjà les derniers rangs étaient refoulés à l'intérieur de l'enclos réservé à l'aérostat. Des cadavres nombreux jonchaient le sol, et parmi eux, plus d'hommes du peuple que de soldats. Une minute d'hésitation pouvait tout remettre en cause.

Le jeune homme regarda autour de lui. Une grande caisse occupait le fond de la nacelle. Quel était son contenu ? Des armes, des provisions de bouche, sans doute, car le docteur Kasper avait annoncé que son appareil demeurerait plusieurs jours dans les airs. D'un effort surhumain, Lavarède souleva l'énorme colis et le précipita sur la terre.

Subitement délesté, le ballon fit un bond de trois cents pieds ; et saisi par un courant, il fila vers le sud-sud-est, tandis que la bataille continuait furieuse près du pont des Larmes.

XX

La Chine à vol d'oiseau

Bouvreuil avait poussé un hurlement d'épouvante, lors de la brusque ascension de l'aérostat. D'instinct, ses mains s'étaient crispées sur l'ancre, et maintenant, il demeurait suspendu dans le vide, le visage convulsé par la crainte d'une chute vertigineuse.

Par humanité, Lavarède, aidé de sir Murlyton, hissa le malheureux à bord de la nacelle, où l'usurier évita une explication désagréable en perdant connaissance. On le laissa se remettre sans plus s'occuper de lui.

Au surplus il y avait entre les passagers une gêne visible. Avec le sentiment de la sécurité, le calme était rentré dans l'esprit d'Aurett. Son exaltation tombée, la jeune fille rougissait en songeant aux aveux échangés près du pont des Larmes. De son côté, Armand, désireux de ne pas abuser de la situation, évitait de lui adresser la parole, et pour se donner une contenance, il prenait très sérieusement des notes.

« Péking, écrivait-il, a, à peu près la même circonférence que Paris, trente-six kilomètres au lieu de trente-deux, mais comme chacune de ses maisons abrite une seule famille et est entourée d'un jardin spacieux, sa population ne doit pas excéder six cent mille âmes. »

Les préoccupations du journaliste ne nuisaient en rien à la rectitude de son jugement. Son évaluation était plus près de la vérité que celle des voyageurs portant de un à trois millions le nombre des Chinois qui habitent la ville impériale. Cependant ce petit travail l'ennuya bientôt... Il s'accouda sur le rebord de la nacelle, et regarda le paysage défiler sous ses pieds. Le vent avait fraîchi et le ballon, lancé à la vitesse d'un express, franchissait les collines, les villages, les cours d'eau, laissant à peine au touriste le temps de les reconnaître.

À l'aide d'une excellente carte et d'une boussole trouvées « à bord », Lavarède se rendit pourtant compte du chemin parcouru. Il aperçut Tien-Tsing à l'est, nota au passage le Peï-Ho, puis le canal impérial qui relie ce fleuve au Hoang-Ho et au Yang-Tse-Kiang, et sur lequel est jeté le fameux pont de Palikao où, en 1860, les « tigres », – guerriers chinois –, furent écrasés par l'artillerie franco-anglaise.

Cette distraction épuisée, le Parisien fit l'inventaire des objets contenus dans la nacelle. C'étaient des instruments de physique, la boussole dont il s'était déjà servi, des baromètres, thermomètres, oromètres, des vêtements, plus un certain nombre de boutons et de fils électriques, destinés sans doute à la manœuvre de l'aérostat, mais auxquels, dans son ignorance de la construction de l'appareil, il jugea prudent de ne pas toucher.

Du reste, une constatation désolante résultait de son examen. Les vivres manquaient totalement. Il fallait faire part de la situation à ses amis, et surtout chasser la contrainte qui existait entre eux. Ce n'était pas au moment où chacun allait peut-être avoir besoin de toute son énergie, que l'on devait donner carrière à de vains préjugés.

Armand se décida à s'expliquer franchement. Aurett était assise auprès de son père à une des extrémités de la nacelle. Tous deux semblaient absorbés par la contemplation du paysage. Lavarède se rapprocha d'eux.

– Sir Murlyton, dit-il, et vous, chère miss, écoutez-moi.

Son ton grave les impressionna. Ils l'interrogèrent du regard.

– Je suis contraint d'aborder un sujet délicat ; ce matin, à un instant suprême, nous avons échangé des paroles...

Et comme l'Anglaise esquissait un geste pudique.

– Oh ! rassurez-vous, je ne prétends point en tirer avantage. À notre retour à Paris, je m'en souviendrai avec votre permission, mais jusque-là, nous sommes adversaires, et seul le ton du défi convient.

Le gentleman sourit. Aurett inclina la tête. Armand poursuivit :

– Actuellement, notre intérêt est le même. Nous sommes captifs dans un ballon qui plane au-dessus d'une terre inhospitalière, dont l'abord nous est interdit. Vous n'ignorez pas les sentiments des populations à l'égard des Européens. Dans le Petchi-Li, cela va encore, mais ici, nous avons quitté les territoires où fleurit le Lotus blanc. Les maîtres du pays sont les sectaires de la Société du Frère aîné, les plus sanguinaires de tous, et si nous tombions entre leurs mains...

Un crépitement interrompit le jeune homme. Il se retourna. Derrière lui il vit la face blême de Bouvreuil. Son évanouissement dissipé, le père de Pénélope s'était accoté au fond de la nacelle. Il avait tout entendu, et ses dents claquaient de terreur. Telle était la cause du bruit perçu par les voyageurs. Armand haussa les épaules et revenant à ses amis :

– Maintenant deux solutions s'offrent à nous. Si le vent se maintient, nous arriverons dans la nuit à Shang-Haï, ville maritime très européanisée, et alors nous sommes tirés d'affaire. Sinon, nous flotterons au-dessus de contrées inabordables.

– Bah ! répliqua légèrement Aurett, cet aérostat est construit de telle sorte qu'il peut demeurer plusieurs jours dans l'atmosphère, M. Grewbis me l'a dit du moins.

– Soit ! Mais nous n'y pourrons pas demeurer.

– Pourquoi cela ?

– Parce que la caisse, dont j'ai dû me débarrasser au départ, contenait les vivres, et que nous n'avons plus un atome de nourriture.

Sans parler, l'Anglais montra sa gourde, remplie la veille à l'hôtel. Cela pouvait soutenir pour un jour, mais pas nourrir. Les visages s'assombrirent. L'idée de la mort possible par la faim, en vue de riches campagnes dont le fanatisme défendait l'approche, n'était pas réjouissante, et Bouvreuil exprima l'idée générale en gémissant :

– Il ne manquait plus que cela ! Périr d'inanition !

La voix de son ennemi rendit sa gaieté au Parisien.

– Non, mon cher monsieur, vous ne périrez pas d'inanition. Vous me rappelez heureusement votre présence. Plus de vivres, disais-je, je me trompais. Vous êtes là.

– Comment je suis là ? demanda l'usurier interloqué.

– Envoyé par le ciel, mon bon monsieur Bouvreuil, pour sauver du trépas trois chrétiens dans l'embarras.

Et s'adressant à Aurett, sur les lèvres de qui reparaissait le sourire :

– Rassurez-vous, mademoiselle, cet excellent homme nous

fournira bien cinquante kilos de chair... un peu coriace sans doute, mais dans notre situation, nous ne devons pas être trop exigeants sur la qualité.

Le père de Pénélope bondit sur ses pieds :

– Ah çà, cria-t-il d'une voix étranglée, est-ce que vous voudriez me manger ?

Le plus tranquillement du monde, Armand répliqua :

– Parfaitement ! Monsieur Bouvreuil.

Il interrompit l'usurier qui allait protester :

– Vous n'êtes pas un passager régulier ici, mais un intrus. De plus, si je vous avais laissé en dehors de la nacelle, vous seriez tombé au bout de quelques minutes. Je vous ai sauvé la vie, donc elle m'appartient, et le cas échéant, je n'hésiterai pas à reprendre ce que je vous ai conservé.

– Mais ce n'est pas possible ! clama désespérément Bouvreuil, cela ne se fait pas, c'est de la sauvagerie !

– C'est de la faim, mon brave monsieur. Après tout, n'accusez que vous-même. Nous ne vous avons pas invité à prendre passage sur la nacelle de la *Méduse* ?

Aurett et Murlyton avaient peine à contenir leur envie de rire. Au fond ils admiraient le journaliste, auquel l'inquiétude n'enlevait pas l'amour si parisien de « la blague ». Mais le propriétaire ne s'amusait pas, lui. À ce nom fatal de la *Méduse,* évoquant le souvenir du radeau populaire, peuplé d'anthropophages, il sentit ses cheveux se dresser sur sa tête. Il promena autour de lui un regard effaré. Ah ! qu'il aurait donc voulu s'en aller.

Une chose cependant aurait dû le rassurer. Loin de tomber, le vent devenait de plus en plus fort. L'aérostat laissait derrière lui l'importante cité de Tsi-Nan, qu'arrosait autrefois le Hoang-Ho, et que le changement de lit du fleuve capricieux n'a pu faire déchoir. À l'horizon, le vaste lac de Kaï-Foung, trois fois plus étendu que le lac de Genève, étalait la nappe bleue de ses eaux.

Bien que l'heure du repas sonnât dans tous les estomacs, personne ne se plaignit. Le visage de Bouvreuil passa seulement du blanc au vert. L'usurier s'épouvantait d'avoir faim.

– Chaque tiraillement que j'éprouve, se disait-il, doit être partagé par les autres et rapproche le moment où Lavarède m'égorgera.

Il ne l'appelait plus son gendre maintenant, et il maudissait le caprice de Pénélope.

– Elle en aurait épousé un autre, voilà tout... Il y en a de plus beaux que lui... et au moins je serais tranquille au coin de mon feu, au lieu d'être ballotté entre ciel et terre, avec la perspective d'être dévoré par ce sauvage.

Tout à coup il eut une inspiration.

– Je suis sauvé, fit-il... Faisons un sacrifice.

Et s'adressant à Lavarède :

– Monsieur, je ne suis pas un convive de trop, comme vous le croyez... Vous n'avez rien à manger, et le hasard veut que j'aie dans ma poche le gâteau que voici, acheté ce matin à un marchand ambulant dans la foule... C'est un devoir d'humanité de le partager avec vous.

Il tendait en parlant une galette de manioc et de riz. Armand la soupesa.

– Quatre parts, une goutte de rhum... c'est deux jours encore à vivre... Bouvreuil, fit-il majestueusement, je vous fais grâce pour quarante-huit heures.

– Bon, pensa l'homme d'affaires, qui a terme, ne doit rien.

Chim-Ara, Yung-Vé, Baï-Tzem, Weï-Lion défilèrent sous les yeux des voyageurs. À la nuit, Armand reconnut les marais de Ken-Tchao, où le canal impérial coupe le delta du Hoang-Ho. Mais le ciel s'était couvert. Sous la poussée du vent, ils continuaient leur voyage dans le vide noir.

Tous se sentaient émus. Privés de points de repère pour juger du chemin parcouru, il leur semblait que le ballon s'était subitement immobilisé au centre d'une sphère d'ombre. Nul ne dormit. Les yeux fixés dans la direction de la terre, ils cherchaient vainement à surprendre une lueur. Un moment ils entrevirent de nombreux points lumineux. Sir Murlyton consulta sa montre, il était deux heures du matin.

– Nous planons probablement au-dessus de Tchin-Kiang, déclara Lavarède. Avant une heure nous devons être à Shang-Haï.

Mais Aurett fit un mouvement.

– Écoutez, dit-elle.

Armand prêta l'oreille et poussa une exclamation inquiète. D'en bas, là où devait être la terre, montait un clapotement régulier.

– C'est le bruit de la mer, murmura le gentleman, comme effrayé de ses propres paroles.

Soudain un déchirement strident vibra dans l'air, l'éblouissante ligne brisée d'un éclair fendit la nue, et à sa clarté fugitive les aéronautes aperçurent au-dessous d'eux des vagues échevelées montant les unes sur les autres dans un élan furieux, comme pour escalader le ciel.

– Nous sommes entraînés au large, rugit Armand ; coûte que coûte il faut monter et trouver le courant inverse pour revenir à terre.

L'observation était juste. Chaque fois qu'un vent s'élève, le déplacement des couches atmosphériques et leur densité différente déterminent l'établissement d'un courant de direction opposée. Le tout était d'arriver assez haut pour atteindre le point où se produisait sûrement le phénomène.

En un instant la nacelle fut au pillage. Tout le monde avait compris. Bouvreuil lui-même se mettait de la partie. Effaré, affolé, le propriétaire saisissait tout ce qui se trouvait à sa portée et le précipitait dans le vide. À grand-peine, Lavarède put lui arracher la boussole qui servait de guide à leur marche aérienne.

Délesté, le ballon montait, montait. Il entrait dans la région des nuages. Au milieu d'une brume épaisse, sillonnée d'éclairs, étourdi par des détonations dont aucune artillerie humaine ne saurait donner l'idée, Armand constata que l'aérostat demeurait immobile en plein centre électrique de la tempête. Sur les cordages couraient des flammes bleuâtres et la pluie qui frappait le taffetas de l'enveloppe rejaillissait en éclaboussures de feu. À chaque seconde, on risquait d'être foudroyé. À tout prix il importait de fuir ce point particulièrement dangereux.

– Délestez encore, ordonna le jeune homme d'une voix rauque.

Sir Murlyton répondit :

– Il n'y a plus rien !

– Plus rien !

Le Parisien regarda Aurett. Il la vit pâle, les yeux agrandis par l'épouvante, cramponnée des deux mains à une corde...

Plus rien ! C'était la mort pour elle. Non, jamais, il la sauverait. D'un mouvement rapide, il enjamba le bord de la nacelle. Mais l'Anglaise avait compris ; d'un bond elle fut auprès de lui et le retenant :

– Ensemble ou pas, dit-elle simplement.

– Tous les trois alors, fit-on auprès d'eux.

Ils tressaillirent. Sir Murlyton, aussi calme que s'il se fût trouvé dans un salon, était là.

– Qu'en pensez-vous ? ajouta-t-il paisiblement.

Lavarède eut un regard désespéré, mais ses yeux rencontrèrent Bouvreuil. Il alla à lui, le saisit au collet, et lui cria :

– Sautez, monsieur Bouvreuil ! Le salut commun l'exige.

Il le secouait, le poussant vers le bord de la nacelle. Éperdu, le propriétaire ne put répondre, mais son attitude parlait pour lui. Il se cramponnait aux parois, toute son énergie concentrée sur cette seule pensée : « Ne pas être jeté dans le vide. »

À cette minute décisive, il laissa échapper un cri de joie.

– Pas encore sauter... le plancher...

– Quel plancher ?

– Voyez vous-même.

Armand se baissa et, à son tour, il éprouva un plaisir intense. Sur le fond d'osier de la nacelle, un plancher volant était posé, supportant les banquettes. Plus vite qu'il ne peut être pensé, le plancher fut tiré de son alvéole et jeté par-dessus bord.

Une secousse ébranla l'aérostat et il s'élança au-dessus de la zone orageuse. Maintenant les aéronautes involontaires dominaient la tempête. Ils regardaient en bas les nuages se ruer les uns sur les autres, dans un assourdissant fracas. Autour d'eux l'air était calme, sans une brise. Mais comme ils s'oubliaient dans la contemplation du spectacle sublime que leur donnait l'ouragan, il se produisit comme un choc violent.

Tous furent précipités, pêle-mêle, au fond de la nacelle et l'aérostat, rencontré par le courant d'air de réaction, fut emporté vers l'ouest avec une rapidité vertigineuse, incalculable, pendant un temps dont ils ne purent se rendre compte.

Aucun des voyageurs n'eut le courage de se relever. Une sorte de torpeur les clouait à leur place. Les yeux clos, pénétrés par un froid terrible, ils demeuraient immobiles. Leur respiration était haletante, l'air semblait manquer à leurs poumons. Ils n'avaient pas la force de porter à leurs lèvres la gourde, où presque plus rien ne restait.

– Ah ! bégaya Lavarède, reconnaissant à ces symptômes le « mal des hauteurs », nous sommes au moins à six mille mètres d'altitude.

Il s'agita, essayant de vaincre son engourdissement, mais il retomba inerte à côté de ses compagnons. Tous semblaient morts. Pâles, rigides, des gouttelettes de sang perlant aux narines et aux oreilles, ils restaient couchés, évanouis, au fond de la nacelle, qu'une irrésistible puissance entraînait vers l'Asie centrale.

Le jour succéda à la nuit sans qu'ils fissent un mouvement. De nouveau, l'ombre s'épandit sur la terre. Alors un frémissement parcourut les passagers du ballon, leurs paupières se rouvrirent et des voix faibles demandèrent :

– Où sommes-nous ?

– Je n'en sais rien, déclara le jeune homme qui avait réussi à s'asseoir, mais sûrement nous descendons.

– À quoi voyez-vous cela ?

– À ce que nous respirons plus aisément. Nous sommes en état de parler.

Sir Murlyton approuva :

– Très juste !

Il avait pris sa fille dans ses bras et cherchait à la réchauffer. Ce fut elle qui but les dernières gouttes du cordial, sous l'envieux regard de Bouvreuil. Mais le danger de périr de froid évité, un autre se présentait. Vers quelle contrée la tempête avait-elle entraîné l'aérostat ? Quel accueil attendait les voyageurs à la surface du globe ? Points d'interrogation qui se dressaient menaçants.

En vain Lavarède cherchait à percer le voile d'ombre qui emprisonnait l'appareil. Aucun indice n'annonçait l'approche de la terre. Et cependant, d'une seconde à l'autre, un rocher, un arbre pouvaient se dresser sur la route suivie par le ballon, éventrer son enveloppe, et transformer la descente en une chute mortelle.

Enfin le soleil parut sur un horizon de hautes montagnes. L'Anglais adressa un regard questionneur à Armand. Celui-ci haussa les épaules.

Partout, de tous côtés, aussi loin que se portait la vue, c'était un chaos de granit. Les pics couronnés de glace succédaient aux pics, les rochers s'entassaient. Tout attestait que ce point de la sphère terrestre avait été le théâtre d'une des plus effroyables convulsions de la vie de la planète.

Le ballon descendait lentement dans une vallée aux pentes couvertes de sapins, fermée par un lac dont la rive opposée était marquée par de hautes falaises. Des glaciers reflétaient la lumière du soleil et jetaient un manteau éblouissant sur la croupe des montagnes. Mais les rocs géants, le panorama sévère et grandiose s'effacèrent lorsque Aurett dit d'une voix concentrée :

– Des hommes !

Dans la vallée, plusieurs centaines d'indigènes, les nez en l'air, suivaient tous les mouvements du ballon. Vêtus de longues robes, sur lesquelles étaient jetées des casaques à larges manches, coiffés de bonnets fourrés, ces gens se montraient l'aérostat avec forces gestes. À chaque minute, de nouveaux curieux venaient grossir la foule. Le ballon descendait toujours. Il n'était plus qu'à trois cents mètres du sol.

– Ce n'est pas possible !... murmura Lavarède qui considérait avec attention les singuliers personnages.

Les Anglais et le père de Pénélope lui-même l'interrogèrent :

– Qu'est-ce qui n'est pas possible ?

– C'est une ressemblance fortuite.

– Quelle ressemblance ?

Armand secoua la tête.

– Je me figure cela ; mais c'est invraisemblable... Nous aurions donc traversé la Chine de l'est à l'ouest pendant la tourmente ?

– Ah çà ! s'exclama le gentleman avec une pointe d'impatience, vous expliquerez-vous ?

– Volontiers. Vous savez que Gabriel Bonvalot, l'illustre explorateur, accompagné du missionnaire Deken, du prince Henri d'Orléans, et guidé par un fils de roi Tekkès, du nom de Rachmed, a traversé les hauts plateaux du Thibet.

– Oui, déclara miss Aurett, j'ai lu la relation de ce voyage dans le désert glacé, à quatre ou cinq mille mètres au-dessus du niveau de la mer, comme disent les géographes.

– Vous avez lu cela dans mon journal, continua le Parisien. Eh bien ! Cette relation était illustrée de photographies prises par le prince. L'une représentait un groupe de mandarins de Lhaça, la capitale du pays...

– Bien, et ?...

– Et il me semble que je les reconnais.

Une salve de mousqueterie interrompit la conversation et ramena l'attention des aéronautes sur la terre. Les curieux se livraient à de grandes démonstrations de joie, tendant les mains vers la nacelle avec des cris prolongés, que répétaient les échos de la terre. Quelques-uns, armés de fusils, les déchargeaient en l'air sans cesser de gambader. Aurett avait eu un mouvement d'effroi.

– Rassurez-vous, s'empressa de dire le journaliste, les dispositions de ces braves gens paraissent excellentes. Ici, comme en Afrique, on fait parler la poudre pour honorer les hôtes que le hasard envoie. Tout cela est du meilleur augure.

– Et, hasarda Bouvreuil, ils ne sont pas anthropophages ?

– Non, monsieur Bouvreuil, ces Thibétains, je crois décidément qu'ils le sont, se nourrissent, comme tous les pasteurs, de la chair de leurs bestiaux, le mouton et le yak, ce bœuf à queue de cheval, qui est à la fois bête de somme et animal comestible. Ils n'ont pas encore élevé les propriétaires à ce dernier grade.

L'usurier ne releva point l'ironie. La peur écartée, il sentait la faim. Il y avait plus de cinquante heures que ses compagnons et lui étaient privés de toute nourriture.

– Vous pensez que ces Thibétains nous donnerons à manger ? fit-il seulement.

– C'est certain ! À ce propos, un conseil. Si vous tenez à votre précieuse existence, mangez peu. Après le jeûne que nous venons de subir, la moindre indigestion serait mortelle !

À ce moment, le vent étant complètement tombé, la nacelle touchait mollement le galon qui tapissait la vallée.

XXI

Le pays des lamas

Aussitôt les voyageurs furent entourés par une foule bruyante, gesticulante. Mais au milieu des cris répétés, des mouvements désordonnés, il y avait une nuance de vénération dans la façon dont les indigènes s'approchaient des voyageurs. Même ce respect se manifestait d'une assez plaisante manière. Tous les assistants, à la vue des aéronautes, leur tiraient la langue en baissant la tête. Aurett faillit en rire aux éclats. Une observation de son ami l'arrêta à temps.

– Ne riez pas !... ce sont des Thibétains, le doute n'est plus possible ; cette grimace enfantine est, chez eux, une profonde révérence.

Des prêtres, que Lavarède désigna aussitôt à ses amis sous le nom de « lamas », usité dans la contrée, les aidèrent à sortir de leur prison aérienne. Après que leur main avait servi d'appui aux nouveaux venus, ils la portaient à leurs lèvres et se livraient à des révérences compliquées, entremêlées de génuflexions.

Armand regarda les Anglais. Les Anglais regardèrent Armand.

Ces hommes parlant une langue inconnue, se livrant à une pantomime incompréhensible, leur faisaient l'effet de maniaques.

– Peuh ! dit le journaliste en matière de conclusion, point n'est besoin d'être au courant. Ces gens paraissent bien disposés, profitons-en pour tâcher de déjeuner.

Et frappant sur l'épaule d'un lama, qui se prosterna aussitôt, il porta à plusieurs reprises sa main à sa bouche, pour montrer qu'il avait faim. Le prêtre désigna au jeune homme une vaste construction en bois, située à peu de distance, et l'invita par signes à le suivre avec ses compagnons.

Ceux-ci ne se firent pas prier. Laissant le ballon sous la garde de guerriers, qui s'étaient déjà placés en faction autour de la nacelle, ils s'éloignèrent précédés par le lama, tandis que, sur leur passage, les habitants courbaient leurs fronts dans la poussière.

Introduits dans le palais qu'ils avaient aperçu, ils traversèrent plusieurs cours entourées de bâtiments. Une dernière, plantée en jardin, était bornée par une maison plus élevée, à la façade plus richement ornée. Une porte sculptée à jour s'ouvrit devant eux. Ils pénétrèrent dans un vaste hall où la lumière se glissait, tamisée par des fenêtres dont les vitres étaient remplacées par des planchettes découpées en fines dentelles.

Au fond, un énorme cube de marbre vert se dressait, dominant deux degrés de granit.

Le lama le désigna du doigt avec une sorte d'embarras. Lavarède marchait le premier. Il crut deviner que le prêtre désirait le voir grimper sur ce piédestal, et supposant obéir à une coutume du pays, il y prit place.

Le Thibétain poussa un « hagh » guttural, qui attira plusieurs de ses collègues, et tous tirèrent de leurs poches des bonbonnières où ils puisèrent une poudre blanche dont ils remplirent un godet creusé dans le marbre. Cela fait, ils allumèrent leur préparation et une épaisse fumée de myrrhe et d'encens fit éternuer Armand. Puis, sans s'occuper davantage des Anglais et de Bouvreuil, les lamas disparurent en annonçant par gestes qu'ils allaient apporter de la nourriture aux voyageurs.

– Qu'est-ce que tout cela signifie ? s'écria le journaliste après leur sortie. Ex-président de la République costaricienne, est-ce que ma renommée serait venue jusqu'ici ?

– Ne l'espérez pas. D'ailleurs, l'encens ne fait pas partie de la réception des présidents.

– C'est vrai. On leur offre un banquet arrosé de mauvais vins – c'est même cet usage qui me conviendrait le mieux aujourd'hui – tandis que les vapeurs d'encens, bien désagréables à respirer, sont réservées...

– Aux dieux.

– Uniquement aux dieux... Lavarède signifie peut-être Bouddha en thibétain.

– Ils ignorent votre nom.

– Alors je donne ma langue aux chats.

Deux par deux, leur marche rythmée par le gong, les prêtres rentraient. Ils portaient avec une gravité sacerdotale des plats et des aiguières d'argent.

– Un vrai défilé de la Porte-Saint-Martin, marmotta le Parisien.

Les lamas n'entendirent pas cette réflexion irrespectueuse. Suivant un rituel extraordinairement compliqué, ils présentèrent les unes et les autres à Armand, en bousculant assez brutalement ses compagnons autour du piédestal.

Le journaliste, avant de se servir, exigea que les Anglais prissent leur part du miel, des fruits, de la venaison dont se composait la collation. Il n'y toucha qu'après eux et tendit enfin les reliefs à Bouvreuil. Raisonnablement, le propriétaire ne pouvait demander à « son débiteur » de se mettre en frais d'amabilité à son égard.

Mais l'acte si simple de Lavarède eut une répercussion bizarre dans l'esprit des prêtres. Dès ce moment, ils reprirent leur attitude obséquieuse à l'égard du gentleman et de sa fille, mais ils ne se gênèrent plus pour bousculer l'usurier fort mécontent de cette inégalité de traitement.

Armand s'amusait énormément de la mine déconfite de son ennemi. Hélas ! Il devait bientôt envier son sort. Le repas terminé, on apporta une grande grille circulaire, qui fut fixée dans des trous ménagés au milieu des dalles recouvrant le sol, et l'hôte respecté des lamas se trouva en cage.

Oh ! Il se fâcha, jura, tempêta. Mais les prêtres couvrirent sa voix en psalmodiant un chant liturgique étrange, et recommencèrent à l'encenser au point de presque l'asphyxier. Puis les fidèles emplirent la pagode. Tous se courbaient vers la terre, élevant au-dessus de leur tête leur main gauche armée d'un bâton de bois, sur lequel pivotait un cylindre couvert de signes bizarres.

– Plus de doute, gémit le Parisien, entre deux éternuements provoqués par la fumée odorante dont on le comblait, je suis passé bon Dieu. Voilà les moulins à prières.

Et ce fut ainsi jusqu'au soir... À la nuit, Lavarède, exténué, fut débarrassé de sa prison grillée et laissé libre de goûter un repos bien gagné.

– Si j'avais su, dit-il à ses amis, avant de s'endormir, comme j'aurais hissé M. Bouvreuil sur la table de marbre !... Il jouerait les bouddhas à ma place... Au fait, pourquoi m'impose-t-on ce rôle ?

– Ah ! voilà !

– Et je n'ose pas désabuser mes adorateurs. Si j'essayais de les détromper, ils me traiteraient en imposteur... C'est atroce d'être adoré comme ça. Le mieux est de déguerpir sans tambours ni trompettes.

Un regard jeté au dehors lui prouva malheureusement que la chose serait difficile. Des guerriers veillaient autour de la pagode... Toutes les précautions étaient prises pour empêcher une évasion.

Le lendemain, le journaliste, ne trouvant qu'une satisfaction insuffisante à traiter Bouvreuil en domestique, voulut refuser de se laisser encager. Mais alors à grands renforts de salamalecs, les lamas s'emparèrent de sa personne, lui garrottèrent les chevilles et les poignets et l'exposèrent ainsi à l'admiration des bouddhistes.

Plusieurs jours se passèrent ainsi. Tant que le journaliste se prêtait aux admirations de la foule sans cesse grossissante, il était choyé, bourré des mets les plus délicats, abreuvé d'excellents vins de la vallée du Gange. Mais s'il essayait de se soustraire aux prières, s'il prétendait sortir de la pagode, les lamas le ligotaient respectueusement et surtout étroitement.

Dire son exaspération est impossible. Les Anglais la partageaient du reste, étant aussi prisonniers que lui. Seul Bouvreuil s'esbaudissait ; il était libre d'aller et de venir. Personne ne s'inquiétait de ses faits et gestes.

– Allons ! Mon cher monsieur, disait-il, lorsque le Parisien s'emportait, un peu de patience. L'année fixée par feu votre cousin est déjà fortement entamée. Aussitôt qu'elle sera échue, j'emploierai ma liberté à vous rendre la vôtre. Figurez-vous que vous faites un peu de prison pour dettes.

Bien entendu, le propriétaire ne se livrait à ces facéties que lorsque les barreaux de la cage sacrée lui assuraient l'impunité.

Une fois cependant mal lui en prit. Sir Murlyton, très monté pour son compte, lui décocha un de ces coups de poing dont ses compatriotes ont le secret. Les lamas jugeant aussitôt que ce serviteur, dont ils ne daignaient pas s'occuper, avait offensé les puissants seigneurs grâce auxquels la pagode réalisait de brillants bénéfices, lui administrèrent, au pied de l'autel de marbre où trônait Armand, un nombre considérable de coups de matraque.

Ce fut une aimable distraction pour Lavarède, mais cela ne

l'empêcha pas de demeurer captif.

Aidé de ses compagnons, il tenta de griser ses gardiens, de tromper la vigilance des factionnaires ; et ne réussit qu'à rendre plus obsédante la surveillance dont il était l'objet.

Une tristesse mêlée de rage impuissante s'emparait de lui, et l'on ne sait à quelles extrémités il se serait porté... quand, le soir de la vingt-deuxième journée, un incident vint lui rendre l'espoir.

La nuit tombait. Un à un, les fidèles s'étaient retirés, et le grincement des moulins à prières ne troublait plus le religieux silence de la pagode. Armand calculait qu'avant une demi-heure sa cage s'ouvrirait et qu'il aurait enfin licence de regagner « son appartement », où du moins il pouvait s'étendre sur des coussins et reposer ses membres fatigués.

Un homme pénétra dans le sanctuaire. Il portait la katpalba, blouse foncée serrée à la ceinture et le pantalon large des Ilioks des frontières sibériennes. À la main, il tenait un bonnet d'astrakan.

– Tiens, pensa Lavarède habitué aux costumes thibétains, d'où vient celui-ci ?

Aurett et son père considéraient le nouvel arrivant avec curiosité. Lentement l'homme s'approcha du piédestal. Ses traits réguliers, ses yeux noirs expressifs, le collier de barbe grisonnante qui encadrait le bas de son visage décelaient son origine japhétique.

Arrivé près du cube de marbre vert, il se prosterna, fit tourner son moulin à prières et prononça à demi voix les quelques paroles que voici :

– Quelle contrée de l'Europe vous a vu naître ?

Lavarède fut saisi. Le personnage parlait français.

– Qui êtes-vous ? demanda-t-il.

– Rachmed de la race Tekké.

– Rachmed ? répéta le journaliste, Rachmed le guide de...

– Du grand savant Bonvalot, oui.

– Comment êtes-vous ici ?

– En le quittant, je suis revenu m'installer dans ce pays. Mon habitation est à cinq jours de marche de Lhaça. Or, j'ai appris par des pèlerins que dans une pagode de Tengri-Nor, le grand lac que vous apercevez, Bouddha était descendu du ciel.

– Bouddha ! s'écrièrent le Parisien et ses amis !

Le Tekké inclina la tête.

– Oui. À la description de votre char aérien, je reconnus un ballon et, certain que des voyageurs d'Europe étaient prisonniers des lamas, je me suis mis en route pour les aider à s'échapper. Bonvalot et son compagnon, un fils de roi comme moi, m'ont fait aimer tous les hommes d'Europe.

Aurett adressa un gracieux sourire à ce sauveur inattendu et, après s'être assurée d'un rapide regard qu'aucun prêtre ne paraissait, elle interrogea :

– Mais comment avez-vous su notre captivité ?

Rachmed la considéra avec douceur.

– Je connaissais la légende sacrée.

– Quelle légende ?

– Vous ignorez donc la prophétie ?...

– Absolument.

– Un texte dit ceci : « Dans un avenir prochain, Bouddha descendra du ciel parmi les Thibétains. Tant qu'il résidera sur les hauts plateaux, le pays sera prospère et il dominera les nations. Que les lamas retiennent le Dieu par de riches présents, des sacrifices agréables à sa grandeur, mais que jamais ils ne lui permettent de s'éloigner ! Les plus effroyables malheurs s'abattraient sur le peuple privé de son divin protecteur. »

Tous écoutaient. Maintenant l'aventure devenait claire. L'énoncé du texte sacré avait suffi pour faire le jour dans l'esprit des voyageurs.

Des pas lointains glissèrent sur les dalles. Rachmed reprit l'attitude de la prière en murmurant :

– On vient. Vous me reverrez demain !

Les prêtres délivrèrent Armand, le reconduisirent dans les salles dont ils avaient fait sa demeure et le laissèrent, avec les Anglais commenter la singulière révélation du Tekké.

Bouvreuil était absent. On convint de ne lui parler de rien. Étant données ses dispositions, l'usurier eût peut-être cherché à mettre un obstacle aux projets des prisonniers. – Mieux valait les lui laisser ignorer.

Le lendemain, Rachmed, après une courte conférence avec les Anglais, se présenta au Tag-Lama, ou chef de la communauté, et s'offrit à tenter de parler au dieu descendu du ciel. Lors de son voyage avec M. Bonvalot et le prince Henri d'Orléans, le Tekké avait servi d'interprète, et les mandarins de Lhaça en avaient conçu pour lui une haute estime. Les prêtres lui accordèrent donc la permission d'entretenir Lavarède, et bientôt la nouvelle se répandit dans le pays que Bouddha, grâce au concours d'un lettré asiate, habile à se servir de la langue du ciel, pouvait entrer en conversation avec les humbles habitants de la terre thibétaine. Dès lors, une procession interminable s'engouffra dans la pagode. On venait consulter le dieu sur tout et encore sur autre chose. L'un avait à cœur de guérir sa femme malade ; l'autre craignait pour ses yaks ou ses chevaux ; un troisième, chasseur des hauts plateaux, s'enquérait de la longueur de l'hiver qui commençait. Et le journaliste, toujours à la réplique, était tour à tour médecin, vétérinaire ou astronome.

Cette dernière charge lui semblait plus facile à remplir que les autres. La neige tombait plus fréquemment et à la surface du Tengri-Nor flottaient déjà de nombreux glaçons. Annoncer un hiver rigoureux était aisé dans ces conditions.

Et ses consultations lui étaient chèrement payées. Le guerrier lui offrait ses plus belles armes ; le pasteur, les peaux des yaks ; le citadin, des vêtements ; les chasseurs le priaient d'accepter leur tente de feutre la plus épaisse et la plus chaude.

Armand faisait fortune, comme il disait plaisamment, mais il ne faisait pas un pas vers la liberté. Rachmed lui-même se décourageait. Les lamas connaissaient trop bien la prophétie sainte et les précautions les plus inusitées étaient prises pour empêcher l'évasion du faux Bouddha.

Les fidèles devenaient les complices des prêtres. Le départ du céleste voyageur devant lancer toutes les infortunes sur le Thibet, ses moindres mouvements étaient remarqués par des yeux inquiets et commentés par des gens qui, en fait de ruses, en remontreraient au plus adroit Européen.

Le Tekké, par exemple, ne pénétrait dans le temple qu'après

avoir été minutieusement fouillé. À la sortie la même cérémonie se reproduisait.

Deux nouvelles semaines avaient passé. Sir Murlyton, Aurett, Rachmed étaient d'une irritabilité excessive. La lutte contre l'impossible les énervait, et la tranquillité de Bouvreuil qui, depuis sa correction, ne se hasardait plus à plaisanter ouvertement, les mettait hors des gonds.

Chose bizarre, Lavarède se montrait plus calme que ses amis. Évidemment, son imagination avait découvert une piste. De temps à autre, un sourire énigmatique voltigeait sur ses lèvres, il avait à l'adresse de la foule des regards railleurs ; mais aux questions des Anglais il ne répondait rien.

Comme finissait la cinquième semaine de captivité, il appela Rachmed au moment où ce dernier, selon sa coutume, allait regagner sa demeure derrière les derniers fidèles.

– Dites au Tao lama que je désire vous avoir à ma table ce soir... Vous ne partirez qu'après le repas.

– Pourquoi cela ? demanda le Tekké surpris.

– Obéissez et vous le saurez.

Le grand-prêtre se prêta volontiers au caprice de son Bouddha d'occasion, et quelques instants plus tard, le Parisien, les Anglais et l'interprète, assis sur des nattes autour d'une table ronde laquée, dînaient de grand appétit. Dans un coin de la salle, le père de Pénélope mangeait seul.

Les mets étant dressés en face des convives, les « aïmanas », ou novices chargés des gros ouvrages, s'étaient retirés.

Armand désigna Bouvreuil du regard et, se penchant vers ses amis, prononça quelques mots rapides à voix basse. La surprise se lut visiblement sur les visages de Murlyton et d'Aurett. Quant à Rachmed, il secoua la tête.

– Jamais ils ne se prendront à cela !

Un sourire incrédule du dieu accueillit cette appréciation.

– Vous vous trompez. Ils consentiront.

– Comment cela ?

– Traduisez bien mes paroles demain, et vous verrez !

– Que direz-vous ?

– Je n'en sais rien encore. Mais je suis décidé à circonvenir ces bons lamas et il ferait beau voir qu'un citoyen du boulevard des Italiens ne triomphât pas de ces magots parcheminés.

Le dîner achevé, le Tekké, peu convaincu, prit congé des voyageurs et tous éprouvèrent une émotion singulière en se disant :

– À demain !

L'hiver est le plus terrible ennemi du Thibétain. Sur les plateaux dont les portions les plus basses se trouvent à la hauteur du sommet du Mont-Blanc, le froid sévit en maître de novembre à avril. Les rivières gèlent, les sources obstruées se frayent un chemin souterrain. La température descend la nuit jusqu'à moins 40 degrés et à quelques lieues autour de Lhaça la végétation disparaît.

L'homme assez audacieux pour s'engager dans le désert glacé ne rencontre aucun arbre pour alimenter le feu de son campement. Il lui faut chercher les traces des caravanes d'été et recueillir péniblement la fiente des yaks, seul combustible connu en ce pays maudit.

Les rares vallées perdues dans la solitude des hauts plateaux souffrent aussi du froid. Les arbres, peupliers creux et sapins, éclatent et meurent sous l'action de la gelée ; le bétail dépérit et les habitants manquent parfois du strict nécessaire, car les caravanes qui les ravitaillent attendent les premières chaleurs d'avril pour se mettre en marche. Aussi les Thibétains ont-ils coutume, au commencement de la période désolée, d'implorer la clémence de Bouddha.

Le 1er décembre, Lavarède revêtu de superbes habits, coiffé d'un bonnet orné d'un diamant presque aussi beau que le « Régent de France », fut exposé sur l'autel de marbre vert aux supplications de la foule. Le dieu vivant avait déterminé une recrudescence de piété dans la contrée. La pagode regorgeait de monde et les lamas impassibles à la surface, réjouis au fond, encaissaient les présents entassés aux pieds du journaliste. Tout à coup celui-ci étendit la main.

– Rachmed, dit-il, transmettez mes paroles à ce peuple aimé du ciel.

Au bruit de sa voix, toutes les têtes se levèrent ; les moulins à prières cessèrent de tourner, et les prêtres, stupéfaits de voir se produire un incident non prévu dans les onze mille sept cent quarante articles du rite, prêtèrent l'oreille. Armand parlait et fidèlement le Tekké traduisait ses paroles :

– « Vaillants hommes du Thibet et vous femmes, leurs incomparables compagnes, écoutez. De votre accueil, de votre foi, ma divinité est heureuse. Roulé dans les voiles bleus de l'éther infini, je voyais approcher à regret le temps prédit de mon exil volontaire sur le globe terrestre. Maintenant je ne regrette plus le céleste séjour ; le feu de vos âmes croyantes illumine pour moi cette terre d'éblouissantes clartés. »

Malgré la sainteté du lieu, un murmure approbateur accueillit cet exorde flatteur.

Le Parisien échangea un regard avec miss Aurett, assise, comme son père, auprès du cube de malachite et reprit :

– « Je veux de cette saison affreuse où nous entrons faire un doux printemps, des bises glaciales de tièdes zéphyrs. Je veux rendre aux arbres dénudés leur parure verte, semer le sol durci de riants parterres et répandre sur vous la joie, l'abondance et l'amour. »

À ce tableau enchanteur un long frémissement secoua l'auditoire. Rachmed attacha sur Armand un regard inquiet. Celui-ci n'eut pas l'air de s'en apercevoir et grossissant sa voix :

– « Les Djinns, révoltés contre mon autorité, se sont armés des fléaux qui désolent le monde. L'heure est venue où ils seront anéantis. Lamas qui m'entendez, faites porter dans la pagode le char aérien qui m'a amené. Avec mes compagnons je le remettrai en état d'effectuer le grand voyage, et mon serviteur – il désigna Bouvreuil ahuri, – s'en ira dans l'espace et rapportera les talismans invincibles accumulés pendant des siècles, en prévision de cette lutte par les esprits bienfaisants. »

– Comment... comment ? protesta le propriétaire, moi, en ballon, tout seul, jamais !

Un coup de bâton lui coupa la parole. Le Tag-Lama le rappelait aux convenances.

Un brouhaha s'était élevé et, dans le bourdonnement des voix, Armand put murmurer de façon à être entendu d'Aurett seule :

– Comme Bouddha, je crois être assez symboliste !

Cependant les promesses du dieu circulaient. Au dehors éclataient en fusées de grands cris d'allégresse.

Sceptiques par caractère, les prêtres durent néanmoins céder à la pression populaire. Le soir même Lavarède rentrait en possession de son aérostat. L'enveloppe était en piteux état. De longues déchirures zébraient sa surface brillante ; mais un examen attentif démontra que les avaries étaient réparables avec du fil, des aiguilles, de la gomme et... de la patience.

À dater de ce moment, tandis que le journaliste frimait le maître du ciel, miss Aurett et le gentleman passèrent leur temps à repriser la soie de l'aérostat. Tâche ingrate et peu faite pour égayer. Pourtant, le soir, quand, réunis autour du brasier de cuivre qui chauffait les appartements, nos voyageurs se regardaient, ils avaient dans les yeux des pétillements joyeux.

Le 24 décembre, le ballon était prêt. L'enveloppe supportée par une corde tendue entre deux perches se balançait dans la cour, dominant sa nacelle pourvue d'armes, de vêtements chauds, de provisions diverses, dons des pieux Thibétains. Sous l'ouverture inférieure était fixée une sorte de récipient, destiné à recevoir l'alcool de riz dont la combustion produirait l'air chaud nécessaire à l'ascension. À défaut de gaz hydrogène, le journaliste avait indiqué ce moyen primitif. L'aérostat devenait montgolfière.

Le faux Bouddha avait annoncé dans la journée que son serviteur s'élèverait le lendemain dans les airs, et on avait convié les fidèles à assister à cette cérémonie.

Les lamas, très inquiets d'abord, s'étaient rassurés. Ils croyaient maintenant aux fallacieuses promesses d'Armand et le lui prouvaient par des saluts plus profonds, des agenouillements plus prolongés. Enfermé avec les Anglais et Rachmed, le jeune homme leur disait :

– Nul ne se défie de nous, maintenant. Les prêtres vont regagner leurs cellules et l'intérieur de la pagode sera désert. À minuit le Tag-Lama se rendra près de moi, sur la prière que je lui en ai faite.

Et avec un sourire :

– Nous devons nous concerter sur les plus sûrs moyens de vaincre les Djinns.

– Mais, objecta Murlyton, arrivons au cœur de la question... Le ballon est prêt, seulement nous sommes enfermés dans nos chambres...

– C'est justement pour nous ouvrir que le Tag-Lama viendra.

– Ah ! s'écria Aurett, je comprends maintenant.

– Voici mon plan : j'étrangle un peu ce vénérable personnage, juste assez pour nous assurer de sa neutralité... Nous nous glissons dehors... Dans la nacelle sont les flacons d'alcool de riz que j'ai réclamés ; nous remplissons le récipient, nous allumons et faussons compagnie à nos geôliers.

Rachmed écoutait. Il passait la nuit à la pagode afin de servir d'interprète au Tag-Lama dans son entrevue avec Bouddha.

– Pourrez-vous m'emmener ? dit-il non sans inquiétude. Vous partis, je ne serai pas en sûreté ici.

Lavarède devint pensif.

– Diable ! fit-il, nous sommes déjà quatre.

Puis, se ravisant.

– Au fait, nous ne serons que quatre en vous comptant... Bouvreuil a horreur des excursions au pays des nuages, il restera.

Ces derniers mots étaient à peine prononcés que l'usurier entrait. Il venait supplier son ex-débiteur de le dispenser de l'ascension dont il se croyait menacé. Sur toutes les lèvres cette requête appela le sourire ; et le gentleman dut lui-même se contraindre pour conserver sa gravité lorsque le dieu assura avec bonté au père de Pénélope qu'il verrait à lui donner satisfaction. La nuit s'avançait. Au dehors le vent hurlait, chassant devant lui d'épais nuages qui ne laissaient filtrer aucun rayon lunaire.

Dix heures, puis onze avaient sonné. Bouvreuil s'était retiré dans sa chambre et les autres, émus, le cœur sautant dans la poitrine, attendaient minuit. S'ils réussissaient dans leur entreprise, ils étaient libres !... Sinon ils se verraient condamnés à une captivité plus étroite encore dans cette région désolée...

Tout à coup ils demeurèrent immobiles, comme figés. La porte grinçait en tournant sur ses gonds.

Le Tag-Lama parut. Mais il n'était pas seul. Derrière lui marchait un officier de la police chinoise, reconnaissable à son uniforme bleu et vert.

Lavarède ne s'y trompa pas, et une subite pâleur se répandit sur son visage. Que venait faire ce policier ?

– Bouddha, le très bon, dit le grand prêtre, errer est le propre des humains... Pardonne donc à l'avance ce que j'ai à te dire.

– J'écoute, répliqua le Parisien, reprenant tout son sang-froid.

Le lama continua après une salutation.

– Un franc-maçon blanc comme toi, condamné à mort par le Tsong-Li-Yamen, s'est enfui de la capitale impériale en dérobant une machine à voler dans les airs.

– Ah ! Et vous voulez le retrouver ?...

La question jetée par le dieu parut interloquer les visiteurs.

– Ce n'est pas cela...

– Non, déclara d'un ton piteux le Tag-Lama, mais le mandarin Sandyama, ici présent, chef de la police de la route secrète du Yunnan, a reçu l'ordre de faire des recherches pour retrouver le fugitif... Le bruit de ton arrivée miraculeuse est parvenu jusqu'à lui et il est accouru. Malgré les rites qui défendent l'entrée nocturne des pagodes aux profanes, je l'ai reçu tant sa prière était pressante. Ses soldats sont dans la cour. Permets que je lui montre ton char aérien afin d'écarter le doute de son esprit.

Armand réfléchissait. Soudain, il regarda fixement Rachmed et l'Anglais, puis, s'approchant du Tag-Lama, il lui mit la main sur l'épaule.

– À quoi bon cette visite ? dit-il. Il suffisait de me demander où est le voleur, je te l'aurais appris.

Rachmed s'était dressé également. Pour traduire les paroles du faux Bouddha il s'était glissé entre le prêtre et le policier.

– C'est vrai, murmura le Tag-Lama, tu consentirais donc... ?

– À vous mettre sur la voie, oui, certes.

Sandyama se frotta les mains.

– Où se cache-t-il, puissant seigneur ?

– Près d'ici.

– Vraiment ?

Lavarède adressa un coup d'œil au gentleman qui, à son tour, fut debout aussitôt.

– Désignez l'endroit, implorait le policier.

– Volontiers, car il est à portée de ton bras.

– Oh ! Bouddha, prouve-moi cela.

– Tu le veux ?

– Je t'en conjure !

– Et bien, sois donc satisfait.

Et lançant brusquement en avant ses poings fermés, il atteignit en pleine poitrine l'officier qui poussa un sourd gémissement. Avant qu'il fût revenu de sa surprise, le Parisien l'avait renversé sur le sol. Rachmed de son côté avait terrassé le Tag-Lama.

– Des cordes, vite ! ordonna Armand à Murlyton.

Depuis le raccommodage du ballon, des cordelettes trairaient dans tous les coins. Le Thibétain et le Chinois furent bientôt garrottés et bâillonnés.

– Qu'allons-nous faire ? questionna Murlyton. Vous l'avez entendu, la cour est pleine de policiers.

– Endossez le costume du prêtre, je revêtirai celui du policier... et vous, miss, retournez-vous.

La jeune fille obéit. En quelques minutes les deux hommes furent métamorphosés.

– Maintenant, commanda Lavarède, descendons... Miss Aurett, sœur de Bouddha, va donner les explications nécessaires au Tag-Lama et au méfiant policier Sandyama.

Il fit passer devant lui le gentleman tout bouleversé, l'Anglaise et le Tekké, puis referma soigneusement la porte et gagna la cour.

Trente ou quarante hommes étaient groupés autour du ballon. Dans l'obscurité on distinguait leurs silhouettes.

– Ils vont découvrir la supercherie, fit doucement le gentleman.

– Mais non, mais non, répondit le journaliste... Nous allons les prier de s'éloigner afin de faciliter notre petite manipulation.

Et, s'adressant à Rachmed :

– Commande à ces gens de se retirer à l'extrémité de la cour. La sœur de Bouddha ne consent pas à parler devant des profanes. Seul Sandyama est autorisé à s'approcher.

Le Tekké sourit. Il comprenait l'idée d'Armand. Il transmit d'une voix sonore l'ordre donné. Les agents, croyant reconnaître dans la pénombre leur chef et le Tag-Lama, s'empressèrent d'obéir et dégagèrent les abords de l'aérostat.

Un instant après, les fugitifs étaient installés dans la nacelle ; miss Aurett versait dans le récipient disposé à cet effet le contenu d'un litre d'alcool et allumait le liquide. Une flamme bleuâtre illumina le quadrilatère de bois d'une lueur fantastique. Prudemment Lavarède et Murlyton tournaient le dos au groupe des policiers. Ceux-ci regardaient sans comprendre, pensant assister à quelque cérémonie magique. Cependant, sous l'influence de l'air chaud, l'enveloppe se dilatait. La soie se gonflait avec de légers craquements. Bientôt un mouvement d'oscillation se produisit.

– Abattez les perches, dit à voix basse Lavarède.

D'un coup de pied, l'interprète jeta à terre les pièces de bois. Libre maintenant, le ballon tendait les cordes qui le liaient à la nacelle. Avec une tige de fer, Armand activa la flamme. Soudain une sorte de frémissement secoua l'appareil ; une seconde encore, l'aérostat parut hésiter à quitter la terre, puis, brusquement, il s'éleva à la hauteur du toit de la pagode.

Un hurlement retentit. Les agents, devinant enfin qu'ils avaient été bernés, couraient en tous sens dans la cour, prenant leurs fusils et leurs arcs pour tirer sur les fugitifs.

– Pourvu qu'ils ne déchirent pas l'enveloppe, grommela le Parisien.

Mais les clameurs cessèrent, ou plutôt changèrent. Un craquement sinistre ébranla l'atmosphère... une portion de la toiture du temple s'effondra... et, par l'ouverture béante, s'élança une gerbe de flammes. Autre chose que la montgolfière allait occuper les hommes de police.

– Le feu ! s'écria Lavarède, nous sommes sauvés.

Alors par une des lucarnes ménagées à la partie supérieure de l'édifice, trois personnages, sommairement vêtus, surgirent et se mirent à courir sur le faîte en poussant des cris d'épouvante.

– Le lama ! dit Armand.

– Et le chef chinois ! ajouta miss Aurett.

– Et le seigneur Bouvreuil ! s'exclama l'Anglais.

Ces malheureux, en chemise par une nuit glaciale, étaient en effet les ennemis des voyageurs. Dans sa courte lutte avec l'officier, Lavarède avait renversé le brasier servant à chauffer la pièce. Pressés de s'éloigner, ni lui ni ses compagnons n'avaient fait attention à cet accident ; et le feu, trouvant en ce palais de bois un aliment, s'était propagé avec rapidité.

Aux cris des Chinois, garrottés mais mal bâillonnés, Bouvreuil réveillé était venu. Il avait délivré les deux pauvres diables... Les murs, la porte accédant à la cour brûlaient déjà. D'étage en étage, les trois hommes avaient monté, poursuivis par les ronflements de la flamme, et ils atteignirent le toit juste à temps pour assister au départ des auteurs de leurs maux.

Tandis qu'on organisait le sauvetage, l'aérostat s'élevait toujours, et s'engouffrant dans les nuages qui ouataient le ciel, disparaissait à tous les yeux.

Au matin, il ne restait du temple qu'un monceau de débris calcinés, fumant encore sur la rive gelée du Tengu-Nor. On chercha Bouvreuil, il avait disparu. Sentant bien qu'après les événements accomplis sa position ne serait plus tenable, le propriétaire s'emparant de vêtements sacerdotaux, avait pris la fuite se dirigeant toujours tout droit vers le sud, avec l'espoir de gagner l'Hindoustan ou la Birmanie anglaise. Son portefeuille était resté dans ses vêtements consumés par le feu, à peine avait-il pu ramasser quelques papiers, et, tout en courant pour combattre le froid intense de la nuit, il songeait :

– Volé par José, dépouillé par l'incendie, mon voyage me reviendra à cent mille francs... Et mon insaisissable gendre chevauche à présent sur les chemins du pays des oiseaux ! Et moi je vais peut-être mourir de faim, ou être assassiné ! Non, ma pauvre Pénélope ne saura jamais combien il est difficile d'établir une jeune fille !

Laissant Lhaça à l'est, Bouvreuil traversa le lit glacé de

l'Irarudnambo et s'enfonça dans les gorges de Palhé, s'efforçant à l'aide des étoiles de ne pas perdre sa direction.

XXII

Les hauts plateaux du Thibet

Poussée par un vent modéré, la montgolfière flottait au-dessus d'un océan de nuages qui cachaient la terre.

– Pourvu que nous marchions vers le sud, dit Rachmed, bientôt nous nous trouverions dans les admirables campagnes qui s'étendent entre Calcutta et les monts Bouraïl, le pays de Manipour.

– Tout près de la mer, acheva Murlyton, tandis qu'à l'est nous retomberions en Chine et à l'ouest nous aurions à franchir les plateaux du Kachmyr et du Pamyr, le toit du monde.

– Cela vaudrait encore mieux qu'au nord, monsieur.

– Pourquoi cela ?

– Parce que, dans cette direction, on ne rencontre que le Gobi et l'interminable désert glacé. Avec Bonvalot, il nous a fallu deux mois pour le traverser, ce « pays de la faim ».

Une exclamation joyeuse de Lavarède interrompit la conversation. Il avait approché la boussole du « chauffoir » de l'aérostat et, à la clarté vacillante de l'alcool, il la consultait.

– Nous filons vers le sud-est, mes amis, déclara-t-il... Demain, sans doute, nous serons en vue des établissements anglais.

Tout le monde ainsi rassuré, on décida que l'on pouvait se reposer à tour de rôle ; les passagers se relaieraient pour entretenir le feu, car le ballon ne se maintenait dans l'atmosphère qu'à la condition d'être toujours gonflé d'air chaud. Le refroidissement est rapide à ces hauteurs, et il fallait éviter d'atterrir au milieu des montagnes d'où la marche sur l'Inde eût été longue et pénible. L'Anglais s'offrit à prendre le premier « quart » de veillée. Ses compagnons s'accotèrent tant bien que mal contre les parois de la nacelle, entassèrent sur eux des fourrures et le navire aérien, emportant son équipage endormi, vogua sous la garde du gentleman.

Le froid était cinglant. La respiration de Murlyton se figeait sur sa barbe en stalactites glacées et, bien que le digne homme fût emmitouflé dans une peau de yak, il se sentait pénétré jusqu'aux moelles par la bise aiguë.

L'un après l'autre, ses compagnons ensommeillés éprouvèrent les mêmes impressions, et ce fut un soulagement pour tous quand le soleil levant parut à l'horizon. Ils ressentirent toutefois une pénible surprise en se voyant suspendus entre les nuées et la voûte bleue pâle du ciel.

– Où sommes-nous ?... au-dessus de quelles régions ? répétaient-ils.

On laissa tomber le feu du « brûloir », et lentement l'aérostat descendit, traversant les vapeurs épaisses qui cachaient le sol.

Anxieusement penchés, tous cherchaient du regard à percer la brume. Enfin la terre apparut.

Les aéronautes échangèrent un regard inquiet. Au loin, à perte de vue, s'étendait un plateau rocheux, d'où de longues aiguilles tantôt isolées, tantôt groupées, s'élançaient vers le ciel. Pas une tache verte indiquant la végétation. Rien que la teinte grise du granit partout. Soudain Armand étendit la main.

– Là... à l'ouest, dit-il, de l'eau !... On dirait un grand lac rond !...

En effet, dans la direction indiquée, se trouvait une nappe d'eau, de forme circulaire, dont la surface glacée réfléchissait les rayons du soleil, avec un insoutenable éclat.

Rachmed ne parlait pas. Les yeux écarquillés, il se tournait vers tous les points de la rose des vents. Son visage exprimait une surprise indicible. Il se pencha vers le journaliste.

– Vous êtes certain, bien certain, que nous avons fait route vers le sud ?

– Sans doute ! Pourquoi cette question ?

– Parce que je suis le jouet d'une ressemblance inouïe. Il me semble être à côté du lac Montcalm, au point central des hauts plateaux du Thibet... Ces masses de rochers, là-bas, qui affectent l'apparence d'un éléphant couché abritaient les tentes de l'expédition Bonvalot contre le vent sibérien.

Lavarède l'interrompit :

– Ce n'est pas possible... Nous n'avons pu remonter au nord de

Lhaça... Du reste, voyez la boussole !

Le Tekké considéra l'instrument. Il indiquait bien la route au sud-est.

– Je me suis trompé, murmura le guide ; pourtant, il est étrange que deux pays soient semblables à ce point.

– Et étrange aussi, murmura Murlyton, que nous ne soyons pas encore en vue d'une terre anglaise.

Cependant, le ballon, chauffé à petit feu, se maintenait à trois ou quatre cents mètres du sol. Tous les reliefs avaient une vigueur singulière. Ce phénomène, dû à la raréfaction de l'air, inquiétait Armand, car il démontrait que le sol ne s'abaissait pas. Or, d'après son calcul approximatif, la montgolfière eût dû dominer à cette heure les plaines fertiles qui s'étendent à l'est du delta du Gange.

Vers midi, un volcan en ignition se montra à la droite de la ligne suivie par l'aérostat. Hochant la tête, Rachmed le désigna au jeune homme.

– Volcan de Reclus, dit-il seulement.

– Vous êtes sûr ?

– Impossible de se tromper, c'est le seul cône éruptif connu entre la frontière sibérienne et l'Himalaya.

– Mais alors le vent nous emporte au nord ?...

– Oui.

– Rachmed, vos yeux vous trompent, mais la boussole ne se trompe pas, elle !

– Qui sait ?

L'aiguille marquait imperturbablement le nord en arrière de la nacelle. Malgré leur confiance en la pointe aimantée, les voyageurs étaient troublés par l'insistance du Tekké. De temps à autre ce dernier désignait un point du pays.

– Là nous avons campé, là un des nôtres est mort de froid et du mal des hauteurs... Ici je me suis égaré... Mes compagnons ont allumé un grand feu sur ce pic pour m'indiquer leur position...

Personne ne répondait plus. Tous sentaient que Rachmed avait raison. Depuis de longues heures déjà, on aurait dû être sorti de ce désert montagneux.

Mais alors comment expliquer l'indication inverse de la boussole ?... En vain l'un ou l'autre la prenait, la secouait... l'aiguille revenait toujours au même endroit.

Le jour baissait et le paysage ne se modifiait pas. L'aérostat franchit une colline qui masquait l'horizon. Tous ensemble, les Européens poussèrent un cri de joie. Devant eux s'étendait un lac, dont les eaux libres ne portaient aucun glaçon.

– Hourra ! s'écria le journaliste, nous entrons dans une contrée plus clémente... Voyez les effets d'une température douce, l'eau à l'état liquide ! Mais le Tekké secoua la tête et laissa tomber ces seuls mots :

– Lac qui ne gèle jamais.

Murlyton, Aurett, Lavarède avaient lu la rédaction du voyage de l'explorateur Bonvalot. Ils avaient remarqué cette bizarrerie : un lac que la composition de ses eaux rend réfractaire à la gelée. Et ce lac se trouve à plus de huit cents lieues de l'Inde ! Ils étaient donc fatalement entraînés vers le nord. Du reste, s'ils avaient pu douter encore, leur conviction eût été rapidement faite maintenant.

Comme un oiseau, le ballon avait traversé la surface liquide et, sur la rive opposée, le chaos granitique se reproduisait. En même temps, le vent devenait plus fort.

– Eh bien ! dit Armand rompant le silence, nous rentrerons en France par la Russie, voilà tout. Pour l'instant, il s'agit de monter. La nuit vient et une rencontre avec un pic serait désastreuse.

– Il reste à peine deux litres d'alcool, répliqua l'Anglais.

– Bon, la brise a fraîchi, cela suffira peut-être pour atteindre la Sibérie.

Le calme du Parisien réconforta ses compagnons, qui crurent pourtant remarquer que le vent tournait. On dîna, par quatorze cents mètres d'altitude, et l'on s'apprêtait à dormir quand Lavarède poussa un véritable rugissement.

– Qu'avez-vous ? demanda Aurett, très émue.

– Je vous demande pardon, j'ai trouvé.

– Trouvé quoi ?

– Pourquoi la boussole est affolée !... car, il n'y a pas à dire le contraire, elle est folle, absolument folle.

Cette affirmation parut intéresser le gentleman, car il se rapprocha vivement en disant :

– Et quelle est la raison ?

– La foudre, cher monsieur. Souvenez-vous de la tempête qui nous a conduits à Lhaça. Nous avons pris un véritable bain électrique en traversant les nuages orageux et depuis l'aiguille aimantée ne sait plus ce qu'elle fait, ni ce qu'elle marque.

– Très juste en effet... Le phénomène a été souvent constaté.

– Oui, soupira comiquement le journaliste, si nous-mêmes l'avions constaté plus tôt, nous aurions pu chercher un courant plus propice. Enfin ne pleurons pas sur l'Inde, la Sibérie nous appelle !...

Et, fredonnant l'*Hymne russe*, il s'étendit au fond de la nacelle et ferma les yeux. Cette fois encore, Murlyton avait pris le premier quart de veille, Armand lui succéda et passa la consigne à Rachmed.

– Soyez économe de notre alcool de riz, lui dit-il, il reste un demi-litre à peine... tâchons que cela nous mène jusqu'au matin.

Inclinant la tête, le Tekké s'installa sous le chauffoir. Avec l'ombre, le froid avait redoublé d'intensité et le guide était comme engourdi.

Sa faction durait depuis une demi-heure lorsque la flamme du récipient devint plus pâle et plus courte. Il fallait l'alimenter. Non sans peine Rachmed secoua la torpeur qui l'avait envahi et se baissa pour ramasser l'entonnoir dont on se servait pour verser l'alcool. Il eut un grognement et retira vivement sa main. La peau des doigts était restée collée sur le métal, laissant la chair à vif, avec une sensation de brûlure presque intolérable.

Le froid et la chaleur produisent des effets identiques. Dans toutes les expéditions au pôle, on cite des accidents analogues à celui dont le Tekké venait d'être victime. L'application de la main nue sur un morceau de métal refroidi par l'air provoque la même souffrance qu'une aspersion d'eau bouillante.

Douloureusement surpris, Rachmed perdit un peu la tête. Le plus simple eût été de s'envelopper la main et de prendre l'entonnoir. Il n'y songea pas. Le récipient était presque vide, les langues bleuâtres de l'alcool s'élevaient et retombaient brusquement, indice de l'extinction prochaine. Le guide sans réfléchir prit la fiole contenant le reste du liquide, et, pour verser, la pencha sur le chauffoir. Presque aussitôt, un claquement strident le fit tressaillir. Sous l'influence de la chaleur, le flacon s'était brisé et le feu se communiquait à son contenu. Effaré, le Tekké le lâcha, jetant ainsi d'un seul coup un demi-litre d'alcool.

Un vif grésillement se produisit et une claire lame de feu vint lécher les bords de l'ouverture inférieure de l'aérostat. La soie s'enflamma aussitôt. À cette vue, Rachmed se jeta sur ses compagnons, les tirant de leur sommeil par ces terribles paroles :

– Le ballon brûle !...

Tous furent debout en une seconde et leurs regards se portèrent sur l'enveloppe. Le terrible agent de destruction gagnait du terrain, découpant dans l'étoffe un cercle irrégulier. Personne ne parlait. L'incendie est terrible sur terre, mais encore il permet la lutte. L'espoir de fuir subsiste, tandis qu'en plein espace, avec l'abîme sous les pieds, pris entre la peur du feu et l'épouvante de la chute, l'homme perd tout courage, toute initiative. Une sorte de fatalisme enchaîne sa pensée. La mort est là, il s'abandonne à elle. Tous demeuraient comme cloués sur place.

– Adieu, père, adieu, monsieur Lavarède !... fit miss Aurett d'une voix faible.

Ces mots qu'elle avait prononcés les dents serrées, appel suprême de sa faiblesse de femme, rompirent le charme. On chercha à se défendre. La corde qui reliait la soupape à la nacelle avait été respectée par la flamme. Armand la saisit et d'un coup sec fit manœuvrer l'appareil. Un mouvement de descente accentué se fit aussitôt sentir.

Mais le courant d'air qui se produisait de bas en haut activait le travail de la flamme. Toute la partie inférieure du ballon était consumée. L'aérostat devenait un simple parachute bordé d'un cercle flamboyant.

Immobiles, la poitrine contractée, les passagers assistaient au sinistre. Leur situation était épouvantable. Ils étaient perdus dans les ténèbres, sans moyen de connaître leur distance de la terre, soutenus par une frêle enveloppe de soie dont le diamètre diminuait à chaque instant. Aucun supplice ne peut donner une idée de la torture morale de l'homme suspendu dans le vide et attendant d'être précipité.

Un choc se produisit enfin, le parachute oscilla une minute, puis sous la poussée du vent s'abattit dardant à une hauteur considérable une flamme aussitôt éteinte. Mais, si rapide qu'eût été la lueur répandue, les voyageurs avaient eu le temps d'entrevoir une plaine à la surface lisse et brillante.

– Un fleuve gelé, déclara Rachmed.

– Alors, répliqua Lavarède, déjà maître de son émotion, gagnons la rive et attendons le jour.

Ce disant, il coupait les cordages reliant la nacelle aux débris de l'enveloppe, et, invitant ses compagnons à l'imiter, il tirait ce véhicule d'un nouveau genre.

– Il ne s'agit pas de perdre la tête, dit-il... Nos provisions, nos armes, nos fourrures, les tentes, tout est là-dedans...

Avec l'aide de Murlyton et du Tekké, il amena la nacelle jusqu'au rivage, au prix de quelques chutes inévitables sur une glace unie ne présentant aucune aspérité. La berge offrait une pente douce, couverte de neige durcie, qui facilitait l'ascension des voyageurs. Un sentier serpentait le long de la crête, étranglé entre celle-ci et une haute muraille de rochers.

Après quelques recherches, on découvrit qu'elle conduisait à l'entrée d'une caverne. Rachmed improvisa une torche avec des débris de planches, et à la lueur douteuse de ce luminaire, s'engagea dans la grotte.

Dès les premiers pas, les Européens s'arrêtèrent pétrifiés d'admiration. La haute voûte arrondie au-dessus de leurs têtes et les parois sur lesquelles elle s'appuyait semblaient tapissées de topazes. Des milliers de facettes reflétaient la lumière, piquant l'obscurité d'étincelles jaunes.

– Merveilleux, murmura Aurett en joignant les mains !...

– Qu'est-ce que cela ? interrompit Lavarède très étonné lui-même.

Ce fut encore le guide qui répondit avec son laconisme ordinaire :

– Sel gemme.

Il avait raison. C'était en effet une de ces cavernes que l'on rencontre, suivant une ligne sinueuse, partant de la frontière polonaise pour aboutir à la grande muraille de Chine.

Le sol recouvert d'un sable fin offrait une couche tentante pour des gens brisés de fatigue. Aussi, les yeux encore pleins de rayonnements, tous s'enroulèrent dans leurs fourrures et perdirent bientôt le sentiment de l'existence.

Alors des ombres pénétrèrent sans bruit dans la caverne et s'approchèrent successivement des dormeurs. Arrivées auprès de miss Aurett, elles la soulevèrent avec mille précautions et l'emportèrent au dehors. Puis la jeune fille fut attachée sur un cheval qui, en compagnie de plusieurs autres, attendait ces mystérieux inconnus.

Un léger coup de sifflet se fit entendre, chaque bête eut aussitôt son cavalier et la petite troupe s'éloigna au galop.

Le journaliste et ses amis n'avaient rien entendu. Un cri perçant, lancé par Aurett brusquement réveillée par la course furieuse de sa monture, ne réussit pas à les tirer de leur engourdissement. Seul Murlyton se retourna sur le côté, bailla et reprit son somme.

Au matin, une vague clarté reculait le mur d'ombre qui voilait le fond de la caverne lorsque Lavarède ouvrit les yeux. Malgré ses pelleteries, malgré la protection de son abri de rochers, il se sentit engourdi.

Au nez, aux oreilles, il éprouvait des picotements, comme si des milliers d'aiguilles, sous la poussée d'un moteur invisible, se fussent livrées à travers ses cartilages à un mouvement de va-et-vient.

– Brrr ! dit-il en se secouant, il fait frisquet.

Il se leva et rajusta sa fourrure. À ses pieds, sir Murlyton et Rachmed, recouverts d'un monceau de peaux de bêtes, demeuraient encore immobiles.

– Tiens ! reprit le jeune homme, où donc est miss Aurett ? Déjà sortie ?... Quelle honte pour notre sexe réputé fort !

Sur ces mots, il marcha vers l'entrée de la grotte.

Un instant il s'arrêta. Au passage brusque de l'ombre à la lumière, ses yeux s'étaient fermés.

Le paysage était éblouissant. Tous les reliefs du sol recouverts de cristallisations glacées, le fleuve voisin semblable à une coulée d'argent en fusion, réfléchissaient en décuplant leur intensité les rayons mats du soleil pâli de l'hiver. On eût dit un amoncellement féerique de diamants chatoyant sous la flamme d'une lampe. C'étaient des éclairs, une débauche de raies flamboyantes, s'élançant du sol ; et par une étrange illusion d'optique, la terre paraissait éteindre le soleil.

Armand regarda, puis la pensée de l'Anglaise lui revint. Le sentier qui longeait les rocs était désert. Déserte était la rive du fleuve.

Où donc la jeune fille se cachait-elle ? Il fit quelques pas et, mordu au cœur par une soudaine inquiétude, il appela sa gracieuse compagne de voyage. Sa voix s'éteignit sans éveiller d'écho.

Il appela plus fort. Cette fois on lui répondit. Sir Murlyton, réveillé par ses cris, parut et s'enquit de la cause de ses appels. Aux premiers mots, il partagea la crainte du jeune homme. Sa voix s'unit pour lancer dans l'espace le nom de sa fille.

– Aurett ! Aurett !

Ils s'arrêtaient parfois pour reprendre haleine. La face pâlie, les sourcils contractés, ils écoutaient. Mais ils avaient beau prêter l'oreille, ils n'entendaient que le crépitement incessant de la glace en travail.

Ils ne pouvaient plus douter. Aurett était sortie, elle avait voulu faire une courte promenade et, dans ce pays bizarre, offrant toujours les mêmes apparences, elle s'était perdue. Il fallait lui indiquer l'emplacement du campement. Un grand feu remplirait cet office en produisant une colonne de fumée visible de loin. Mais comme ils revenaient vers la caverne, afin de déchiqueter la nacelle et de la transformer en combustible, Rachmed se présenta devant eux.

– Miss Aurett ?... interrogea le silencieux personnage.

– Perdue... égarée...

Il secoua la tête.

– Non !

– Comment non ! se récria Lavarède.

– Pas égarée, enlevée.

– Enlevée !... quand... par qui ?

Pour toute réponse, le Tekké montra un petit sac de soie brodée qu'il tenait à la main.

– Qu'est cela ?

– Des pierres sacrées.

– Des amulettes ?

– Oui.

– Eh ! s'écria Murlyton avec impatience, laissons Rachmed et ses fétiches ! Monsieur Lavarède, songez que ma fille nous cherche, qu'elle nous appelle en vain et que ses yeux parcourent l'horizon sans trouver un point de repère qui la puisse guider.

Le flegme du gentleman avait disparu. C'était le père qui parlait avec des accents rauques et des larmes dans la voix. Le Parisien cependant lui prit le bras et le contraignit à demeurer auprès de lui ; puis s'adressant au Tekké.

– Expliquez-vous vite. Vous voyez qu'il souffre.

– Voici : ce sachet à amulettes appartient à un guerrier en campagne. Il contient les trois cailloux de guerre. Il était tombé dans la caverne près de l'endroit où reposait la jeune fille.

L'Anglais avait tressailli. Il comprenait maintenant les paroles du guide.

– Continuez, fit Armand.

– Ils sont venus cette nuit. Ils étaient une douzaine. Ils ont emporté la demoiselle, l'ont attachée sur un cheval et ont fui avec elle vers l'ouest en côtoyant la rivière.

– Où voyez-vous cela ?

Rachmed sourit, découvrant ses dents blanches, et, le doigt tendu vers la terre :

– Les traces, dit-il simplement.

En effet, sur la croûte de glace qui emprisonnait le chemin, de légères égratignures indiquaient le passage d'êtres vivants. Mais de là à reconnaître leur espèce, il y avait un abîme et le visage des Européens exprima si clairement cette idée que l'Asiatique crut devoir ajouter ces mots :

– Ancien chasseur du Lob-Nor, j'ai suivi la piste de tous les animaux. Aujourd'hui encore, je me sens capable de vous conduire vers celle que vous regrettez.

Lavarède et l'Anglais tressaillirent. S'élancer à la poursuite des ravisseurs d'Aurett leur semblait un allègement à leur douleur.

L'action console, elle suppose l'espoir.

Ils voulaient se mettre en route à l'instant même, mais le Tekké secoua la tête. Pour s'aventurer à pied dans ce pays où le froid règne en maître, où tout homme est un ennemi, il est indispensable de se munir d'armes et de munitions pour se défendre, de tentes de feutre pour s'abriter la nuit, de provisions pour n'être point à la merci d'une chasse problématique.

En quittant Lhaça, ils avaient empilé dans la nacelle toutes les choses utiles choisies parmi les présents offerts aux dieux. Rien de plus facile que de s'équiper. Encore qu'ils comprissent les exigences de Rachmed, sir Murlyton et Armand préparèrent, en rechignant, les ballots qu'ils devaient emporter.

Sur les conseils de leur compagnon, ils les disposèrent de façon à pouvoir les porter sur le dos, à la manière du sac des soldats. Ainsi, ils avaient les mains libres et, en cas de rencontre fâcheuse, leur charge ne les gênerait pas pour manier leurs armes.

Une heure se passa en préparatifs. Enfin le poignard et le revolver à la ceinture, le fusil en bandoulière, les trois hommes furent prêts.

Abandonnant dans la caverne la nacelle et les objets qu'elle contenait encore, ils s'engagèrent dans le chemin parcouru par les ravisseurs de la jeune fille. Rachmed marchait le premier. Les yeux fixés à terre, il avançait d'un pas rapide, sans une hésitation. De même qu'un paléographe sait traduire un manuscrit ancien, le Tekké savait déchiffrer le sol.

– Ici, disait-il, les bandits se sont arrêtés... la demoiselle a mis pied à terre.

L'Anglais se penchait avec émotion sur une éraflure de la glace à peine visible, que le guide indiquait comme la trace du pied de son enfant.

Plus loin Rachmed déclarait qu'un cheval était tombé. Plus loin encore, les ennemis inconnus avaient pris leur repas.

– Prenons aussi le nôtre, ajouta l'Asiatique ; par cette température, il faut ménager ses forces et les entretenir.

– Non, marchons, marchons ! Chaque minute perdue est une torture pour ma fille, marchons !

Les regards brillants de fièvre, Murlyton étendait le bras vers l'ouest comme pour atteindre les guerriers qui entraînaient Aurett. Mais décidément, le guide avait pris le commandement de l'expédition, car, aux supplications du gentleman, il répondit seulement :

– Il faut s'arrêter et manger ; sinon, dans une heure, l'essoufflement nous étreindra la poitrine et nous ne pourrons continuer notre marche.

Il s'installait tout en parlant. Force fut à ses compagnons de l'imiter. Au fond, du reste, ils comprenaient la justesse de l'observation de Rachmed. Déjà ils avaient éprouvé les premiers symptômes de la fatigue, la difficulté de respirer, la faiblesse des jambes, produits par la raréfaction de l'air. Ils avaient conscience qu'ils devaient faire des pauses fréquentes sous peine d'être contraints à renoncer à leur entreprise.

Le repas, composé de lanières de viande de yak séchée et de galettes de maïs, les remit. Ils s'étonnèrent de manger avec avidité, oubliant que le froid accélère la combustion humaine comme celle d'un foyer et crée le besoin d'une nourriture abondante.

Au signal du Tekké la poursuite recommença. Jusqu'à la nuit on marcha et les voyageurs s'arrêtèrent épuisés auprès d'une source chaude, comme il en existe un certain nombre dans le pays.

D'une sorte de cuvette creusée dans le rocher s'échappait une eau bouillonnante, dont le cours était marqué par une ligne de fumée flottante. L'air en était échauffé et, dans un périmètre restreint, des herbes pâles et maigres couvraient le sol. Près du courant dans la terre délayée, Rachmed montra à ses amis les traces des chevaux et des guerriers. À un endroit même il découvrit l'empreinte des brodequins de la jeune Anglaise. Murlyton ne dit pas une parole, mais il serra la main du guide.

Le campement fut établi, la tente de feutre dressée ; tous s'y glissèrent avec plaisir. La température avait baissé brusquement, le thermomètre dont le gentleman s'était muni marquait 32 degrés au-dessous de zéro. Cependant, bercés par le murmure de la source voisine, les voyageurs commençaient à s'endormir, quand un bruit étrange les fit se dresser brusquement. C'était un roulement sourd, entrecoupé de grincements aigus qui déchiraient les oreilles.

– *What's ?* murmura l'Anglais.

– Un chariot, répliqua le Tekké à voix basse.

Du coup, Lavarède se trouva debout :

– Un chariot ! Alors il y a un conducteur.

Et déjà il se préparait à sortir de la tente. La main de Rachmed le cloua sur place.

– Tu es donc las de vivre que tu veux t'exposer à l'air la tête nue. Mets ce bonnet de fourrure... Autrement tu tomberais foudroyé.

Le conseil était bon. Par ces gelées excessives, la congestion guette l'homme. Les voyages aux pôles le prouvent. Que de matelots, pour avoir négligé les précautions recommandées aux équipages, dorment dans la banquise ! Armand ne l'ignorait pas ; il ne quitta la tente avec ses compagnons qu'après s'être chaudement couvert. Au dehors le froid sévissait en maître. Sur les joues, qu'aucune fourrure n'abritait, les voyageurs éprouvèrent une douleur cuisante ; on eût dit qu'un couteau fouillait leur chair.

Cependant le chariot approchait. Il devait passer près de la source. Immobiles, Lavarède et ses amis attendaient, les mains crispées sur leurs fusils. Ceux qui arrivaient seraient-ils bienveillants ou hostiles ? Enfin dans l'ombre apparut une masse noire.

– Qui va là ? demanda Rachmed que sa connaissance de la langue du pays désignait naturellement aux fonctions d'interprète.

Une série d'exclamations gutturales répondit et le chariot s'arrêta.

– Qui va là ? répéta le Tekké sur un ton menaçant.

Cette fois le conducteur répliqua :

– Un pauvre homme que l'on a retenu à la ville kirghize de Beharsand et qui regagne sa demeure.

– Approche ; si tu dis vrai, tu n'as rien à craindre de nous.

Il se fit un silence, puis des pas résonnèrent sur la terre durcie et un homme se montra. C'était un vieillard courbé dans la peau de yak qui le couvrait. Sous son bonnet fourré, on apercevait son visage maigre, terminé par une longue barbe grise.

– Je n'ai pas peur, disait-il, que pourrait-on enlever à un malheureux comme moi ? Autant gratter le rocher pour y chercher de la nourriture.

Mais soudain il s'arrêta :

– Écoutez, dit-il, l'envoyé de la mort vient à nous !

– L'envoyé de la mort, murmura le Parisien, de qui parle-t-il ?

Rachmed secoua la tête.

– L'ours gris des plateaux. Si son oreille ne l'a pas trompé, nous allons subir l'assaut d'une des plus terribles bêtes de la création.

En effet, cet ours, assez semblable à son congénère de l'Amérique du Nord, le grizzly, atteint la taille d'un bœuf. Errant sur les hauteurs désolées, les entrailles déchirées par la faim, il attaque tout être que sa mauvaise étoile place sur son chemin. Sa vigueur égale sa voracité. Quand on le rencontre il faut combattre, car la fuite n'est pas permise. Avec son apparence pesante, le féroce carnassier force à la course le cheval le plus rapide. Voilà ce que le Tekké expliqua rapidement à ses compagnons.

Pendant ce temps, le conducteur du chariot se lamentait.

– Maudite soit cette nuit ! Il a éventé mes yaks, il va les dévorer ! Mes deux bœufs, ma seule fortune ! Qui donc maintenant traînera la voiture à la ville ?... Ah ! j'ai trop vécu, puisque je devais arriver à mourir de faim.

Lavarède se sentit ému par ce désespoir. Il vint à l'homme :

– Tais-toi, ordonna-t-il, nous avons des fusils pour recevoir l'ours.

– Vous me défendriez ?

– Oui, mais où est-il ?

– Écoutez !...

Au loin on entendait une sorte de ronflement saccadé.

– C'est lui, reprit le charretier, il se dépêche ; il a flairé sa proie.

Sir Murlyton et le Tekké avaient rejoint le Français.

– Prenez garde, fit le guide, l'ours gris est plus dangereux que le tigre lui-même. Visez bien à la tête.

Le grognement devenait distinct, l'animal ne devait plus être éloigné.

À ce moment, la lune voilée jusque-là se dégage des nuages et inonde de lumière argentée le paysage rocheux. À cinquante pas, une forme noire se meut rapidement à la surface du sol.

– Le voilà ! s'écrie le conducteur avec épouvante.

Les trois hommes arment leurs fusils. Au claquement de l'acier, l'ours répond par un grincement de dents. Une seconde il s'arrête, considérant ses ennemis, puis, avec un grondement formidable, il se rue sur eux.

Trois coups de feu retentissent. Un hurlement de douleur prouve que l'animal est touché ; pourtant sa course n'en est pas ralentie.

L'Anglais et Armand se jettent de côté pour laisser passer l'ours. Rachmed veut les imiter, mais une pierre glisse sous son pied, il chancelle. Il reprend son équilibre. Trop tard ! La bête est sur lui et, d'un coup de patte, l'envoie rouler sans connaissance à dix pas.

Un cri s'échappe des lèvres des assistants ! Le guide est perdu.

Rendu furieux par ses blessures, le carnassier est auprès du corps inanimé du Tekké. Il le flaire, le retourne, choquant ses mâchoires. Il va broyer le malheureux. Alors Armand oublie le péril. Il ne songe qu'à sauver l'homme qui, sans hésiter, s'est mis à son service.

Il court au grizzly. Le féroce animal veut faire tête à ce nouvel ennemi, il n'en a pas le temps. Le Parisien l'atteint et lui plonge au défaut de l'épaule son long couteau thibétain. Un soubresaut soulève le corps du carnassier projetant Lavarède à plusieurs mètres.

Rapide comme la pensée, le jeune homme se relève et se met en défense. Inutile ! Son coup a été porté d'une main vigoureuse. Le grizzly vacille un instant sur ses pattes énormes. Puis il roule sur la terre, que ses griffes labourent profondément. Il est mort.

Le Tekké n'en vaut guère mieux. Le sang coule à flots de son épaule déchirée. Mais le conducteur du chariot est reconnaissant. Il offre de transporter le blessé à son habitation. La tente et les objets qu'elle contient sont entassés dans la voiture où Rachmed est installé ; et, dans la nuit, la caravane s'éloigne abandonnant le cadavre de l'ours déjà durci par la gelée.

XXIII

Les amazones kirghizes

Au fond d'une étroite vallée s'élevait la maison de Dagrar, tel était le nom de l'indigène. Une habitation basse en équerre, avec l'étable destinée aux yaks, un hangar pour remiser le chariot, voilà ce que Dagrar appelait pompeusement sa ferme. Du moins on y était à l'abri du froid et le foyer primitif, placé sous un trou arrondi découpé dans la toiture, réchauffait les hôtes tout en les enfumant.

Rachmed avait repris ses sens. La violence du coup l'avait étourdi, mais sa blessure en elle-même ne présentait aucune gravité.

– Une nuit de repos, dit-il, et demain nous repartirons.

D'ailleurs, les soins éclairés de Lavarède ne lui firent pas défaut.

Le lendemain on tint conseil. Qu'allait-on faire ? Le Français poussait à gagner Beharsand que leur hôte avait indiqué comme proche.

– Vous avez relevé la trace d'une bande de guerriers, disait-il au Tekké. Il est probable que les ravisseurs de miss Aurett habitent la ville. Dans ce pays, il n'est pas d'usage et cela se conçoit, de s'éloigner beaucoup de l'agglomération à laquelle on appartient. C'est donc là qu'il faut chercher.

Murlyton se rallia à cet avis. Dagrar interrogé, leur apprit que Beharsand se trouvait à trois heures de marche.

– Les Kirghizes, ajouta-t-il, sont assez durs aux étrangers ; mais, aujourd'hui, vous n'avez rien à craindre d'eux ; ils célèbrent la fête des « Amazouns. »

– Des amazones ! se récrièrent les voyageurs surpris.

– Je pensais que les dernières étaient au Dahomey, termina le journaliste.

– La tribu dont Beharsand est la forteresse prétend, comme plusieurs autres du reste, descendre d'une nation scythe de femmes guerrières, habiles au maniement de l'arc et de la lance. La légende dit que, dans une guerre très ancienne contre un peuple venu de l'Occident, presque toutes furent exterminées. Quelques-unes échappèrent au massacre et, fuyant vers l'est, atteignirent les hauts plateaux du Turkestan chinois, où nous nous trouvons. En souvenir de ces ancêtres, les femmes kirghizes, un jour par an, deviennent maîtresses absolues de la cité. Elles portent les armes des guerriers, et ceux-ci vaquent au soin du ménage. Vous m'avez rencontré au milieu de la nuit parce que j'avais été employé jusqu'au soir aux préparatifs de la fête. Ne craignez pas d'y assister, cela vous intéressera et vous ne courrez aucun danger.

Armand secoua la tête.

– En d'autres temps, nous aurions été heureux de nous réjouir avec les Kirghizes ; mais, aujourd'hui, nous avons une tâche à remplir. Il nous faut retrouver la fille de mon ami, enlevée par des cavaliers inconnus.

Il désignait l'Anglais. Une larme roula lentement sur la joue de ce dernier.

– Sa fille, redit Dagrar à voix basse.

Il semblait se consulter.

– Tu sais quelque chose, interrogea Lavarède ?

L'homme avança les lèvres en signe de doute.

– Parle donc !

– Non, je me trompe peut-être !... et puis Lamfara est un chef puissant qui ne pardonne pas une trahison !

Il regardait autour de lui avec crainte comme si celui dont il venait de prononcer le nom eût pu l'entendre. Mais le Français n'était point disposé à se contenter d'une demi-explication. Il saisit Dagrar par le bras et d'un ton bref, menaçant, qui rendait presque inutile la traduction par le Tekké :

– Écoute, reprit-il, nous t'avons sauvé la vie, nous avons le droit de te la reprendre et je jure Dieu que je n'hésiterai pas si tu refuses de répondre.

Puis s'adoucissant soudain :

– Je menace et j'ai tort. Nous ne demandons pas ton concours. À quoi bon ? Apprends-nous ce que tu soupçonnes. Nous partirons. Et jamais ton nom ne sortira de nos lèvres, fussions-nous captifs, attachés au poteau des tortures.

Les Asiatiques sont clairvoyants. Dagrar comprit qu'il devait avoir confiance, et sans hésitation :

– Je parlerai donc, mais tu te souviendras de ta promesse. Celle que tu poursuis a-t-elle les cheveux dorés comme les herbes des plateaux à la fin de l'été ?

– Oui.

– Elle ne connaît pas la langue du pays ?

– Non. Mais où l'as-tu rencontrée ?

– En sortant de la ville. Dans la plaine, des guerriers avaient dressé leurs tentes autour d'un grand feu. Je m'en étonnais quand une femme s'élança à ma rencontre en disant des mots que je ne compris pas. Soudain, Lamfara parut à son tour, força la femme à rentrer et m'ordonna de m'éloigner. Il attendait sans doute que tout dormît dans Beharsand pour conduire la prisonnière à sa demeure.

Armand échangea un regard étincelant avec le gentleman.

– Et qui est ce Lamfara ?

– Il commande à cent guerriers. Il est riche et possède plus de cinq cents yaks. Et puis il est savant, autant que nos médecins. Il a été élevé loin d'ici, de l'autre côté des grands lacs, dans le pays du Père Blanc.

– En Russie, souligna Rachmed, le tzar est le « Père Blanc » pour toutes les populations d'Asie.

Lavarède l'interrompit. Il ne tenait plus en place. Aussi impatient que lui, sir Murlyton s'armait à la hâte. À peine laissèrent-ils au Tekké le temps d'indiquer à Dagrar en quel endroit étaient cachés la nacelle et les nombreux objets qu'ils y avaient abandonnés.

C'était le prix du service rendu.

Après un rapide adieu, ils se mirent en marche vers Beharsand. Ils repassèrent auprès de la fontaine chaude. Déjà les grands vautours avaient dépecé le cadavre de l'ours gris ; après une nuit, du terrible carnassier il ne restait qu'un squelette auquel pendaient quelques lambeaux sanguinolents.

Personne ne s'arrêta. Tous avaient hâte d'atteindre la ville kirghize.

Enfin, après avoir escaladé un monticule, ils l'aperçurent se développant dans un cirque formé par des collines peu élevées.

Beharsand est une bourgade peuplée de trois à quatre mille habitants ; mais dans la steppe glacée de l'Asie centrale, elle représente l'un des centres les plus importants.

L'Anglais retint Armand.

– Nous allons pénétrer dans cette cité ?

– Pourquoi non ?

– Mais il me semble que c'est nous jeter dans la gueule du loup.

Lavarède se prit à rire.

– Hier, vos craintes auraient été fondées, demain elles le seraient encore. Aujourd'hui c'est autre chose.

Et comme le gentleman ouvrait la bouche :

– Inutile. La fête des Amazones commence. Profitons-en.

Sur ce, le Parisien se dégagea et se dirigea vers les premières maisons. Force fut à ses compagnons de le suivre. À leurs questions, il ne répondait que par monosyllabes. Il avait son idée sans doute, mais le moment de l'exprimer ne lui paraissait pas venu.

La distance qui les séparait des murailles diminuait. La ligne des fortifications coupée de tours carrées se dressait devant eux. Le Français alla droit vers une porte où des femmes montaient la garde, le casque en tête, le bouclier rond pendu à la ceinture.

– Voilà de solides commères, remarqua le jeune homme. N'étaient leurs cheveux nattés et quelques autres indices, on les prendrait pour de véritables guerriers.

Le poste féminin fit mine d'arrêter les voyageurs ; mais Rachmed, soufflé par le journaliste, s'enquit de la demeure du chef Lamfara. Aussitôt ces dames esquissèrent leur plus aimable sourire, ouvrant la large bouche qui coupe leur visage aplati aux pommettes saillantes.

– Il vous faut traverser la place Ameïraïkhan, dit enfin l'une d'elles ; mais vous devrez attendre, car l'assemblée des amazones y est réunie en ce moment.

Armand eut une exclamation joyeuse.

– L'assemblée des femmes ? Courons, mes amis !

– Mais pourquoi, hasarda Murlyton ?

– Pourquoi ? Décidément vous ne comprenez pas le parti que l'on peut tirer de l'émancipation des femmes.

Saisissant Rachmed par le bras, le journaliste l'entraîna en lui parlant avec volubilité. Essoufflé, se maintenant à grand-peine à dix pas en arrière, le père d'Aurett ne parvint pas à saisir un mot.

Dans les rues, mesdames les Kirghizes se pavanaient majestueusement, escortées de leurs époux, qui, ce jour-là, étaient chargés de tous les objets encombrants, depuis les larges miroirs chinois jusqu'aux petits enfants trop jeunes pour marcher. Ces promeneurs lançaient des regards curieux aux étrangers, puis reprenaient leur conversation commencée.

Enfin Lavarède et ses compagnons débouchèrent sur la place Ameïraïkhan. Un spectacle étrange les y attendait.

Assises sur des blocs de pierre disposés suivant une circonférence, des femmes, engoncées dans leurs fourrures, écoutaient une de leurs compagnes. Celle-ci, juchée sur un siège plus élevé, parlait d'une voix gutturale dure à l'oreille. Les autres opinaient gravement de la tête, en fumant à petits coups des pipes aux longs tuyaux couverts d'ornements de métal.

Sans souci d'interrompre l'orateur, Lavarède pénétra dans le cercle. Une clameur de stupéfaction s'éleva aussitôt. Debout, menaçantes, les Kirghizes semblaient prêtes à s'élancer sur l'intrus. De mémoire d'amazoun, jamais un homme n'avait osé troubler le « Patich » – reproduction du conseil des cheffesses dans la tribu mère.

– *By god !* Qu'avez-vous fait là !... s'écria l'Anglais en rejoignant le Parisien.

Celui-ci, aussi calme qu'un conférencier à la salle des Capucines, se tourna vers Rachmed et doucement :

– Va ! dit-il.

Aussitôt l'interprète commença de haranguer l'assistance dans une langue inconnue du gentleman. Il répétait la leçon que venait de lui apprendre Lavarède.

– Mesdames, clama-t-il, si nous avons troublé la délibération de vos puissantes seigneuries, c'est pour vous signaler un crime de lèse-coutumes commis par un homme de cette ville.

Murlyton ne comprit pas le sens des paroles, mais il constata que l'assemblée devenait attentive.

– En ce jour, continua le Tekké, toute femme est libre. Aucune ne peut être retenue contre sa volonté.

– Voï ! Voï ! répondirent des voix nombreuses.

– Elles disent oui, glissa rapidement le guide à Armand.

Puis, reprenant le dialecte des plateaux :

– Pourtant une jeune fille est prisonnière à Beharsand. Voici son père et son fiancé. Ils vous demandent justice. Vous la leur accorderez, vous qui à travers les siècles perpétuez le souvenir de vos vaillantes ancêtres.

Un hourra frénétique ébranla l'atmosphère. Les Amazouns voulaient connaître l'endroit où était enfermée miss Aurett.

– Chez le chef Lamfara, répliqua Rachmed !

– À la maison de Lamfara !

À ce cri, toutes les femmes quittèrent l'enceinte du Patich et, se formant en colonne serrée, se mirent en marche vers le lieu désigné.

– Où vont-elles ? interrogea l'Anglais.

– Délivrer votre chère fille, mon bon monsieur.

– Comment ? Pourquoi ?

– Parce que nous profitons des circonstances ; on vous expliquera plus tard ! Pour l'instant, reprenons miss Aurett à son ravisseur et fuyons à toutes jambes cette cité ! Demain, il n'y ferait pas bon pour nous.

À la même heure Aurett rêvait. Une immense tristesse pesait sur elle.

Elle se revoyait attachée au travers de la selle de Lamfara, emportée dans la nuit par le galop furieux du coursier turcoman. Puis la halte du jour, et, la nuit revenue, la course infernale recommençant. Et avec un serrement de cœur, elle songeait que chaque bond de sa monture l'avait éloignée de son père et d'Armand.

Un instant elle avait espéré. Parmi les tentes dressées, au milieu de la seconde nuit, un chariot était passé. Elle avait couru au-devant du conducteur, cherchant un défenseur dans le voyageur inconnu. Mais alors son maître s'était dressé devant elle. Brutalement il l'avait ramenée à la tente où elle reposait ; et dans l'ombre, le bruit du chariot s'était éteint peu à peu.

Plus tard, juchée de nouveau sur un cheval, son escorte l'avait conduite dans une ville étrange, aux maisons largement espacées. Elle se souvenait d'avoir passé sous un arc triomphal, en pierre, aux formes bizarres. Puis sa monture s'était arrêtée au milieu d'une cour. Invitée à mettre pied à terre, la captive avait été enfermée dans une pièce basse.

Et, dans son esprit, au désespoir d'être séparée de ses amis se joignait la crainte de voir face à face celui qui la tenait prisonnière.

Que voulait cet homme ? Question menaçante ! Nulle jeune fille n'y répondrait, mais toutes frissonneraient devant l'interrogation.

Aurett se représentait le guerrier asiate à peine entrevu, marchant vers elle, le regard dur, le geste menaçant. La tête cachée dans ses mains, elle se demandait quelle attitude prendre en présence de cet ennemi.

Une voix d'homme la fit tressaillir. Elle leva les yeux. Le chef Lamfara était devant elle. Il avait fait sa toilette. La tunique ornée de broderies, les bottes de cuir rouge, le kandjar à fourreau d'argent passé dans la ceinture, indiquaient son désir de plaire.

Courbé respectueusement, les mains croisées sur la poitrine, le chef parlait. Des syllabes sonores et douces coulaient de ses lèvres, mais leur sens échappait à la prisonnière.

Lamfara s'en aperçut. Il se tut un instant, parut chercher, puis reprit la parole en anglais. La jeune fille fit un geste de surprise.

– Vous comprenez maintenant, dit-il souriant. Heureusement, au pays du « Père Blanc », on enseigne non seulement le russe, mais encore les autres langues européennes. Ne répondez pas, mademoiselle, avant de m'avoir entendu. Là-bas, à Moscou, en étudiant, j'ai appris la beauté comme la comprennent ceux de votre race. Rentré ici, les jeunes filles m'ont paru lourdes, disgracieuses, disons le mot, hideuses. Riche, toutes convoitaient ma main, je les ai dédaignées. Pourquoi ? Parce que je me souviens de l'Européenne avec sa grâce, son esprit et sa tyrannie.

Par une légère moue, Aurett indiqua que cela lui était parfaitement égal. Elle était rassurée, l'attitude de l'Asiate n'était rien moins que menaçante.

– J'arrive au but, reprit celui-ci, j'étais à la chasse avec quelques fidèles, lorsque j'ai aperçu votre ballon en feu. Mes compagnons croyaient à une apparition fantastique, mais moi j'avais reconnu un aérostat. Des gens d'Europe, pensai-je. La curiosité me prit, j'assistai à la descente. Sur vos pas je me glissai jusqu'à l'entrée de la caverne et là...

Il s'interrompit un instant et continua d'une voix étranglée :

– Là, je vous vis... Dans ce pays où je dois vivre pour conserver la fortune et le rang légués par mes ancêtres, vous vous êtes montrée à moi, image vivante de mes regrets. J'ai épargné vos compagnons, me contentant de dérober le trésor que je convoitais.

Puis, s'exaltant par degrés :

– Je suis un chef redouté et respecté, je possède de nombreux yaks, d'immenses plaines. Nul coursier ne résiste quand mes genoux pressent ses flancs et jamais ma balle n'a manqué son but. Deviens ma compagne, jeune fille, tous se courberont devant toi. On ne regarde pas en face l'épouse de Lamfara.

Un feu sombre brûlait dans les prunelles du khan. Ce nomade qui, depuis des années, vivait avec un songe rapporté d'Europe, empruntait à sa manie quelque chose d'inspiré.

Les craintes d'Aurett renaissaient. Ce personnage étrange, aux mouvements bizarres, ce khan barbare, compliqué d'un civilisé, était inquiétant. Lamfara se méprit à son hésitation :

– Ne prenez pas encore de décision, je vous en prie... je sais que vos compatriotes ne veulent pas être contraintes. J'attendrai !...

Sur ces mots il sortit.

Restée seule, Aurett fondit en larmes. Sous l'apparente douceur du Kirghiz, elle avait senti sa volonté implacable.

Comment résisterait-elle ? Hélas !... Perdue au centre du massif asiatique, séparée de ses compagnons que rien ne mettrait jamais sur ses traces, était-elle condamnée à finir ses jours à Beharsand ?

Que de projets fous se présentèrent à son esprit !... Que de résolutions désespérées elle abandonna une à une !...

Tout à coup un bruit confus arriva du dehors. Curieuse, la jeune fille courut à la fenêtre, l'ouvrit et regarda.

Dans la cour, le chef Lamfara discutait avec une centaine de femmes, au milieu desquelles se démenaient Murlyton, Lavarède et Rachmed.

– Monsieur Armand, s'écria Aurett, sauvez-moi !...

Une grande clameur répondit à cet appel. L'Anglaise vit le chef faire un geste de rage et tout le groupe s'engouffrer dans la maison.

Un instant plus tard, elle était libre. Elle marchait entre son père et le jeune homme, une illumination de joie dans les yeux. Elle interrogeait : « Que s'était-il passé ? » Mais Lavarède l'interrompit :

– Plus tard, plus tard... il s'agit de quitter cette ville. À minuit, plus rien ne pourrait nous tirer des griffes de Lamfara.

Sur son conseil, elle demanda, toujours par la voix de Rachmed, aux femmes du Patich, empressées autour d'elle, de lui permettre de continuer son voyage. Celles-ci, enchantées de voir partir cette étrangère qui avait fait battre le cœur insensible du riche Lamfara, ne résistèrent pas à sa prière.

Elles mirent même à la disposition de la petite troupe des yaks et des vivres. Elles y ajoutèrent, non sans étonnement et sur la prière de l'Anglaise, un énorme sac rempli de tous les débris de poterie, de vaisselle, de verre qu'elles purent se procurer. C'était encore Armand qui avait désiré ce singulier cadeau.

– Pourquoi charger nos bêtes de ce fardeau inutile ? fit le gentleman.

– Inutile, je le souhaite, mais je crois, moi, qu'il nous rendra un grand service.

– Lequel ?

– Vous le verrez.

Escortés par les Amazouns, les voyageurs quittèrent Beharsand juchés sur quatre yaks vigoureux.

Lamfara les suivait de loin. Lorsqu'ils eurent pris congé des femmes kirghizes, le khan fit signe à l'un de ses serviteurs, et d'un ton bref :

– Va ! Ne perds pas leur trace ! Sitôt cette damnée fête terminée, je partirai avec mes cavaliers... et, par Tamerlan, la rose d'Europe m'appartiendra !

L'homme se courba et, d'un pas élastique, s'élança à la poursuite d'Aurett. Cependant Lavarède pressait ses compagnons.

– Mes chers amis, poussons nos montures, nous ne serons en sûreté que dans les montagnes que vous apercevez là-bas à l'ouest.

– Quel danger craignez-vous donc ? questionna Murlyton absorbé dans la contemplation de sa fille.

– Presque rien... Le chef Lamfara, lié à cette heure par une coutume que je qualifierai d'admirable, car elle nous a servis, ne le sera plus ce soir. Il voudra sans doute reprendre le trésor que nous lui avons enlevé.

Le visage de l'Anglaise exprima la terreur. Armand s'en aperçut.

– Rassurez-vous, il ne réussira pas, car à la nuit nous aurons traversé cette plaine unie où l'avantage resterait forcément au nombre.

Et tous, fouaillant leurs montures, hâtèrent leur marche vers le point désigné par le Français.

XXIV

Du Tarim à l'Amou-Daria

Au déclin du jour, les fugitifs atteignirent les premiers contreforts de la barrière de granit, qui ferme à l'Occident la plaine de Beharsand.

Murlyton proposa de s'arrêter. Les yaks donnaient des signes de fatigue, leurs jarrets nerveux avaient perdu de leur énergie. Mais le Parisien ne voulut rien entendre.

– Plus haut, répétait-il, plus haut ! Nous serons attaqués au point du jour.

Et de son kama thibétain, il piquait la croupe des animaux, auxquels la douleur rendait une vigueur passagère. Enfin les bêtes surmenées, se couchèrent sur un étroit plateau, à l'entrée d'un défilé.

– Parfait, fit Lavarède, ici nous aurons l'avantage du terrain. Dînons et dormons.

On lui obéit. Telle était la lassitude générale que, sous les tentes de feutre, l'inquiétude ne tint personne éveillé.

Le lendemain, dès que le soleil montra son disque rouge à l'horizon, Armand se leva et se dirigea vers le bord du plateau. Mais, au-dessous de lui, un voile d'ombre couvrait encore la plaine que les rayons obliques de l'astre n'atteignaient pas.

Le froid était pénétrant. Le jeune homme se mit à marcher pour se réchauffer.

Une demi-heure environ, il pratiqua cet exercice, tournant souvent la tête du côté de Beharsand. Continuant son ascension vers le zénith, le soleil lançait ses flèches d'or dans les vallons, chassant les ténèbres de leurs dernières retraites. La plaine devint visible. Les yeux du journaliste parcoururent sa surface aride, parsemée d'éblouissantes plaques de neige, et soudain son regard se fixa.

Au loin, dans une buée, quelque chose se mouvait, avançant avec rapidité. Cela n'avait pas de forme précise, mais Armand ne s'y trompa pas. Il courut aux tentes et secouant les dormeurs :

– Alerte, les voici !

En un instant, ses compagnons furent sur pied, les yaks chargés, et tous s'engagèrent dans le défilé.

C'était un passage étroit, une déchirure du granit causée par quelque crise géologique. Parfois les bêtes de somme avaient juste assez de place pour se glisser entre les murailles abruptes.

Le sol accusait une pente très forte.

À un détour du chemin, la gorge devint corniche, courant le long d'une falaise perpendiculaire et dominant un abîme.

– L'endroit est bon, murmura Lavarède avec un sourire.

Et s'adressant à Rachmed :

– Le sac à la vaisselle cassée, je vous prie.

Le guide le lui passa et le Parisien le vida méthodiquement, de façon à couvrir une dizaine de mètres de terrain des fragments hétérogènes qu'il contenait.

– Que signifie cette cérémonie ? hasarda l'Anglais qui avait suivi l'opération avec surprise.

– Vous vous en apercevrez tout à l'heure, pour le moment, en route ! Avant un quart d'heure les guerriers de Lamfara seront ici.

En effet, le bruit éloigné du galop des chevaux montait jusqu'aux voyageurs. Ils se remirent en marche. Le chemin, obéissant aux caprices du rocher, se déroulait sinueusement. La petite troupe atteignit un point d'où l'on dominait l'endroit où elle avait fait halte. Armand étendit la main :

– Arrêtons-nous !

– Mais les Kirghizes ?

– Ils ne parviendront pas où nous sommes. Regardez en bas, vous allez rire.

Les cavaliers ennemis s'engageaient sur la corniche. En tête se trouvait Lamfara. Il aperçut les Européens et les montra à ses hommes. Un hurlement de triomphe fit gronder les échos de la montagne. Aurett était devenue d'une pâleur de cire.

– Ne craignez rien, redit Armand, ils ne passeront pas.

Avec une témérité inouïe, les cavaliers maintenaient leurs

montures au trot.

Soudain les chevaux s'arrêtèrent, produisant une bousculade. Deux bêtes perdirent pied et dévalèrent la pente, entraînant leurs maîtres dans une chute vertigineuse.

Lamfara, immobilisé comme ses soldats, s'agitait furieusement sur sa selle, éperonnant son cheval avec rage. Peine inutile, l'animal semblait pétrifié. Lavarède fit entendre un éclat de rire.

– Vous voyez. Ceci est un souvenir de ma vie militaire. Pour arrêter la cavalerie, parsemez la route de tessons de bouteilles. Dans la traversée d'un village, jetez dans la rue toutes les chaises, pas un cheval ne passera. En Afrique les zouaves ont obtenu le même résultat avec des balles de plomb coupées en quatre.

Tout en parlant, il armait son fusil.

– Ce n'est pas le tout d'empêcher le mouvement en avant de l'ennemi, il faut l'obliger à battre en retraite.

Il fit feu. Un homme tomba. Murlyton et Rachmed saisirent leurs armes et, durant quelques minutes, une grêle de balles s'abattit sur la bande kirghize. Déjà démoralisés par le brusque arrêt des chevaux, dont la cause leur échappait, les guerriers tournèrent bride, laissant sur le sol une douzaine de morts.

Seul le chef était resté.

Abandonné des siens, il ne voulait pas céder. Sautant à bas de sa monture, il se mit à gravir la pente à pied.

Tous le regardaient avec une vague tristesse. L'homme courageux qui marche à la mort émeut ceux-là même qui vont le frapper. Armand s'était placé devant la jeune fille, la couvrant de son corps.

Arrivé à cinquante pas, Lamfara épaula, visant lentement. Le Parisien s'empressa de l'imiter. Les deux détonations se confondirent, et le Kirghiz, étendant les bras, tomba sur les genoux. Mais par un brusque effort il se releva, fit de la main comme un geste d'adieu, et se renversa en arrière dans le vide.

Et, tandis que son corps roulait, rebondissant de rocher en rocher, les voyageurs portèrent instinctivement la main à leurs coiffures, pour rendre hommage à un brave.

– Belle mort, murmura seulement Murlyton, mais complètement

inutile. Cet Asiate n'était pas un homme pratique.

Sur cette oraison funèbre bien anglaise, la petite troupe continua son ascension.

À la nuit, elle atteignit le sommet de la montagne et Lavarède montra avec satisfaction à ses amis la formule sacrée des bouddhistes, gravée sur un bloc de granit :

« *Om mané Padmé houm* ».

– Ceci, dit-il, vaut un poteau indicateur. J'y lis que nous sommes dans le massif des monts Célestes, où ces paroles, que des millions de fidèles répètent chaque jour, se trouvent fouillées dans le roc un nombre incalculable de fois. Il existe une confrérie de lamas qui n'a d'autre fonction que d'en couvrir les sommets.

Non loin de là d'ailleurs, les voyageurs découvrirent un « obos », ou amas de pierres commémoratif, que les gens du pays, de même que les anciens Gaulois et les Arabes, élèvent aux endroits qu'il est important de reconnaître.

Tout le monde dîna gaiement. Le lendemain, on descendrait le versant opposé des hauteurs et on atteindrait sans doute un pays moins désolé.

Cet espoir devait être déçu. Durant plusieurs semaines, ils errèrent sur un haut plateau, n'ayant pour boisson que la glace fondue, pour combustible que l'argol, c'est-à-dire la fiente des yaks.

Péniblement, ils parcouraient quelques kilomètres ; puis ils devaient s'arrêter, terrassés par le mal des montagnes. Les jambes lasses, douloureuses, la respiration gênée, ils se glissaient, le soir venu, sous leurs tentes et s'endormaient d'un lourd sommeil, d'où ils sortaient plus fatigués encore. Et toujours s'étendait devant eux le même paysage de rochers en blocs, en aiguilles, séparés par des flaques gelées ; paysage si constamment semblable à lui-même qu'il était presque impossible de marcher dans une direction donnée.

Tous supportaient courageusement ces épreuves que l'expérience de Rachmed adoucissait un peu. Mais Aurett, plus faible que ses compagnons, dépérissait à vue d'œil. Ses joues se creusaient. Ses pieds meurtris ne la portaient qu'au prix de souffrances aiguës. Il était facile de prévoir qu'avant peu elle ne pourrait continuer le voyage.

Quand un rayon de soleil attiédissait l'atmosphère, la jeune fille était hissée sur l'un des yaks, mais ces éclaircies étaient rares. À tout autre moment, par le froid rigoureux qui sévissait, cette immobilité relative lui eût été fatale.

Armand se multipliait, éclairant la route, encourageant ses amis, trouvant de douces paroles pour réconforter l'Anglaise. Elle le remerciait d'un sourire, mais le découragement la minait sourdement. Et lui se désolait.

La solitude permanente oppressait la jeune fille. Elle avait peur de ne pas sortir de ce pays affreux. Et comme si la situation des voyageurs n'était pas assez critique, un malheur plus grand que tous les autres s'abattit sur eux.

Un soir, dans une étroite vallée abritée du vent glacial de l'ouest, ils dressaient les tentes. Les yaks encore chargés étaient à quelques pas. Tout à coup, avec des beuglements éperdus, les animaux pris d'une peur soudaine s'enfuirent au galop, gravirent la pente du ravin et disparurent. Dans leur panique, ils emportaient les provisions de bouche et les munitions de leurs maîtres.

Sir Murlyton voulait s'élancer à leur poursuite. Rachmed s'y opposa :

– Vous vous égareriez, dit-il, et l'homme perdu dans les ténèbres est un homme mort. Il doit marcher sans cesse. S'il s'arrête, l'engourdissement le cloue sur place, ses paupières se ferment malgré lui et il s'endort pour ne plus se réveiller.

– Mais alors, que ferons-nous ?

– Nous ne dînerons pas. Demain, nous nous mettrons à la recherche de nos bêtes.

Encore que les estomacs criassent famine, il fallut se rendre au raisonnement du Tekké. Tous comprenaient le danger des recherches nocturnes, par 30 degrés de froid. Ils se couchèrent de méchante humeur.

Au matin, on se mit en chasse. Mais vainement on battit le pays, nulle part on ne retrouva trace des yaks. Sous l'influence de la terreur, ces animaux parcourent parfois des distances énormes. Ils devaient être bien loin à cette heure.

La tête basse, les voyageurs revinrent à leur campement. De

l'argol, recueilli en route, leur permit d'allumer un feu autour duquel, mélancoliques, ils se groupèrent. Ils en avaient besoin. Privés de nourriture depuis vingt-quatre heures, ils souffraient doublement des rigueurs de la température.

Ils restaient devant la flamme, immobiles, l'œil vague, enfoncés en des réflexions pénibles. Toute pâle, prise de fièvre, Aurett semblait oublier la présence de ses amis. Par moment ses dents claquaient. Peu à peu ses yeux devenaient inquiets, une tache rouge montait à ses joues.

Près d'elle, Murlyton et Lavarède la couvaient du regard, sentant, avec une appréhension inexprimable, venir la maladie contre laquelle ils étaient désarmés. Déjà affaiblie par un voyage pénible, la jeune fille était sans force pour résister aux privations. Ce soir-là, ses compagnons durent la porter dans sa tente ; ses jambes pliaient sous elle. Les hommes eux-mêmes avaient conscience que leur énergie diminuait.

– Si cela dure encore un jour, personne de nous ne reverra l'Europe.

Ce fut le gentleman qui prononça ces paroles découragées. Armand eut un accès de colère. Il reprocha à l'Anglais de jeter le manche après la cognée. Pourquoi s'abandonner alors que les circonstances critiques exigeaient le concours de toutes les volontés ? Mais sa voix véhémente ne troubla aucunement son interlocuteur. Avec le flegme dont il ne se départait jamais, il se contenta de répondre :

– Cher monsieur, nous n'avons rien mangé hier, pas davantage aujourd'hui. Je me sens glacé jusqu'aux moelles. Dans six, huit ou dix heures, la fièvre me couchera auprès de ma fille et tout sera fini. Si j'en éprouve du chagrin, croyez que c'est uniquement pour elle, la pauvre enfant !

Les deux hommes essuyèrent furtivement une larme ; mais secouant cet instant de faiblesse, Lavarède reprit :

– Rien n'est désespéré. Ces sottes bêtes ont emporté nos provisions, mais nous avons nos armes.

– Votre fusil seul est chargé, monsieur Lavarède, et il vous sera aussi inutile que les nôtres. Qu'y a-t-il à chasser ici ? Des corbeaux toujours hors de portée, des loups qui demeureront invisibles tant que la faim ne nous aura pas réduits à l'impuissance, et parfois, un yak sauvage qu'un coup de feu n'abattrait pas !

Un bruit de voix retentit dans la tente occupée par Aurett. Armand, suivi de l'Anglais, y courut. La jeune fille parlait.

Assise, ayant repoussé les vêtements dont son père l'avait couverte, elle montrait un point dans le vide. Tout son être raidi tendait vers ce lieu que son imagination évoquait.

– Là... l'eau... les fruits magnifiques. Il fait chaud... Encore une de ces poires exquises...

– Le délire, murmura le Français avec accablement !...

Brusquement il sortit, prit son fusil et s'approchant de Rachmed :

– Pour combien d'heures avez-vous encore de combustible ?

– Jusqu'au jour.

– Bien. Alors, transportez le foyer sur un de ces hauts rochers qui dominent la vallée. Je m'arrangerai de façon à ne pas le perdre de vue.

– Vous vous éloignez dans l'obscurité ?

– Oui... les loups aussi doivent être affamés, et la nuit, ils oseront peut-être attaquer un homme seul.

– C'est de la folie.

Possible, mais j'ai chance aussi de remporter de la venaison... Et puis, est-ce la sagesse d'attendre ici que la faim et le froid aient accompli leur œuvre ?

Le Tekké fit un mouvement.

– Je vous accompagne.

– Non, restez à la garde du feu. Notre compagnon, lui, veille sa fille.

Et ayant serré la main du guide, Armand s'enfonça dans les ténèbres. Quelques minutes plus tard, à la cime d'une aiguille rocheuse, une flamme claire s'élevait. Le Tekké éclairait la marche du chasseur.

Longue fut la nuit. Le gentleman agenouillé auprès d'Aurett, suivait avec une angoisse grandissante le progrès du mal. La jeune fille ne le reconnaissait plus. Plongée dans un état comateux, elle n'en sortait que par de brusques accès de délire. Mais ses forces s'épuisaient visiblement. Les crises devenaient moins longues et moins fréquentes. Les sources de la vie se tarissaient peu à peu. En vain, Murlyton entassait les couvertures, la température de la jeune fille s'abaissait. La mort étendait sur elle sa main décharnée.

Au petit jour, Lavarède revint sans avoir pu tirer la seule balle qui lui restait. Nul être vivant n'avait passé à sa portée. À deux kilomètres, le Français avait rencontré une rivière gelée, au lit encaissé. Des peupliers peu élevés la bordaient. Un instant il avait espéré. Une bande de yaks sauvages s'était montrée sur l'autre rive ; mais sans doute les animaux avaient éventé l'homme, car ils s'étaient enfuis précipitamment.

– Ah ! dit-il à Rachmed avec une rage douloureuse, si j'avais pu abattre l'une de ces bêtes, nous étions sauvés ensuite.

Le Tekké l'interrogea du regard :

– Oui, continua Armand, une rivière descend nécessairement vers une plaine. Pourvus de nourriture, nous aurions pu, avec les peupliers, assembler une sorte de radeau, de traîneau plutôt, et, nous abandonnant à la pente, sortir de cet affreux désert de montagnes.

Le guide se redressa, les yeux brillants.

– C'est un moyen dangereux, il est vrai, mais qu'importe ! Pourquoi ne pas le tenter ?

– Ah ! c'est elle que j'aurais voulu sauver !

Pensif, il gagna la tente d'Aurett. Il rendit compte au gentleman de l'insuccès de sa tentative.

Celui-ci haussa les épaules, et, du geste, désigna sa fille. Une pâleur livide couvrait les joues de la mourante ; ses paupières baissées avaient pris des tons bleuâtres ; de ses narines déjà pincées s'échappait avec peine un souffle haletant. Et comme ils étaient là, ne trouvant plus une parole, hébétés à l'idée du dénouement fatal, inévitable, un son étrange retentit au dehors.

Grave, sonore, on eût dit un appel de trompe.

D'un bond, Armand sortit de la tente. Il se heurta à Rachmed.

– Le cri d'un yak, n'est-ce pas ?

– Oui.

– Où cela ?

La main du guide s'étendit vers l'ouest.

– Là-bas... Nous sommes sous le vent, peut-être sera-t-il possible de surprendre l'animal.

Avec des précautions infinies, les deux hommes gravirent la pente. En haut, le Tekké se coucha de façon que sa tête dépassât à peine la crête de l'escarpement.

Le Parisien fit de même. Un tressaillement parcourut le corps des chasseurs. À cinquante mètres d'eux, cinq yaks étaient groupés. Un peu à l'écart, un adulte, reconnaissable à son épaisse crinière, montait la garde.

– Visez bien, dit Rachmed, notre existence à tous dépend de votre coup de fusil.

Lavarède le savait bien. L'émotion faisait trembler sa main. Il se reprit à deux fois pour épauler. Se raidissant, il parvint à dompter ses nerfs, visant lentement le yak isolé.

La détonation éclata, répercutée comme un coup de tonnerre par les échos de la montagne. Dans la fumée, les chasseurs avaient sauté sur la crête.

Les bœufs se sauvaient avec des mugissements fous, laissant en arrière leur sentinelle qui s'épuisait en vains efforts pour les suivre.

– Il a une jambe brisée, hurla le Tekké, aux couteaux !... il est à nous !

Ainsi que des bêtes fauves, tous deux se ruèrent vers l'animal blessé. Celui-ci, comprenant l'impossibilité de la fuite, fit tête à ses adversaires, leur présentant ses cornes menaçantes. Dans la toison épaisse qui couvrait son front, ses yeux brillaient de lueurs sanglantes.

– Attention, recommanda Rachmed, prenons-le en flanc, vous à droite, moi à gauche.

Tout en courant, le Français exécuta le mouvement commandé et bientôt le yak, impuissant à se défendre, roula sur le sol avec un beuglement d'agonie.

Le Tekké se coucha sur lui et, appliquant ses lèvres sur une de ses blessures, il but avidement le sang qui s'en échappait. Armand le repoussa brusquement.

– Pensez à celle qui va mourir si nous tardons !

– Pardonnez-moi, dit le guide honteux, j'avais tellement faim !...

En un moment, le lourd cadavre fut dépouillé. Après avoir chargé son compagnon de découper la chair de leur gibier, Lavarède, emportant la peau chaude encore, vola vers la tente d'Aurett. Écartant le gentleman ébahi, il jeta au loin les couvertures de la malade.

– Que faites-vous ? s'écria l'Anglais.

– Je la sauve, aidez-moi.

Fébrilement il dépouillait la jeune fille de ses vêtements, mettant à nu sa gorge de vierge.

– Mais ce n'est pas convenable, hasarda encore Murlyton.

– Préférez-vous qu'elle meure ?

Et, sur cette réplique brutale, il termina son opération. Après quoi, Il enroula miss Aurett dans la peau sanglante et tiède, et la recoucha mollement. Alors, il se tourna vers l'Anglais.

– Ceci est un procédé pour ranimer les gens que le froid a terrassés. J'ai vu cela quand j'étudiais la médecine. Je m'en suis souvenu tout à l'heure, en apercevant le yak et je l'ai appliqué... Maintenant, un peu de nourriture et je réponds de notre compagne.

Il disait vrai. Le soir, ranimée par quelques cuillerées de jus de viande, la jeune fille souriait à son sauveur. La fièvre avait disparu. Le sang coulait plus chaud dans ses veines.

Elle bavardait, faisait déjà des projets d'avenir. On allait construire le radeau imaginé par le Français, on descendrait le cours du fleuve solidifié ; M. Lavarède gagnerait son pari et ensuite...

Là, elle s'arrêta brusquement. Ses paupières battirent. Elle avait été sur le point de dire toute sa pensée, de parler de son mariage, but délicieux de ce périlleux tour du monde, où elle avait appris à aimer.

Armand lui tendit la main, elle y mit la sienne, ferma les yeux et tout doucement s'endormit dans le grand silence du désert... Dans le sommeil même, d'une étreinte inconsciente, elle retenait près d'elle son ami.

Dès le lendemain, les voyageurs purent transporter leur campement au bord du cours d'eau signalé par le Parisien et ils se mirent aussitôt à l'œuvre. L'abattage des peupliers fut pénible. Il leur fallait les scier avec leurs couteaux thibétains, seuls instruments tranchants qu'ils eussent à leur disposition.

Heureusement, ces arbres, remplis à l'intérieur d'un aubier sans consistance, ne résistaient pas énormément à la morsure de l'acier. Il ne leur fallut cependant pas moins d'une semaine pour établir un plancher de six mètres de long sur quatre de large.

La peau du yak, découpée en minces lanières, leur avait permis d'assembler les pièces de bois.

De longues perches, fixées de chaque côté du singulier véhicule, devaient traîner sur la glace et servir à le diriger.

Enfin, le radeau fut mis à flot, selon l'expression d'Aurett, les tentes anciennes et les provisions nouvelles solidement arrimées à sa surface.

Tous y prirent place. Le journaliste et Rachmed s'étaient chargés de la manœuvre des perches directrices. Et la descente commença. Lente d'abord sur une pente insensible, elle s'accéléra bientôt dans une série de rapides.

Le « traîneau » improvisé filait avec la vitesse d'une flèche entre les rives escarpées, et les conducteurs avaient toutes les peines du monde à éviter les rochers trouant la surface glacée, qui eussent brisé comme verre l'appareil.

Au soir, profitant d'une rampe plus douce, les amis poussèrent le plancher de bois vers le rivage et l'y amarrèrent. Déjà le paysage était moins dénudé. Des silhouettes d'arbres se profilaient sur le ciel. Pour tous, c'était une joie de voir les branches noires dépouillées de feuilles. Le végétal remplaçant le rocher, c'était le printemps succédant à l'hiver. Lavarède, même, réédita le mot fameux :

– Des arbres, donc des hommes.

Sur toutes les figures la phrase amena le sourire.

– Cela vous fera plaisir de retrouver des semblables ? continua le journaliste. Voilà l'influence salutaire du désert. Dans les villes, on ne songe qu'à les éviter. Voyez-vous, le désert bien appliqué supprimerait les procès et les tribunaux. Il suffirait d'une bonne loi ainsi conçue : « Tout quinteux sera condamné à un mois de hauts plateaux. » Ce serait le triomphe de la bienveillance universelle.

Le jeune homme avait repris toute sa gaieté, et l'Anglais lui-même applaudit à son paradoxe.

Durant deux jours le voyage continua sans autre accident que, de temps en temps, la nécessité de traîner le radeau, vu l'insuffisance passagère de la pente. Pendant les dernières heures on avait filé entre des rives couvertes de forêts. La nuit le thermomètre marquait seulement 15 ou 16 degrés au-dessous de zéro et miss Aurett en plaisantait, affirmant que la chaleur la faisait souffrir.

Le radeau était en bon état et les lanières de peau résistaient merveilleusement.

Ce matin-là, Lavarède affirma que la journée ne s'écoulerait pas sans que l'on rencontrât une habitation.

Aussi l'on partit très allègres. L'allure modérée du véhicule accusait une faible inclinaison de la surface gelée. Évidemment, les voyageurs atteignaient le pied de la montagne.

Vers onze heures cependant, un dernier rapide se présenta. On s'y engagea sans crainte. À perte de vue, le fleuve élargi présentait une surface unie. Le radeau, ainsi qu'un cheval qui s'échauffe, glissait de plus en plus vite, sans une secousse, sans un cahot. Les passagers n'avaient conscience de la rapidité de leur course que par le vent qui les fouettait avec violence et le galop échevelé du rivage, fuyant en sens inverse.

Soudain, Lavarède poussa un cri rauque. Tous les yeux se portèrent vers lui. Sa main s'étendit vers l'horizon. Ses amis regardèrent et leurs cœurs cessèrent de battre un instant.

Une ligne nette coupait le fleuve dans toute la largeur et, bien loin, beaucoup plus bas, on apercevait le chemin de glace qui se continuait :

– Une chute !... murmura Murlyton.

Se cramponnant aux madriers, Armand et le guide s'étaient traînés jusqu'aux perches de direction pour tâcher de gouverner vers la berge... Mais à peine les avaient-ils saisies qu'un craquement sec se fit entendre... Sous la formidable poussée de la pente, elles s'étaient brisées net.

Le traîneau éprouva une secousse, oscilla un instant, puis poursuivit sa course rigide de train lancé à toute vapeur.

La catastrophe allait se produire. Rien ne pouvait l'empêcher. Le frêle radeau et son équipage seraient précipités, réduits en poudre. Les yeux dilatés par l'épouvante, tous regardaient la ligne barrant le fleuve, qui, par une illusion d'optique, paraissait venir à toute vitesse à leur rencontre.

La distance diminuait. Comme grisés par la rapidité folle, emportés par l'entraînement du rêve qui les conduisait à l'abîme, les voyageurs ne parlaient plus, ne pensaient même plus. La voix d'Armand s'éleva encore :

– Cramponnez-vous au radeau !

Deux cents mètres restaient à franchir. Il fallut deux secondes. Le traîneau atteignit la chute, la dépassa, et, décrivant une large courbe, retomba dans le vide. Les mains crispées aux troncs de peuplier, tous fermèrent les yeux, attendant la mort. Mais au lieu du choc épouvantable qu'ils craignaient, ils ressentirent une secousse relativement légère, tandis qu'une pluie tiède s'abattait sur eux.

Ils promenèrent autour d'eux des regards effarés. Le radeau flottait sur un petit lac d'eau libre.

– Qu'est-ce que cela signifie ? demanda le gentleman retrouvant l'usage de la voix.

Ce fut Lavarède qui répondit :

– Une source d'eau chaude entretient ici un bassin qui ne gèle pas.

En effet, du rocher jaillissait au milieu d'épaisses vapeurs un jet d'eau gros comme le corps d'un homme. Et comme les amis du Français reprenaient leurs esprits, des appels retentirent sur le rivage. Deux hommes sortis d'une hutte grossière faite de troncs non écorcés hélaient les voyageurs. C'étaient des chasseurs, de braves gens qui passaient la plus grande partie de l'année dans ce pays perdu. La hutte était leur quartier général.

Ils avaient choisi cet emplacement à cause du voisinage de la source chaude qui, dans un rayon de cinquante mètres, entretenait une douce tiédeur. Au cœur de l'hiver, ces cénobites arrivaient à récolter des salades !

Ils firent fête aux voyageurs qui, par l'intermédiaire de Rachmed, apprirent qu'ils se trouvaient dans le pays du Wakan, ou Oakand, et que « leur fleuve » était l'Oxus des anciens, devenu maintenant l'Amou-Daria.

Lavarède appela à son aide son érudition, très oubliée pendant les dernières semaines.

– L'Oxus, dit-il, traversait autrefois le lac d'Aral et se jetait dans la Caspienne ; depuis, son lit s'est comblé entre ces deux nappes d'eau et il finit dans le lac.

Et Murlyton, en bon Anglais, déclara aimer beaucoup ce fleuve.

– Cela l'ennuyait de couler en territoire russe, affirma-t-il.

Après une nuit excellente, passée dans la maison de bois, les passagers du radeau dirent adieu à leurs hôtes.

– Nous savons où nous sommes, fit Aurett, mais nous ignorons où nous allons ?

– À Tchardjoui, répondit le journaliste avec un sourire.

– Vous en connaissez le chemin ?...

– Le chemin va nous y porter lui-même ; c'est le fleuve. Il paraît qu'à une trentaine de lieues d'ici, l'Amou-Daria doit être libre de glaces. Heureusement nous avons une voiture-bateau qui nous conduira à la ville Sarte de Tchardjoui.

– Qu'est-ce que cette ville ? interrompit le gentleman.

– C'est une station du chemin de fer transcaspien, établi par le général russe Annenkov entre la Caspienne et Samarcande. Remerciez-moi, je vous ramène dans les pays civilisés, ce sera plus commode pour vous que pour moi... la civilisation admet difficilement que l'on voyage gratis, comme en pays barbare !

– Peuh ! murmura la jeune fille, après ce que vous avez fait, gagner Paris est peu de chose.

– Je ne suis pas de votre avis... par là, le voyage était plus dangereux ; par ici, il va devenir plus difficile.

Cependant le radeau avait été tiré sur la glace et l'on s'éloignait des chasseurs hospitaliers.

Le pays se peuplait. De temps à autre, une cabane apparaissait.

Au soir, on arriva à l'extrémité du banc de glace. Au-delà, le fleuve limoneux, ayant déjà une largeur de deux kilomètres, coulait entre des rives basses. Après quelques journées de navigation assez monotone, Armand montra à ses amis une bande sombre qui courait au-dessus de la surface de l'eau.

– Le Transcaspien !... s'écria-t-il, et là, sur la rive gauche, la ville de Tchardjoui.

Mais comme le gentleman exprimait un doute :

– Je reconnais le pont de bois d'Annenkov, qui, sur quatre kilomètres, porte les trains de Samarcande.

– Vous êtes déjà venu ici, dit Aurett.

– Oui, dans un fauteuil.

– Vous dites ?

– Que j'ai lu le livre illustré de mon ami Napoléon Ney « *De Paris à Samarcande* » et que je retrouve ici « l'original » de ses dessins.

Une heure plus tard, le radeau accostait un peu en amont du pont de bois, chef-d'œuvre d'audace et de patience, accompli en six ans par le premier bataillon des chemins de fer russes.

– Nous allons à la gare, fit alors Armand.

– En savez-vous aussi le chemin ?

– Rien de plus facile.

Et avisant un Sarte qui passait :

– *Vodza ?* lui dit-il sur le ton de l'interrogation.

L'homme répondit des paroles incompréhensibles, mais ses gestes étaient clairs. Il fallait tourner à gauche, puis à droite.

– Vous ne nous aviez pas dit que vous saviez le russe, fit en souriant la jeune fille.

– Je ne connais que ce mot-là, « Vodza », toujours par le livre de mon ami... je m'en suis souvenu à propos, n'est-il pas vrai ?

Rachmed intervint.

– Je vais assurément vous quitter ici, puisque vous allez vers l'Occident, jusqu'au pays qui touche la mer, ton pays, à toi, mon vaillant maître... Mais à Tchardjoui, je peux encore vous rendre service, je comprends et parle suffisamment la langue de nos frères slaves... Ne sont-ils pas un peu des asiatiques comme nous ?

– Merci, brave Rachmed, fils d'Iskender... Je commence à croire que la légende dit vrai et que vous avez du sang d'Alexandre le Grand dans les veines, car tu as été, en ces jours de péril, aussi courageux qu'habile... Merci, ton offre peut encore nous être utile ; mais je suis bien tranquille, le chef de cette gare doit parler le français...

– D'où vient cette assurance ? demanda Murlyton.

– Il est nécessairement officier russe et appartient au bataillon des chemins de fer...

XXV

Le Transcaspien

Lavarède ne s'était pas trompé. Le lieutenant Mikaïl Karine, chef de la gare de Tchardjoui, parlait français. Mis au courant des aventures des voyageurs il dit :

– Je vous remercie du bon moment que vous m'avez fait passer. Ne puis-je à mon tour vous être agréable ou utile ?

– Oh si ! répondit franchement le journaliste, et même je vous avouerai que j'espère beaucoup de votre concours.

– Parlez.

– Vous le savez maintenant, je dois regagner l'Europe, toujours sans bourse délier.

– Compris. Jusqu'à Ozoun-Ada, point terminus de la ligne sur la Caspienne, rien de plus facile. Mon frère rejoint son régiment au Caucase, et s'il ne vous déplaît pas de faire route avec un officier russe ?

– Je suis officier de réserve dans l'armée française, c'est répondre.

Le lieutenant s'inclina.

– De plus, je puis vous donner un mot pour M. Djevoï, directeur de la Compagnie de navigation Caucase-Mercure, qui vous fournira les moyens de gagner Bakou sur l'autre rive de « Notre Mer ». Là mon influence cesse.

Les deux hommes se serrèrent la main.

– Et maintenant, reprit Karine, vous ne partirez que demain ; faites-moi l'amitié de déjeuner et dîner avec moi, nous boirons à la France.

– Et à la Russie.

Sir Murlyton déclina l'invitation. Il lui répugnait, à lui sujet britannique, de profiter de l'entente franco-russe. Jusqu'au lendemain matin sept heures, moment du départ du train pour Ozoun-Ada, il se logerait en ville avec sa fille.

– Ah ! à propos, demanda le Parisien, depuis des semaines je ne sais comment je vis ; à quelle date sommes-nous ?

– Au 27 janvier du calendrier russe, c'est-à-dire au 8 février du vôtre.

– J'ai donc près de deux mois pour revenir à Paris.

– Plus qu'il n'en faut.

Lavarède secoua la tête.

– La traversée de l'Europe sera plus difficile, peut-être, que tout le reste.

En se levant pour prendre congé, le gentleman jeta à terre quelques papiers posés sur le bureau du chef. Armand les ramassa et eut un mouvement de surprise :

– Tiens ! Vous avez une correspondance allemande !

Il montrait une feuille couverte de caractères gothiques. Le lieutenant haussa les épaules :

– Une note de la police autrichienne.

– Ah ! quelque malfaiteur en voyage.

– Je n'en sais rien. Comme tout bon Slave j'ai horreur de tout ce qui est allemand et je ne parle pas très bien cette langue. C'est du chauvinisme, comme vous dites, ajouta-t-il en riant.

– En France, nous l'apprenons maintenant, par chauvinisme également. Permettez-moi de vous traduire ce document.

Sur un signe d'acquiescement, Armand lut à haute voix :

« Rosenstein, Fritz, né à Berlin (Prusse), gérant à Trieste, de la succursale de la Cisleithanische Bank, de Vienne.

« En fuite, emporte cinq cent mille florins à ses clients,

« Taille – moyenne.

« Yeux, cheveux et sourcils – bruns.

« Front – haut.

« Nez – droit.

« Bouche – moyenne.

« Menton – rond.

« A habité longtemps Paris et Rome. Parle correctement le français et l'italien. Profitera sans doute de cet avantage pour dissimuler sa nationalité. A été signalé à Odessa en dernier lieu. »

Le Parisien s'était arrêté, un vague sourire sur les lèvres. Il replaça le papier sur la table.

– À Odessa, sur la mer Noire, fit-il entre haut et bas. Ce Rosenstein est capable de suivre la voie du Caucase et de vous tomber sur les bras un de ces jours.

– Nous le recevrons comme il le mérite, répliqua Karine ; allons déjeuner.

Et tandis que Murlyton s'éloignait avec miss Aurett, le chef de gare conduisit son hôte à son appartement. Le caviar national fut fêté. Les toasts amicaux s'échangèrent, puis le lieutenant dut reprendre son service. Il recommanda au journaliste d'être exact pour le dîner et le laissa libre de visiter la ville.

Visite peu longue. Pas de monuments, des habitations très simples. Les seules curiosités sont le pont de bois d'Annenkov et le petit bourg d'Amou-Daria, fondé par les Russes à quelques kilomètres de Tchardjoui. Le bazar de cet embryon de cité compte déjà vingt-quatre boutiques où l'on peut se procurer les objets manufacturés d'Europe.

Au soir, Lavarède fut présenté à son compagnon de voyage, le capitaine Constantin Karine. Celui-ci servait au régiment de dragons de Nijni-Novgorod, en garnison à Tiflis, dont le lieutenant-colonel était un prince français, Louis-Napoléon Bonaparte, aujourd'hui colonel à Varsovie. Après le dîner, Lavarède et le capitaine étaient les meilleurs amis du monde.

Le chef de gare mit une chambre à la disposition du Français et celui-ci, pour la première fois, s'étendit sur un lit, primitif il est vrai, mais très supérieur aux roches des hauts plateaux.

Dès six heures et demie du matin, Armand était sur le quai. Un vent violent soufflait du nord et le Français se recroquevillait dans la chaude pelisse de vigogne qu'il devait à la libéralité des Thibétains.

– J'achèverai mon voyage, disait-il aux Russes, mais ça m'ennuie de rentrer à Paris dans cet uniforme de bouddha. On m'accusera de m'être ménagé une entrée à sensation.

Mais changeant de ton :

– Enfin nous n'y sommes pas encore. Pour l'instant, je tiens seulement, lieutenant Karine, à vous exprimer ma gratitude. Veuillez accepter ce souvenir d'un hôte qui sera très heureux s'il peut à son tour vous recevoir à Paris.

Il tendit au chef de gare son couteau thibétain, au manche de corne orné de curieuses incrustations d'argent. Mikaïl esquissa un geste de refus.

– Je comprends, reprit le Français, vous pensez comme nous que le don d'un couteau tranche l'amitié. Eh bien, adoptez notre usage, donnez-moi un sou en échange, la guigne sera conjurée.

Et comme ses compagnons riaient, il se frappa le front.

– Non, au fait ; pour vous, ce sera plus cher. Les Chinois m'ont pris mes vingt-cinq centimes, c'est vous qui me les rendrez ; remettez-moi sept kopeks, vingt-huit centimes. J'augmente ma fortune.

Le troc fut opéré cordialement. Au même instant, Murlyton et sa fille paraissaient sur le quai.

Méconnaissables par exemple. Aurett portait un élégant costume de voyage sur lequel était jetée une pelisse ; elle était coiffée d'une délicieuse petite toque, velours et zibeline. Quant au gentleman, son ample pardessus s'ouvrait sur un complet marron de la façon la plus anglaise. Il tenait à la main un paquet volumineux. Armand poussa une exclamation :

– Ah çà ! il y a donc des magasins de nouveautés à Tchardjoui ?

– Non, répliqua Aurett, tout cela vient du bazar d'Amou-Daria.

Et d'un ton mutin elle ajouta :

– Nous sommes très las. Monsieur Lavarède, débarrassez un moment mon père de ce ballot dont il est chargé.

Le jeune homme obéit. Alors la jeune Anglaise eut un rire joyeux.

– Vous le garderez toujours. Ah ! monsieur offre à une demoiselle dans le désert une peau de yak. Un père correct ne saurait supporter cela. Il vous la rend.

Une légère rougeur monta au visage d'Armand.

– C'est la seconde fois que vous remontez ma garde-robe, sir Murlyton, commença-t-il.

– Vous m'avez sauvé la vie plus souvent, interrompit Aurett, et je ne m'en plains pas. Tenez, il nous reste dix minutes avant l'arrivée du train, vous auriez le temps de reprendre figure européenne.

Mikaïl Karine conduisit aussitôt le journaliste à son bureau et lorsque le train, haletant, fumant, sifflant, fit son entrée en gare, le Parisien, dans son costume gris, dans sa houppelande ouatée ne rappelait en rien le dieu détrôné de Lhaça.

Une dernière poignée de main à l'ami russe et le Français sauta dans le compartiment où ses amis avaient déjà pris place. Le train se mettait en marche.

Merv, au milieu de son oasis arrosée par la Mourgah, la rivière de Tedjenk, Douchak, passèrent sous les yeux des voyageurs.

Puis le paysage devint sévère. Partout, des deux côtés de la voie, le sable fauve du désert. Parfois des ruines imposantes s'étendant sur plusieurs kilomètres – traces du passage des anciens conquérants mongols : Tamerlan, Timour, Nadir.

– On comprend en voyant cela, dit le capitaine Constantin, que ces hommes aient pris le titre de « fléaux du ciel ». Après eux il ne restait rien. Ici s'élevaient des villes de trois cent mille habitants, au milieu d'un pays fertile. Ils sont venus, ont emmené en captivité les habitants, éventré les digues qui contenaient les eaux. Et maintenant, c'est le désert. Dans les ruines, les carnassiers se reposent de leurs chasses. Les Mongols ont tué la vie.

À quelques verstes d'Askabad, le train dut stopper. Une tempête avait ensablé la voie. Des hommes du 2e bataillon des chemins de fer, aidés de Turkmènes, étaient occupés au déblaiement.

– Autrefois, expliqua le Russe, le service était fait par le 1er bataillon ; mais Annenkov, aussitôt le Transcaspien terminé, l'a emmené avec lui en Sibérie. Il travaille à la grande ligne qui réunira l'Oural au Kamtchatka.

La circulation devait être interrompue pendant plus de deux heures. Constantin Karine proposa à Lavarède de descendre.

Deux officiers qui surveillaient les travaux furent enchantés d'apprendre qu'un Français se trouvait là. Le capitaine avait dans sa valise d'excellent cognac, et l'occasion de toaster à la France, à la Russie était trop belle. On toasta.

Un des officiers donna rapidement un ordre à un de ses cosaques qui sortit joyeux, en dansant un pas national ressemblant à une bourrée auvergnate, moins alourdie.

– Qu'est-ce ? demanda Lavarède.

– Une surprise, cher monsieur ; vous savez certainement que les exercices d'équitation sont en grand honneur chez nous, chez nos Kozaks en particulier ; on vous prépare une *djighitoffka* pour vous montrer à la fois sympathie et respect.

Un instant après, les vingt cosaques de la *stanitza*, ou village militaire, se lançaient à fond de train, debout sur leurs montures, le haut du corps en avant. L'un jetait en l'air son sabre et le rattrapait au vol par la poignée, l'autre faisait faire un moulinet vertigineux à son fusil, puis, sans viser, tirait et atteignait le but. Plusieurs sautaient à terre et sans ralentir l'allure se retrouvaient en selle, les plus agiles ramassaient leur fouet ou leur poignard toujours au triple galop. Le spectacle était aussi curieux que saisissant, et Lavarède, enthousiasmé, battait des mains aux exploits des hardis cavaliers.

Lorsque cet intermède prit fin, un sous-officier du bataillon vint annoncer que la voie était remise en état, et le train repartit. À la nuit on atteignit Askabad. Un instant les voyageurs considérèrent ses rues animées, les grands chameaux à l'œil endormi, circulant avec précaution au milieu de la foule bigarrée.

Puis, le paysage se noya dans l'ombre. À Géok-Tépé, Armand ne put apercevoir la citadelle turkomane aux murs déchirés par les deux brèches que franchirent les soldats de Skobelev.

Quand le jour vint la locomotive filait de nouveau en plein désert.

À un moment, le train s'arrêta. Le Français mit la tête à la portière et s'étonna de ne trouver sous ses yeux qu'une isba peinte en bleu clair et une citerne de tôle.

– Il n'y a pas de station, expliqua Karine. Nous sommes à un arrêt d'approvisionnement : la machine prend de l'eau, voilà tout.

– D'où vient-elle, l'eau ?

– D'Ozoun-Ada. Il y a des trains qui transportent des citernes mobiles sur les points du désert où il serait impossible sans cela d'alimenter les locomotives. Les gardiens de ces postes en boivent également.

– Pauvres gens, combien triste est leur existence dans ces solitudes, murmura Aurett.

Il faisait nuit lorsque, après avoir franchi la station de Mikaïlowsk, les voyageurs atteignirent Ozoun-Ada. Le capitaine connaissait la ville. Il déposa les Anglais dans un hôtel près du port, puis il conduisit le journaliste chez M. Djevoï, auquel le chef de gare l'avait recommandé.

Le directeur de la ligne Caucase-Mercure fit aux voyageurs l'accueil le plus cordial. Mis au courant de la situation par Karine, il déclara que le Français prendrait passage sur un des bateaux dont le départ avait lieu le lendemain et lui remit un ticket donnant droit à la traversée et à la nourriture. Armand se confondit en remerciements.

– Attendez, vous me remercierez ce soir, dit M. Djevoï.

– Ce soir ?

– Oui, après dîner, car je vous emmène. Je pourrais vous garder ici, chez moi, mais cela ne vous ferait pas le même plaisir.

– Ma foi, s'écria Lavarède, vive la Russie ! Ce pays hospitalier où l'on semble m'être reconnaissant de voyager sans payer ma place.

– Nous faisons ce que nous pouvons, mais à partir de Bakou, il n'en sera peut-être plus ainsi. Militaire à l'origine, la ligne du Caucase a aujourd'hui des actionnaires. Le contrôle y est très sévère ; et un agent convaincu d'une tolérance comme celle dont vous avez bénéficié jusqu'ici courrait de gros risques.

– Diable ! Diable !

Un instant assombri, le visage d'Armand s'éclaira d'un sourire. Il eut un mouvement de tête comme pour dire :

– Nous verrons bien.

Puis il suivit son nouvel hôte. Certes, le directeur du Caucase-Mercure n'avait pas eu tort d'affirmer que le journaliste lui serait obligé de dîner en ville. Il le conduisit dans une maison tenue par un Français qui se surpassa pour son compatriote. Après les ragoûts internationaux, un dîner à la française était un régal et le voyageur y fit honneur.

Couché, hébergé par son aimable amphitryon, Armand attendit patiemment le moment de s'embarquer.

Le 11, il montait à bord de la *Feodorowna-Pablewna,* vapeur à destination de Bakou, où sir Murlyton et Aurett l'avaient déjà précédé. M. Djevoï veilla lui-même à son installation et ne le quitta qu'au moment de l'appareillage.

Encore que la saison fût avancée, le ciel se montra clément et la traversée fut exempte d'incidents fâcheux. La Caspienne, la mer d'Hyrcanie, que les alluvions du Volga et de l'Oural combleront un jour, demeura unie comme une glace et, le 13 février, vers midi, la *Feodorowna-Pablewna* entra dans le port de Bakou.

Le capitaine Constantin dut prendre congé de son ami. Un ordre de son colonel l'avait rappelé à Tiflis et il ne pouvait s'attarder. Lavarède le conduisit à la gare, espérant rencontrer un chef aussi aimable que Karine, mais il s'aperçut bien vite que M. Djevoï lui avait dit la vérité. Sur la ligne du Caucase on ne circule pas sans payer sa place. Comme le chef de gare, fonctionnaire civil, lui faisait, courtoisement d'ailleurs, cet aveu pénible, le journaliste remarqua deux hommes arrêtés sur le quai dont l'allure le frappa.

Tous deux blonds, le visage coloré, encadré de favoris, ils semblaient gênés dans leur costume russe. Ils n'avaient pas l'habitude de le porter, cela se reconnaissait à une certaine raideur dans les mouvements. Le chef suivait la direction des regards du Français.

– Ces messieurs vous intéressent ?

Un instant Armand garda le silence.

– Oui, fit-il enfin, ce sont des étrangers, sans doute d'origine allemande.

– Vous avez deviné juste, des policiers autrichiens.

– Ah !

Le journaliste eut un haut-le-corps. Ses yeux brillèrent de malice, puis son visage se contracta et baissant la voix.

– Que font-ils ici ?

Le chef de gare n'avait pas perdu un de ses mouvements et ses traits exprimaient comme un vague soupçon.

– Ils attendent, répondit-il en scandant ses paroles, les yeux rivés sur ceux d'Armand, un certain Rosenstein signalé ces jours derniers à Tiflis. Un quidam qui parle le français sans accent.

– Ah ! murmura le voyageur avec un tressaillement parfaitement simulé... Je vous remercie du renseignement. Le chemin de fer m'est fermé, je tâcherai de trouver autre chose pour quitter la ville.

Et rapidement il s'éloigna. Mais en tournant la tête, il vit le chef de gare courir aux agents et leur parler avec animation en le désignant :

– Bon, dit-il à part lui, à défaut d'autre moyen, va pour la police autrichienne. L'autre jour on me faisait les honneurs d'une djighitoffka, on me fera peut-être aujourd'hui ceux des menottes.

Un second coup d'œil l'assura que la petite comédie impromptue jouée au chef de gare portait ses fruits. Les agents le suivaient, affectant l'indifférence.

Tout en évitant soigneusement d'égarer les « limiers » autrichiens, il parut vouloir les fuir. Il tourna autour d'un pâté de maisons, se jeta dans une rue transversale, revint sur ses pas, en un mot se conduisit en gibier criminel traqué par les bons chiens de chasse de l'autorité.

Ce manège produisit l'effet désiré. Les policiers, gens soupçonneux, passèrent du doute à la conviction. Cet homme qui avait interrogé le chef de gare à leur sujet, qui semblait gêné par leur présence, devait être le banquier Rosenstein. Et leurs larges faces s'épanouissaient. Ils songeaient à la prime qui leur serait payée.

L'un petit, M. Schultze, représentait l'intelligence dans cette association. L'autre, grand, M. Muller, incarnait la force brutale.

Cependant ils hésitaient encore. La crainte d'une erreur les empêchait de s'assurer de la personne d'Armand. Celui-ci comprit leurs scrupules.

– Il faut, pensa-t-il, qu'ils aient une certitude.

Il se rendit à l'hôtellerie où les Anglais étaient descendus et leur proposa une excursion aux environs de la ville.

Mais, tandis que ses amis se préparaient, il prit une feuille de papier sur laquelle il traça rapidement quelques mots.

Après quoi, il la plia soigneusement et la glissa dans sa poche.

En sortant de l'hôtel, il constata que les deux agents de la sûreté stationnaient de chaque côté de la rue.

– Mes chers amis, dit-il aux Anglais, je vais vous faire visiter les puits de pétrole de Bakou, qui, avec les puits de Pittsburgh, en Pennsylvanie, fournissent les deux tiers de l'huile de naphte consommée sur le globe. Je me hâte, car peut-être quitterons-nous la ville dans quelques heures.

Arrêtant l'interrogation sur les lèvres de ses amis :

– À ce propos, une prière. Quoi qu'il arrive, vous ne me connaissez pas, vous m'avez rencontré sur le port et voilà tout. J'ai une occasion, vous ne voudriez pas me la faire manquer.

– Certes non, répliqua Murlyton avec la plus entière bonne foi, mais ne nous mettrez-vous pas au courant ?

– À quoi bon, la pièce se déroulera devant vous.

Passant près du temple guèbre de Balakani, pèlerinage célèbre parmi les Persans adorateurs du feu, les voyageurs gagnèrent l'exploitation de l'huile minérale. La vaste plaine sablonneuse d'où se dégage une odeur âcre, est parsemée d'échafaudages de bois hauts de vingt-cinq mètres, assez semblables à ceux qui existent au-dessus de nos puits de mine dans les bassins houillers. Les « vishas » soutiennent les appareils de forage des réservoirs où le naphte s'accumule par infiltration.

Comme Lavarède dissertait sans perdre de vue les policiers qui le filaient toujours, il s'arrêta soudain. À vingt pas, un homme discourait avec de grands gestes, écouté respectueusement par un groupe de personnages qu'à leur tenue on devinait être de petits fonctionnaires.

L'orateur se retourna au même instant et, quittant brusquement son auditoire, vint au Parisien.

– Enfin, monsieur Lavarède, je vous retrouve.

Le journaliste resta coi. Bouvreuil entrevu pour la dernière fois sur le toit enflammé de la pagode de Lhaça, Bouvreuil était devant lui en chair et en os. Profitant de la stupéfaction de son interlocuteur, le propriétaire reprit, avec une pose avantageuse :

– Vous êtes surpris de me rencontrer ici. C'est tout simple. Tandis que vous vous éloigniez de Lhaça par le nord, je fuyais vers le sud, sous un costume de lama disputé aux flammes. Oh ! ce costume a été mon salut. Il me donnait droit à la vénération et à la table des naturels qui croisaient ma route. Franchissant les passes de l'Himalaya, je parvins dans les plaines de l'Inde. Je ne parlais pas, puisque j'ignore les premiers éléments du parsi et de l'hindoustani. Les braves gens crurent à un vœu. Je devins un saint. C'était à qui m'aurait à sa table. Bref, j'arrivai à Calcutta.

Ici, Lavarède retrouva la voix :

– Croyez que je le regrette, monsieur Bouvreuil.

La bouche de l'usurier se fendit jusqu'aux oreilles dans un large rire.

– Attendez donc, cher monsieur Lavarède... À Calcutta, le chancelier du consulat de France, un aimable Provençal de Carnoules, me déclare grand explorateur. Venir du Thibet en lama, c'est du génie. Je n'y avais pas songé encore... les soucis du voyage... mais j'ai reconnu qu'en effet le moyen n'était pas ordinaire.

– Eh ! le hasard vous a mis ce déguisement sous la main.

– Non, monsieur, c'est le raisonnement.

– Pendant l'incendie ?... Mes compliments, monsieur Bouvreuil, vous êtes devenu méridional aussi.

Le père de Pénélope prit une mine dédaigneuse :

– Plaisantez, monsieur, plaisantez. À Calcutta on n'est pas moins intelligent que vous. On m'a fêté, choyé. On a donné des banquets en mon honneur. La presse s'est émue et je pourrais vous montrer tel journal où s'étale en grosses lettres le sous-titre :

Discours du célèbre explorateur Bouvreuil

– Il y a donc une colonie de prêteurs à la petite semaine dans cette ville anglaise ?

– Enfin, continua l'usurier sans daigner entendre l'interruption, saturé de gloire, je songeai à vous retrouver. Je m'étais fait câbler un mandat de France. Mais vers quel point du globe me diriger. « Té, me fit le consul, vos compagnons sont partis par le nord. Ils n'ont qu'un chemin, le Transcaspien. Sûrement, ils passeront à Bakou. »

– La peste du Provençal, grommela le Parisien, qui s'avise pour une fois de dire la vérité.

– À présent, conclut Bouvreuil, n'espérez plus vous livrer sur ma personne à des plaisanteries de mauvais goût. Précédé par ma réputation de voyageur, j'ai l'oreille des autorités et je vous empêcherai de frustrer les entreprises de transport. Vous ne rentrerez à Paris que si je le permets et si Pénélope...

– Je pars pour Vienne dès ce soir, ricana Lavarède.

– Vous ?

– Moi-même.

– Je vous en défie.

– Un pari, voulez-vous, monsieur Bouvreuil.

– Ma foi oui. Cent francs.

– Topez là.

Tout en parlant, le journaliste marchait. Une visha le masquait aux yeux des Autrichiens. Rapidement il chiffonna le papier griffonné à l'hôtel et le laissa tomber, puis il s'éloigna sans affectation en raillant le propriétaire.

Les policiers, fidèles à leur rôle, arrivèrent à leur tour à l'échafaudage.

Lavarède, qui les surveillait du coin de l'œil, se frotta les mains. Tous deux étaient tombés en arrêt devant le papier froissé. L'un d'eux se baissa, le ramassa et, l'ayant déplié, donna une bourrade à son compagnon.

La feuille portait ces mots :

« Mon cher Rosenstein,

« Tout s'arrangera. Patience. Quelques semaines au Caucase seront bien vite passées, et ce n'est pas là qu'on ira te chercher. À toi.

« Florent. »

Les agents blonds se consultèrent du regard et d'un même mouvement s'avancèrent vers le groupe qui entourait Lavarède. Ils s'arrêtèrent en même temps, s'inclinèrent ensemble devant le journaliste, et de la même voix, du même ton, dans la même mesure :

– Eh bonjour, mon cher monsieur Rosenstein. Comment vous portez vous ?

Armand les toisa et, très calme, pesant bien ses mots :

– Vous êtes abusés par une ressemblance, Messieurs, je suis Lavarède, journaliste parisien.

Les Autrichiens secouèrent la tête et Schultze reprit d'un ton finaud :

– Vous avez sans doute des papiers ?

– Hélas non, j'arrive de Chine où l'on m'a dépouillé.

– De Chine, répétèrent les agents d'un ton railleur et hochant la tête d'un air entendu.

– De Chine, fit Muller qui parlait peu, tout à l'opposé de Trieste.

Ils avaient appliqué leurs mains sur les épaules du Français, qui ne fit aucune résistance, mais objecta :

– Vous vous trompez, je le répète, interrogez les personnes qui m'accompagnent.

– Monsieur, que nous avons rencontré sur le port, nous a dit en effet s'appeler Lavarède, s'empressa de répondre miss Aurett.

– Ah ! vous ne le connaissiez pas autrement ?

– Non, monsieur.

Les policiers sourirent.

– Alors, monsieur Rosenstein, veuillez nous suivre.

– Où cela ?

– À Trieste, où la justice vous réclame.

Du coup, Bouvreuil bondit.

– À Trieste, à deux pas de la frontière française, jamais de la vie.

Et élevant la voix :

– Messieurs, vous faites erreur. C'est bien en effet M. Lavarède que vous arrêtez. C'est mon ami.

– Votre ami ?

– Oui.

Avec une dextérité rare, les Autrichiens avaient emprisonné les poignets et les chevilles du journaliste d'une cordelette. L'opération terminée, Schultze, détenteur de la lettre, la fit passer sous les yeux de l'usurier.

– Votre ami, dites-vous, alors vous êtes Florent son complice ?

– Son complice, moi, puisque je vous affirme...

Bouvreuil ne put achever. Muller le garrottait comme Armand et le fouillait. Son portefeuille contenait 25.000 francs.

– Une partie de la somme volée, clamèrent les agents.

– Somme volée, hurla le propriétaire écumant de rage... Ah ! je vous ferai repentir de votre stupidité.

Schultze se pencha vers lui et, paternellement :

– Croyez-moi, lui glissa-t-il à l'oreille, n'aggravez pas votre cas en insultant la force publique. Vous êtes pincé, prenez-en votre parti.

Muller avait disparu. Au bout d'une demi-heure, il revint avec une voiture dans laquelle on fit monter Lavarède et Bouvreuil. Les policiers se placèrent en face d'eux.

À la gare de Bakou, le véhicule s'arrêta. Les prisonniers en furent extraits et on les enferma dans une petite salle.

Bientôt, les agents autrichiens reparurent en compagnie d'un fonctionnaire de la police russe, de l'autre côté du vitrage de la porte. Celui-ci examina rapidement le prévenu, constata qu'il répondait à peu près au signalement donné, un de ces signalements passe-partout qui conviennent à neuf visages sur dix. Puis il appliqua un cachet et un paraphe sur un papier historié d'un double K, *Kaiserlische* et *Kœniglische,* comme tout ce qui est officiel en Austro-Hongrie.

C'était un acte d'extradition sommaire, ainsi que les polices des deux empires en échangent parfois pour aller plus vite, les consuls réciproques ayant tout signé d'avance. Après quoi, toujours raide, il salua automatiquement. Schultze et Muller firent de même. C'était fini. Les prisonniers appartenaient maintenant à la police autrichienne. Alors le journaliste fut pris d'un fou rire.

– Monsieur Bouvreuil, dit-il, nous allons partir pour Trieste.

– Le diable emporte ces imbéciles, rugit l'usurier exaspéré.

– Cela vous ennuie donc bien d'aller là-bas ?

Un grognement répondit seul à cette question.

– Moi, continua le Français, cela m'enchante. Je voyage aux frais du gouvernement austro-hongrois et je gagne cent francs.

– Vous gagnez...

– Sans doute, mon bon monsieur Bouvreuil, vous avez perdu votre pari !

XXVI

Philosophie allemande

Lavarède souriant, Bouvreuil maugréant, deux heures environ s'écoulèrent de la sorte. L'usurier ne tenait pas en place. À chaque instant il allait à la porte. Machinalement il essayait de l'ouvrir. Et le Parisien mettait le comble à son exaspération en lui prêchant le calme.

– Soyez paisible, mon bon monsieur Bouvreuil. Après tout, que veulent ces agents de police ? Nous conduire à Trieste. Eh bien, c'est presque le chemin direct pour rentrer à Paris.

On juge de l'effet. Peu à peu l'obscurité se faisait dans la salle.

– Bigre ! murmura le journaliste, j'espère qu'ils songeront à nous faire dîner.

Il avait à peine prononcé cette phrase qu'une clef tourna dans la serrure. Schultze et son compagnon Muller entrèrent suivis par un garçon de restaurant chargé d'un panier où cliquetaient bouteilles, verres et assiettes. Armand salua.

– Le dîner demandé, fit-il, c'est féerique.

– J'ai pensé, répliqua modestement Herr Schultze, que ces messieurs ont l'habitude des mets délicats. Ne voulant pas leur infliger la détestable cuisine moscovite, j'ai pris la liberté de prélever sur la somme saisie au moment de l'arrestation quelques florins pour adoucir le régime.

Lavarède eut un franc éclat de rire. C'était encore l'usurier qui payait les frais de l'aventure ! Mais celui-ci s'emporta. La chose était naturelle. Il rugit, beugla, se lamenta, menaça l'Autrichien impassible et finalement s'écria :

– Nous verrons comment vous justifierez cet abus de pouvoir.

Schultze regarda Muller. Muller dévisagea Schultze. Puis avec un ensemble parfait, les syllabes tombant en même temps avec une précision toute militaire.

– Les débours du voyage seront portés au compte : frais d'instruction, avec les quittances justificatives.

Et comme le propriétaire continuait ses imprécations ainsi qu'un simple héros de l'Iliade :

– J'ai cru vous être agréable, déclara le policier. Je me suis trompé. Excusez-moi. Je ne recommencerai plus.

Le Parisien, qui flairait les plats avec une évidente satisfaction, s'interposa aussitôt.

– Du tout, du tout ! Monsieur Schultze. Je vous sais un gré infini de votre attention. Continuez, je vous en prie, continuez.

Sans s'inquiéter des regards furibonds de son ennemi, il continua :

– À propos, avez-vous dîné, monsieur Schultze ?

– Non, monsieur Rosenstein.

– Pardon ! Monsieur Lavarède ; je rectifie sans insister et répète ma question : Avez-vous dîné ?

– Nous y allons de ce pas.

– À l'affreuse cuisine moscovite... Peuh ! Dînez donc avec nous. Vous avez bien fait les choses, il y a la qualité et la quantité.

Les narines des Autrichiens se dilatèrent. Les plats découverts répandaient dans la salle les odeurs les plus alléchantes. Mais accepter d'un prisonnier... N'y avait-il pas là une tentative de corruption ? Le journaliste comprit leurs scrupules :

– Messieurs, nous avons deux bouteilles de vin. À quatre, personne ne risque de se griser. Et puisque nous devons faire route ensemble, que ce soit au moins le plus aimablement du monde.

Muller était déjà auprès de la table. Quant à Schultze, conquis par la bonne grâce d'Armand, il n'hésita plus.

– J'accepte, monsieur, et vous suis très reconnaissant. Comptez que j'adoucirai autant que possible les rigueurs que m'impose mon devoir.

Sur ce, il s'installa. Bouvreuil fit de même en murmurant avec désespoir.

– C'est moi qui solde le repas, et c'est lui qui fait des politesses.

Tout était excellent et venait de l'hôtel ultramoderne qu'un Saint-Pétersbourgeois de génie avait récemment ouvert à Bakou.

Délicieuse matelote d'anguille de la Caspienne, caviar frais pilé à l'instant, gigot succulent des prés salés de Pétrevsk, rien ne manquait.

La bonne humeur épanouissait les visages, sauf celui du père de Pénélope qui mangeait rageusement, en ronchonnant, ce qui paraissait agacer Herr Schultze. Mais Armand avait de la gaieté pour quatre. Il riait, pérorait. Les policiers se pâmaient d'aise aux anecdotes boulevardières qu'il tirait de son sac de journaliste. À sa prière, Muller était allé quérir deux nouveaux flacons de vin de Crimée.

– Ah ! Voyez-vous, s'écria tout à coup Schultze, je regrette d'aller seulement à Trieste avec vous. Je voudrais que le voyage durât des mois.

– Trop gracieux en vérité.

– Non, je dis ce que je pense. Vous avez ce qui attire, ce qui attache : la philosophie.

Lavarède ne put réprimer un mouvement de surprise.

– Cela vous étonne, reprit l'Autrichien auquel la bonne chère déliait la langue. Un policier parler de philosophie... J'ai occupé mes loisirs. Hegel, Schelling, Kant, Darwin, Schopenhauer n'ont plus de secrets pour moi.

– Mes félicitations.

– C'est comme cela qu'on apprend la logique, la raison des choses et que l'on peut juger les hommes. Ainsi vous, vous êtes dans une situation que je qualifierais de fâcheuse si j'osais...

– Osez, monsieur Schultze.

– Eh bien, vous vous y montrez supérieur. Vous imposez silence à votre Moi. Il devient une sorte de Non-Moi, planant au-dessus des vicissitudes et maintenant le sourire sur vos lèvres et dans vos yeux.

– Pardon, interrompit le Parisien, il y a autre chose que la philosophie pour expliquer ma quiétude.

– Quoi donc ?

– Mon innocence.

Le policier eut un geste superbe de dénégation et de pitié.

– Pas ça, je vous en prie, tous les coupables en jouent. Avec moi c'est inutile. Vous ne m'amènerez pas à la confusion de l'Objectif et du Subjectif.

– Mais ma culpabilité, poursuivit Armand adoptant à son tour le « pathos » philosophique, est simplement hypothétique.

– Erreur ! Dans l'Hypothèse, le concept est double. Vous êtes fautif ou non ; ici, il est un, vous êtes coupable.

– Je n'admets pas votre postulatum.

Schultze frappa sur la poche de son pardessus et d'un ton triomphant :

– Parce que, dans le raisonnement synthétique, vous oubliez la lettre révélatrice qui m'a permis de vous arrêter.

Et avec une nuance de considération :

– Ce dont je suis bien heureux, car j'ai fait ainsi la connaissance d'un homme distingué à tous égards ; voler un million n'est pas d'un être inférieur.

Le Parisien secoua la tête.

– Vous verrez à Trieste, puisque c'est là que vous me conduisez... Ne parlons plus de cela. Quand partons-nous ?

– Ce soir, par le train de 10 heures 12 minutes... à moins que vous n'ayez quelque objection...

– Du tout ! du tout ! Nous avons un compartiment spécial, sans doute.

– L'administration russe n'en met pas à notre disposition, mais j'ai pensé que vous préféreriez l'isolement.

– Et que votre surveillance serait plus facile...

– Aussi... c'est vrai... à vous on peut tout dire. Vous comprenez... j'ai donc loué... avec l'argent saisi...

L'usurier bondit à ces mots.

– Encore, gronda-t-il en assénant sur la table un coup de poing qui fit grelotter la vaisselle.

– Frais d'instruction, répondit Schultze, à la mention du prix payé est annexé un tarif officiel de la Compagnie.

Puis, se tournant vers Lavarède qui se tenait les côtes :

– Comme les rapports sont pénibles avec les gens qui n'ont pas acquis la philosophie et la faculté de raisonner !...

À dix heures moins le quart, le policier pria ses prisonniers de se laisser appliquer les « menottes ».

– Jusqu'au wagon seulement, dit-il, en manière de consolation. Les portières cadenassées, je m'empresserai de vous débarrasser de cette parure incommode.

Vraiment, il semblait désolé de prendre cette précaution à l'égard d'un homme qui l'avait fait si bien dîner. Armand se prêta de bonne grâce à l'opération ; mais pour Bouvreuil il fallut que le placide Muller, fort comme un hercule d'ailleurs, employât la violence.

Le journaliste avait une certaine inquiétude. Sir Murlyton et sa fille ne seraient pas prévenus du départ. Il se trompait. Sur le quai de la gare, il les aperçut. L'Anglais, méthodique, s'était informé. Il avait appris qu'il existait un seul train quotidien partant de Bakou pour Batoum, sur la mer Noire ; que le départ de ce train était fixé à dix heures douze du soir, et il venait s'assurer que le Français ne quittait pas sans lui les rives de la Caspienne.

Le jeune homme eut le temps d'échanger un rapide regard avec miss Aurett ; puis, la jeune fille, donnant le bras à son père, se dirigea vers un wagon où elle monta.

Un instant après un coup de cloche retentit – en Russie, la cloche remplace le sifflet – et le train s'ébranla. Armand s'accota dans un angle et s'endormit paisiblement.

Il faisait jour quand il se réveilla. Demi couché sur la banquette, l'usurier ronflait, secoué par de brusques sursauts nerveux. Son agitation contrastait avec l'immobilité de Muller, placé en face de lui, qui, même dans le sommeil, conservait une attitude militaire.

Schultze veillait pour deux, le revolver au poing.

– Bonjour, monsieur Schultze, fit Lavarède, quelle heure est-il ?

– Six heures moins quelques minutes, nous allons arriver à la station d'Udshany.

Et, changeant brusquement de ton :

– C'est admirable la philosophie, dit-il.

– Encore ?

– Toujours, monsieur Rosenstein.

– Lavarède, je vous prie.

– Je vous regardais dormir. Aussi calme que si vous voyagiez pour votre agrément.

– Ah ! c'est que le concept est double, quoi que vous en pensiez.

Souriant, il se pencha à la portière. La gare d'Udshany franchie, le convoi traversait un pays plat, marécageux, monotone. De loin en loin, les isbas des gardes de la voie apparaissaient. Elles étaient élevées sur des poteaux afin d'être isolées des miasmes fiévreux du sol. Le prisonnier avait abaissé la glace.

– Fermez, lui conseilla l'Autrichien, sans cela nous allons être dévorés par les moustiques. Ils sont si dangereux et si nombreux que les agents, pour arriver à dormir la nuit, sont obligés de se percher sur ces plates-formes que vous apercevez, et que supportent des perches de cinq à six mètres.

À dix heures, le train stoppa en gare d'Elisawotopol. – Dix minutes d'arrêt. Muller courut au buffet et rapporta des provisions assez maigres.

– Les buffets russes sont mal garnis, dit-il, mais ce soir nous dînerons bien, puisque vous avez autorisé mon collègue à ne pas lésiner pour la nourriture.

Bouvreuil, mal éveillé, exhala un soupir.

– Où serons-nous ?

– À Tiflis.

Le policier disait vrai. À cinq heures moins dix, on atteignait la grande cité autrefois persane. Muller disparut aussitôt. Une seconde, Lavarède aperçut miss Aurett et elle le salua de la main. Ce fut sans doute le hasard qui porta ses doigts gantés si près de ses lèvres, qu'elle sembla envoyer un baiser au captif. Puis, elle passée, le jeune homme regarda autour de lui.

Assez loin de la gare s'étendait la ville basse ou européenne, réunie à la ville indigène par un pont jeté sur la rivière Kama. À demi fondue dans le brouillard, s'estompait la silhouette de la citadelle en ruines.

Sa prodigieuse mémoire aidant, le journaliste se figura errer à travers l'opulente cité. Il visita en pensée le Jardin d'Europe, où l'on joue l'opérette française ; puis le musée ; les ruelles étroites, tortueuses, escarpées du quartier persan, bordées de maisons surmontées de terrasses aux balcons curieusement ouvragés.

Le retour de Muller le ramena à la réalité. L'agent s'était surpassé. Il avait frété une voiture de place, s'était fait conduire à l'hôtel du Caucase, célébré par tous les voyageurs, et avait mis à sac l'office, la cave et la cuisine.

Coût : trente-cinq roubles.

Bouvreuil n'osa pas étrangler l'Autrichien. À la gare de Bakou, il avait appris à ses dépens la force de ses poings. Mais à chaque mets nouveau étalé complaisamment sur la banquette, le malheureux levait les yeux au ciel avec la désolation muette d'un Harpagon aphone.

– Ma cassette, ma chère cassette ! murmura le Parisien au moment où, en homme sûr de son effet, l'agent exhibait une bouteille de champagne.

À six heures, le train se reprit à rouler. Tous dînèrent. L'usurier mettait les bouchées doubles. Il semblait vouloir manger à lui seul plus que les autres convives réunis. C'était certainement une façon de rentrer dans son argent.

– Et il n'était pas sur les hauts plateaux, ricanait *in petto* Lavarède ! Si comme nous il avait dû serrer sa ceinture, que serait-ce donc ?

Suffoqué, congestionné, le propriétaire dut pourtant s'arrêter. Il s'endormit lourdement dans un coin, tandis que le Parisien, émoustillé par le mousseux vin blanc des plaines champenoises, chantait le Caucase qu'on traversait presque sans le voir.

À Schultze, stupéfait de son érudition, il contait la fable philosophique de Prométhée enchaîné et déchiré par un vautour. Il ramenait au réel la légende du navire *Argo* qui aborda en Colchide – l'Imérétie actuelle –, à l'endroit où s'élève la ville de Poti.

Puis il disait l'histoire héroïque du Lesghien Schamyl, l'Abd-el-Kader du Caucase ; les mines inépuisables ; les forêts sans bornes.

Enfin, la civilisation arrivait. La voie ferrée coupant les

montagnes, jetant ses ponts sur les gouffres, domptant la nature et reliant Batoum à Bakou par un ruban d'acier de neuf cents kilomètres.

Il était près de onze heures quand le conférencier se décida au repos. Il ne vit pas au passage les stations de Kvirily, Riou, Sautredi, non plus que le prodigieux tunnel de Sourham, dont le percement a demandé plus de quatre années d'efforts.

Il rouvrit les yeux comme on atteignait Koutaïs, où s'élevait jadis le temple de la magicienne Médée.

La voie était bordée de champs de rosiers, abrités du froid par des manchons de paille. Bientôt la mer apparut.

– Nous approchons de Batoum, déclara Schultze.

– Tant mieux.

– Et je veux vous faire une proposition, monsieur Rosenstein.

– Lavarède donc.

– Oui, c'est entendu, Rosenstein-Lavarède, là... Voulez-vous me permettre de vous donner le bras pour traverser la ville...

– Le bras ?

– Au lieu des menottes.

– Mais avec joie, cher monsieur Schultze. Désirez-vous également ma parole que je ne tenterai pas de m'échapper ?

– Non, non...

– Je vous la donne. J'ai plaisir à me laisser conduire à Trieste par vous... Vrai, c'est très sincère, plus que vous ne pouvez le croire.

Le train entrait en gare de Batoum. Lestement, Muller enserra les poignets de Bouvreuil dans les menottes. L'usurier se plaignit. Puisque son « complice » avait les mains libres, pourquoi était-il traité autrement ? Herr Schultze haussa les épaules et doucement, avec un accent où l'on sentait une conviction inébranlable :

– Protester contre le sort, a dit Kant, est d'un fou. Vous protestez toujours, je vous ligote. Un mot encore et j'en serai réduit à vous bâillonner pour éviter les attroupements.

L'usurier se tut, mais si, suivant l'expression populaire, ses yeux avaient été des pistolets, la carrière du policier se fût terminée à l'instant même.

On laissa descendre les autres voyageurs, puis, bras dessus, bras dessous, agents et prévenus se rendirent à l'hôtel d'Europe. Là, ils apprirent que la *Volga*, steamer de la Compagnie impériale de navigation sur la mer Noire, partirait le lendemain, 16 février, pour Odessa.

– Nous prendrons passage à bord de ce navire, demanda l'Autrichien au journaliste ; cela vous va-t-il ?...

– Volontiers, répondit celui-ci.

Et, en *a parte*, il ajouta :

– 16 février, je dois être à Paris le 25 mars avant la fermeture de l'étude de maître Panabert, notaire. J'arriverai.

Peut-être le père de Pénélope lut sa pensée dans ses yeux, car il riposta par une épouvantable grimace et ne dit plus un mot.

Après un déjeuner substantiel, Armand s'offrit le luxe d'un excellent cigare. Il envoyait malicieusement la fumée odorante au nez du propriétaire, de plus en plus sombre.

– Vous vous ennuyez, mon bon monsieur, dit-il enfin.

– Je ne vous parle pas, répliqua sèchement Bouvreuil.

– C'est bien ce que je pensais, continua le Parisien ; l'ennui, le terrible ennui qui rend désagréables même les gens qui le sont toujours.

Et s'adressant à Schultze, dont les yeux fureteurs allaient de l'un à l'autre :

– Nous quittons la ville demain. Si nous nous promenions au lieu de demeurer enfermés dans cette chambre.

– C'est que...

– Je sais... Mais vous me tiendrez comme ce matin... et puis je ne veux pas me sauver.

– Si vous en aviez l'occasion ?

– Je n'en profiterais pas.

Le policier sourit :

– Diable d'homme... Vous avez une conviction...

– À démonter Razil-Mograb.

– Quel est celui-là ?

– Le philosophe persan qui le premier a dit : Laissez faire le Destin.

Malgré lui l'Autrichien s'inclina. Son prisonnier connaissait la philosophie persane qu'il ignorait, lui ! Armand très égayé par son attitude acheva de le décider en ajoutant gravement :

– Razil-Mograb fut aussi le précurseur de Sidi-Moufmouf, le philosophe de Montmartre.

– Connais pas celui-là non plus.

– Tenant compte, poursuivit imperturbablement le jeune homme, que le néant est antérieur à la création, il a pu dire : « Tout est dans rien. Or, rien est dans ma poche. Je possède donc tout sous la forme de rien. » C'est la situation à laquelle vous m'avez réduit.

L'agent fut sur le point de serrer la main de son prisonnier. Il le respectait. Que refuser à un être pareil ?

– La promenade, reprit-il, m'irait assez... Mais c'est votre ami...

– Ça mon ami ? Oh ! n'y insistez pas. *Errare humanum, sed perseverare diabolicum.* Vous voyez, je sais aussi un peu de théologie... Celui-là nous le laisserons ici sous la garde de monsieur Muller.

– Au fait, c'est une idée, partons.

Ne s'inquiétant pas de la rage du père de Pénélope, tous deux sortirent.

En descendant l'escalier, Lavarède remarqua une jeune fille qui causait sous le vestibule avec un homme aux favoris grisonnants. Il reconnut Aurett. Elle le reconnut aussi.

À la main, elle tenait un petit bouquet de violettes, floraison hâtive du pays. Elle le laissa tomber et, sans affectation, s'éloigna de quelques pas avec sir Murlyton.

Armand avait suivi tous ses mouvements. Il ramassa les fleurs, en détacha deux qu'il glissa dans sa poche, puis venant à l'Anglaise, il lui tendit le bouquet :

– Il vient de vous échapper, mademoiselle.

Il s'arrêta, eut un mouvement de surprise et avec une hésitation parfaitement jouée.

– Mais, je ne me trompe pas, mademoiselle, c'est bien vous que j'ai rencontrée à Bakou ?

– Avec mon père.

Aurett désignait le gentleman. Celui-ci salua au hasard, ne sachant trop où le jeune homme en voulait venir.

– Ne m'avez-vous pas dit que vous vous rendez à Trieste ? reprit Armand.

– En effet.

– Je m'y rends également, ou plutôt, on m'y conduit sous l'inculpation de vol, banqueroute frauduleuse, que sais-je ? Il me sera facile d'établir que je suis victime d'une erreur ; mais je vous prie, jusqu'à ce moment, de réserver votre opinion sur un voyageur auquel vous avez serré la main.

Aux deux Anglais ahuris, il adressa un profond salut et, sans paraître remarquer la stupéfaction du policier, il lui prit le bras :

– En route, mon cher monsieur Schultze.

Il était enchanté. Grâce à sa petite scène, il pourrait à bord de la *Volga* échanger quelques paroles avec la jeune fille, sans que l'Autrichien y trouvât à redire.

Ce dernier interrogea un cocher, dont la voiture stationnait près de là. Qu'y avait-il à visiter à Batoum ?

– Dans la ville, rien, répondit l'automédon ; c'est un port militaire entouré de redoutables défenses, mais sans monuments.

Puis d'un ton insinuant :

– Seulement, si cela vous plaît, je vous conduirai à Adjari-Tszali. Ce n'est pas encore la saison, mais c'est égal, en remontant le cours de la rivière Tcholok, on fait une jolie promenade.

Il ne mentait pas. En effet, on ne saurait rien rêver de plus pittoresque que la vallée du Tcholok. Tantôt encaissé, tantôt s'étendant à l'aise entre des plaines basses, le cours d'eau change d'aspect à chaque instant.

À dix verstes de Batoum dans un site merveilleux, au confluent de la rivière et d'un torrent s'élève une « Gostinitza » où l'on donne à boire et à manger. L'auberge a remplacé le poste des Zaporogues,

Cosaques de la ligne militaire, qui autrefois vivaient en cet endroit, comme nos spahis de la frontière algérienne, comme les anciens honveds de Hongrie.

Pendant l'été, les négociants de Batoum ont l'habitude de passer le dimanche avec leur famille à Adjari-Tszali.

Pour ne pas manquer à la coutume, Armand et son compagnon entrèrent dans l'isba. Schultze paya et invita le cocher à se rafraîchir. Celui-ci, bavard comme les nôtres, se mit à raconter des histoires du pays, entre autres la légende des Arméniens qui conquièrent commercialement tout le Caucase.

Dieu dit un jour à Satan :

– Comment as-tu fait pour réunir tant de défauts dans un seul homme ?

Le diable ricana :

– C'est simple. J'ai pris un peu de Grec, j'y ai ajouté pas mal de Persan et beaucoup de Juif. Voilà l'Arménien. »

Distrait par le verbiage du moujik, le policier cessa de surveiller Lavarède. En une seconde celui-ci fut dehors et, sautant sur le siège de la voiture, enleva le cheval qui partit au galop.

Au bruit, Schultze accourut. Trop tard ! Le fugitif était déjà à cent mètres et l'attelage détalait avec une rapidité vertigineuse.

L'Autrichien empoignait ses cheveux avec l'intention évidente de les arracher... mais il suspendit son mouvement. La voiture, après avoir décrit une courbe savante, revenait vers la Gostinitza. Sur le siège, le journaliste riait aux éclats. En arrivant auprès du policier, il sauta à terre et gaiement.

– J'avais l'occasion de me sauver, hein ?

– Je dois le reconnaître.

– Vous voyez que je n'en profite pas. Désormais, quand je vous affirmerai une chose, croyez-moi. Et maintenant rentrons à Batoum. Nous arriverons pour dîner.

Pendant la route Schultze demeura pensif. Évidemment les actions de son prisonnier avaient ébranlé sa certitude et les formules philosophiques, dont avait été bourré son crâne germain, augmentaient encore son trouble.

– Si ma base a été fausse, marmottait-il, mon raisonnement logique est faux, sans compter qu'il y a le doute : « L'homme ne doit pas dire : Je suis certain, mais je crois que je suis certain... d'où il résulte, que je ne suis plus certain du tout de la vérité de sa culpabilité. Et, dans la vérité même, n'y a-t-il pas place pour l'erreur ?... Deux et deux ne font quatre que par convention ; en réalité absolue ils ne font rien, car le chiffre implique l'hypothèse d'une mesure, et la mesure ne s'accorde pas avec l'incommensurable... on ne mesure pas l'infini... donc le nombre est vide de sens !... Donc, cet homme-là peut ne pas être le coupable !... »

Le résultat de ces divagations fut que le lendemain matin, Herr Schultze en s'embarquant sur la *Volga* déclara, à la grande colère de Bouvreuil, à la vive satisfaction de Lavarède, que celui-là resterait enfermé dans sa cabine, gardé à vue par Muller, tandis que celui-ci jouirait, sous sa surveillance bienveillante, de la liberté accordée aux autres passagers.

Bientôt le signal du départ retentit. Le steamer couronné d'un panache de fumée sortit du port, puis évoluant se dirigea vers le nord en suivant la côte.

Vers midi, le navire s'arrêta en vue de Poti, pour remettre les dépêches au canot de la poste et continua sa route.

Adossé à l'un des montants de la passerelle, Armand regardait au loin les cimes neigeuses du Caucase. À dix pas de lui, le policier parcourait un journal, interrompant à peine sa lecture pour jeter parfois un regard du côté de son prisonnier. Une douce voix s'éleva auprès du journaliste.

– Ne vous retournez pas, disait-elle ; je suis derrière vous avec mon père. J'ai voulu vous donner le bonjour.

En dépit de la recommandation, le jeune homme fit face à ses amis.

– À quoi bon ces précautions, répondit-il. Je vous ai parlé hier à l'hôtel, uniquement pour préparer nos rencontres sur le bateau. Vous serrer la main paraîtrait excessif à mon gardien, mais moralement je le fais et le plus cordialement possible.

En quelques mots, il raconta les tribulations de Bouvreuil, ce qui amusa énormément les Anglais ; puis on se sépara en se promettant de se revoir le jour suivant. De sa place le policier avait tout observé.

– Ce gentleman est moins réservé qu'hier, fit-il, lorsque le Parisien revint vers lui.

– Très naturel.

– Trouve pas... dans votre situation...

– Elle n'existe plus pour lui, il a compris que je dis la vérité.

Sur ce, Armand tourna les talons et s'éloigna en sifflotant. L'Autrichien alla s'accouder au bastingage et se plongea dans des réflexions laborieuses. Sa perplexité croissait toujours.

– L'œil est le miroir de l'âme, grommelait-il. Tous les penseurs sont d'accord là-dessus. Je n'ai jamais vu de regard plus net, plus franc que celui de ce Rosenstein...

Après une courte hésitation, il ajouta :

– Lavarède... Mais alors cette damnée lettre que j'ai en poche... ?

Et il se pressait le front, ce qui, chacun le sait, est une façon de faire la lumière dans un cerveau. Pression vaine ! Ses idées s'embrouillaient de plus en plus.

Les 17 et 18, la *Volga* s'arrêta successivement à Otchemtchini, Soukoum, Nouveau-Mont-Athos, Goudaout, Adler, Sotchi, Thouapsé, Djoudga, Novorossisk, Anapa, et ensuite à Kerstch.

L'escale est de deux heures dans cette ville importante qui commande le détroit d'Iénikaleh et l'entrée de la mer d'Azov. Lavarède, escorté de Schultze, fit une rapide excursion dans la ville et trouva le temps de gravir l'interminable escalier de pierre qui, partant de la place du Vieux-Marché, finit au sommet du mont Mithridate. Il affirma être récompensé de son ascension par la vue du monument néo-grec élevé à l'endroit où, d'après la tradition, le roi de Pont se fit frapper au cœur avec son épée par un soldat gaulois, pour ne pas tomber au pouvoir de ses implacables ennemis les Romains.

Du plateau, d'ailleurs, on découvre un merveilleux panorama. La ville couchée autour de la rade. À l'ouest, une plaine bossuée de petites éminences et parsemée de taches blanches, bourgs ou villages... Au sud, le massif rocheux de Skati-Kourgan, dans lequel se trouve la caverne appelée Tombeau de Mithridate, et plus loin la mer.

Dans la soirée, on entrevit Théodosie avec les ruines de ses anciennes tours génoises.

Lorsque le Parisien fut enfermé dans sa cabine, Herr Schultze appela Muller et les deux policiers montèrent sur le pont.

La nuit était claire et permettait de deviner la côte de Crimée qui, en été, rappelle à la fois les rivages algériens et les paysages suisses. L'agent fit part à son camarade de ses doutes à l'endroit de Rosenstein-Lavarède.

– J'y ai pensé déjà, répondit Muller, qui ne sachant pas la philosophie, n'avait que du bon sens. Ce n'est pas lui le coupable, ou bien il est rudement fort.

– C'est ton avis ?

– Regarde-le à n'importe quel moment. Rien en lui ne trahit l'inquiétude. Tandis que l'autre ne décolère plus. S'il le pouvait, il démolirait le navire. Je le répète, le jeune homme est fort ou innocent.

– Et tu penches ?

– Pour l'innocence.

Schultze parut réfléchir.

– Alors, il serait Français et artiste, ainsi qu'il le prétend ?

– Probablement et je serais d'avis de le relâcher.

– Oh ! Pas comme cela ! La certitude philosophique s'obtient point par point, mathématiquement. Après expérience seulement nous verrons. C'est égal. Si tu as raison c'est une erreur épouvantable.

– Non.

– Comment non ?

– Il est aimable et bon garçon... il nous excusera.

– De l'avoir emmené de Bakou ?

– Tu vois bien que ça l'amuse. Il rit, donc il ne se vengera pas.

Puis les causeurs baissèrent la voix et après un quart d'heure de chuchotements s'en furent se coucher.

Le lendemain la *Volga* brûlait Yalta, et atteignait Sébastopol avec soixante-cinq minutes d'avance. Mais les marchandises à embarquer étaient nombreuses, et le capitaine assura que l'escale serait de quatre heures au moins, au lieu de deux prévues à l'itinéraire. Schultze se frotta les mains, et s'approchant d'Armand qui s'entretenait avec sir Murlyton et Aurett :

– Nous avons quatre heures à nous, vous plaît-il de descendre à terre ?

– Ma foi, mon cher policier, j'avais escompté votre bon vouloir, et je proposais à monsieur et à mademoiselle de visiter la vaillante cité avec nous.

Un canot conduisit les voyageurs à travers la baie de Streletskaïa, port commercial de Sébastopol, entièrement séparé de la baie Sud, devenue propriété de la marine militaire.

Schultze guida ses compagnons à travers la ville toute neuve. Il leur montra les usines, les casernes, l'église du « Vœu », élevée à la mémoire des Russes morts en 1854-56 au siège de Sébastopol ; le palais administratif de la « Flotte patriotique russe », Compagnie de navigation entre la mer Noire et l'extrême Orient, fondée en 1878 *au moyen de collectes faites dans tout l'empire.*

– Allons maintenant au cimetière français, fit l'agent d'un ton énigmatique.

– Le cimetière français ? répéta Aurett.

Ce fut le journaliste qui répondit :

– Oui, mademoiselle, à l'endroit où reposent mes compatriotes tués au feu pendant cette terrible campagne de Crimée. Ils sont nombreux, car dans cette guerre de deux ans, quatre cent mille hommes ont péri, appartenant pour moitié à l'armée russe et pour le reste aux troupes alliées franco-anglo-turco-sardes.

Il fallut prendre une voiture, le champ de repos étant à six kilomètres de la ville.

En apercevant ce rectangle long de quatre-vingts mètres, large de cinquante, enceint de murs effrités par les orages, une émotion intense étreignit le Parisien. Combien dormaient là l'éternel sommeil sous les cubes de pierre alignés de chaque côté de l'allée centrale ?

Il se découvrit, songeur, grave.

Soudain l'organe de Schultze le fit tressaillir.

– Eh ! eh ! L'alliance franco-russe justifiée, ricanait l'Autrichien.

Armand se retourna comme s'il avait été piqué par un serpent. Ses sourcils se froncèrent, et d'une voix un peu tremblante :

– Monsieur Schultze, chez nous, en France, après un combat loyal, les adversaires se tendent la main. En Crimée, les Russes et les Français ont appris à s'estimer ; car selon les paroles très justes du général Saussier, il y fut déployé tant d'héroïsme de part et d'autre qu'il n'y eut vraiment ni vainqueurs ni vaincus. Vous aviez raison tout à l'heure, c'est le sang de ces morts qui a fait germer l'amitié des deux peuples.

Le policier hocha la tête :

– Alors, pour quelle raison êtes-vous tous hostiles dans votre pays à l'alliance franco-allemande ?

– Pour autant de raisons, monsieur Schultze, qu'il y a d'habitants en Alsace-Lorraine.

Et le jeune homme regagna la voiture avec les Anglais. L'agent les suivit en murmurant :

– Premier point acquis ! Il est Français, bien Français.

On revint à bord. Les prévisions du capitaine furent dépassées. On dîna avant que le steamer reprit sa route.

Ni la zakouska – hors-d'œuvre – ni l'ikra ou caviar frais, arrosés de *vino* de Chersonèse et de *piro*, excellente bière slave, ne parvinrent à dérider M. Schultze. Sa philosophie avait subi un premier échec, et il se souvenait tristement qu'à Trieste sa femme et ses neuf enfants l'attendaient avec la prime de cinq mille florins, promise pour l'arrestation du banquier allemand Rosenstein.

Le 20 février, on eut connaissance d'Eupatoria, la Nice russe ; et vers trois heures enfin, le paquebot se rangea le long du quai d'Odessa.

Tandis que les prisonniers et Schultze dînaient dans un restaurant où tout le monde parlait français, Muller courait à la gare et prenait des tickets, pour le train de Jassy-Bucharest-Szegedin-Trieste dont le départ avait lieu le soir même, à onze heures cinq minutes.

Lavarède était heureux d'entendre les vocables de sa langue. Son geôlier l'avait autorisé à prendre son repas dans la salle commune, et il expliquait à miss Aurett, assise en face de lui, que la colonie française d'Odessa est nombreuse et florissante.

– Quoi d'étonnant à cela ? disait-il. La ville baptisée cité d'Ulysse – Odusseus, d'où Odessa – par l'impératrice Catherine qui se piquait d'hellénisme, fut, en réalité, fondée par le duc de Richelieu, nommé gouverneur en 1803.

– Ah ça, vous êtes un puits de science, interrompit Murlyton.

– J'ai beaucoup lu, beaucoup vu et beaucoup retenu. Tout à l'heure, si mon bon Autrichien y consent, je vous conduirai à travers la ville. Quatre choses à voir. Un boulevard superbe, courant le long de la crête de la falaise haute de quatre-vingts mètres, sur laquelle est perchée Odessa. Belle statue en bronze de Richelieu. Escalier de cinq cents marches descendant au port. Sous le boulevard, un tunnel que suivent les chariots transportant les cargaisons des navires à l'ancre. Voilà.

Schultze ne fit aucune objection à ce programme. Muller se rendrait directement au chemin de fer avec Bouvreuil, soumis à une surveillance de plus en plus étroite. Les autres prendraient le chemin des écoliers.

Ainsi le Parisien et ses amis purent jouir de l'admirable vue du port éclairé à l'électricité, où les bassins formaient des taches noires, que les feux de position des navires piquaient de points rouges et verts.

À onze heures moins dix, tous pénétraient dans l'immense hall vitré de la gare des voyageurs. Les Anglais se casèrent de leur côté. Pour Lavarède, il avait sa place marquée dans le compartiment spécial retenu par Muller. Le digne agent, accompagné de Bouvreuil écumant de rage – il avait les menottes –, y était déjà installé.

À onze heures cinq très exactement, le train s'ébranla sous l'œil bienveillant du gendarme – uniforme vert à parements rouges, revolver dans sa gaine en bandoulière – que l'on rencontre dans toutes les gares russes.

Le lendemain, après une course rapide à travers la steppe, on atteignit Ungheni, station frontière de la Roumanie.

On dut changer de train. Les voies dans l'empire du tsar sont, en effet, plus larges de douze centimètres que les autres voies européennes, de telle sorte que le matériel russe ne saurait sortir du territoire, ni les matériels étrangers y entrer. Ce fait a une importance militaire considérable, car il rend presque impossible une invasion du puissant État slave.

À cinq heures trente, on dîna à Jassy.

Vers huit heures, on entrevit Paskany.

Le train traversa Marasesti pendant la nuit et toucha Bucharest, le 22 février, à neuf heures du matin avec deux heures de retard. La correspondance pour Szegedin était manquée, et force fut aux voyageurs d'attendre le départ de quatre heures du soir.

Déjeuner d'abord, puis visiter la ville suffirait bien à les occuper jusque-là. Les bords de la Dumbowina, qui traverse Bucharest, les églises, les couvents, les résidences russe et autrichienne reçurent successivement la visite des Anglais et de Lavarède, escortés du policier devenu complètement muet.

L'Autrichien restait en arrière, se mêlant aux groupes de badauds, écoutant les conversations. Un instant, un sourire distendit ses lèvres.

– Tiens, grommela-t-il, nous allons voir s'il est financier.

Il était son prisonnier.

En revenant à la gare, l'agent acheta un journal qu'il glissa dans sa poche. Dans le train, il s'absorba dans la lecture de la feuille. Tout à coup il s'interrompit, et s'adressant au journaliste qui regardait distraitement la campagne roumaine.

– Comprends pas ça ?

– Quoi donc, monsieur Schultze.

– On vient d'arrêter un banquier sur la plainte d'un de ses clients.

– Moi, je le comprends.

– Attendez donc. Le client apporte en dépôt cinquante mille florins en obligations de la ville de Vienne.

– Bon !

– Deux mois après il le réclame.

– Le banquier ne le rend pas ?...

– Si, seulement les obligations n'avaient plus les mêmes numéros. Là-dessus on l'arrête. Pourquoi ? Je vous remets une somme, vous me la remboursez... Que ce soit en or ou en billets je n'ai rien à dire.

– Dame, murmura le Parisien, cela me paraît évident.

Un éclat de rire de Bouvreuil lui coupa la parole. L'usurier avait écouté la conversation qui, on le voit, l'égayait fort.

– Qu'est-ce que vous avez ? demanda Lavarède.

– Je vous trouve admirable. Vous ne saisissez pas pourquoi on appréhende le banquier ? C'est pourtant clair comme de l'eau de roche. Il a spéculé sur un dépôt.

– Spéculé, où prenez-vous cela ?

Schultze était devenu très attentif, du moins en apparence.

– Parbleu ! continua le propriétaire enflant ses joues. Tout emprunt de ville donne lieu à des tirages, valeurs à lots, vous me suivez ?... Pour Vienne il y en a deux par an. Quelques jours avant le tirage, la chance de gagner poussant le public, les obligations montent. Après elles descendent. D'où un écart de quatre à cinq francs parfois. Voilà pourquoi les titres ne portaient plus les numéros notés par le client. Son banquier avait vendu avant le tirage et racheté après, empochant le produit de l'opération, et empêchant le déposant de courir la chance du tirage.

Il riait tout en parlant, écrasant son interlocuteur, l'ignorant artiste, de son dédain d'homme pratique. Mais sa joie fut de courte durée. Schultze salua profondément le Parisien, et d'un air embarrassé :

– Monsieur Lavarède..., commença-t-il.

– Quoi, interrompit ce dernier, vous ne m'appelez plus Rosenstein ?

– Au cimetière de Sébastopol j'ai reconnu que vous êtes Français ; à l'instant j'acquiers la certitude que vous n'êtes point financier. Je crois, ainsi que vous l'avez affirmé, que vous êtes bien monsieur Lavarède, journaliste parisien, et je vous prie de ne pas faire perdre sa place à un pauvre homme qui a cru faire son devoir en vous arrêtant.

– Mon cher monsieur Schultze, je ne vous en veux pas, au contraire, et même je me plais à ce point en votre compagnie que je continuerai le voyage jusqu'à Trieste.

– Non, oh ! non, je ne veux pas vous infliger plus longtemps l'ennui de ma présence.

Et sur une protestation d'Armand :

– Je vous en prie, fit le policier ; à Szegedin, ville importante et d'où les communications sont faciles, nous réglerons nos comptes... je vous en prie.

– Soit, répondit Armand avec un soupir de regret.

Et les deux hommes se serrèrent la main.

– Maintenant, s'écria alors Bouvreuil, à nous deux, monsieur le policier ; je vous assure que, moi, je ne serai pas d'aussi bonne composition.

L'Autrichien le toisa :

– Mais vous, je ne vous lâche pas.

– Hein ? balbutia le propriétaire, vous prétendez ?...

– Que vous êtes le voleur, parfaitement.

– Voleur, moi !

Il se leva, menaçant, mais d'une simple poussée Muller le coucha sur la banquette.

– J'en appellerai aux tribunaux, clama-t-il.

– Et ils vous condamneront, répliqua paisiblement Herr Schultze. J'étais aveugle. Du premier coup, j'aurais dû reconnaître en vous le Rosenstein.

– C'est moi Rosenstein ?

– Oui. Votre ami, à Bakou, n'avait pas de papiers. Vous en aviez, vous.

– Vous l'avouez !

– Cela seul devait me mettre sur la voie.

– Vous dites ?

Doctoralement l'agent leva le doigt :

– Que les criminels sont toujours en règle.

Bouvreuil ouvrit une bouche stupéfaite.

– Et depuis, continua l'Autrichien s'entêtant dans sa nouvelle conviction, votre rage croissante à mesure que nous approchons de la ville où vous serez puni de vos forfaits...

– La rage d'avoir les menottes.

– À d'autres. Et la façon dont vous avez expliqué la spéculation de votre collègue.

– Quel collègue ?

– Le banquier de Trieste... Tout vous accuse, jusqu'à la lettre de votre ami Florent.

Le père de Pénélope leva les bras au ciel.

– Florent, à présent !... Qu'est-ce que c'est que ça ?

– Le juge vous l'apprendra.

Atterré, en se trouvant plus prisonnier que jamais après s'être cru délivré, Bouvreuil garda le silence. Décidément, ce damné Lavarède lui portait malheur. Son voyage autour du monde n'avait été qu'une longue série de « tuiles ». Et la dernière lui paraissait plus dure encore que les autres.

Le journaliste libre achèverait son voyage sans encombre, alors que lui, délégué des porteurs de Panama, moisirait sur la paille humide des cachots. Il épouserait la petite Anglaise. Et Pénélope alors ?...

À la seule idée de la colère de sa fille, l'usurier sentait un frisson courir le long de son échine.

Il guignait Lavarède en dessous. Ce diable d'homme qui passait sans effort, en se jouant, à travers tous les obstacles. Et une idée grandissait dans son cerveau.

– S'il le voulait, il me tirerait de là. Oui, mais comment l'y décider ?

Le train avait franchi la frontière autrichienne à Verciorova.

On était au milieu de la nuit. Les policiers, n'ayant qu'un prisonnier à garder, avaient décidé qu'au lieu de veiller à tour de rôle, tous deux dormiraient. Les portières verrouillées et une chaîne d'acier enroulée autour des chevilles de Bouvreuil suffiraient à empêcher son évasion.

Le propriétaire s'assura que les Autrichiens, un peu las des journées précédentes, étaient profondément endormis, puis il tira par la manche le journaliste qui sommeillait.

Celui-ci ouvrit les yeux.

– C'est moi, fit l'usurier.

– Le diable vous emporte, grommela le jeune homme, je faisais un joli rêve... C'était bien la peine de me mettre sous les yeux une aussi vilaine réalité.

– Ne vous emportez pas, j'ai une proposition à vous faire.

– Inutile, monsieur Bouvreuil, je ne travaillerai pas avec vous, j'ai les mains propres.

Le captif se mordit les lèvres. Mais il fallait digérer l'injure, quitte à s'en venger plus tard. Il prit son air le plus aimable.

– Toujours le mot pour rire.

– Cela vous amuse, tant mieux.

– Une question. Si vous étiez prisonnier comme moi, vous arriveriez à fausser compagnie à vos gardiens, n'est-ce pas ?

– Bien certainement.

– Vous dites cela. Mais ce n'est pas si facile que vous semblez le croire.

– On peut ce que l'on veut, monsieur Bouvreuil.

– Vraiment ! Que feriez-vous donc ?

Le jeune homme examina l'usurier ; un éclair railleur passa dans ses yeux :

– Vous vous figurez que je vais vous raconter mes petits moyens. Détrompez-vous. Trois mois de prison préventive pour l'instruction de votre affaire me paraissent de bonne justice. Ah ! Vous voulez un gendre même par violence... La loi protège votre victime.

– Voyons, monsieur Lavarède, soyez généreux...

– Généreux... Vous savez prononcer ce mot-là ?

– Vous avez de l'imagination, j'ai de l'argent, changeons.

– Vous voulez me payer, commença Armand d'un ton tranchant...

Mais il se ravisa.

– Au fait, pourquoi pas ?

Le propriétaire eut une exclamation de joie.

– Vous acceptez ?

– Pas encore. Ça va vous coûter excessivement cher.

Les paupières de Bouvreuil clignotèrent d'émoi.

– De vous, cela m'étonnera. L'intérêt ne vous guide pas.

– Avec vous, cher monsieur, c'est tout naturel, vous m'avez enseigné l'intérêt... usuraire.

– Enfin que demandez-vous ?

Un instant le journaliste garda le silence.

– Eh bien ! Donnez-moi quittance de ma petite dette.

Bouvreuil bondit, mais se rassit aussitôt avec un cri de douleur. La chaîne qui emprisonnait ses chevilles l'avait blessé.

– Vingt mille francs ! bégaya-t-il.

– Mettons que je n'ai rien dit. Vous préférez la prison à votre aise. D'ailleurs vous devez y aller un jour où l'autre.

À ce moment, Muller se retourna sur la banquette. Les deux interlocuteurs se turent. L'usurier réfléchissait. Sûr d'être relaxé, il aurait encore supporté le cachot ; mais la colère de Pénélope lui inspirait une insurmontable terreur. Tout plutôt que de déchaîner cette tempête.

L'Autrichien s'était repris à ronfler. Et tout à coup, Bouvreuil songea qu'il pouvait « rouler » son adversaire. Un reçu de vingt mille francs donné au cours du voyage empêchait son envoi en possession de l'héritage convoité. De vingt-cinq centimes à pareille somme, l'écart était notable.

– Monsieur Lavarède ! appela Bouvreuil.

– Quoi encore ?

– C'est entendu. La quittance contre le moyen.

– La quittance d'abord.

– Vous n'avez pas confiance en ma parole ?

– Oh ! j'ai à peine confiance dans votre signature.

Sans répondre à ce dernier trait, le propriétaire fouilla dans sa poche. Il en tira un feuillet de papier et un petit encrier portatif.

S'installant de son mieux, il se disposa à écrire.

– À propos, fit Lavarède, vous me donnez décharge de ma dette et des frais ?

– Des frais aussi ?

– La liberté est le plus grand des biens.

– Soit.

– Bon. Seulement, permettez-moi de vous dicter les termes de cet acte. J'y tiens absolument.

Le père de Pénélope se sentit deviné. Il courba la tête :

– Vous n'êtes pas bête, murmura-t-il entre haut et bas.

– Je le sais bien.

– Dictez donc.

Et d'une plume rageuse, il traça ces lignes à mesure que Lavarède les prononçait :

« *Ce 23 février 1891, en wagon près Szegedin.*

« *M. Lavarède (Armand) m'ayant rendu en ce jour un signalé service, je lui fais remise pleine et entière, en toute liberté, de la dette de vingt mille francs qu'il avait contractée envers moi, ainsi que de tous les frais auxquels elle a pu donner cause.* »

Puis il tendit le papier au journaliste en murmurant :

– Un reçu dans la forme ordinaire aurait suffi.

– Que non, monsieur Bouvreuil, vous m'auriez réclamé la somme à Paris. Ou bien j'aurais produit le reçu et perdu ainsi tout droit à l'héritage de mon cousin, ou bien, l'ayant détruit, je me serais vu contraint de payer.

Tout en parlant, il examinait la quittance. Cela fait, il la plia méthodiquement, mais il n'acheva pas son opération et un accès de folle gaieté le secoua.

Au verso il venait de lire ces lignes :

« *À l'étranger, se rendre de préférence dans les hôtels anglais. En cas d'embarras, aller chez le consul. »*

C'était la fiche sur laquelle l'usurier avait consigné, au départ, quelques renseignements indispensables à son voyage.

– Et ce moyen ? demanda Bouvreuil surpris.

– Eh bien ! En arrivant à Trieste, réclamez-vous du consul français.

– Oh ! que c'est bête, s'écria le propriétaire en s'assénant sur la tête un formidable coup de poing, je n'y ai pas pensé !

Et, avec un accent de regret intraduisible :

– Voilà une distraction qui me coûte cher...

À sept heures on entrait en gare de Szegedin. Schultze, fidèle à sa promesse, conduisit Armand au buffet où, malgré l'heure matinale, tous deux déjeunèrent copieusement.

Comme ils finissaient, une vingtaine de musiciens portant leurs instruments, violons, violoncelles, contrebasses, cymbalums, etc., envahirent l'établissement.

– Voici la czarda, fit l'agent.

– Ah ! oui, répliqua Lavarède, l'orchestre que l'on rencontre dans tous les trains de Hongrie.

– Oui, il s'est produit sûrement un peu de trouble sur la ligne, car il y a ici deux czardas : l'une va partir avec nous et l'autre ne prendra le train que demain.

– Comment le savez-vous ?

– C'est le buvetier qui m'a renseigné.

Le moment du départ arriva.

– Monsieur Schultze, dit le journaliste en prenant congé de l'agent, je voudrais vous adresser une prière.

– Faites donc ?

– Vous avez mon ticket pour Trieste !

– Parfaitement.

– Donnez-le-moi, je le garderai en souvenir de l'aventure.

L'Autrichien acquiesça à son désir.

– Mais, s'écria-t-il tout à coup, il faut que je vous rende ce que vous ai saisi à Bakou.

Armand ne se souciait pas de rappeler à Schultze qu'il n'avait rien saisi du tout.

Un tel aveu aurait pu compliquer la situation.

– Ne parlons pas de cela. Quelques centaines de francs. Remettez-les de ma part à Mme Schultze en témoignage de mon estime pour vous.

– Mais vous-même ?

– Mon journal a un représentant, donc j'ai un banquier à Szegedin.

Le sifflet de la locomotive et une brillante attaque de la czarda coupèrent court aux hésitations du policier, qui longtemps agita son mouchoir à la portière comme s'il quittait un ami. Armand restait sur le quai avec Murlyton et Aurett.

– Que faisons-nous ? interrogea le gentleman.

– Nous pourrions partir à trois heures puisque j'ai mon billet pour Trieste, mais le voyage dure un jour et une nuit, je dois donc m'assurer la nourriture.

– C'est trop juste...

Cinquante minutes plus tard, Lavarède annonçait à ses amis que, utilisant un petit talent de violoniste, il s'était enrôlé dans la czarda. On quitterait Szegedin le lendemain 24, et jusqu'à Trieste le musicien improvisé était hébergé, nourri et rafraîchi avec le reste de l'orchestre.

XXVII

Le « Goubet »

Après avoir dépassé Szegedin, Schultze et Muller constatèrent avec stupéfaction que l'attitude de Bouvreuil s'était totalement modifiée. Plus de cris, plus de résistance. Le prisonnier, si nerveux la veille encore, était devenu subitement calme.

Même il souriait d'un air ironique, agaçant au possible, quand on l'interpellait sous le nom de Rosenstein.

Szabadka – la Maria-Thérésiopel des Autrichiens allemands –, Baja, perchée au bord du Danube, Agram, Steinbruck, défilèrent sous les yeux des voyageurs sans que l'usurier s'expliquât. Mais à quelques kilomètres de Trieste, il dit à ses gardiens :

– Messieurs, je vous déclare que je me réclame du consul français, et que je demande à être conduit devant lui.

– Vous irez d'abord à la permanence de police.

– Soit, mais de là au consulat. C'est mon droit.

Sur les indications de Bouvreuil, le chancelier télégraphia à Sens, où Pénélope attendait le retour d'Armand, et la réponse établit péremptoirement l'identité du propriétaire, qui en fut quitte pour quelques heures de « chambre de sûreté ». De là, une explication avec les policiers, au cours de laquelle ceux-ci mirent sous les yeux de leur ex-prisonnier la lettre fabriquée à Bakou par le Parisien.

– Mais c'est l'écriture de Lavarède ! s'écria Bouvreuil, la reconnaissant du premier coup.

À eux trois ils eurent bien vite reconstitué toute l'aventure. Pour Schultze et Muller, furieux de rentrer bredouilles, il demeura acquis que le journaliste avait volontairement trompé et dépisté les agents ; qu'il s'était livré au détriment de la police austro-hongroise à des manœuvres frauduleuses et ténébreuses, dont avait profité le vrai coupable ! De là à l'arrêter, il n'y avait qu'un pas.

Bouvreuil affirma que le mystificateur viendrait à Trieste. Il rappela la façon dont il avait réclamé son ticket. Il persuada ses auditeurs.

Le jour même le chef de la police, insuffisamment renseigné par les détectives que la rage aveuglait, mettait à leur disposition une brigade de sûreté, et des souricières étaient établies à toutes les gares, Saint-André, l'Arsenal, Trieste-port, pour pincer le délinquant au sortir du train.

Cependant celui-ci, mêlé à la czarda, marchait à toute vapeur sur la cité adriatique en raclant du violon. Infailliblement il allait être pris. Il lui faudrait des semaines pour démontrer à la justice, boiteuse en tous pays, l'inanité des accusations portées contre lui et l'héritage lui échapperait.

Voilà ce qui réjouissait Bouvreuil qui, pour l'occasion, s'était fait policier volontaire. Mais le ciel n'était pas dans son jeu.

Le 25 février, à dix heures du matin, le train qui portait Lavarède et ses amis dérailla entre la halte de Miramar et Trieste. Bouvreuil avait tout prévu, tout... excepté un déraillement. Les voyageurs, contraints de devenir piétons, entrèrent en ville par la splendide via « Giacomo-in-Monte », que la police ne gardait pas.

Laissant à droite le château et la cathédrale de San-Giusto, ils gagnèrent la piazza Grande, puis le quai du port dit « del Mandrocchio », et se dirigèrent vers le Grand-Canal qui part de la mer et partage la ville neuve en deux.

Sir Murlyton et sa fille avisèrent l'hôtel Garciotti, sur la « riva » ou quai du même nom, et s'y arrêtèrent, tandis qu'Armand, confiant en son étoile, vaguait par les quais, cherchant un moyen de poursuivre son curieux tour du monde.

Le hasard heureux était absent ce jour-là. Le voyageur se promena vainement du molo del Sale au molo San Carlo, de celui-ci au molo Benita. Il eut beau parcourir les via Carradori, Antonio, de Vienna, le Corso, le Ponta Rocco, pont rouge jeté sur le canal, l'inspiration ne venait pas. Avec cela le déraillement du matin avait empêché le déjeuner de la czarda, et l'estomac du jeune homme formulait des réclamations qui nuisaient au travail du cerveau.

Ennuyé, mais non découragé, Armand avait prolongé sa promenade jusqu'à la « riva Gramala », d'où il apercevait l'arsenal d'artillerie et la cantine du molo Santa Teresa, quand un groupe, criant et gesticulant, appela son attention.

Un matelot haranguait avec force gestes une dizaine de porteurs du port, désignant tantôt des caisses placées sur le quai et tantôt la mer. Ses auditeurs l'interrompaient pour pousser d'une voix gutturale toutes les onomatopées de la langue italienne, toujours parlée à Trieste au grand désespoir de l'Autriche.

Finalement, le marin leva un poing menaçant, et la bande à cette démonstration s'enfuit dans toutes les directions. Lavarède s'était rapproché.

– Tonnerre de sort ! hurla le matelot furieux, quels feignants que ces Italiens.

– Qu'y a-t-il donc, mon brave ? demanda le journaliste.

La figure bronzée du loup de mer s'éclaira. Sa colère tomba comme par enchantement.

– Un pays, fit-il.

– Oui, attiré par le bruit de votre querelle.

– Ne m'en parlez pas. Ces Chinois-là ne comprennent pas un mot de français. Je n'ai jamais pu leur faire entendre qu'il faut transporter les caisses que vous voyez là dans le *François-Joseph*.

– Le *François-Joseph* ?

– Oui, la coque qui est là à quai.

Lavarède regarda. Le long du quai, dépassant le niveau de l'eau de trente à quarante centimètres seulement, émergeait une étroite plate-forme métallique. Une légère balustrade l'entourait ; au centre, un petit dôme circulaire dont la partie supérieure était formée par une grosse lentille de verre. Comme apparence cela rappelait de loin le pont d'un torpilleur.

– Mais, murmura le journaliste, je connais ça... c'est le *Goubet*, le torpilleur sous-marin français dont j'ai suivi les expériences à Cherbourg avec mon confrère Émile Gautier.

Le matelot cligna des yeux et parut embarrassé.

– Cela y ressemble, monsieur... Oui, bien certainement, ça doit y ressembler... mais ce que vous voyez est le sous-marin électrique du seigneur José Miraflor.

– José Miraflor ?... C'est curieux, j'ai déjà entendu ce nom-là.

– Possible, si vous avez un peu voyagé.

– Mais pas mal, en effet... Est-ce que je ne pourrais pas le voir, ce noble étranger ?

– Oh ! son portrait est exposé dans le salon du bateau.

Armand eut un mouvement très vif de curiosité.

– Et ce bateau, qu'est-ce qu'il en fait ?

– Il cherche à le vendre à l'une des puissances de la Triple Alliance, et en attendant, il permet aux curieux de le visiter moyennant un florin d'entrée.

Le Parisien réfléchissait.

– Dites donc, reprit-il au bout d'un moment, ne me disiez-vous pas que vous aviez des caisses à embarquer ?

– Oui, des provisions et de la poudre, car on partira pour Fiume incessamment. Paraît que pour vendre il faut aller dans ce port militaire.

– Eh bien, je vais vous aider.

– Vous, monsieur ?...

– Tiens ! Entre compatriotes...

– Je ne sais pas si je dois...

– Vous devez et, en échange, vous me ferez casser une croûte en visitant le bateau... à l'œil.

La locution faubourienne, employée à dessein par le jeune homme, décida son interlocuteur.

– Marché conclu.

En un tour de main, les colis passèrent du quai sur le pont. Le dôme pivota sur une charnière ainsi qu'un couvercle, démasquant une ouverture au bord de laquelle s'appuyaient les montants d'une échelle de fer.

– L'escalier du *François-Joseph*, dit le matelot.

– Vous présentez tout, sauf vous-même, répliqua Lavarède.

– Oh moi ! Marie-Anne Langlois, de Saint-Malo.

– Et moi, Armand Lavarède, de Paris.

Une à une, à l'aide de cordes, les caisses furent descendues à l'intérieur. La dernière embarquée, les deux hommes s'engagèrent sur l'échelle.

Le premier objet qui s'offrit à la vue d'Armand fut, dans le salon, le portrait de son ancienne connaissance de Costa-Rica. Il s'étalait, superbe, accroché à un panneau, portant cette flatteuse mais trompeuse, indication, en allemand et en italien :

« Don José Miraflor, inventeur du torpilleur sous-marin, mû par l'électricité. »

– C'est bien lui, dit mentalement Lavarède ; par conséquent il ne peut y avoir de doute, je flaire quelque coup de coquin.

Le matelot offrit à son nouvel ami du pain, du fromage de chèvre, de la mortadelle et un *fiaschetto* d'excellent vin de Chianti, tout en lui montrant le navire.

– Voyez-vous, monsieur, c'est une espèce de poisson d'acier divisé en trois compartiments : à l'avant, le fanal électrique qui éclaire la route et le poste de l'homme chargé de signaler les obstacles. À l'arrière, la chambre des accumulateurs et de l'appareil moteur. Au milieu, un salon élégant avec une fenêtre ovale de chaque côté. Une lentille de verre ferme hermétiquement ces ouvertures, sur lesquelles une plaque de la carapace métallique du bateau glisse à volonté, formant volet. Pour passer d'un compartiment dans l'autre, pas de portes, mais une niche double pivotant sur son axe en un millième de seconde, et dont les points de contact avec la cloison sont garnis d'obturateurs de caoutchouc. Deux hommes d'équipage : mon fils aîné Yan, que je vous présente, à la proue, moi à la poupe, et don José Miraflor dans le salon, au tableau de direction.

Il montrait, en prononçant ces derniers mots, un clavier de manettes et de leviers, dont chacun portait une inscription.

Lavarède lut curieusement :

« En avant !

« Machine arrière !

« Montez !

« Immergez !

« Arrêt absolu !

« Pompes, etc., etc. ».

Une dernière attira particulièrement son attention.

– Poids de sûreté, dit-il.

– Oui, s'empressa de répondre le matelot ; sous la quille est un bloc de fonte et de plomb de trois mille kilogrammes. Supposez une avarie au fond de l'eau, crac, un tour de manette, le poids se déclenche... et le torpilleur délesté remonte à la surface comme un bouchon.

– Et c'est don José qui a inventé tout cela ?

Le matelot hésita.

– Dame ! fit-il de l'air de l'homme qui craint de se compromettre.

– Ce n'est pas vrai ! déclara le journaliste ! Je le connais ce don José, il est capable d'imaginer un guet-apens, mais non un appareil de ce genre. Et ceci, sauf les accumulateurs que mon camarade Goubet, les jugeant trop dangereux, avait remplacés par des piles, est exactement le bateau sous-marin que ce mécanicien de génie a proposé au gouvernement français.

– Qui l'a refusé d'ailleurs.

– Tiens !... vous êtes au courant, maître Langlois.

– Eh bien, oui, dit le marin, se décidant brusquement. Après tout, je ne suis pas cause si l'inventeur, ruiné par ses essais, s'est laissé « river à bloc » par le rastaquouère. Pour dix mille, et une part en cas d'achat, il a lâché le torpilleur.

– Et Goubet a consenti à la vente à l'étranger ?...

– Pas ça ! Non, pas ça ! Il avait même stipulé le contraire ; mais, comme le répète monsieur Miraflor, « la soute aux picaillons » est vide, il ne fera pas de procès.

Le visage du Parisien était devenu sévère... Il se rapprocha du matelot et le regardant bien en face :

– Savez-vous que votre José est un voleur ?

– Je ne dis pas le contraire, balbutia le pauvre diable troublé par le ton d'Armand.

– Et une chose m'étonne : c'est que ce drôle ait trouvé pour le servir deux matelots français, deux Malouins.

La peau basanée de Marie-Anne Langlois prit des tons de brique.

Ses yeux eurent une lueur fauve ; puis, se calmant soudain, il étendit les bras, avec un geste de résignation, d'abandon :

– Que voulez-vous ?... faut vivre !

Et, d'une voix sourde, voilée de larmes presque :

– J'étais patron d'une barque de pêche. Elle m'avait coûté vingt mille francs. Tout ce que les vieux m'avaient laissé, quoi ! La *Margaret* filait comme une mouette, elle se jouait de la vague. Un jour, la lame l'a enveloppée et elle a coulé à pic. Quoi faire ?... La ménagère, quatre gars et une petiote. Tout ça veut manger. Avec ça que le cadet, – qu'a une cervelle organisée, paraît, – est à l'École navale. Puisqu'il peut devenir officier, ne pas traîner l'existence aussi lourde que nous, faut qu'il y reste... mais faut solder le trimestre. Alors le Miraflor est arrivé. Il offrait une haute paye. J'ai accepté avec Yan, pour que les petits ne se gargarisent pas avec le vent du noroît et que le cadet porte l'uniforme. Voilà pourquoi je suis là.

Deux pleurs coulaient lentement sur les joues bronzées du Malouin. Ému par ce récit, Lavarède vint au marin et lui secouant la main :

– Il y a une chose à laquelle tu n'as pas songé, mon camarade.

Le tutoiement, cette forme familière et affectueuse du peuple, fit frissonner Langlois.

– C'est que, poursuivit Armand, ce bateau livré à la Triplice, lancera aux jours de guerre, des torpilles aux nôtres, et que peut-être, tu prépares la mort de ton fils, au moment où tu marches sur ta dignité pour lui assurer un grade dans la marine militaire.

– Nom de nom de nom, gronda l'homme, c'est que c'est vrai pourtant !

Et, après un silence perplexe, résolument il demanda :

– Dites-moi donc ce que je dois faire ?

– Appelle ton fieu.

Yan parut aussitôt. Mis au courant, il déclara sans hésiter que le monsieur avait raison.

– Alors, mes gars, nous sommes d'accord, s'écria Lavarède. C'est que j'ai aussi du sang breton dans les veines, et je ne veux pas que des pays fassent quelque chose d'inavouable... Je vais chercher deux amis installés près d'ici, je les embarque et nous ramenons le bateau en France.

– Topez là !

– Nous ne volons pas don José ?

– Pas de craintes. Depuis un mois que nous allons de port en port, les visiteurs lui ont rapporté plus de cinquante mille francs.

– En ce cas, à vos postes, et au signal du « tableau » en route !

Les marins regagnèrent leurs compartiments respectifs, tandis que le journaliste grimpait l'échelle du *François-Joseph* en murmurant :

– Je nargue la Triplice, et je reviens à Marseille sans bourse délier. Décidément ce José est ma providence.

En atteignant le pont, il poussa un cri de joie. Sur la rive Gramala, il venait d'apercevoir sir Murlyton se promenant avec sa fille. Il agita son mouchoir, et fit signe aux Anglais de le rejoindre.

Mais sa mimique attira l'attention de deux hommes qui débouchaient de la via Salita. C'étaient Bouvreuil et don José.

Lorsque la nouvelle du déraillement du train de Szegedin-Trieste lui était parvenue, l'usurier, éclairé par un pressentiment, n'avait pas hésité à déclarer que son ennemi avait dû prendre ce train là. Il convainquit Schultze et Muller, et escorté par eux, se mit à battre la ville. Dans ses allées et venues, il se trouva nez à nez avec Miraflor.

L'heure n'était pas aux explications. Puis, entre honnêtes gens de cette trempe, on s'entend toujours. José déclara vivement que sa situation était prospère, et qu'il se proposait de rembourser au propriétaire la somme dont il l'avait allégé en Amérique. Bouvreuil pardonna, l'autre connaissant la ville et pouvant l'aider dans ses recherches.

À la vue de Lavarède, le père de Pénélope frissonna de plaisir. Il courut aux policiers qui le suivaient à quelques pas, leur parla à voix basse et revint à son « ami ». Puis tous deux se dirigèrent vers le *François-Joseph*.

Pendant ce temps, Armand avait dénoué l'amarre qui attachait le torpilleur au quai. L'opération terminée, il se redressa et fut sur le point d'éclater de rire. Sur la passerelle accédant au pont il voyait, marchant derrière les Anglais, l'usurier et l'ex-gouverneur de Cambo.

– Descendez, dit-il seulement au gentleman qui le questionnait du regard, et vous aussi, mademoiselle.

– Vous faites à merveille les honneurs de mon bateau, remarqua Miraflor.

– Parfaitement, señor, vous plaît-il que je sois aussi votre cicérone ?

La proposition provoqua chez Bouvreuil une douce hilarité.

– Passez donc le premier, cher monsieur Lavarède.

– C'est bien pour vous obéir.

Bientôt tous furent rassemblés dans le salon. Avant de s'engager sur l'échelle, le propriétaire avait regardé sur le quai. Les agents s'y trouvaient.

– Mon cher monsieur Lavarède, fit-il goguenard, vous avez de moi un petit reçu de quelques milliers de francs, prix auquel vous avez estimé ma liberté.

– Oui, mon bon monsieur Bouvreuil.

– Eh ! eh ! Votre liberté à vous vaut plus cher que cela.

– Trois millions tout juste.

– Il vous sera douloureux de perdre une pareille somme.

Le ton était si ironique qu'Armand dressa l'oreille.

– Que prétendez-vous insinuer ? demanda-t-il.

– Ceci seulement : La police vous attend sur le quai quand vous allez remonter.

Le visage du journaliste s'épanouit :

– Quand je vais remonter ?...

– Oui, mon excellent monsieur Lavarède.

– En ce cas, je descends... Merci de m'avoir prévenu.

Un claquement sec se fit entendre. Le Parisien avait tourné la manette servant à fermer le dôme qui recouvrait le trou de l'échelle. Debout auprès du « tableau », il avait saisi une autre poignée.

– Que faites-vous ? hurlèrent Bouvreuil et José stupéfaits.

– Vous le voyez, messieurs, je descends.

En effet, un bruissement singulier, froufrou de l'eau glissant sur les flancs du bateau, arrivait jusqu'aux assistants.

Les acolytes firent mine de s'élancer sur le jeune homme ; mais celui-ci étendit la main sur un bouton noir placé au centre du clavier, et, froidement :

– Un mouvement, et j'ouvre le *Goubet* à la mer !

– Le *Goubet* ! rugit l'aventurier en reculant cependant.

– Oui, le *Goubet* ; c'est le vrai nom de ce bateau que vous alliez livrer à l'Autriche, alors que l'inventeur, ruiné par ses patriotiques essais, vous l'avait confié uniquement pour que son idée triomphât dans son pays.

– Oh ! murmura Aurett, ce gentleman est donc toujours voleur.

Une sonnerie électrique retentit, et soudain une clarté verte emplit le salon. Les panneaux s'étaient ouverts. Le torpilleur reposait au fond du port, au milieu de la gamme verdoyante des eaux. Des poissons, effarés par la présence de cet hôte inaccoutumé, fuyaient, ombres noires, dans un brouillard émeraude.

La jeune fille ne chercha pas à retenir ses cris d'admiration, et les lèvres de son père s'ouvrirent sous la poussée d'un « Aoh ! » prolongé.

– Ce bateau volé, continua Lavarède après leur avoir laissé le loisir de regarder, je vais le ramener en France si vous n'y faites pas d'opposition.

– Je pense que cela est juste, répondit simplement sir Murlyton.

– Mais moi je proteste, clama Miraflor.

Profitant de l'inattention générale, le misérable avait armé son revolver ; maintenant il le braquait sur le Parisien.

– Bon, fit celui-ci d'un ton railleur, je vous connais comme tireur, vous visez mal et votre main tremble.

Écumant de rage, le Colombien élevait son arme, prêt à faire feu. Soudain, il passa comme un glissement dans l'air, et José fut enlevé, renversé à terre, et emprisonné dans un réseau de cordelettes qui le réduisit à l'immobilité la plus absolue.

Les niches communiquant avec les autres compartiments avaient tourné, amenant dans le salon, Langlois et Yan, appelés par une sonnerie du tableau. Sur un signe du nouveau capitaine, les Malouins avaient accommodé l'ancien, ainsi qu'on vient de le voir.

Lavarède s'approcha de Miraflor. Il se pencha sur lui et prit dans sa poche un portefeuille.

– Vous me dévalisez, hurla le vaincu.

Sans répondre, le journaliste tira du maroquin une liasse de billets de banque qu'il compta méthodiquement.

– Soixante-seize mille francs. Produit des visites que les Italiens et les Autrichiens ont rendues à bord, car vous n'aviez pas que je sache un sou vaillant. Il y a là trente-huit mille francs à vous et trente-huit à Goubet.

Et redevenu souriant :

– Parlant et agissant en son nom. Je défalque de sa part dix mille francs, que je joins à votre liasse, afin d'annuler le marché auquel la gêne l'a contraint et dont vous avez abusé. Soit quarante-huit mille que je renferme dans votre portefeuille et dans votre poche.

Il exécutait le mouvement en même temps.

– Quant aux vingt-huit mille restants, je les donne à Langlois pour qu'il puisse racheter une barque. Goubet ne trouvera pas que c'est trop, pour avoir sauvé son œuvre du déshonneur.

Et comme le Malouin se défendait :

– Prends donc, lui dit-il, tu peux être sûr que l'inventeur m'approuvera. Du reste je l'indemniserai, j'espère. Avec l'aide de Gautier nous ferons une campagne de presse sérieuse et le ministre finira bien par nous entendre.

Puis, prenant l'accent du commandement :

– Yan, au fanal ! Langlois à la machine ! Si nous demeurons ici, la police va nous envoyer des scaphandriers.

D'instinct, en hommes habitués à l'obéissance passive, les matelots s'étaient élancés aux postes indiqués. Bouvreuil esquissa un mouvement vers le tableau de direction, mais Murlyton l'arrêta par ces mots :

– Non, vous ne sauriez pas. Inutile de nous faire périr.

Et il appuya ce conseil d'une solide bourrade.

Le bateau se mit en marche, glissant lentement à deux mètres du fond. Il obliqua à droite pour prolonger le Moto Santa Teresa, contourna la plate-forme de la Lanterne et piqua droit vers le sud, dans l'Adriatique. Par les panneaux, les passagers voyaient filer les bandes vertes de l'eau, légèrement ridées par le frottement du *Goubet*, à qui désormais nous laisserons cette appellation française. Au-dessous du torpilleur la terre n'était plus visible.

– À quelle profondeur sommes-nous ? demanda miss Aurett.

Armand consulta le manomètre.

– À vingt-deux brasses.

– Et la brasse vaut ?

– Un mètre soixante... Ici les agitations de la surface ne se transmettent plus... Vous devez remarquer qu'aucun de nous ne souffre du mal de mer... Maintenant, comme le « creux moyen » de l'Adriatique est de deux cents mètres, je puis donner sans danger au bateau sa vitesse maxima.

– Qui est de ?...

– Ma foi, nous allons le savoir.

Un tour de manette, et le froufrou de l'eau s'accentua, devint strident. Le jeune homme avait les yeux fixés sur un cadran où une aiguille circulait rapidement. La pointe se fixa enfin.

– Cinquante milles à l'heure, dit le jeune homme ! C'est phénoménal et c'est effrayant.

Tous s'entre-regardèrent. Une même pensée traversa tous les cerveaux :

« À cette allure, un choc eut été un écrasement. »

Qu'un rocher se trouvât sur la route et le sous-marin sous la formidable poussée de son hélice éclaterait ainsi qu'une noix vide.

Une grande carte de la Méditerranée, indiquant les fonds, de Gibraltar à Candie, était accrochée au mur au-dessus du clavier directeur. À l'aide du compas, le Parisien relevait la route.

Le soir à neuf heures, après un dîner emprunté aux provisions du bord, on se trouvait en face d'Ancône. Chacun s'installa pour passer la nuit sur les divans qui faisaient le tour du salon. Don José, par précaution, n'avait pas été déficelé.

Seul Armand resta debout à son poste. Veillant pour tous, il releva successivement Civita-Nova, Benedetta, Cuilianova, Pescara, Vasto.

Comme la nuit il ne craignait pas d'être aperçu, il fit remonter le bateau et ouvrir la coupole pour renouveler l'air respirable sans avoir recours aux machines. Vers minuit il rasa l'île Tremiti.

Piesti, à l'extrémité du cap du même nom, Manfredonia au fond d'une baie pittoresque où une algue spéciale donne aux eaux une teinte safran, Barletta, Trani, Bari, Brindisi, port d'attache des vapeurs de la malle de l'Inde et de l'Australie, furent dépassés par le sous-marin dans sa course folle.

Quand Aurett ouvrit les yeux, vers six heures du matin, le *Goubet* sortait du canal d'Otrante et se trouvait en vue de la cité, mollement couchée à l'extrémité du talon de la botte italienne. Laissant à gauche l'archipel Ionien, à droite le golfe de Tarente, le torpilleur se dirigea vers la Sicile.

De temps à autre, Lavarède faisait plonger l'appareil. On descendait dans les vallées sous-marines tapissées d'algues, de fucus, de coraux, de spongiaires. Dans le cercle lumineux du fanal, les voyageurs collés à la vitre contemplaient un spectacle étrange, dont aucun paysage terrestre ne saurait donner l'idée.

Par suite de la densité du milieu, les goémons, les longues herbes de la mer montaient vers la surface en une verticale rigide. Et dans les anfractuosités de rochers, entre les végétations corallifères, des monstres insoupçonnés grouillaient : des poulpes, des araignées de mer aux yeux glauques, des homards gigantesques, surpris par l'irradiation électrique, accouraient du fond de l'ombre, se pressant, se bousculant vers le foyer lumineux. Tels les papillons autour de la flamme de la bougie. Mais ici, au lieu d'insectes gracieux, une légion d'êtres horribles qui semblaient vomis par un cauchemar.

Bouvreuil était éperdu. Peut-être tout cela lui rappelait-il ses mauvais rêves d'homme d'affaires véreux. Et puis il avait appris que, parmi les colis embarqués, se trouvait un baril de poudre. Si bien que, nouvel âne de Buridan, il ne savait si sa peur du mélange détonnant était plus grande que sa crainte des crustacés.

Une vision plus effrayante attendait les passagers. Dans une de ces descentes aux fonds, ils se trouvèrent en présence d'une coque de navire donnant la bande à tribord.

C'était un grand vaisseau. Les mâts coupés à un mètre du pont, le bordage déchiré sur une longueur de trois brasses, disaient la catastrophe. Ce bateau avait coulé à pic après avoir heurté un récif.

Le *Goubet* suspendit sa marche et se rapprocha de l'épave. Un cri se fit entendre.

– Là, là, sur le pont, regardez, disait miss Aurett, en mettant la main sur ses yeux.

Parmi les lianes marines nées de la pourriture du bois, parmi les concrétions pierreuses des polypes, on reconnaissait des squelettes humains. L'un même à demi sorti de l'écoutille d'arrière, entièrement dépouillé de chair, lavé par les eaux salines, avait conservé l'attitude de l'agonie. Dans cette zone où n'arrivait aucune agitation de la surface, le squelette restait les bras en l'air, la tête renversée en arrière, semblant continuer un suprême appel, un dernier effort pour fuir l'asphyxie.

Lentement le torpilleur fit le tour de l'épave. Sur le tableau d'arrière à demi rongé, les voyageurs purent lire : la *Sémillante*. Et dans le silence la voix de Lavarède s'éleva grave, émue :

– La *Sémillante* transportait des troupes de l'armée de Crimée. Elle toucha un récif non porté sur les cartes et sombra, entraînant trois cent cinquante hommes d'équipage et neuf cent soixante-quinze soldats. Saluons, mes amis, c'étaient des Français !...

Le *Goubet* s'éloignait à toute vitesse comme s'il avait compris le désir de ceux qui le montaient.

Longtemps il fila ainsi, sans que personne songeât à parler. Tout à coup l'appareil éprouva une secousse légère. Le bruit du frottement de l'eau cessa. Le bateau restait immobile dans l'immobilité verte. Presque aussitôt Langlois parut :

– La machine ne fonctionne plus !

– Ah ! ricana don José, les accumulateurs sont taris. J'en attendais d'autres pour partir. Maintenant, nous ne pouvons ni monter, ni descendre.

Lavarède consulta sa carte :

– Nous sommes presque en face de Messine... à un kilomètre de la côte à peine.

– Alors, répond Langlois, le bateau démontable peut servir.

– Le bateau démontable ?

– Oui ! Il est enfermé dans une caisse. C'est un canot en peau que l'on tend sur une carcasse de bois. Une fois à la surface de la mer, nous monterons l'appareil et gagnerons la côte à l'aviron.

– Bon, répond Bouvreuil affolé, mais il faut revenir là-haut.

Armand haussa les épaules :

– Et le poids de sûreté ?... Goubet ne l'a pas attaché sous la quille pour rien.

Puis d'une voix sonore :

– Attention, que tout le monde se tienne bien.

Et se tournant vers Aurett, devenue très pâle :

– Cramponnez-vous à un meuble, miss. Ils sont fixés à la paroi... bien... vous y êtes ?

Elle fait oui de la tête.

– Alors, déclenchons !...

Sous la main du capitaine une manette grince à deux reprises.

– À Dieu-vat !

Une secousse violente se produit. Les passagers sont secoués comme la feuille par la tempête. Ils ont la sensation vertigineuse d'une chute en haut. Puis un nouveau choc qui les fait rouler pêle-mêle sur le tapis et le torpilleur s'arrête.

Bientôt tous sont sur le pont. Armand a dit vrai. C'est un paysage merveilleux qu'ils ont sous les yeux, le spectacle unique qu'offre la vue du détroit de Messine avec, d'un côté les grands monts de la Calabre, dont les torrents desséchés sont des chemins conduisant près de Reggio, où a été fusillé le roi Murat, de l'autre, la côte sicilienne dont l'Etna domine les hautes montagnes, pendant qu'au pied, mollement baignée de flots bleus, la ville de Messine, inondée de soleil, se montre étagée autour de son port.

Sans perdre un instant, Langlois et Yan mettent à flot le « démontable ». Don José Miraflor rit d'un mauvais rire.

– Nous verrons bien si les autorités italiennes permettront à monsieur Lavarède de ramener mon torpilleur en France ! dit-il à

Bouvreuil.

Le journaliste tressaille. Le rastaquouère va porter plainte. Le bateau sera confisqué jusqu'après enquête. Des plans en seront dressés et l'invention française deviendra une arme pour l'Italie. Non, cela ne sera pas. Et le regard du jeune homme s'irradie d'exaltation sainte.

Tous les voyageurs ont pris place dans le canot avec des provisions soigneusement emballées par le Parisien. Les avirons sont bordés. Alors Armand a un geste farouche.

– À ma place, Goubet le ferait, murmure-t-il.

On le voit disparaître dans l'intérieur du sous-marin. Deux minutes s'écoulent. Le jeune homme revient un peu pâle. Il s'élance dans le canot et s'adressant aux matelots :

– À force de rames, les enfants !

Les Malouins ne comprennent pas, mais ils obéissent. La distance qui les sépare du bateau sous-marin augmente rapidement. Cent, deux cents, trois cents mètres sont franchis.

Brusquement, une détonation effroyable déchire l'air. Une colonne de feu et de fumée s'élève au-dessus du torpilleur, qui se perd dans un énorme remous.

– Il y avait de la poudre à bord, dit alors Lavarède les yeux brillants d'enthousiasme, j'ai fait sauter le *Goubet* !

Et, avec le sourire le plus ironique :

– Señor Miraflor, ajoute-t-il, vous devez être satisfait... Les débris du navire resteront dans les eaux italiennes.

XXVIII

La Maffia

– Les deux associations de brigandage d'Italie n'ont aucun rapport, messieurs. *La Camorra ou Caldaïa*, c'est la terre ferme. Elle est synthétisée par Fra Diavolo, musqué, pommadé parfois, le plus souvent bandit de grands chemins, pillard et cruel, à la fois condottiere et bravo, mêlé par les ambitions gouvernementales à la politique. La *Chaudière*, – traduction française de notre mot *Caldaïa*, – conduisait à tout, témoins Antonelli l'Abruzzais nommé colonel par Murat ; Gasparoni, ancien « chef de la Montagne », vendant ses œuvres à Naples, et les nombreux *galantuomi* qui, dans les tripots, tendent la main aux joueurs heureux, jamais repoussés grâce à la formule magique : « Pour la Camorra, signor ! » Mais la *Maffia*, messieurs !... Oh ! La Maffia, c'est autre chose !

Celui qui parlait, un gros homme court, très brun, aux sourcils circonflexes, s'exprimant avec la volubilité et les gestes abondants des Siciliens, traversa le bureau, ouvrit la porte, s'assura que personne n'était aux écoutes et revint à ses interlocuteurs, MM. Bouvreuil et José Miraflor.

En débarquant, les deux coquins avaient tenu conseil. Le bateau sous marin était détruit, réduit en miettes. S'ils portaient plainte contre Lavarède, les autorités interviendraient mollement, peu soucieuses de soulever un incident franco-italien que la disparition du torpilleur rendait sans intérêt.

Puis, le journaliste n'était pas homme à se laisser condamner sans protestations. Et alors... le passé de José lui interdisant la fréquentation assidue des hommes de loi, le Colombien se décida pour... la clémence, triomphant euphémisme qui arracha un sourire à Bouvreuil lui-même.

Tous deux confirmèrent donc le récit imaginé par Armand en présence de l'officier de port, et que ce dernier consigna en ces termes sur son registre des arrivées :

« Sept passagers étrangers – les noms suivaient – montant *l'Espérance*, bateau électrique, perdu en vue de Messine, par suite d'une explosion. Cause de l'accident : Inconnue. »

Cela fait, l'usurier et le rastaquouère tirèrent de leur côté et se rendirent chez le signor Giovanni Eserrato, de la maison Eserrato, Lifanti et Cie.

Bouvreuil avait depuis longtemps de l'argent dans cette maison. Il voulait profiter de son passage en Sicile pour se renseigner sur une mention, qui l'avait frappé dans le rapport imprimé après la dernière assemblée générale. Plusieurs pertes subies par la banque étaient justifiées au moyen de ce seul mot : *Maffia*.

Voilà ce qui motivait le discours du signor Giovanni dans le bureau duquel se passait la scène.

Le pétulant banquier, la porte refermée, se rapprocha des visiteurs et baissant la voix :

– La Maffia, reprit-il, ce n'est pas une association, c'est un peuple, c'est la Sicile tout entière et rien que la Sicile. Tous en ce pays nous sommes, non affiliés, mais complices de la Maffia.

– Comment tous ? s'exclama le propriétaire. Pas vous, j'imagine ?

Eserrato appuya sa main sur le bras de l'actionnaire et avec une nuance de crainte :

– Ne parlez pas ainsi... je suis Maffioso et je m'en flatte.

– Vous ?

– Moi... Jamais je n'aiderai les poursuites de la police ou des bersaglieri contre *les Braves de la Montagne*.

Et tout bas :

– Je tiens à me garder des deux S.

– Les deux S ?

– Oui, chuchota le banquier, *Stilettata*, *Scoppiettata*, un coup de stylet ou d'escopette, le fer ou le plomb. Les braves qui arrêtent les voyageurs pour en tirer une rançon n'ont jamais fait grâce aux dénonciateurs.

– Joli pays, grommela le père de Pénélope, des bandits qui vous rançonnent et des poltrons qui les soutiennent.

Le signor Eserrato eut un large rire :

– On veut faire ses affaires et vivre longtemps. Du reste, si vous habitiez ici, vous agiriez comme nous.

Bouvreuil se redressa :

– Moi, commença-t-il...

Mais il se souvint de la façon prudente dont son interlocuteur avait ouvert la porte un instant plus tôt. Peut-être un auditeur invisible assistait à la conversation. Si bien qu'il termina sa réponse par :

– C'est évident.

Et d'un ton si convaincu que le banquier s'écria :

– Vous le voyez. Vous voilà sacré Maffioso.

L'usurier adressa au Sicilien un regard étrange, qui tourna lentement et vint se fixer sur Miraflor.

– Après tout, fit-il entre haut et bas, c'est une ressource.

– Quoi donc ?

– Rien, je plaisante.

Serrant la main du banquier, Bouvreuil quitta le bureau avec José. Une fois dans la rue :

– Mon cher Miraflor, dit-il, ne trouvez-vous pas les explications du signor Giovanni éminemment suggestives ?

– Si, si, ricana l'Américain, il me semble qu'il y a quelque chose à faire en cette île, où personne ne vous dénonce aux carabiniers.

– N'est-ce pas ? Et quand on veut se venger d'un homme qui révolutionne Costa-Rica, qui détruit les torpilleurs électriques...

Les yeux de José brillèrent :

– Vous avez une idée, mon cher Bouvreuil ?

– Parbleu !

– Et c'est ?...

– Une petite Maffia...

– À notre usage...

– Personnel. Voilà !

Bras dessus, bras dessous, les dignes acolytes s'éloignèrent le visage épanoui. Tandis qu'ils complotaient contre son repos,

Lavarède recevait les adieux émus de Langlois et de Yan, puis se mettait en quête d'un gîte. Il portait fièrement sous son bras le paquet contenant les provisions prises sur le bateau.

– J'ai le vivre assuré, disait-il gaiement, il ne me manque plus que le couvert... C'est du superflu en cette contrée heureuse où le soleil de février vaut notre Phébus de juin, mais je deviens sybarite.

Miss Aurett riait, gagnée par sa bonne humeur. Peut-être aussi, tout au fond d'elle-même, la gracieuse enfant songeait que Paris était tout proche, pour une « tourdumondiste » comme elle, deux mille kilomètres à peine, une journée de vol pour l'hirondelle, une simple promenade pour l'amour qui lui prêtait ses ailes.

Le palais, lire l'hôtel, mot que l'« accent » italien métamorphose ainsi, « della Gloriosa Italia », sur lequel sir Murlyton jeta son dévolu, était tenu par la signora Gabriela Toronti, forte matrone sur qui quarante ans écoulés avaient pesé lourdement. Elle se flattait de réparer du temps les funestes ravages, à l'aide de cheveux faux et d'un maquillage polychrome. Hélas ! Son travail pictural ne servait qu'à accuser l'inanité de ses prétentions.

À l'arrivée des voyageurs, elle se précipita à leur rencontre. En robe de soie bleue, taillée à la française, une mantille blanche sur la tête, le front coupé par un accroche-cœur géant, figurant un point d'interrogation renversé, elle « fit l'article », avec des roulements d'yeux pâmés :

– Vos seigneuries veulent-elles honorer ce palais de leur présence ? Beppo, Andrei, Petrucchio, guidez ces Excellences vers leurs appartements.

Beppo, Andrei, Petrucchio n'eurent garde de paraître ; un tel personnel n'existait pas dans l'hôtel.

La signora Gabriela poursuivit :

– Sans doute, ces nobles personnages ont besoin de la *collazione*. Ils ne pouvaient mieux choisir. L'archange Gabrielo lui-même, mon bienheureux patron, les a conduits par la main. Ici on trouve la « polenta » unique au monde, et le vino de Zucco, si buono, si amoroso, que le Dieu tout puissant...

Elle se signa tout en continuant :

... S'il en avait goûté, établirait son paradis dans la Sicile.

Ici une pause motivée par la nécessité de reprendre haleine. Armand en profita pour saluer profondément l'hôtesse et lui débiter ces quelques phrases, de tournure fort italienne, en pur toscan

– Ces titres : seigneurie, excellence ! conviennent à ce galantuomo et à la signorina, sa fille, gens riches, très riches, colossalement riches.

Le gentleman tira Lavarède par la manche et d'une voix contenue :

– N'ajoutez pas un mot, elle va me demander un prix de nabab.

– Mais non, rassurez-vous, fortune colossale en italien signifie dix mille francs de rente.

Et plus souriant, plus aimable, plus enveloppant que jamais :

– Moi, au contraire, je ne suis qu'un poète. Povero ! Fuyant le mercantilisme de mon pays, je viens demander à l'Italie, mère des arts, sa protection. De vous, cara signora, belle comme l'étoile du soir, suivante fidèle de Phœbé, je sollicite un lit pour délasser mes membres endoloris, un toit pour abriter ma tête.

Doucement remuée par les compliments amphigouriques du journaliste, Gabriela hésitait cependant. Il fallait porter le dernier coup. Prenant sa voix la plus insinuante, le Français reprit :

– Parisienne comme vous l'êtes de mise...

L'hôtelière prit une pose avantageuse. Dans toute l'Europe ce mot « Parisienne » représente un idéal critiqué à voix haute, envié tout bas.

– ...Vous l'êtes sûrement d'esprit. Vous possédez évidemment un album. J'y mettrai des vers. Comme l'oiseau, le disciple d'Apollo paie en chansons.

– Vous feriez cela ? clama la grosse femme haletante.

– Tout de suite.

Et d'un air inspiré, les bras étendus dans une attitude d'adoration, Armand, délaissant la langue de Dante pour celle de Gavroche, susurra ce quatrain bizarre que les Anglais eurent la force d'écouter sans rire :

– Aux yeux charmeurs de l'étincelante signora Gabriela :

Tes yeux sont les plus beaux de la Sicile, et ils

Possèdent par bonheur un peu plus de six cils.

Chacune en est jalouse, aucune en toilette n'a,

Dans ses regards brillants, ainsi que toi, l'Etna !

D'une poésie italienne, Gabriela aurait fait peu de cas, mais ces vers français, aux redondances cocasses, dont elle ne comprenait pas un mot, la subjuguèrent. Elle offrit au jeune homme la meilleure chambre de l'hôtel. Il dut se fâcher pour qu'elle consentît à lui consacrer seulement une mansarde. Le soir, elle réunit ses meilleures amies, quelques dames du haut commerce messinois. Tout heureuse de jouer à la protectrice des arts, elle exhiba son versificateur, comme « poète assermenté du palais de la Glorieuse Italie. »

Le lendemain, Lavarède reposé par une nuit de sommeil, réconforté par un déjeuner tiré de ses provisions, examina sa situation.

– Enfermé dans une île, c'est en bateau seulement que j'ai chance d'en sortir... par conséquent je vais faire un tour à la grève des matelots.

Comme dans tous les ports marchands, il existe à Messine une place où les marins sans engagement se rassemblent. Les capitaines s'y rendent et y recrutent leur équipage. Depuis une heure, il attendait, reluqué curieusement par les assistants. Soudain il tendit l'oreille. Un homme de haute taille se promenait dans la foule répétant d'une voix forte :

– Un mécanicien breveté. Pas de mécanicien ?

Quand il arriva devant Lavarède, celui-ci l'arrêta :

– Un mécanicien, pour aller où ?...

– À Livourne, avec escales à Lipari, Naples, Civita-Vecchia et Piombino.

– Traversée de... ?

– Cinq à six jours.

– Je suis votre homme, ancien élève à l'École du génie maritime de Brest.

– Vous avez votre brevet ? interrogea l'embaucheur.

– Non, par la raison toute simple que j'ai fait naufrage hier, en vue de ce port, et que tous mes papiers ont disparu.

– Naufrage ?... Vous étiez donc sur le bateau électrique ?

Naturellement l'accident de la veille défrayait les conversations des marins et tous étaient au courant.

– Oui.

– Quel poste occupiez-vous ?

– Capitaine mécanicien.

– La preuve ?

– Un passager, sir Murlyton, était à bord. Il est descendu à l'hôtel de la Glorieuse Italie.

– Bien.

À ce moment, Lavarède aperçut, traversant la place, Langlois et Yan. Il arrêta son interlocuteur qui se disposait à s'éloigner.

– Tenez, interrogez ces deux hommes.

– Pourquoi ?

– Ils formaient l'équipage du bateau.

Les Malouins confirmèrent son dire, et séance tenante, Armand fut engagé par le capitaine Pietro Antonelli, commandant le trois-mâts à vapeur le *Santa-Lucca*, qui devait prendre la mer le surlendemain, 29 février, à trois heures.

Les matelots accompagnèrent le jeune homme jusqu'à la piazza del Senatorio, place de l'Hôtel-de-Ville, où ils lui firent leurs adieux.

– Mais on se reverra en France, n'est-ce pas, monsieur ? On vous remerciera de vos bienfaits.

– Mes amis, il n'y a que les montagnes qui ne se rencontrent pas.

– Nous autres, fit Yan, c'est le 2 mars que nous quitterons la Sicile à bord d'un steamer venant de Gallipoli, à destination de Marseille. Jusque-là, nous résidons au fond d'un faubourg de Messine, dans la via Capranica.

– Presque la campagne, ajouta Langlois.

En arrivant à l'hôtel, le voyageur vit la porte encombrée par une bande de mendiants. Aurett avait fait le matin quelques larges aumônes. Le bruit s'en était répandu. Le ban et l'arrière-ban de la truanderie locale étaient accourus.

Les Anglais à leur retour eurent peine à traverser la foule en haillons quêtant une piécette de Leurs Excellences. Ils parurent enchantés en apprenant que leur ami avait trouvé le moyen de continuer son voyage. La jeune fille surtout applaudit des deux mains.

– C'est de la curiosité, expliqua-t-elle en rougissant un peu sous le regard d'Armand. Je vous ai vu en caisse, en Bouvreuil ; vous vous êtes montré matelot, ingénieur, président de la République, guerrier, camelot, revenant, condamné à mort, aéronaute, bouddha, diplomate, médecin, conducteur de traîneau, banquier, électricien, poète... J'ai hâte de vous voir Parisien.

– Et moi donc ! murmura Lavarède avec un accent si caressant que l'Anglaise baissa les yeux, comprenant que lorsqu'on aime les mots les plus simples expriment encore l'amour.

Le 28, le voyageur alla visiter le *Santa-Lucca* afin de s'assurer que tout était en bon état dans la chambre des machines. Le capitaine Antonelli accompagna son mécanicien improvisé, et fut émerveillé de ses connaissances. Dans une rapide inspection, l'ancien élève de l'École du génie maritime signala deux défectuosités, légères et facilement réparables, qui gênaient la transmission du mouvement à l'arbre de l'hélice.

– Faites exécuter ces petits travaux aujourd'hui, dit-il au maître du bord, et votre navire gagnera en vitesse près d'un nœud et demi par heure.

Pendant ce temps, sir Murlyton étant légèrement indisposé, Aurett loua un corricolo et se fit promener à travers la ville. Le palais archiépiscopal orné de fresques curieuses, la cathédrale où la fantaisie du gothique flamboyant s'unit à la légèreté audacieuse des édifices mauresques, l'intéressèrent vivement.

Elle parcourut la promenade du Corso, se rendit au phare du haut duquel on jouit d'un panorama incomparable.

Le soleil se couchait, incendiant l'horizon, dorant les toitures, plaquant de pourpre les façades des maisons. La jeune fille s'oublia dans la contemplation de ce spectacle féerique. Quand elle remonta en voiture, le jour baissait.

Une femme maigre, à la peau hâlée, aux yeux noirs, causait avec le cocher. Ce dernier désigna la voyageuse. Aussitôt la femme vint à Aurett et, tendant les bras d'un air suppliant, prononça des phrases rapides, entrecoupées. Bien qu'elle ne parlât qu'imparfaitement l'italien, la jeune fille comprit :

– Je suis une pauvre femme, mais fière. Je ne veux pas être confondue avec les mendiants professionnels qui pullulent ici. Mais j'ai été longtemps malade, le travail ne donne pas et mes enfants ont faim... Venez les voir et, si vous avez pitié, aidez une mère.

– Est-ce loin ? interrogea Aurett émue.

– Dix minutes à peine.

– Eh bien, ma pauvre femme, montez dans la voiture et dites au cocher où il doit nous conduire.

La Sicilienne obéit après quelques façons. Elle lança l'adresse à l'automédon et la voiture s'ébranla, se dirigeant vers l'ouest de la ville.

Aux questions de l'Anglaise, la femme répondait : Elle avait trois enfants, six ans, quatre et deux. La misère l'avait rendue malade. Trois mois on l'avait disputée à la mort au Grand Hôpital. À sa sortie elle avait trouvé les petits pleurant près du lit où gisait leur père déjà froid. Il était couvreur et dans une chute s'était brisé la tête. Depuis des semaines elle luttait et ce jour-là, désespérée, vaincue, elle s'était décidée à tendre la main. Elle avait eu confiance en la bonté de l'étrangère blonde, à l'air doux, et elle était venue à elle.

Le corricolo avait quitté les quartiers riches. Il roulait à travers un dédale de ruelles étroites, sinueuses.

Sur le pas des portes, aux fenêtres, on voyait apparaître des hommes, des femmes, vêtus de haillons. Ils lançaient sur les passants des regards acérés ; puis, en apercevant l'Italienne dans la voiture, ils riaient sans bruit, montrant leurs dents blanches.

– Nous sommes arrivées, dit la mendiante répondant à une demande que sa compagne n'avait pas formulée.

En effet, on s'arrêta presque aussitôt devant une maison de triste apparence, aux murs décrépits, à la toiture gondolée.

– C'est ici, fit-elle encore, venez et sauvez-les.

Aurett sauta à terre et suivit sa conductrice à l'intérieur. À l'extrémité d'un couloir sombre, celle-ci ouvrit une porte et les deux femmes se trouvèrent dans une chambre étroite, où l'air renfermé prenait à la gorge.

Un roulement se fit entendre dans la rue. Aurett esquissa un mouvement vers l'entrée, mais déjà la mendiante lui barrait le passage.

– Ce n'est rien, signorina, j'ai renvoyé la voiture.

– Renvoyé... pourquoi ?

– Inutile d'indiquer aux bersaglieri le lieu de votre retraite.

Une lueur traversa le cerveau de la jeune fille.

– Ah ça ! Prétendriez-vous me retenir ici ?

Un ricanement de l'Italienne lui répondit et soudain la pièce s'éclaira. La mendiante avait allumé une lampe. Avec terreur, l'Anglaise aperçut six hommes immobiles. Les considérant attentivement, elle vit que deux lui étaient connus.

– Monsieur Bouvreuil, murmura-t-elle, et ce José !...

Souriant, l'usurier s'approcha d'elle :

– Vous n'avez pas à trembler, mademoiselle ; un séjour de vingt-quatre heures dans cette bicoque ne peut passer pour une chose agréable, mais nous ferons en sorte que vous n'y manquiez de rien.

Comme elle le regardait stupéfaite, avec un mélange de mépris et de crainte, il ajouta :

– Moyennant cent louis, votre père vous reverra.

– Comment ? balbutia Aurett, retrouvant la voix, vous faites aussi ce métier-là ?

– Non, mademoiselle, mais ces quatre braves garçons, il désignait les drôles rangés le long du mur, n'ont consenti à nous servir que moyennant cinq cents francs chacun.

Et souriant :

– J'apporte une excellente affaire à sir Murlyton, il aura les millions de Lavarède, je ne veux pas payer la « commission ».

Sur ces mots, l'usurier salua l'Anglaise et sortit avec l'aventurier.

Voici ce qui s'était passé. En quittant le banquier Eserrato, les coquins s'étaient mis en quête d'individus capables de les aider dans un plan qu'ils venaient de combiner.

La tendresse de Lavarède pour Aurett n'avait pas échappé à l'usurier. Il s'était dit :

– Le gentleman lui fait bonne figure. Si le journaliste gagne le pari, il lui accordera sa fille. Ce sera un moyen de rentrer en possession de l'héritage du défunt. Mais si le brave Armand n'avait plus le sou, cet Anglais pratique changerait de maintien. Plus que jamais, il faut donc ruiner Lavarède.

Et se souvenant que depuis Ève jusqu'à sa Pénélope, toutes les tribulations des hommes ont été causées par les femmes, il conclut :

– C'est donc par la jolie Aurett qu'il faut l'atteindre.

Aisément, le rastaquouère aidant, le propriétaire avait recruté quatre vauriens, dont l'un était uni en légitime mariage à la femme maigre qui avait attiré la victime dans le piège. Et maintenant, ravi, savourant par avance sa vengeance, l'usurier rentra dîner à l'hôtel de *Sicilia e Roma*, où il était descendu.

Après la visite à bord, Lavarède était revenu au palais de la Gloriosa Italia. Il avait trouvé le gentleman seul, occupé à mettre un peu d'ordre dans ses notes de voyage.

– Savez-vous, dit ce dernier en l'apercevant, que notre promenade n'est pas banale ? Grâce à vous, à votre ingéniosité, elle est d'un pittoresque achevé. Quel homme vous êtes ? Quand je pense que, sans débourser un centime, vous êtes arrivé de Paris en Sicile en passant par l'Amérique, la Chine et le Thibet ; que de plus, je faisais le compte tout à l'heure, vous avez gagné plus de soixante mille francs que vous avez généreusement semés en route, je suis vraiment très enchanté d'avoir fait votre connaissance.

– Bon, répliqua modestement Lavarède, j'ai simplement profité des circonstances...

– Quand vous ne les avez pas fait naître, comme à Bordeaux, à Cambo, à San Francisco, à Lhaça, à Tchardjoui, à Bakou.

Commencée sur ce ton amical, la conversation se prolongea jusqu'à l'heure du dîner.

– Que fait donc Aurett ? dit l'Anglais, comme la cloche sonnait appelant à table les voyageurs, elle n'est pas encore rentrée.

Armand se leva.

– Où allez-vous ?

– Je vais m'informer.

L'inquiétude avait pâli le visage du jeune homme. Au bureau on lui apprit que la signorina était partie dans le corricolo du sieur Fierone, domicilié en face de l'hôtel.

Cette affirmation rassura Lavarède. Mais un instant après on vint lui dire que Fierone était de retour depuis longtemps déjà. Cette fois, il ne put s'empêcher de murmurer :

– Pourvu qu'il ne soit pas arrivé un malheur !

Dans la bouche d'Armand, toujours gai, une pareille supposition devenait effrayante.

– Que craignez-vous donc ? fit le gentleman.

– Ce que je crains ?... Eh ! le sais-je ? Mais nous sommes ici sur la terre classique du brigandage et la Maffia...

– Cela existe donc ? J'ai lu des histoires terribles dans les gazettes. Mais je me figurais que l'imagination des publicistes...

– Il n'en est rien, malheureusement !... Tenez, pas plus tard que l'an dernier, un pauvre diable qui ne put payer la rançon exigée par les Maffiosi fut réduit en bouillie.

– Mais alors... ma fille ?

– Venez chez ce cocher. Nous l'interrogerons.

Sur les indications de la signora Gabriela, ils trouvèrent facilement le logis de Fierone. Celui-ci dînait tranquillement. Sa femme le servait en fredonnant. Tous deux avaient l'air satisfait, ce qui n'eût point étonné les voyageurs s'ils avaient su que le Sicilien venait de toucher cent lires, pour avoir conduit la jeune Anglaise au lieu où l'attendaient Bouvreuil et ses complices.

– Que puis-je pour votre service, signori ? s'écria-t-il en voyant entrer les visiteurs. Une promenade sans doute ? Mieux que personne je connais la ville et ses environs.

Lavarède l'interrompit brusquement.

– Ce n'est pas cela. Vous avez pris tantôt une demoiselle habitant à la Gloriosa Italia.

Fierone échangea un regard d'intelligence avec sa femme, puis de l'air le plus ouvert :

– Cela est vrai, signor.

– Où l'avez-vous menée ?

– À l'archevêché, à la cathédrale, au Corso et au phare.

– Et après ?...

– Nous revenions quand, place du Senatorio, un homme m'a fait signe d'arrêter.

– Un homme ?

– Oui, Excellence ; grand, mince, brun et très richement vêtu. Il a parlé à ma cliente et celle-ci m'a payé en disant qu'elle rentrerait à pied.

– Ensuite ?

– Je suis revenu chez moi, où vous me trouvez. Mais ces questions ?... La jeune dame n'est donc pas de retour ?

– Non.

– Jésus !... Madona !... grommela le cocher, prenant un visage grave.

– Que signifient ces exclamations ? interrogea le gentleman.

– J'ai peur que tout cela vous coûte cher.

– Cher ?... pourquoi ?

– Les « Bravi della Montana », murmura le Sicilien en hochant la tête !...

À leur tour, les visiteurs se regardèrent anxieux. Ils sortirent sans remarquer l'expression ironique du digne ménage italien. Murlyton avait perdu son flegme.

– Mon enfant, répétait-il, aux mains de ces misérables !... et ne pouvoir rien pour la secourir !

– Peut-être, dit Lavarède pensif.

– Ah ! mon ami, vous avez une idée ?

– Attendez-moi là !

Le journaliste se précipita sous le vestibule brillamment éclairé du palais de la signora Toronti. Une minute après il reparaissait.

– Venez, fit-il.

– Où cela ?

– Chez le capitaine des bersaglieri.

Chemin faisant, il apprit à l'Anglais qu'à la suite d'une enquête sérieuse le gouvernement italien avait jadis acquis une étrange certitude. La plupart des gendarmes siciliens étaient affiliés à la Maffia. Aussi les crimes se multipliaient, tandis que les arrestations diminuaient de jour en jour.

Une mesure radicale s'imposait. La gendarmerie sicilienne fut transportée en masse sur le continent et remplacée par des carabinieri (gendarmes) venant du nord ; à qui l'on adjoignit des bersaglieri, chasseurs à pied, dont le recrutement se fait principalement parmi les Piémontais. Ceux-là, au moins, font aux bandits une guerre sans merci.

Le gentleman prêtait l'oreille, imposant silence à ses angoisses paternelles pour comprendre. Il fallait apprendre ce pays bizarre. La vie d'Aurett était peut-être en jeu. Une course rapide conduisit les deux hommes chez le capitaine bersagliere Margaritora.

L'officier était prêt à sortir ; mais dès les premiers mots, il introduisit les visiteurs dans une petite pièce qui lui servait de bureau, ainsi qu'en faisaient foi les cartons étagés dans un angle. Avec grande attention, il écouta le récit d'Armand.

– Il y a un témoignage important, termina le journaliste.

– Ah ! et c'est ?...

– Celui du cocher Fierone. Il a vu l'un des acteurs du drame probable. L'homme qui l'a arrêté place del Senatorio est jeune, élégant...

Le capitaine haussa les épaules :

– Et brun, n'est-il pas vrai ?

– Vous le connaissez ? s'écrièrent les visiteurs avec espoir.

– Hélas non ! Car il n'existe pas.

– Pourtant...

– Vous n'êtes pas du pays. Vous ne soupçonnez pas la lâcheté et le mauvais vouloir des Siciliens. L'homme brun fait partie de toutes les instructions judiciaires. Toujours un ou plusieurs témoins ont vu l'homme brun sur le lieu du crime. Bon moyen pour embarrasser la justice dans cette contrée où tout le monde est brun. L'homme brun indique que le témoin est Maffioso, celui qui ne sait rien est encore Maffioso, et la victime, elle-même, par crainte des vengeances futures, devient muette. Tous Maffiosi !... Parmi les cent vingt mille habitants de Messine, j'oserais parier qu'il s'en rencontre seulement cent cinquante et un hostiles à la Maffia, les cent cinquante hommes de ma compagnie et moi !

Et comme ses auditeurs le considéraient de leurs yeux désolés :

– Remarquez que je vais faire patrouiller, mais nous avons peu de chances de rencontrer les ravisseurs. Et même, ajouta-t-il avec une pointe de découragement, dans l'intérêt de la prisonnière, puisque vous êtes disposés à donner de l'argent, et que ces brigands ne désirent pas autre chose ; il est à souhaiter que l'on ne découvre pas leur retraite, car c'en serait fait de la jeune demoiselle.

L'officier fit un geste énergique :

– Chien de pays, gronda-t-il !... Ah ! j'aime mieux ma Lombardie... Moi je suis de Milan, on est civilisé par là.

– Mais alors, bégaya Murlyton éperdu, la loi italienne est impuissante à protéger les sujets de Sa Majesté britannique.

– À peu près... Soyez certain cependant que mes soldats feront de leur mieux.

– Et moi, ne puis-je ?...

– Vous ? Attendez ! Ne quittez pas votre demeure. Demain, sans nul doute, vous recevrez un billet qui vous apprendra le chiffre auquel les « Braves de la montagne » évaluent mademoiselle votre fille. Surtout, rassurez-vous. Elle ne courrait un danger réel que si vous refusiez d'acquitter la rançon.

Bien que son cœur battit à lui briser la poitrine, bien que sa souffrance morale fût au moins égale à celle du pauvre père, Lavarède eut conscience que le capitaine disait vrai.

Guidant son ami chancelant, il revint à l'hôtel. Les deux hommes veillèrent ensemble. Il leur eut été impossible de dormir, et ils éprouvaient une satisfaction douloureuse à s'entretenir de celle qu'ils aimaient différemment, mais aussi tendrement l'un que l'autre.

Le jour remplaça la nuit. Les heures se succédèrent. Les horloges de la ville sonnèrent huit, puis neuf, puis dix coups. Le Parisien ne tenait plus en place. À midi précis il devait s'embarquer. Et à l'idée que, lié par son engagement, il lui faudrait partir sans connaître le sort de sa bien-aimée, il ressentait une peine aiguë et profonde, comme un déchirement de tout son être.

Onze heures et toujours rien ! Soudain un pas pressé résonna dans le corridor, et Gabriela Toronti ouvrit la porte. Elle tenait une lettre à la main.

– Pour le signor Inglese, dit-elle, on vient de trouver cette enveloppe sur la table du bureau.

Murlyton avait déjà saisi la missive. D'un geste impatient il l'ouvrit.

Mais à peine y eut-il jeté les yeux qu'il poussa un cri désespéré.

– Qu'est-ce, au nom du ciel ? balbutia le Parisien bouleversé.

L'Anglais lui passa le papier.

– Lisez, mon ami.

Armand déchiffra ces lignes tracées d'une grosse écriture maladroite.

« *Illustrissimo Signor,*

« *Un trésor était égaré ; c'est de votre figlia carissima qu'il s'agit. Nous avons été assez heureux pour la rencontrer et sommes disposés à la remettre entre vos mains. Séparé d'elle, vous deviez souhaiter la mort ; nous vous rendons la vie, et vous supplions humblement en échange d'assurer l'existence à de pauvres gens, qui béniront Votre Excellence. Une signora Inglese, appartenant au premier peuple du monde et à une des premières familles de ce peuple, a une valeur immense.*

« *Nous croyons donc être modérés en sollicitant de Votre Grâce la remise, contre la giovinetta, de quarante mille livres sterling. Vous ne portez pas pareille somme sur vous, mais votre parole appuyée d'une promesse sur papier timbré, suffira à nous remplir de joie. Votre mouchoir attaché à la barre d'appui de votre fenêtre signifiera acceptation. Si d'ici à ce soir vous n'avez pas cru devoir faire ce signal, nous ferons les frais d'un linceul pour confier à la terre l'incomparable joyau que la Santa Maria beata a remis entre nos mains. »*

– Les misérables ! gronda sourdement le jeune homme.

Puis haussant les épaules avec son insouciance d'artiste pour le veau d'or :

– Les cris sont inutiles. Ils demandent un million, il faut payer.

– Payer, répéta l'Anglais d'une voix rauque...

Lavarède le considéra avec étonnement. Il crut à une révolte de l'homme qui possède, et non sans sécheresse :

– Ils la tueront sans cela... Préférez-vous donc votre or à votre fille ?

Mais il regretta aussitôt ses paroles. Le gentleman avait pâli sous l'outrage, et se tordant les mains, il gémissait.

– Mon or ! Si j'avais la somme je la donnerais, quitte à me remettre au travail pour refaire ma fortune. Mais en réunissant tout ce qui est à moi, je trouverais à peine trente mille livres. Et ils ne me croiront pas, ces bandits !... puisque vous-même vous m'avez soupçonné !

Le jeune homme saisit les mains de son interlocuteur, les serra vigoureusement et, courant à la fenêtre, il fixa son mouchoir sur la barre d'appui.

– Que faites-vous ? s'écria Murlyton, puisque je vous affirme que je n'ai pas...

Il s'arrêta. Lavarède le regardait en souriant.

– Cher ami, dit-il, prêtez-moi dix louis.

– Ah ça ! Vous devenez fou ? fit l'Anglais.

– Non, vous allez comprendre. Jusqu'à Livourne je dois servir sur le *Santa-Lucca*, j'ai donné ma parole. Mais une fois là, rien ne m'empêche de payer ma place en chemin de fer jusqu'à Paris. L'héritage de mon cousin vous appartient de la sorte, puisque j'aurai manqué à la clause testamentaire et la prisonnière est sauvée !...

Il disait cela simplement, sans hésitation, sans regret, il renonçait à la fortune colossale.

– Non, répliqua l'Anglais, je ne puis accepter.

Mais le journaliste l'interrompit.

– Alors je n'ai plus qu'à me loger une balle dans la tête, pour vous contraindre à hériter de moi et à arracher aux mains des Maffiosi le « trésor », comme ils l'appellent, elle !...

Et faisant sauter du bout de l'ongle une larme qui perlait entre ses paupières :

– Dépêchez-vous. Déjà je devrais être à bord. Mes dix louis, mon ami ?

Le gentleman ne résista plus. Il remit l'argent ; puis lui ouvrant les bras :

– Mon ami, bredouilla-t-il en pleurant... mon fils.

Un instant, les deux hommes demeurèrent embrassés ; et Lavarède se dirigea vers le port d'un pas léger. À trois heures cinq, le *Santa-Lucca* quittait Messine en emportant son nouveau mécanicien.

Sur la jetée, Bouvreuil se promenait avec son inséparable associé Miraflor. Quand le bateau fut à une certaine distance, il se mit à rire.

– Maintenant, dit-il, nous pouvons rassurer ce brave Anglais.

– Vous êtes certain que tout a bien marché ?

– Le mouchoir a été attaché à la fenêtre par ce damné journaliste lui-même. Caché dans la maison de Fierone, je voyais dans la chambre et j'ai suivi la scène. L'Anglais a avoué qu'il ne possédait pas un million. Parbleu, sans cela, nous aurions demandé davantage !... Puis il a donné de l'argent au jeune homme. D'où j'ai conclu ceci : bête comme un fiancé, Armand a sacrifié sa fortune pour sauver sa belle.

– Les renseignements que vous aviez étaient donc absolument exacts ?...

– J'en étais sûr. Le banquier de Calcutta qui me les a donnés, alors que je passais pour un grand explorateur, possédait un tableau des fortunes anglaises. J'ai quelques propriétés là-bas et elles y figuraient à un penny près. Voilà pourquoi j'ai cru au reste. Mais laissons ce sujet. Retournez auprès de la petite, moi je me réserve le papa.

Les deux coquins se serrèrent la main. Bouvreuil prit le chemin du palais de la Gloriosa Italia.

Don José Miraflor s'enfonça dans le quartier populeux où était détenue Aurett. Tout en marchant, il monologuait :

– Pourquoi pas ! L'idée était bonne. Le vieil Anglais sera furieux, c'est évident ; mais il faudra bien qu'il s'amadoue.

Et un sourire sinistre écartait ses lèvres. Bientôt il atteignit une rue. Un écriteau à demi brisé portait « via Capranica ». Il s'arrêta à l'une des dernières maisons, longea un corridor sombre et pénétra dans la pièce, où la jeune fille, sous la garde de quatre gredins, était prisonnière depuis la veille.

José parla bas aux Siciliens. Ceux-ci sortirent, le laissant seul avec la captive. Alors, il vint à elle, et, narquois, menaçant :

– Mademoiselle, fit-il, à Cambo, on a interrompu notre conversation commencée ; ici, je l'espère, il n'en sera pas ainsi.

– Que voulez-vous dire ? murmura la jeune fille.

– Ceci. Mandé par une lettre, votre père vient ici. Il tombera dans le corridor d'entrée, percé de coups de couteau, si vous n'êtes mon épouse.

Et comme Aurett gardait le silence, épouvantée :

– Un bon moine habite tout près. Faut-il le prévenir ? Il nous aura bénis avant l'arrivée de sir Murlyton.

L'Anglaise courba le front. Il lui fallait céder, renoncer au fiancé qu'elle avait choisi, sans cela son père serait assassiné. Et d'une voix basse, déchirante, elle dit :

– Prévenez le moine, mais épargnez mon père.

José poussa une exclamation de triomphe, mais soudain il se produisit dans le couloir comme un bruit de tempête.

La porte s'ouvrit, battant le mur avec fracas et trois hommes se ruèrent dans la chambre. Avant que le misérable eût pu se rendre compte de ce qui arrivait, un coup de bâton l'étendait sur le sol et Aurett, enlevée de terre comme une plume, était dans les bras de son père.

Quand elle fut revenue de sa surprise, on lui raconta ce qui s'était passé. Langlois et Yan, en attendant le 2 mars, s'étaient logés rue Capranica. Ils l'avaient dit du reste à Lavarède. Apprenant qu'une étrangère était séquestrée dans une maison voisine, ils s'étaient informés et avaient acquis la certitude que l'infortunée était la passagère du navire électrique. Eux, qui n'étaient pas de la Maffia, ils avaient couru aussitôt à l'hôtel de la signora Toronti. À l'heure même où le *Santa-Lucca* sortait du port, le gentleman recevait les braves marins et, dès les premiers mots, il se levait et partait avec eux pour délivrer sa fille. Sans peine, boxant en Anglais et cognant en Bretons, ils avaient culbuté les coquins rassemblés dans le couloir... ils étaient arrivés à temps.

Aurett ne demandait qu'à s'éloigner de ce lieu où elle avait souffert tant d'angoisses. On revint vers l'hôtel.

En route Murlyton lui apprit la résolution généreuse d'Armand. Elle frissonna tout entière, prise d'une joie infinie.

– Comme il m'aime ! dit-elle en tombant dans les bras de son père.

Et tout à coup elle demanda :

– Mais il ne perdra son héritage qu'après Livourne !

– Sans doute.

– Eh bien, mon père, il ne faut pas qu'il soit vaincu celui qui mérite tant de triompher.

– Comment l'empêcher ?

– Une dépêche.

– Mais à quelle adresse ?

– Sur le *Santa-Lucca*, dès son entrée à Livourne, urgent.

Tout heureuse, elle accompagna son père au télégraphe et ne se décida à quitter le bureau qu'après la transmission du télégramme.

À l'hôtel, on fit fête à l'Anglaise, échappée aux mains des bandits. On parla d'un signor venu pour voir sir Murlyton après son départ. Au signalement, Aurett reconnut Bouvreuil.

– *All right !* grommela le gentleman, si jamais je rencontre cet individu, je jure de le corriger d'importance.

XXIX

France !

Le 5 mars, au matin, le *Santa-Lucca* mouillait dans le port de Livourne. Un grain à hauteur de l'île d'Elbe avait été le seul incident du voyage. Le bateau était à peine à quai qu'un télégraphiste bondissait sur le port, demandant :

– Il signor Lavarède ?

Averti, celui-ci se présenta et le messager lui remit une dépêche.

– Un télégramme, à moi, ici ?... qui diable peut... ?

Très intrigué, il regarda d'abord la signature.

– De Murlyton... Ah ! bien, il m'annonce le retour de miss.

Il y avait bien de cela, mais ce n'était pas tout ; la dépêche disait :

« Enlèvement Aurett simulé, était manœuvre Bouvreuil pour vous duper. Pas loyal profiter situation. Correct vous avertir. Ma fille près de moi vous dit : Continuez voyage. Vous retrouverai à Paris, 25, chez notaire. Puisque peux plus contrôler, munissez-vous certificats indiquant moyens de transport employés.

« Truly. Murlyton ».

Un instant le jeune homme demeura immobile. Une joie intense chantait en lui. Aurett ne courait plus aucun danger. Et c'était elle, la chère enfant, qui lui disait, dans la sécheresse laconique du télégramme :

– Poursuivez votre route. Mon cœur est avec vous, je veux que vous arriviez vainqueur.

Quelques secondes accordées au sentiment, et puis le Parisien se retrouva plein d'ardeur.

Il fallait des certificats. Tout d'abord celui du capitaine du *Santa-Lucca*. Celui-ci ne fit aucune difficulté d'attester que pendant la traversée de Messine à Livourne, du 29 février 1892 au 5 mars, Armand avait rempli avec zèle et habileté les fonctions de mécanicien à son bord, et ce sans aucune autre rétribution que sa nourriture.

Il octroya non moins gracieusement à ce marin modèle quelques feuilles de papier à lettre. Et, séance tenante, Lavarède plaça sous enveloppe les deux cents francs empruntés à sir Murlyton, convertis en un chèque par les soins du capitaine Antonelli.

De sa plus belle écriture, il moula cette suscription :

« *À maître Panabert notaire*

Rue de Châteaudun

Paris

Pour remettre à sir Murlyton, Esquire. »

Une fois à terre, la « blague » reprit le dessus.

– J'ai vingt-cinq centimes à dépenser. C'est le prix d'un timbre-poste dans tous les pays de l'union postale : rien ne m'empêche donc d'affranchir ma lettre à maître Panabert.

L'épître jetée à la poste, le voyageur se préoccupa d'obéir à la dépêche de ses deux amis.

Le patron d'une tartane complétant son équipage l'embaucha, et de Livourne à la Spezzia et à Gênes, il apprit le jour, la manœuvre de la voile latine ; la nuit, la pêche à la traîne.

À Gênes, il passa sur une autre barque et jusqu'à Vintimiglia, fit successivement la guerre au thon, à l'éponge commune et au corail rose.

Une journée de marche pédestre sur la merveilleuse route de la corniche d'en haut, amena le journaliste à Monaco, où, pour arriver à Nice, il suivit la corniche d'en bas, au bord de la mer.

Là, un matelot, ayant été grièvement blessé dans une rixe, Lavarède le remplaça sur un caboteur, chargé d'oranges et de grenades. Débarqué à Toulon, le voyageur eut la bonne fortune de rencontrer le yacht d'un ami parisien, fils d'un chocolatier connu dans les cinq parties du monde.

Très intéressé par le récit de ses aventures, celui-ci offrit à

Armand de le conduire à Marseille sur son yacht de plaisance, qui flânait dans la Méditerranée, sans but. Autant aller à Marseille qu'ailleurs.

Bref, le 16 mars, à huit heures du matin, le journaliste mit le pied sur le quai de la Joliette. Son premier cri fut un cri de joie.

– Terre natale, terre de France, je te revois enfin et je te salue ! Ah ! c'est bon de respirer l'air du pays (et comme il aspirait à pleins poumons). Sapristi ! fit-il gaiement, il n'est pas aussi pur qu'à Nice et sent terriblement l'ail et le savon... mais enfin, ici ou là, c'est tout de même la patrie.

Il rangea ce qu'il appelait ses papiers, c'est-à-dire les attestations de ses patrons de hasard, depuis celui de la tartane jusqu'à l'obligeant yachtman.

– Comme ça, je ne passerai pas pour un vagabond, le plus grand danger que je courre maintenant... Je ne me vois pas pincé par la gendarmerie, qui, avec la placide lenteur de notre administration, attendrait pendant trois mois la preuve de mon identité... Avec ces paperasses, je suis tranquille.

Mais bientôt sa satisfaction fit place à des réflexions pénibles.

– Je suis à 865 kilomètres de Paris. Inutile de songer à les faire à pied. Le temps me manque. Donc il me faut trouver un véhicule. Mais lequel ? Ah lequel ?... Voilà la question. Ici, il ne s'agit plus d'employer les moyens héroïques... je suis en pleine prose à présent. Il faut trouver « des trucs », comme on dit au boulevard.

Parbleu, le chemin de fer lui plaisait. S'il avait connu un chef de gare, il aurait pu rentrer à Paris comme il en était parti. La moindre caisse eût fait son affaire. Seulement, il ne connaissait personne à Marseille.

Tout en songeant, Lavarède remontait la Canebière. La large voie, bordée de magasins, de cafés et d'agences commerciales ou maritimes, était encombrée de voitures. Les balles de café, de coton, se croisaient avec les emballages des savonneries.

Les chariots roulaient lourdement, les conducteurs s'invectivaient, les chevaux hennissaient. Sur les trottoirs des hommes chargés de fardeaux se croisaient en tous sens, avertissant les promeneurs d'avoir à se garer par des cris aigus, des exclamations sonores. Les *té*, les *mon bon*, les *péchaire* heurtaient les *troun de Diou* et les *patafloc* dans un vacarme assourdissant !

Calmes au milieu du tohu-bohu, les petits décrotteurs circulaient en casaque uniforme, sautaient aux pieds du passant arrêté et d'une brosse légère enlevaient la poussière blanche ternissant le vernis de la chaussure.

Évitant les chocs, Lavarède arriva sur le cours Belsunce. Le promeneur remarqua deux hommes qui sortaient d'un café au coin de la rue Pavé-d'Amour. Ils parlaient haut, en vrais Marseillais qu'ils étaient de la tête aux pieds.

– Eh ! disait l'un, viens donc déjeuner, Bodran.

L'autre résistait :

– Non, je dois me rendre...

– Au dépôt des mécaniciens et chauffeurs, la belle affaire ! Les roulements, ils sont établis sans toi... tout chef du dépôt que tu es. Ils s'exécuteront bien sans toi...

– Seulement si mon absence était constatée, je serais à l'amende. Non, tu emmèneras le petit, voilà tout. Accompagne-moi un peu, il doit être à jouer par là !

Lavarède avait dressé l'oreille. Cette fois il la tenait son idée. Ex-mécanicien d'un steamer, il saurait bien « chauffer » une locomotive. Et il avait le chef de dépôt sous la main ! Comment l'intéresser à son sort ?

Il suivit les deux hommes qui montaient vers les allées de Meilhan, se rendant ensuite à la gare Saint-Charles. Ils s'arrêtèrent et l'employé de chemin de fer montra à son compagnon un groupe de gamins sur le trottoir opposé.

– Tiens, voilà Vittor. Tu le prendras avec toi. Eh ! Vittor, ici !

À cet appel, lancé d'une voix de stentor, l'un des joueurs leva la tête.

– Té, s'écria-t-il, c'est le père !

Et il bondit sur la chaussée pour rejoindre l'auteur de ses jours. Dans sa précipitation, l'enfant n'avait pas aperçu un camion qui arrivait à fond de train.

Le chariot lancé allait écraser le petit. Les promeneurs virent le danger. Ils poussèrent un cri d'épouvante et... brusquement ils se turent stupéfaits. Lavarède n'avait pas crié, mais s'était élancé ; d'un revers de main, il avait culbuté le petit en dehors de la ligne suivie par les chevaux, et la voiture passée, il l'enlevait dans ses bras et le rapportait tout étourdi encore à son père.

Celui-ci était littéralement fou. Il embrassa le gamin, serra la main du sauveteur, fit de grandes démonstrations, gesticula, pleura, commença des phrases qu'il ne finissait pas. Enfin, il remit un peu d'ordre dans ses idées et Armand put percevoir ces mots :

– Vous avez sauvé Vittor, souvenez-vous du père Bodran. Il vous est dévoué jusqu'à la mort.

Le Parisien sourit et appuyant sa main sur l'épaule du Marseillais :

– Comme cela se trouve, dit-il, j'ai besoin de vous.

– De moi ?

– Précisément. J'ai entendu sans le vouloir votre conversation. Monsieur se charge de votre petit Victor. Une promenade et un bon déjeuner lui ôteront jusqu'au souvenir de sa frayeur. En nous dirigeant vers la gare je vous expliquerai mon affaire.

Avec des manifestations et des gesticulations exagérées les amis se séparèrent et le chef de dépôt resta seul avec le Parisien. Ce dernier avait déjà préparé une histoire :

« Il habitait Messine, vivant difficilement au jour le jour, quand il apprit la mort d'un parent à héritage. Le décès datait de loin et le 25 mars on atteignait le délai de prescription. Ses lettres au notaire demeurant sans réponse, il s'était embarqué comme mécanicien, il avait ses preuves en poche ; arrivé le matin même à Marseille, il se trouvait sans argent. »

Bodran fronça le sourcil. Ce discours lui semblait devoir aboutir à un emprunt... Mais Lavarède conclut négligemment :

– Or, demander l'aumône, solliciter un prêt, sont choses usuelles chez les gens qui ont l'habitude de l'oisiveté. Elles ne sauraient me convenir. Je suis un travailleur, moi, et ce que je demande, c'est un travail grâce auquel je puisse me rapprocher de Paris.

– Très bien, souligna le chef de dépôt visiblement soulagé.

Puis, par réflexion :

– Tout cela ne me dit pas ce que vous attendez de moi.

– Mais si.

– Vous trouvez ?

– C'est clair. Ex-mécanicien, je saurai bien chauffer une machine et vous auriez toutes facilités pour m'en confier une.

Bodran se gratta le nez.

– Diable ! Diable ! Ce n'est pas commode.

– Vraiment ?

– Sans doute, la Compagnie a ses mécaniciens et chauffeurs, classés après examen. Les roulements sont établis et à moins d'un accident.

– Provoquons-en un.

– Provoquer un accident ! clama l'employé avec ahurissement.

– Ou plutôt, continua Armand, un incident, un trou dans le roulement. Tenez, vous m'êtes dévoué à la vie à la mort. Du moins vous l'affirmiez tout à l'heure.

– Je ne m'en dédis pas.

– Eh bien ! Menez-moi au dépôt. Invitez-moi à déjeuner et à dîner aujourd'hui.

– Bon !

– De plus, faites-moi cadeau d'un litre d'eau-de-vie. Avec cela, je me charge de mettre un chauffeur hors d'état de partir. Voilà l'incident demandé. Je remplace l'homme au pied levé et je file sur Paris.

La proposition égaya fort Bodran.

– Tenez, s'écria-t-il, vous êtes un malin. Venez donc... Les agents attachés à ce dépôt font le service jusqu'à Tarascon seulement. Je vous donnerai un mot pour mon collègue. Il vous enverra plus loin.

Les causeurs étaient arrivés à la gare Saint-Charles. Derrière son guide, le journaliste pénétra sur les quais, traversa les voies et gagna le dépôt.

Dix minutes plus tard, ses souvenirs de l'école de Brest aidant, il avait fait preuve d'une connaissance des machines suffisante pour que Bodran n'eût aucun scrupule, aucune inquiétude. Le chef de section le fit déjeuner.

À deux heures, au moment où une locomotive chargée de ses servants rentrait, il lui remit le litre de cognac réclamé. Armand scrutait le visage du chauffeur qui arrivait. Sous la poussière de charbon dont cet agent était masqué, son nez rutilait... Quel indice !... Lavarède se pencha à l'oreille de Bodran.

– Un mot. Quand repart ce gaillard-là ?

– Voyez le roulement. Minuit 52 minutes par train de marchandises 3014.

– Entendu ! C'est ce train que je choisis.

Et laissant le chef de dépôt, il se rapprocha de l'agent qu'il aspirait à remplacer. Le chauffeur nettoyait la locomotive. Le Parisien le questionna, se donnant pour un sous-ingénieur de l'exploitation, de passage au dépôt pour vingt-quatre heures.

L'ouvrage achevé, il savait que son interlocuteur s'appelait Dalmuche, qu'il n'était pas satisfait de son sort, état d'esprit commun à tous les employés, et qu'il désirait être promu mécanicien.

Armand feignit de s'intéresser à ces racontars, ce qui flatta le chauffeur. Il lui promit de le recommander à la direction, ce qui le charma, et, pour finir, lui fit avaler un verre de cognac. Du coup, l'homme fut conquis. Son nez rubescent n'avait pas trompé l'observateur. Il appartenait à un ivrogne. Dès qu'il aperçut le litre d'alcool, l'agent se sentit pris pour le soi-disant ingénieur d'une vive tendresse. Au lieu de consacrer au sommeil les heures affectées au repos par le roulement, il voulait accompagner son nouvel ami, le piloter dans Tarascon, lui montrer le pont du Rhône. Mais Lavarède le calma d'un mot.

– Reposez-vous bien. Après le dîner, nous finirons la bouteille. Cela éclaircit les idées.

Chose promise, chose due. À huit heures, les deux hommes s'attablaient en face l'un de l'autre, le flacon de cognac entre eux. À onze heures, Dalmuche ronflait sur la table après avoir « séché » la bouteille.

– Il en a au moins pour douze heures à cuver son eau-de-vie, grommela le chef de dépôt qui avait suivi avec intérêt les manœuvres de Lavarède. Je n'ai plus qu'à porter l'incident sur ma feuille. Pas d'autre chauffeur disponible ; je vous engage, ma responsabilité est à couvert.

– Cependant, objecta le jeune homme, vous n'inscrirez pas le motif : Ivresse.

– Pourquoi ?

– Je ne veux pas causer d'ennui à ce pauvre diable. Mettez indisposition subite.

– Je veux bien.

Et se frappant le front, Bodran ajouta :

– Mieux que ça : « Indisposition cholérifor-me ».

Le journaliste le regarda, surpris :

– On parle donc du choléra en France ?

– Ah ! ça, vous ne lisez pas les journaux ?

– J'arrive.

– C'est juste. Sachez donc que les feuilles racontent une foule d'histoires de microbes, si bien que personne n'a la maladie, mais que tout le monde en a peur. Si vous avez un coryza, les médecins le trouvent aussitôt cholériforme ; une fluxion devient « nostras » ; un cor au pied, « asiatique ». Par conséquent...

– ... Cholériforme fera bien sur la feuille.

Sur ce, Lavarède secoua vigoureusement la main du brave homme, glissa dans sa poche sa lettre de recommandation pour M. Berlurée, chef du dépôt de Tarascon, et sauta sur la machine. Sur sa prière, Bodran lui remit en outre un certificat établissant l'emploi de sa journée.

À minuit 52, le cheval de feu, comme disent les Arabes, s'ébranlait, entraînant à sa suite les vingt-quatre voitures du train de marchandises 3014. Par suite de la rupture d'un essieu, on perdit plus de deux heures à Rognac, et l'on arriva à Tarascon à huit heures.

M. Berlurée, en congé, n'était pas au dépôt. On indiqua à Lavarède le garni où il logeait. La maison était proche de la gare. Le rez-de-chaussée était occupé par un débit de vins, dont le patron contemplait la devanture avec une expression de désespoir.

– M. Berlurée ? répondit le commerçant à la question du journaliste. Il prend ses repas chez moi, comme presque tous les employés du chemin de fer, mais il est à la fête de Lunel et ne rentrera que demain.

Et sans remarquer l'air désappointé de son interlocuteur, il grommela :

– Le diable emporte les fêtes votives !

Armand fut frappé de son accent rageur, et avec une commisération hypocrite :

– La concurrence, dit-il, cela vous prive de vos clients.

– Bon, je suis au-dessus de ça. Je bougonne pour la façade de ma maison.

– Ah !

– Dame. Je fais venir un peintre pour la remettre à neuf. Il gratte l'ancienne peinture, brûle le bois et crac ! Il file à Lunel. Et je le connais ! Quand il est en noce, il en a pour huit jours. Pendant ce temps, mon établissement va rester dans cet état-là.

De fait, le débit avait un aspect piteux. Le visage du voyageur se dérida.

– Il serait bien étonné, souffla-t-il au marchand de vins, si à son retour, il trouvait la boutique repeinte.

– Il le mériterait... Seulement voilà, je devrais faire double frais.

– Non.

– Comment non ?

– Tenez, déclara Lavarède, je vais être franc. L'absence de M. Berlurée me gêne beaucoup. Service pour service. Assurez-moi la table et le coucher pour vingt-quatre heures, et je repeins votre façade.

Le marché était avantageux. Le commerçant fut tôt convaincu. Son épouse, une commère réjouie, au nez retroussé, courut chez un marchand de couleurs et rapporta les ustensiles et ingrédients nécessaires, plus un vernis désigné par le voyageur, qui le mélangea adroitement avec les matières colorantes.

Une heure après son arrivée, le Parisien, couvert d'une blouse obligeamment prêtée par Mme Félicité Croullaigue, la patronne, badigeonnait avec entrain.

Souvent Mme Félicité sortait pour voir si tout marchait bien. En réalité, elle avait été séduite par la physionomie fine du peintre, par ses yeux rieurs, par « un je ne sais quoi » qu'elle n'avait rencontré chez aucun de ses clients habituels.

Et puis jamais, dans le pays, on n'avait vu un ouvrier aussi expéditif. Grâce au vernis demandé par Lavarède, la couleur séchait presque instantanément, si bien qu'au soir la boutique avait reçu deux couches de bleu ciel, sur lesquelles se détachaient des filets noirs et le nom du débitant : Aristide Croullaigue, en jaune. C'était superbe. Le négociant exulta. Il proclama son hôte grand artiste, et si sa femme ne prononça pas une parole, ses regards furent éloquents.

Comme la signora Toronti, à Messine, elle rêvait peut-être d'attacher le peintre à son établissement. Un vrai Don Juan, ce Lavarède ; pas une n'échappait à la fascination.

Le lendemain matin, un mot de M. Berlurée était apporté par un camarade. Le chef de dépôt mandait à Croullaigue qu'ayant rencontré à Lunel d'anciens camarades de l'École des arts et métiers, il prenait, sur autorisation de ses supérieurs, cinq jours de congé.

À cette nouvelle, Armand ressentit un choc. Il ne pouvait rester à Tarascon jusqu'au 22 ou 23 mars. Oh ! certes, d'ici là il ne manquerait de rien. Ravie de le conserver, Mme Félicité se chargea de lui trouver de l'ouvrage.

Au besoin elle lui eût fait badigeonner les manches à balai aux couleurs nationales. Jamais son mari n'avait soupçonné qu'il y eût tant de choses à peindre dans la maison. Et Armand couvrait de teintes variées des objets divers, tout en cherchant une idée qui ne venait pas.

Pour atteindre Paris en temps utile, le chemin de fer seul était un véhicule assez rapide. Une visite à la gare lui prouva qu'il ne trouverait aucune aide de la part du personnel, tremblant sous le commandement d'un chef sévère.

La journée du 18 mars avait fui, celle du 19 s'avançait. Désespérément Lavarède maniait son pinceau. Il s'était juré de quitter la ville le lendemain coûte que coûte, non plus pour arriver à Paris, mais pour changer de place, pour échapper à l'excitation nerveuse qui le gagnait.

D'une armoire de bois blanc, il venait de faire un meuble en acajou, et prenait, sur le comptoir, le vermouth offert par le patron, quand un homme d'équipe entra :

– Dites donc Croullaigue, fit-il, demain matin vous aurez deux déjeuners en plus.

Le commerçant inclina la tête.

– Vous attendez des amis ?

– Non, mais les employés du bureau ambulant.

– L'ambulant du train-poste 4, Marseille-Lyon ? Pourquoi ?

– Parce que la correspondance de Perpignan-Cette sera en retard.

– Vous savez cela d'avance ?

– Dame !... Un éboulement près de Narbonne. Service provisoire en voie unique. Résultat : désheurement des trains. Mais ne vous en plaignez pas. Il y a un certain Poirier, ambulant, qui n'engendre pas la mélancolie. Il boit, il mange. En voilà un qui n'a pas peur du choléra.

Mme Félicité écoutait à la porte. Elle poussa un gloussement effrayé.

– Ne prononcez pas le nom de cette horrible maladie.

Sa voix tremblait.

– Bon ! fit l'employé, qu'avez-vous ?

– Ce que j'ai ? Allez au coin de la rue et lisez l'arrêté du maire, vous m'en direz des nouvelles : « En cas d'indisposition constatée, faire transporter le malade à l'hôpital d'urgence, afin de ne pas contaminer les maisons particulières. »

Lavarède fit un brusque mouvement. Le train 4 devait attendre ici. Le personnel de la gare ne comptait donc pas d'ambulants auxiliaires que l'on pût expédier avec les dépêches du Midi par un autre train. Un éclair traversa son regard, tandis que ses lèvres s'écartaient sous l'effort d'un sourire involontaire. Tarascon n'agaçait plus Armand, les Croullaigue lui devenaient supportables. Pour un peu, il les aurait embrassés.

Le lendemain, dès le matin, la boutique fut remplie de consommateurs. C'était un dimanche et chacun sait que, ce jour là, on boit pour tout le reste de la semaine. Les carafons se vidaient, les verres s'entrechoquaient. Un relent d'alcool flottait dans l'air.

On causait de la ville, des marchés, des constructions, des récoltes, de politique, surtout de la politique locale. Comment ces conversations aboutirent-elles à l'épidémie cholérique ? Nul n'aurait su le dire. Pourtant la chose arriva, et la pauvre cabaretière qui allait de table en table, parée de la robe et du bonnet des dimanches, sentait ses jambes se dérober sous elle, en entendant résonner à ses oreilles le nom du terrible ennemi envoyé par l'Asie conquise à l'assaut de l'Europe victorieuse.

D'abord ses traits s'étaient couverts d'une teinte pivoine, puis graduellement la malheureuse avait pâli. Son nez retroussé palpitait au milieu d'une face blafarde quand, à midi et demi, les employés de poste du bureau ambulant du train 4 vinrent s'installer pour déjeuner.

Leur train attendait en gare les correspondances du Midi. Aussitôt Lavarède courut à Mme Croullaigue.

– Remettez-vous, lui dit-il avec un accent dont la commère se sentit troublée, ces bavards vous ont épouvantée. Je vais servir ces messieurs.

Les roses revinrent aux joues de la dame. Elle accepta d'un geste de reine remettant les soucis du gouvernement à un favori.

Et léger, gracieux, parisien jusqu'au bout des ongles, Armand, la serviette sous le bras, prit la commande des postiers ; puis il disparut, avec un : *Boum ! voilà !* Dont tressautèrent les compatriotes de Tartarin rassemblés dans la salle. Dextrement il assura le service.

Seulement, ce que personne ne put voir, il saupoudra les portions de l'un des agents d'une poudre blanche contenue dans un flacon dérobé sur la cheminée de Félicité. Petit flacon à quatre faces sur chacune desquelles on pouvait lire ces mots éloquents en relief.

« Magnésie anglaise. »

L'agent, qui n'était autre que le fameux Poirier annoncé la veille, mangeait gloutonnement, s'interrompant tout au plus pour déclarer que la cuisine tarasconnaise avait un petit goût particulier ; pas désagréable au fond, on s'y faisait vite.

Imperturbable, le journaliste écoutait les appréciations du postier.

Tout à coup, celui-ci cessa de dévorer. Il regarda à droite et à gauche d'un air surpris, promena une main inquiète de l'épigastre à son abdomen.

– Qu'as-tu, Poirier ? demanda son compagnon.

– J'ai... Je ne sais pas ce que j'ai... C'est curieux... Je te demande pardon, Tolinon, je reviens de suite.

Tout courant Poirier accosta Lavarède, lui parla bas, en reçut une réponse et fila comme une flèche dans un large terrain vague situé derrière le débit.

Tout au fond on distinguait une petite tonnelle de pierre, sur la porte jaune de laquelle s'étalait le nombre 1000. Dans le Nord on se contente de signaler ce lieu par le chiffre 100 ; ce n'était pas assez pour la faconde tarasconnaise de Croullaigue ; il a ajouté un zéro.

Une grosse clef rouillée était sur la porte. Poirier disparut dans la maisonnette, confidente discrète de plus d'une souffrance, et, après quelques instants de méditation, songea à aller retrouver son ami. Mais il eut beau pousser le battant de chêne, celui-ci refusa de tourner sur ses gonds. Il s'épuisa en vains efforts, criant, hurlant. On ne l'entendait pas de si loin. Durant une demi-heure, l'infortuné rugit dans sa prison.

Enfin un bruit de pas arriva jusqu'à lui. Il poussa un soupir de satisfaction. Ses appels avaient été entendus. On venait le délivrer.

La porte s'ouvrit. Il se précipita, un remerciement aux lèvres, mais un drap de toile s'abattit sur sa tête !... Avant qu'il eut pu protester contre cette nouvelle mésaventure, il était renversé, garrotté, couché sur une civière et emporté par deux hommes vers une destination inconnue.

Au milieu d'un groupe de gens affairés réunis dans le terrain vague, Lavarède pérorait. Il se contraignait à la gravité, encore qu'il eût fait tout le mal et qu'il eût une forte envie de rire. Derrière Poirier il avait quitté la salle commune du débit. D'un tour de clé il avait emprisonné le pauvre ambulant, et quand son collègue Tolinon s'était inquiété de sa longue absence, il avait crié :

– Je vais voir, monsieur.

Cinq ou six fois il avait feint de s'enquérir du postier. À chaque voyage son front se rembrunissait. Au troisième il avait murmuré tout bas en passant auprès de Mme Félicité.

– Si c'était le choléra !...

Au quatrième, il ajouta :

– S'il allait mourir là !...

La cabaretière avait perdu la tête, dépêché son mari au commissaire spécial de la gare, et le fonctionnaire, accompagné de deux porteur est d'une civière, avait enlevé Poirier pour le transférer à l'hôpital, ainsi que le prescrivait l'arrêté du maire.

Maintenant l'autre postier Tolinon se lamentait. Il restait seul pour assurer le service entre Tarascon et Lyon. Jusque-là pas d'auxiliaire !... Bien certainement, il commettrait des erreurs qui nuiraient à son avancement. Car si l'administration se dérobe à toute responsabilité vis-à-vis du public par la rubrique connue : Cas de force majeure ! Elle ne permet pas à ses agents d'user de la même excuse.

– Bon, fit une voix auprès de lui. Pendant la guerre turco-russe, j'ai fait le service dans les Balkans. Si vous voulez, je vous seconderai.

Tolinon se détourna. Lavarède le regardait souriant. Il disait vrai... presque. Correspondant de son journal, les circonstances l'avaient amené, en Turquie, à convoyer un courrier pour être sûr que son envoi partirait, ce qui n'arrivait pas toujours, en ce temps-là, dans l'empire ottoman.

Dans la position de l'ambulant, un homme un peu au courant était le salut. Après quelques répliques rapides, il serra les mains du Parisien :

– Venez donc, car l'heure du départ est proche.

– À l'instant.

Courir à Mme Félicité, lui adresser un adieu ému, lui arracher un certificat de bonne peinture fut l'affaire d'une minute. Bientôt, triomphant, le voyageur montait à la suite de Tolinon dans le wagon des postes, et le train démarrait l'emportant vers Lyon, au lieu et place du sieur Poirier que les infirmiers de l'hôpital de Tarascon soignaient avec un dévouement dont le patient pensa devenir fou.

Montélimar, Valence, Vienne, Givors, défilèrent sous les yeux du journaliste, chargé par Tolinon du lancement des sacs de dépêches, au passage des gares franchies sans arrêt.

Et il les lança ces sacs, avec un entrain tel que, durant une semaine, le service de la poste subit dans les départements de l'Ardèche, de la Drôme, de l'Isère et du Rhône une perturbation dont les habitants conserveront longtemps le souvenir !...

– Lyon-Perrache !

À ce cri d'un employé, Lavarède dut résigner ses fonctions. Tolinon le présenta au chef de gare qui le félicita chaudement. On ne connaissait pas encore les fantaisies de sa distribution. Les sous-chefs, inspecteurs, commissaires de surveillance tinrent à honneur de lui serrer la main.

Toute cette gloire ne l'empêchait pas de se retrouver sur le pavé. Mais il fit bonne contenance, confia à Tolinon qu'il se proposait d'entrer dans les postes, lui extorqua ainsi un certificat pour servir à « telles fins que de droit », et tira de son côté en grommelant :

– Grâce à la gratitude de cet imbécile, tout le personnel de Perrache me connaît. Rien à faire pour moi ici. Éloignons-nous. Allongeant le pas, il traversa la ville et gagna la campagne.

– Comme cela au moins, dit-il, je pourrai passer la nuit à la belle étoile sans risquer d'être arrêté par la police.

Tout en marchant il soliloquait :

– Voyons, récapitulons un peu ce que j'ai déjà été depuis quelques jours... De Livourne à Marseille, pécheur, caboteur et touriste... De Marseille à Lyon, chauffeur, peintre et postier... Qu'est-ce que l'avenir me réserve et que serai-je demain ?

Après un soupir, il conclut joyeusement :

– Bast ! Me voici presque à mi-chemin de Paris, c'est toujours cela de gagné ! *Avanti ! Adelante ! Worwärts ! Go head !* Je l'ai déjà dit en bien des langues... Maintenant en français : En avant !

XXX

À la course

La soirée était avancée que Lavarède marchait encore.

– Où suis-je ? se demanda-t-il, car il avait traversé plusieurs villages. À travers les volets de la salle basse d'un bâtiment rustique, une lumière filtrait, éclairant un poteau indicateur.

– Saint-Germain-au-Mont-D'or... Bon ! C'est bien la route de Paris... il s'agit de trouver un gîte pour cette nuit. Ceci a l'air d'une ferme importante. Frappons !

Le bruit d'une conversation animée cessa aussitôt. À la campagne, on est méfiant, et l'on n'aime pas surtout les mendiants, chemineaux, traîneurs de besace. Il se le rappela, rien qu'a la rude façon dont on lui répondit : « Qui va là ? ». Il se donna comme un fameux marcheur, un recordman, puisque les « records » sont à la mode.

– Le célèbre Lavarède, qui est allé de Dunkerque à Perpignan en dix jours !... eh bien, c'est moi !... Je reviens maintenant de Perpignan à Dunkerque... vous savez bien, tous les journaux ont parlé de cette course.

– Ah ! C'est vrai !... Je l'ai lu, dit un gars de la ferme.

Victor Hugo avait bien raison, on trouve toujours quelqu'un qui a vu et qui sait mieux que les autres. Et puis, il y a eu tant de records et de courses depuis quelque temps qu'on pouvait confondre ; et Armand y comptait bien un peu.

– Je viens simplement vous demander une botte de paille pour cette nuit, dans un coin d'étable.

– Ça ne se refuse jamais, ça.

– Oh ! Je paie toujours mes dépenses ; mais aujourd'hui je suis obligé de faire exception. Profitant de la presse, quand on m'attendait au passage à Lyon, un filou s'est glissé dans le public et m'a fait mon porte-monnaie. Je ne peux plus trouver de subsides qu'à Villefranche, au contrôle de la course à pied. Aussi je me contenterai d'un morceau de pain et d'un verre d'eau.

Demandé sur ce ton, le croûton de pain se transforma en une tranche de lard, une assiettée de choux et même... un délicieux petit fromage de chèvre du pays, le tout arrosé d'un franc vin clairet.

Le fermier et son fils avaient repris leur discussion. Ils parlaient du marché de Tonnerre, dans l'Yonne. Jean, le fils de l'agriculteur, devait y mener quatorze chevaux. Deux wagons complets.

– Je les embarquerai au chemin de fer, à 3h42 du matin, et je prendrai place dans l'un des véhicules.

Sept chevaux et un homme, on serait à l'aise.

Mais il prétendait qu'un garçon de ferme lui serait indispensable pour conduire les bêtes à la gare, tandis que le père soutenait qu'il n'avait besoin de personne.

– Voulez-vous que je vous mette d'accord, dit Lavarède entre deux bouchées ?

– Allez-y.

– J'accompagnerai monsieur Jean. Cela me fera commencer mon étape de bonne heure, et me procurera le plaisir de vous rendre un léger service en échange de votre hospitalité.

La proposition fut acceptée aussitôt, à la grande joie du Parisien dont le cerveau fertile venait d'imaginer un nouvel expédient.

Le 21 mars, à trois heures, le jeune homme quittait la ferme. Il guidait un groupe de sept chevaux. Jean menait les sept autres.

Le paysan s'étonna en constatant que son compagnon avait retourné son vêtement, de façon que la doublure fût en dehors. Il lui demanda la cause de ce déguisement. Le journaliste répondit gravement :

– Je n'aime pas attirer l'attention. Je remplis les fonctions de palefrenier, je dois avoir l'air d'en être un. Or, la doublure de flanelle à larges carreaux me donne l'aspect d'un cocher en corvée. Rien de plus naturel dès lors que de me voir embarquer des chevaux.

Jean fut surpris de ce scrupule de mise en scène ; sa face rougeaude prit une expression ahurie, mais il n'insista pas.

Lavarède s'acquitta de son rôle à merveille. Il surveilla l'embarquement des bêtes, installa le fils du fermier dans son wagon avec une sollicitude dont le garçon lui fut reconnaissant, et l'enferma soigneusement.

Cela fait, il promena autour de lui un regard circulaire. Les employés du chemin de fer ne s'occupaient pas de lui. Jean était du pays, connu de tous ; on n'avait aucune raison pour surveiller ses mouvements. L'instant était propice au voyageur, qui, d'un bond, s'élança dans le second wagon et se dissimula derrière les bottes de foin empilées dans un coin pour nourrir les animaux durant la route.

Il mettait à exécution le plan conçu la veille à la ferme.

Le coup de sifflet du départ retentit, un soupir de satisfaction lui répondit. Lentement le train s'ébranla. On était en route pour Tonnerre. Mais bien longue fut la journée !... Par bonheur, Armand s'était muni d'un solide « talon de pain » qui empêcha la faim de le talonner.

Villefranche, Mâcon, Chalon-sur-Saône, Chagny furent franchis sans difficulté, mais à Perrigny, prés de Dijon, le voyageur non déclaré faillit être surpris. Profitant de l'arrêt de deux heures, Jean vint renouveler la nourriture des chevaux. Heureusement l'obscurité était profonde déjà, sans cela il eût immanquablement découvert le journaliste tapi dans un angle du wagon.

On repartit. Fatigué, Lavarède s'étendit sur le plancher et s'endormit. Durant son sommeil, le train filait dépassant Dijon, puis Nuits-sous-Ravières.

Vers onze heures du matin, le 22 mars, il entrait en gare de Tonnerre.

Là, il fallait s'esquiver rapidement. Le jeune homme ouvrit la portière, regarda au dehors. Rien d'inquiétant n'était en vue. Il sauta sur le quai. Mais il jouait de malheur. À l'instant où ses pieds touchaient le sol, Jean quittait lui-même le wagon qui, depuis trente et une heures, lui servait de logis.

Reconnaître l'hôte de son père, se persuader que cet individu ne pouvait sortir d'un véhicule loué par lui sans les plus noirs desseins, fut pour sa défiance villageoise l'affaire d'une seconde. Et sans hésiter, d'une voix retentissante qui attira tous les employés, il hurla :

– Au voleur !

Lavarède eut un geste de rage. Ce niais allait ameuter le personnel contre lui. Il serait arrêté et alors...

Eh bien ! non, il ne serait pas dit qu'il échouerait au port, sans avoir tout mis en œuvre pour éviter ce malheur.

Comme des ressorts ses jarrets se détendirent et, à une allure éperdue de fauve traqué, il traversa la gare, la cour des marchandises et se trouva dans la ville.

À cent mètres en arrière, Jean entraînait les facteurs, les hommes d'équipe accourant, clamant :

– Au voleur ! Au voleur !

Une ruelle était en face du fugitif. La porte ouverte d'un jardinet contigu à la première maison le fit arrêter dans son élan.

– Dépister un ennemi est plus sûr que chercher à le gagner de vitesse, murmura le jeune homme.

Il entra dans le jardin, repoussa le battant derrière lui et attendit. Des semelles ferrées sonnèrent sur le pavé de la rue. Il respira. Ses adversaires dépassaient sa retraite.

– Je l'ai vu au tournant de la rue, là-bas, clama un employé.

Et toute la bande hurlant : au voleur, fila dans la direction indiquée. Armand se crut sauvé. Mais voici qu'un bruit léger le fit tressaillir. Une jeune fille était sortie de la maison.

Voyant un étranger dans son jardin, elle ne put réprimer un cri d'effroi. Le Parisien la dévisagea. C'était une gentille brunette au teint rosé. Sa camisole blanche, son jupon court et surtout le fer à repasser qu'elle tenait à la main, disaient sa profession : blanchisseuse.

Son parti fut vite pris. Il s'inclina respectueusement, se découvrit et de l'air le plus aimable :

– Mademoiselle, dit-il, ce jardin est merveilleux, on y voit même des fleurs animées.

Elle baissa les yeux, un vague sourire flottant sur ses lèvres très rouges. Le compliment l'avait rassurée.

– C'est un suppliant qui vous adresse la parole, continua Lavarède sans avancer d'un pas. Charmante, vous devez être bonne, et prendre en pitié un pauvre garçon que les fatalités de la politique ont enfermé chez vous.

– La politique, dit-elle avec une réelle stupéfaction ?...

– Oui, mademoiselle, ajouta-t-il avec un aplomb formidable.

Et il pensa à part lui :

– Mon Dieu ! Pourvu que cet enfant-là ne comprenne rien au jeu de nos institutions parlementaires !...

Il raconta une histoire invraisemblable :

« Compromis dans une conspiration qui avait pour but de renverser le ministère, on voulait l'arrêter pour avoir des papiers dangereux. Il s'était heureusement souvenu d'un gracieux visage entrevu un jour à la fête patronale de la ville et il venait lui demander asile jusqu'à la chute du jour. »

Heureusement, la fillette était naïve autant que d'âme poétique ; sauver un conspirateur d'aspect avenant lui parut héroïque ; au fond même elle était enchantée de jouer ce rôle de Providence, et ce ne fut qu'à la nuit close qu'elle lui permit de partir en lui souhaitant un bon voyage, après avoir constaté par écrit l'heure de son départ, sans trop comprendre pourquoi :

Sans encombre, Lavarède dépassa les dernières maisons de la ville et se trouva en rase campagne. À sa gauche, les signaux lumineux du chemin de fer guidaient sa marche. Il était certain de ne pas s'égarer en réglant son itinéraire sur les disques.

Et pourtant ce raisonnement, si logique en apparence, lui fit perdre sa route. Il ne s'aperçut pas qu'il quittait la ligne de Paris pour celle de Saint-Florentin à Troyes ; si bien qu'au matin, un paysan qu'il interrogea lui apprit qu'il avait fait une vingtaine de kilomètres en pure perte.

C'était désolant. La journée du 23 commençait. Et par suite de l'incident survenu à Tonnerre, le journaliste se rendait compte du danger de se présenter dans une gare. On pouvait avoir télégraphié dans la région. Son signalement, assurément fourni par M. Jean, était entre les mains des gendarmes. Il fallait compter surtout sur ses jambes.

Seulement les lieues inutilement parcourues dans la nuit provoquaient une certaine lourdeur des membres ambulatoires... Mais désespérer n'était pas « le genre » de Lavarède.

Courageusement, il poursuivit son étape. Un fermier auquel il réédita l'histoire d'un record à pied sans argent, lui offrit à déjeuner et certifia la chose. Un autre lui donna place dans sa charrette et le voitura près de quatre lieues.

À la nuit, le piéton harassé s'endormit dans une grange, après avoir dévoré un morceau de pain. La station de Joigny était proche.

Le jour venu, il se rendit dans cette ville et rôda autour de la gare. Mais un employé le regarda de travers.

– On dirait l'homme de Tonnerre, grommela-t-il.

Avant que le doute de l'agent se fût transformé en certitude, Armand jugea prudent de déguerpir. Il commençait à douter du succès. Le lendemain avant six heures du soir, il devait être à Paris, rue de Châteaudun, sous peine de perdre tout droit à l'héritage de son cousin. Et cent soixante kilomètres lui restaient à franchir.

Tout le jour, il marcha désespérément. Mais l'étape forcée de la veille pesait sur lui. La nécessité d'éviter les villes au moyen de longs détours ralentissait sa course.

Avec cela, pour toute nourriture, il ne prit qu'une jatte de lait et un croûton que lui octroya une paysanne.

À la nuit tombée, il était en vue de Sens ; mais ses genoux pliaient sous lui. Au coin d'un petit bois, deux hommes en blouse avaient allumé un feu. De leurs bissacs, posés à terre, ils tiraient des tranches de pain, charité des chaumières.

Le jeune homme vint à eux, se soutenant à peine.

– Je n'ai pas d'argent, leur dit-il, je suis las et j'ai faim.

– Assieds-toi et mange, répondit un des personnages d'une voix enrouée, nous sommes des « roulants ». On va de ville en ville pour avoir de l'ouvrage, on sait ce que c'est qu'avoir l'estomac vide. Voilà du pain et tout à l'heure, tu prendras ta part des pommes de terre qui cuisent sous la cendre et de la chopine de vin qu'est dans ma gourde.

Les pauvres gens partageaient ce qu'ils possédaient. Avec eux, Armand n'avait pas eu besoin d'imaginer un conte. Il lui avait suffi de prononcer ces mots :

– J'ai faim.

Tandis qu'il se livrait à ces réflexions philosophiques, tout en cassant une croûte, les deux hommes avaient repris leur conversation interrompue.

– Tu disais tout à l'heure que tu pariais pour Chapurzat ?

– Oui, je le disais : vingt sous qu'il arrive le premier.

– Tope là. Moi, je tiens pour Serront.

– Vingt sous !

– Vingt sous.

– Tiens, questionna le journaliste, vous pariez sur quoi donc ?

– Ben, sur la grande course de bicyclettes organisée par le *Petit Journal* entre Lyon et Paris, les coureurs partent ce soir de la place Bellecour.

Et après un silence, l'homme ajouta d'un air entendu :

– Il y a des champions sérieux. Serront a gagné la course de Brest et Chapurzat a battu le record de Hœlurs. Ça sera disputé.

Lavarède admira ce « roulant » si au fait du sport vélocipédique.

Mais les pommes de terre étaient cuites. Il reçut sa part, but un coup de vin et s'allongea par terre à côté de ses compagnons.

Il se réveilla frais et dispos. Les ouvriers furent ahuris, lorsqu'il les pria de certifier qu'ils lui avaient accordé l'hospitalité de la belle étoile ; mais il leur serra la main de si vigoureuse façon qu'ils le regardèrent s'éloigner sur la route de Sens en disant :

– Je ne sais pas ce que c'est, mais c'est un zig.

Armand filait d'un pas élastique vers la cité sénonaise. Il allait jouer son va-tout. Le soir même, à six heures, on l'attendrait chez maître Panabert, dont l'étude était distante de Sens d'environ trente lieues.

À tout prix il fallait se procurer un véhicule plus rapide que les jambes humaines. Il n'y avait plus à barguigner. Au risque d'être arrêté il prendrait le chemin de fer.

À neuf heures du matin, il atteignait Sens et se faisait indiquer l'emplacement de la gare. Renseigné, il se lança dans les rues de la ville. Tout à coup, un cri le cloua sur place :

– Monsieur Lavarède !

Il leva les yeux et demeura stupéfait. Mlle Pénélope Bouvreuil était devant lui. Plus sèche, plus anguleuse que jamais, la fille de l'usurier lui souriait.

– Ah ! reprit-elle, dire que depuis un an, j'attends votre retour ici.

– Vraiment ! fit Armand, pour dire quelque chose.

Il cherchait comment il pourrait se débarrasser de cette amante tenace.

– Si vous saviez comme j'ai été heureuse, quand papa m'a télégraphié de Messine. « J'arrive. Lavarède renonce au testament. » J'ai pensé aussitôt je puis l'épouser... faire son bonheur.

– Vous êtes bien aimable, fit machinalement le jeune homme.

– En vain mon père me répétait : « Ce monsieur Armand n'est pas un parti pour toi... ». Je sentais en moi-même qu'il se trompait. J'avais raison, puisque vous voici... vous êtes venu, enfin !

Le journaliste serrait les poings en écoutant ce discours :

– Et monsieur Bouvreuil ? demanda-t-il.

– Vous jouez de malheur ; il est parti pour Paris tout à l'heure. Je viens de l'accompagner à la gare ; il va chez le notaire, m'a-t-il dit... Mais cela ne fait rien. Venez à la maison. Il sera bien content de vous trouver à son retour, ce soir.

Câline, elle passait sa main sous le bras du jeune voyageur, qui au mot de « notaire » avait commencé de rager.

– Vous l'avez fait courir ce pauvre papa, ajouta la tendre Pénélope. Figurez-vous que le médecin l'a menacé d'une congestion s'il reprenait sans transition ses habitudes sédentaires d'autrefois. Il lui a prescrit un vigoureux exercice quotidien. Si bien qu'il a acheté une bicyclette et que tous les jours, il s'impose trois ou quatre heures de pédales.

– Sapristi, laissa échapper le voyageur !...

– Vous dites ?

Il changea incontinent de ton et de manières...

– Que je suis impardonnable. Je vous tiens debout au milieu de la rue. Acceptez mon bras, je vous prie, et conduisez-moi vers la maison où vous avez rêvé de me donner le bonheur.

Pénélope ne se fit pas répéter l'invitation. Sa main sèche agrippa le bras d'Armand et d'un pas rapide elle entraîna le futur de son choix. Les pieds de la jeune personne ne touchaient pas la terre.

Elle avait des ailes !

En quelques minutes on atteignit l'habitation Bouvreuil. Une coquette maison précédée d'une cour fermée par une grille ouvragée. À droite et à gauche se trouvaient l'écurie et la remise. Mlle Bouvreuil montra la première :

– C'est là qu'est le cheval de papa... sa bicyclette.

Elle riait de sa plaisanterie.

– Voyons le cheval, riposta gaiement Lavarède.

– Oh ! Il est très joli, nickelé, muni de « pneus », avec tous les derniers perfectionnements... Il est superbe.

Armand ouvrait la porte et, pour examiner le vélocipède, le tirait dans la cour.

– Et il se tient là-dessus ? fit-il après un moment.

– Très bien.

– Cela doit être horriblement difficile.

– Il paraît que non.

En parlant, le Parisien enfourchait le bicycle, mais l'appareil penchait à droite, à gauche, aussitôt qu'il tentait de poser les pieds sur les pédales. Pénélope s'esclaffait. Son amoureux prit une mine froissée.

– Ici, dans cette cour pavée, c'est impossible... Sur une route j'y arriverais.

– Essayez, la chaussée de la rue est en terre.

Armand sortit et recommença ses essais. Zigzaguant, manquant de tomber à chaque pas, il s'éloignait insensiblement. Et debout sur le trottoir, Pénélope se tenait les côtes.

Soudain elle demeure comme pétrifiée, la bouche ouverte. Parvenu à trente ou quarante mètres d'elle, son fiancé avait brusquement et solidement sauté en selle, la machine conservait son équilibre.

– Monsieur Lavarède, clama la fille du propriétaire !...

L'autre se retourna.

– Je vais rejoindre votre père, je vous renverrai le vélo ce soir par chemin de fer.

Sur ces mots, il se prit à « pédaler » avec un tel entrain qu'il disparut avant que l'abandonnée fut revenue de sa surprise.

Alors Armand commença une course folle. Penché sur le gouvernail, il allait tête baissée, sentant avec une sorte d'ivresse la route glisser sous ses roues. Il traversait les hameaux, les villages, sans un arrêt, sans un regard aux commères qui, du seuil des maisons, s'étonnaient de la fougue de ce cycliste.

À Champagny, il vint donner dans une troupe de vélocipédistes. Des exclamations se croisèrent, cris de surprise, en des inflexions ahuries.

Il n'y prit pas garde. Gagné par la griserie de la vitesse, il laissa le groupe en arrière, sans voir les gestes animés des promeneurs.

Mais en arrivant près de Montereau, Lavarède croisa un jeune homme monté sur une bicyclette et dont la culotte courte, le maillot, la petite casquette ronde disaient assez la passion pour le sport vélocipédique. Celui-ci eut aussi un « Ah ! » de stupeur. Mais, plus curieux que les précédents, il évolua et se lança à la poursuite du journaliste, qu'il rejoignit dans la ville.

– Comment ! c'est vous, déjà ? fit-il en marchant sur la même ligne.

Sans lever la tête, Armand répliqua :

– Oui, c'est moi.

– Bravo ! courage. Ils ne vous rattraperont jamais. Je vais télégraphier... Ça c'est tout à fait étonnant.

– Que va-t-il télégraphier ? bougonna le Parisien « pédalant » toujours.

Les kilomètres succédaient aux kilomètres. Par moment le jeune homme éprouvait des crampes dans les jambes.

Il ralentissait alors son allure et prêtait quelque attention au paysage forestier. Dans un de ces « repos relatifs », un poteau dressé sur un côté de la route, lui fournit cette indication.

– Fontainebleau, 1 kil. 200 m.

Devant lui, la chaussée s'étendait à travers bois, toute droite jusqu'aux premières maisons de la ville. Un mouvement bizarre se produisait là. Des gens allaient et venaient. En approchant, Armand constata qu'une table était dressée sur le trottoir.

Des messieurs, la boutonnière ornée d'un flot de rubans multicolores, se tenaient immobiles. Mais à l'arrivée du voyageur, ils se précipitèrent vers lui :

– Arrêtez-vous un instant.

– Je n'ai pas le temps.

– Vous prendrez bien un verre de champagne ?

– Cela volontiers.

Une flûte d'Ay mousseux lui rendit sa vigueur première. Il reprit sa course.

– Je ne comprends rien à ce qui se passe... mais qu'importe. Le champagne était bon.

À Melun, c'est autre chose : avec force politesses, on le supplie de prendre du chocolat. Il accepte encore, toujours sans s'expliquer ces gracieusetés.

Et ainsi, tout le long de la route, du thé, du cognac, des cordiaux.

– Ces gens sont fort aimables, mais le diable m'emporte si je comprends pourquoi ils s'intéressent tant à moi.

De lieue en lieue, des bicyclistes l'accompagnent, fendant l'air devant lui. Toute la France semble comprendre son désir d'atteindre Paris.

À quatre heures, il fait une entrée triomphale à Charenton, et là, déguste un excellent consommé agrémenté de boulettes de blanc de poulet.

– Ne vous trompez pas de chemin dans Paris, lui crie un cycliste.

Et il lui donne un itinéraire de rues aboutissant au *Petit Journal*.

– Juste à l'entrée de la rue de Châteaudun, pense Armand... Qui donc a dit à ce jeune homme que j'allais chez le notaire ?...

Presque à la même heure, sir Murlyton et miss Aurett suivaient la rue Lafayette à Paris, se rendant pour la cinquième fois de la journée, chez maître Panabert.

Leurs visites précédentes les avaient remplis d'inquiétude. Aucune nouvelle n'était parvenue au notaire, depuis la lettre datée de Livourne. Aussi le gentleman était-il grave et sa fille un peu triste.

Ils marchaient côte à côte, sans échanger une parole. Qu'auraient-ils dit ? Sinon que l'absence de leur ami leur paraissait inexplicable. Lui, si adroit, comment n'était-il pas encore arrivé, comment n'avait-il pas donné signe de vie ?...

À la hauteur de l'hôtel du *Petit Journal*, les Anglais furent arrêtés par la foule. On se pressait sur les trottoirs, on discutait. Les fenêtres de l'hôtel étaient garnies de curieux.

M. Figard, organisateur de la course vélocipédique de Lyon-Paris, se montrait partout. Tantôt à une croisée, tantôt dans la rue, il parlait avec de grands gestes. Tout en lui trahissait l'effarement.

– Non ! C'est invraisemblable, répondait-il aux nerveuses interrogations des badauds. Ce n'est pas possible !... Ils ont quitté Lyon hier soir, aucun ne saurait encore être si près de Paris... Il y a erreur ou fausse alerte.

Comme pour railler sa juste appréciation, sur l'immense écran disposé sur l'entablement du premier étage un garçon du journal appliquait une pancarte qui souleva les acclamations des assistants. Elle portait ces mots :

« Le premier est signalé à Charenton, on ne sait pas son nom. »

Sir Murlyton et Aurett s'éloignèrent en haussant les épaules. Ils ne se doutaient pas que tout ce bruit était provoqué par leur ami, monté sur la machine de Bouvreuil.

À l'étude de maître Panabert, ils ne virent pas Armand mais seulement le propriétaire radieux.

– J'ai voulu constater de visu, la défaite de « mon gendre », dit-il avec un sourire victorieux.

Depuis Messine, il lui appliquait de nouveau ce titre. En quittant l'hôtel de la Glorieuse Italie, où il s'était rendu pendant que le gentleman délivrait sa fille avec le concours des Malouins, l'usurier s'était rendu rue Capranica. Il y avait trouvé son complice, râlant, le crâne fracassé, et avait vite deviné la scène. Ne se souciant, ni de se trouver en présence de l'Anglais, ni d'avoir maille à partir avec la police, il avait abandonné José et était rentré en France. À Sens, il avait déclaré à Pénélope que le journaliste ne serait jamais envoyé en possession de son héritage, il en était persuadé lui-même ; mais le matin du 25 mars, une crainte mal définie l'avait saisi.

Le voyage de Paris en chemin de fer – une simple plaisanterie pour un homme arrivant de Chine – n'était pas pour l'arrêter. Il le fit. Aussi, dans le cabinet du notaire, Bouvreuil manifestait hautement sa joie.

– Quand je me suis mêlé de quelque chose, disait-il, gonflé de vanité, ça a toujours réussi. Je n'ai jamais fait une mauvaise affaire, moi.

Sans le saluer, le père et la fille s'assirent, attendant.

Cinq heures sonnèrent.

Et tout à coup un brouhaha monta de la rue. Dix secondes n'étaient pas écoulées que le timbre de l'entrée résonna. Des pas rapides frappèrent le plancher de l'étude. La porte du cabinet s'ouvrit et Lavarède couvert de poussière parut sur le seuil. Trois cris saluèrent son apparition.

– Lavarède !... Lui !... Ah !...

Le jeune homme eut un doux regard à l'adresse d'Aurett ; puis il s'approcha de maître Panabert.

– Ce jourd'hui, 25 mars, à cinq heures, c'est-à-dire en gagnant une heure sur le délai fixé par feu mon cousin Richard, j'ai accompli le tour du monde en ne dépensant que vingt-cinq centimes. Jusqu'à Messine, sir Murlyton, ici présent, me contrôlait ; à partir de ce point, voici des certificats qui établissent l'emploi de mon temps. Veuillez vérifier, maître Panabert. Un mot cependant. À Sens, ce matin, j'ai pris un vélocipède ; je n'ai aucun papier le prouvant, mais demain les journaux en parleront ; c'est, je crois, suffisant.

Puis, pendant que le notaire feuilletait les constatations, il se tourna vers l'usurier et, un peu narquois, bien que très poli :

– Mademoiselle Pénélope m'a prêté votre bicyclette. Elle est excellente. On me la garde en bas, vous pouvez la reprendre... Vous remercierez bien mademoiselle votre fille de ma part.

– Tout cela est parfaitement en règle, déclara le notaire ; mes compliments, monsieur, l'héritage est à vous... Un détail seulement, en votre absence, mon cher monsieur, des créanciers vous ont poursuivi. Votre concierge se souvenant de mon adresse est venue me consulter. Et moi, certain que vous voudrez bien me conserver votre clientèle, j'ai pris la liberté de faire porter ici tous les papiers timbrés, protêts, jugements, commandements, saisies, etc., afin de procéder au règlement dès votre retour.

Le journaliste se prit à rire.

– Je n'ai qu'un seul créancier, c'est monsieur Bouvreuil. Il avait racheté toutes les créances et les avait confiées à des huissiers divers, à ce que je vois.

– Dame ! vingt liasses au moins de papier timbré font une somme de frais de douze mille francs au moins.

– Vous remettrez le compte à monsieur… c'est lui qui règle cela, ainsi qu'en fait foi l'écriture que voici…

Il présentait la quittance complète et définitive remise par l'usurier près de Szegedin. Le père de Pénélope poussa un sourd grognement.

– Tout est liquidé, reprit joyeusement le jeune homme. Après les satisfactions d'amour-propre, donnons-en une à l'amour pur.

Et s'inclinant devant le gentleman :

– Mon cher ennemi, dit-il d'une voix émue, j'ai l'honneur de vous demander la main de mademoiselle votre fille.

– Et moi, mon cher ami, s'écria l'Anglais en le serrant dans ses bras j'ai le grand plaisir de vous l'accorder.

Aurett s'était levée, rougissante. Armand embrassa la blonde fille d'Albion.

– *All right* ! fit Murlyton, et maintenant que la question conjugale est traitée avec monsieur Lavarède, j'en ai une autre à régler avec monsieur Bouvreuil ici présent.

– Avec moi ? susurra le propriétaire d'un ton aimable.

– Avec vous-même, monsieur ; quand vous avez, à Messine, séquestré ma fille, j'ai juré de vous corriger la première fois que je vous rencontrerais.

– Me corriger ?

– Oui. Je tiens parole.

Et le poing de l'Anglais, lancé violemment en avant, frappa, avec un bruit mat, le visage de l'usurier. Décidément, ce jour-là, Bouvreuil n'avait pas fait une bonne affaire. C'est Lavarède qui l'avait faite en trouvant tout ensemble la fortune et le bonheur.

Milton Keynes UK
Ingram Content Group UK Ltd.
UKHW050845070923
428220UK00009B/304